Le manuel numérique enrichi pour l'élève

Pour apprendre, s'entraîner et réviser de façon efficace !

Exercices interactifs

Pour s'entraîner

QCM interactifs

Pour s'auto-évaluer

Fichiers logiciels

Pour résoudre des exercices

Le manuel en intégralité

Pour consulter son manuel en classe ou à la maison

Vidéos de cours

Pour bien comprendre une notion

Exercices supplémentaires

Pour s'entraîner
2 pages par chapitre

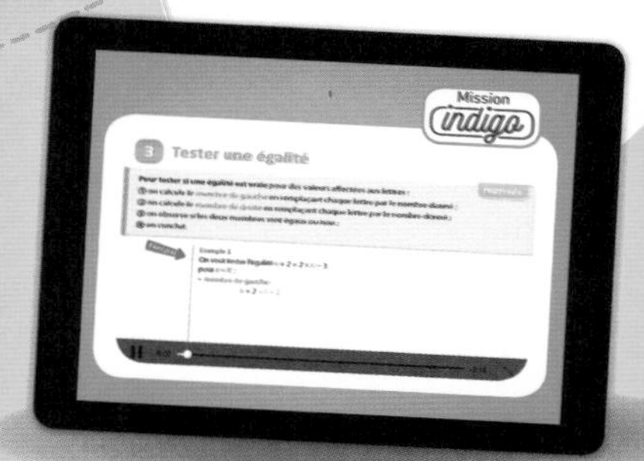

www.hachette-education.com
ISBN 978-2-01-395366-5

Sous la direction de Christophe BARNET

Helena BERGER
Nadine BILLA
Patricia DEMOULIN
Amaïa FLOUS
Benoît LAFARGUE
Marion LARRIEU
Aurélie LAULHERE
Marie-Christine LAYAN
Sandrine POLLET
Marion ROBERTOU
Florian RUDELLE
Agnès VILLATTES

hachette
ÉDUCATION
vous accompagne

Sommaire

Espace et géométrie

Algorithmique et programmation

Présentation du manuel

Une ouverture ludique pour présenter les notions mathématiques du chapitre

Une mascotte, le **robot**, donne l'objectif du chapitre

Un **jeu** pour se mettre « en appétit » et une information pour les curieux

Des **questions flash**, à faire à l'oral pour réactiver et évaluer les prérequis

Des **situations concrètes** pour remobiliser ou découvrir les notions

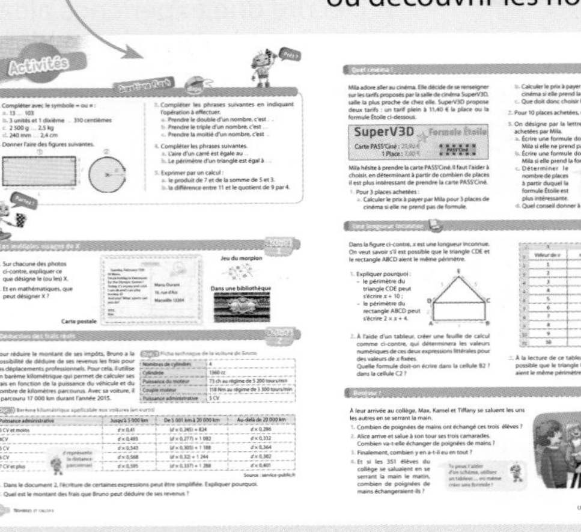

Un cours facile à comprendre et à utiliser

Vidéo de cours pour pratiquer la classe inversée

Des **exercices résolus** pour travailler en autonomie ou en remédiation

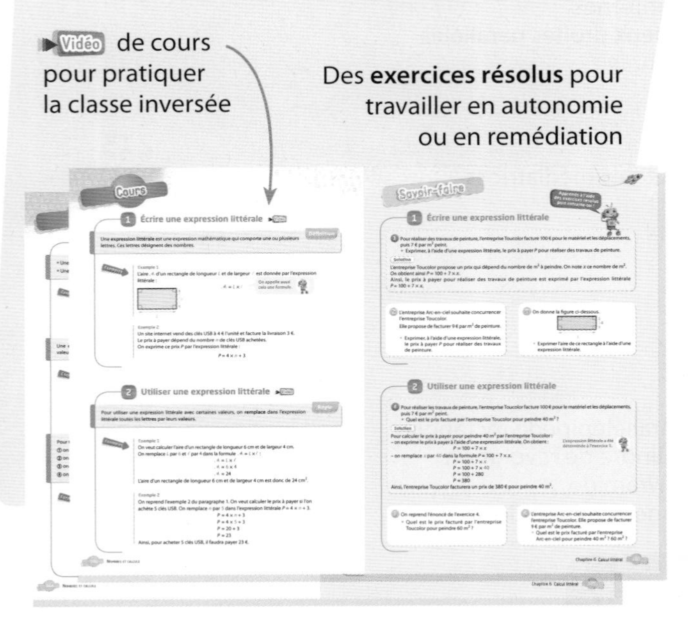

Une **double page d'exercices** pour acquérir les savoir-faire

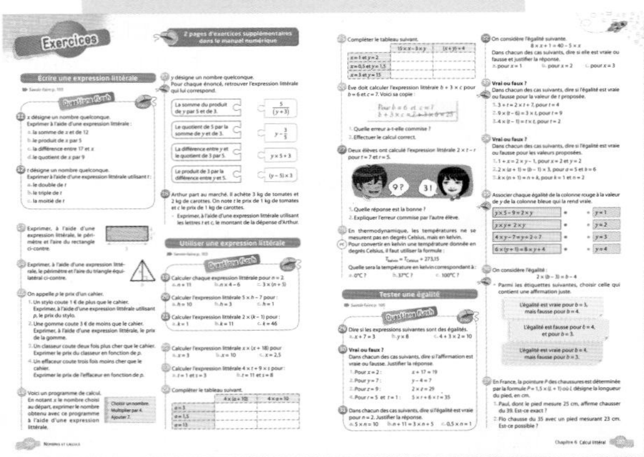

Une page **Faire le point** pour valider les acquis, avec un **QCM** et une **carte mentale** pour mémoriser le cours autrement

Une page **Algorithmique et outils numériques** avec :

- des exercices d'algorithmique et de programmation avec le logiciel Scratch
- des activités utilisant un tableur ou un logiciel de géométrie dynamique

4 pages de **problèmes** très variés et de difficulté graduée

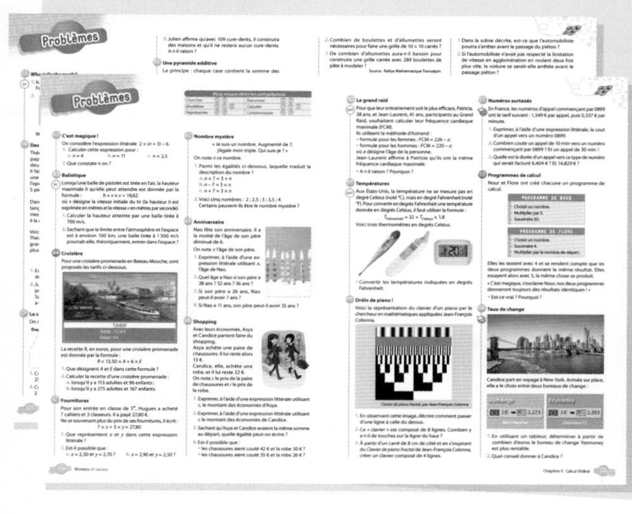

4 pages de **problèmes transversaux** en fin d'ouvrage faisant appel aux capacités de plusieurs chapitres

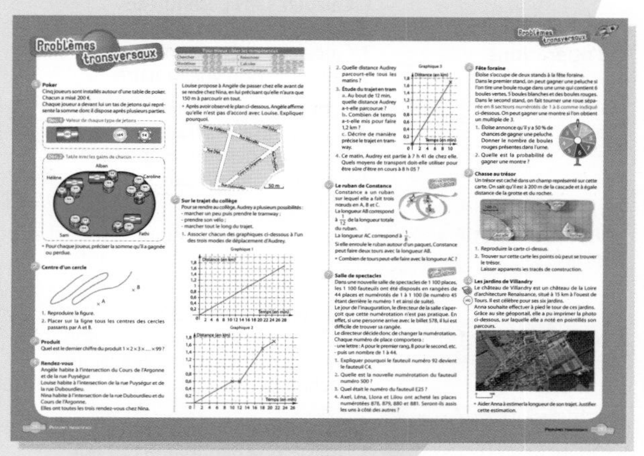

Un page pour **travailler autrement** et permettant la différenciation

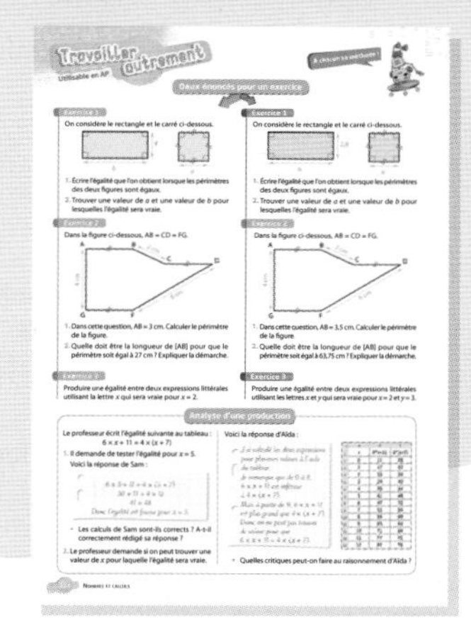

6 pages de propositions d'**EPI** sur des connaissances et des thématiques variées

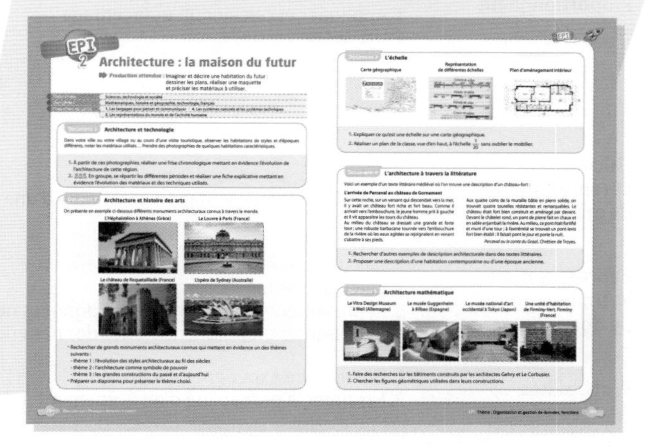

Les logos du manuel

Exercices interactifs

Travail avec un logiciel

Travail avec une calculatrice

Vidéos de cours dans le manuel numérique

Problèmes qui demandent de la prise d'initiative

Travail en groupe

Utilisable en accompagnement personnalisé

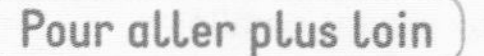

Problèmes qui font découvrir des notions qui vont au-delà des attendus de fin de cycle

Problèmes en lien avec d'autres disciplines :

- PEAC Parcours d'éducation artistique et culturelle
- CIT Parcours citoyen
- AV Parcours avenir
- EPS Éducation physique et sportive
- FR Français
- HG Histoire et géographie
- LV Langues vivantes
- PC Physique-Chimie
- SVT Sciences de la vie et de la Terre
- TECH Technologie

Progression de Mission indigo sur le cycle 4

5e		
Partie I – Nombres et calculs		
Nombres entiers	1. Déterminer les diviseurs d'un nombre entier 2. Utiliser des critères de divisibilité 3. Reconnaitre un nombre premier	**Nombres relatifs : opérations**
Enchainement d'opérations	1. Calculer sans parenthèses 2. Calculer avec des parenthèses 3. Calculer avec un quotient 4. Utiliser le bon vocabulaire	**Fractions : addition, soustraction et comparaison**
Fractions	1. Connaitre la notion de fraction 2. Reconnaitre des fractions égales 3. Comparer des fractions 4. Exprimer une proportion	**Fractions : multiplication et division**
Nombres relatifs : définition	1. Connaitre les nombres relatifs 2. Repérer un point sur une droite graduée 3. Comparer des nombres relatifs 4. Repérer un point dans le plan	**Puissances**
Nombres relatifs : opérations	1. Additionner des nombres relatifs 2. Reconnaitre deux nombres opposés 3. Soustraire deux nombres relatifs 4. Enchainer des additions et des soustractions de nombres relatifs	**Calcul littéral**
Calcul littéral	1. Écrire une expression littérale 2. Utiliser une expression littérale 3. Tester une égalité	**Équations et inéquations**
Partie II – Organisation et gestion de données, fonctions		
Proportionnalité	1. Reconnaitre une situation de proportionnalité 2. Calculer une quatrième proportionnelle 3. Appliquer et calculer un pourcentage 4. Utiliser une échelle	**Proportionnalité**
Calcul et représentation de grandeurs	1. Calculer des durées, des horaires 2. Exploiter la représentation graphique d'une grandeur	**Calcul et représentation de grandeurs**
Représentation et traitement de données	1. Calculer des effectifs et des fréquences 2. Calculer une moyenne 3. Représenter graphiquement des données numériques 4. Représenter graphiquement des données non numériques	**Représentation et traitement de données**
Probabilités	1. Décrire une expérience aléatoire 2. Exprimer la probabilité d'un évènement	**Probabilités**
Partie III – Espace et géométrie		
Construction et transformation de figures	1. Reconnaitre et utiliser la symétrie axiale 2. Reconnaitre et utiliser la symétrie centrale 3. Utiliser les propriétés de la symétrie centrale 4. Reconnaitre un axe ou un centre de symétrie	**Construction et transformation de figures**
Angles	1. Reconnaitre des angles alternes-internes 2. Déterminer un angle à l'aide de deux droites parallèles 3. Déterminer un angle dans un triangle 4. Reconnaitre des droites parallèles	**Triangles égaux, triangles semblables**
Triangles et cercles	1. Construire et utiliser des cercles et des médiatrices 2. Utiliser l'inégalité triangulaire 3. Connaitre les triangles particuliers	**Quadrilatères**
Quadrilatères	1. Construire un parallélogramme 2. Reconnaitre un parallélogramme	**Théorème de Pythagore**
Solides de l'espace	1. Reconnaitre et représenter un parallélépipède rectangle 2. Reconnaitre et représenter un cylindre de révolution 3. Reconnaitre et représenter une pyramide 4. Reconnaitre et représenter un cône de révolution	**Solides de l'espace**

Progression sur le cycle 4

4e		3e
	Partie I – Nombres et calculs	
1. Additionner et soustraire des nombres relatifs 2. Multiplier des nombres relatifs 3. Diviser deux nombres relatifs	**Nombres entiers**	1. Déterminer les diviseurs d'un nombre entier 2. Reconnaitre un nombre premier 3. Décomposer un entier en produit de facteurs premiers
1. Reconnaitre des fractions égales 2. Comparer des fractions 3. Additionner et soustraire des fractions	**Nombres relatifs**	1. Additionner et soustraire des nombres relatifs 2. Multiplier et diviser des nombres relatifs 3. Calculer la puissance d'un nombre
1. Multiplier des fractions 2. Calculer une fraction d'un nombre 3. Connaitre l'inverse d'un nombre 4. Diviser par une fraction	**Fractions**	1. Déterminer la forme irréductible d'une fraction 2. Additionner et soustraire des fractions 3. Multiplier des fractions 4. Diviser par une fraction
1. Calculer une puissance d'exposant positif 2. Calculer une puissance d'exposant négatif 3. Déterminer l'écriture scientifique d'un nombre		
1. Simplifier une expression littérale 2. Développer un produit 3. Factoriser une somme ou une différence	**Calcul littéral**	1. Simplifier une expression 2. Développer un produit avec la simple distributivité 3. Développer un produit avec la double distributivité 4. Factoriser une somme ou une différence
1. Connaitre la notion d'équation 2. Résoudre une équation 3. Modéliser une situation 4. Connaitre la notion d'inéquation	**Équations et inéquations**	1. Résoudre une équation 2. Résoudre une inéquation 3. Modéliser une situation
	Partie II – Organisation et gestion de données, fonctions	
1. Reconnaitre une situation de proportionnalité 2. Calculer une quatrième proportionnelle 3. Exploiter une représentation graphique 4. Utiliser des pourcentages	**Proportionnalité**	1. Reconnaitre une situation de proportionnalité 2. Calculer une quatrième proportionnelle 3. Utiliser des pourcentages
	Fonctions	1. Déterminer des images et des antécédents 2. Tracer la représentation graphique d'une fonction 3. Exploiter la représentation graphique d'une fonction
1. Utiliser des grandeurs quotients et des grandeurs produits 2. Exploiter la représentation graphique d'une grandeur 3. Représenter une grandeur en fonction d'une autre	**Fonctions affines**	1. Reconnaitre et utiliser une fonction affine 2. Déterminer les coefficients d'une fonction affine 3. Reconnaitre et utiliser une fonction linéaire 4. Modéliser une situation de proportionnalité par une fonction linéaire
1. Calculer et interpréter une moyenne 2. Calculer et interpréter une médiane, une étendue 3. Représenter graphiquement des données	**Représentation et traitement de données**	1. Calculer et interpréter une moyenne 2. Calculer et interpréter une médiane, une étendue 3. Représenter graphiquement des données
1. Modéliser une expérience aléatoire 2. Déterminer la probabilité d'un évènement 3. Utiliser des évènements incompatibles ou contraires	**Probabilités**	1. Modéliser une expérience aléatoire 2. Déterminer la probabilité d'un évènement 3. Construire et utiliser un arbre de probabilités
	Partie III – Espace et géométrie	
1. Transformer une figure par symétrie 2. Transformer une figure par translation 3. Transformer une figure par rotation 4. Analyser et construire des frises, des pavages et des rosaces	**Construction et transformation de figures**	1. Transformer une figure par symétrie, translation ou rotation 2. Transformer une figure par homothétie 3. Analyser et construire des frises, des pavages et des rosaces
1. Utiliser les propriétés des angles et des triangles 2. Reconnaitre des triangles égaux 3. Reconnaitre des triangles semblables	**Triangles et quadrilatères**	1. Utiliser les propriétés des angles et des triangles 2. Reconnaitre des triangles égaux et des triangles semblables 3. Reconnaitre un parallélogramme 4. Reconnaitre un parallélogramme particulier
1. Construire un parallélogramme 2. Reconnaitre un parallélogramme 3. Reconnaitre un parallalélogramme particulier	**Triangles rectangles : trigonométrie**	1. Utiliser l'égalité de Pythagore 2. Calculer des rapports trigonométriques 3. Utiliser des rapports trigonométriques
1. Calculer la longueur d'un côté dans un triangle rectangle 2. Calculer une racine carrée 3. Reconnaitre si un triangle est rectangle	**Théorème de Thalès**	1. Calculer des longueurs avec le théorème de Thalès 2. Reconnaitre des droites parallèles
1. Représenter des solides et calculer des volumes 2. Se repérer dans un parallélépipède rectangle 3. Reconnaitre et représenter une sphère 4. Se repérer sur une sphère	**Solides de l'espace**	1. Représenter des solides et calculer des volumes 2. Se repérer dans l'espace 3. Construire des sections planes de solides

Proposition de progressions 5e

PROGRESSION PAR CHAPITRE

Chapitre		16 Algorithmique et programmation
1	Nombres entiers	Activité 1 : À la découverte de Scratch
11	Construction et transformation de figures	
2	Enchainement d'opérations	Activité 2 : Des programmes de calcul
12	Angles	Activité 3 : Construction de figures
7	Proportionnalité	
3	Fractions	Activité 4 : Répétition générale
13	Triangles	Activité 5 : Un jeu de balle
4	Nombres relatifs : définition	
8	Calcul et représentation de grandeurs	Projet 1 : Jeu dans un labyrinthe
5	Nombres relatifs : opérations	
14	Quadrilatères	
9	Représentation et traitement de données	Projet 2 : Jeu de Pong
6	Calcul littéral	
15	Solides de l'espace	
10	Probabilités	Activité 6 : Expériences aléatoires

PROGRESSION SPIRALÉE

Séquence	Chapitres	Capacités étudiées	16 Algorithmique et programmation
1	1	Déterminer les diviseurs d'un nombre entier	Activité 1 : À la découverte de Scratch
	3	Connaitre la notion de fraction	
2	1	Utiliser des critères de divisibilité	
	3	Reconnaitre des fractions égales	
3	11	Reconnaitre et utiliser la symétrie axiale	Activité 2 : Des programmes de calcul
	13	Construire et utiliser des cercles et des médiatrices	
4	7	Reconnaitre une situation de proportionnalité Calculer une quatrième proportionnelle	
5	2	Calculer sans parenthèses Calculer avec parenthèses	Activité 3 : Construction de figures
6	11	Reconnaitre et utiliser la symétrie centrale	
	14	Construire un parallélogramme	
7	1	Reconnaitre un nombre premier	Activité 4 : Répétition générale
	2	Calculer avec un quotient Utiliser le bon vocabulaire	

PROGRESSION SPIRALÉE

Séquence	Chapitres	Capacités étudiées	16 Algorithmique et programmation
8	12	Reconnaitre des angles alternes-internes Déterminer un angle à l'aide de deux droites parallèles	
9	8	Calculer des durées, des horaires	**Activité 5 :** Un jeu de balle
	3	Comparer des fractions	
10	13	Connaitre les triangles particuliers	
	12	Déterminer un angle dans un triangle	
11	7	Utiliser des pourcentages	**Projet 1 :** Jeu dans un labyrinthe
	3	Exprimer une proportion	
12	11	Utiliser les propriétés de la symétrie centrale	
	14	Reconnaitre un parallélogramme	
13	9	Calculer des effectifs et des fréquences	
	10	Décrire une expérience aléatoire	
14	6	Écrire une expression littérale Utiliser une expression littérale	
15	15	Reconnaitre et représenter un parallélépipède rectangle Reconnaitre et représenter une pyramide	
	12	Reconnaitre des droites parallèles	
16	10	Exprimer la probabilité d'un évènement	
	7	Utiliser une échelle	
17	4	Connaitre les nombres relatifs Repérer un point sur une droite graduée Comparer les nombres relatifs Repérer un point dans le plan	**Activité 6 :** Expériences aléatoires
18	13	Utiliser l'inégalité triangulaire	
	11	Reconnaitre un axe ou un centre de symétrie	
19	5	Additionner des nombres relatifs Reconnaitre deux nombres opposés	**Projet 2 :** Jeu de Pong
20	8	Exploiter la représentation graphique d'une grandeur	
	9	Calculer et interpréter une moyenne	
21	15	Reconnaitre et représenter un cylindre de révolution Reconnaitre et représenter un cône de révolution	
22	5	Soustraire deux nombres relatifs Enchainer des additions et des soustractions de nombres relatifs	
	6	Tester une égalité	
23	9	Représenter graphiquement des données numériques Représenter graphiquement des données non numériques	

hèmes

Nombres et calculs	Organisation et gestion de données, fonctions	Espace et géométrie	Algorithmique et programmation

Objectifs des activités

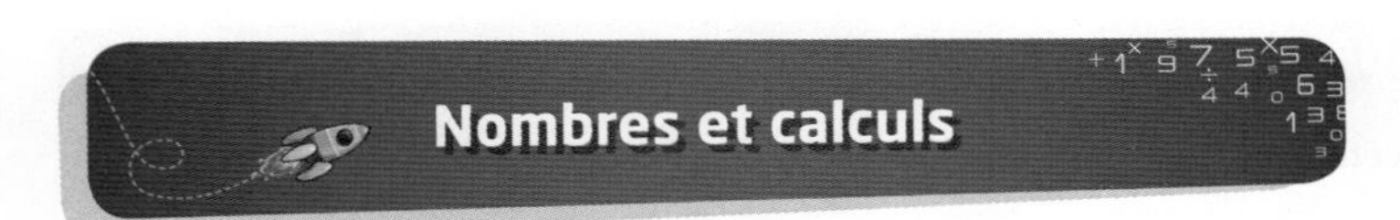

Nombres et calculs

1 Nombres entiers

Activité 1 Trouver tous les diviseurs d'un nombre entier, utiliser la division euclidienne
Activité 2 Revoir les notions de multiple et de diviseur
Activité 3 Revoir les critères de divisibilité
Activité 4 Découvrir la notion de nombre premier et le crible d'Eratosthène

2 Enchainement d'opérations

Activité 1 Enchainer des calculs avec des opérations de même « catégorie »
Activité 2 Découvrir les priorités opératoires
Activité 3 Écrire une expression avec des parenthèses ou sous forme de quotient
Activité 4 Écrire une expression en respectant les priorités et en utilisant des parenthèses
Activité 5 Utiliser un vocabulaire approprié pour décrire des calculs

3 Fractions

Activité 1 Définir la fraction comme un nombre
Activité 2 Établir les règles d'égalités de quotients, simplifier une fraction, diviser par un nombre décimal
Activité 3 Établir les règles de comparaison de fractions
Activité 4 Comparer une fraction à l'unité
Activité 5 Faire le lien entre proportion et pourcentage

4 Nombres relatifs : définition

Activité 1 Découvrir les nombres relatifs
Activité 2 Découvrir le repérage sur une droite graduée avec des abscisses positives
Activité 3 Se repérer sur une droite graduée avec des abscisses négatives et découvrir la règle de comparaison des nombres relatifs
Activité 4 Découvrir le repérage dans le plan
Activité 5 Savoir représenter des données dans un repère orthogonal

5 Nombres relatifs : opérations

Activité 1 Découvrir la somme de deux nombres relatifs et calculer une somme de plusieurs nombres relatifs
Activité 2 Découvrir la notion de nombres opposés
Activité 3 Découvrir la différence de deux nombres relatifs
Activité 4 Relier la distance sur une droite graduée et la différence de deux relatifs
Activité 5 Enchainer des additions et des soustractions de nombres relatifs

Organisation et gestion de données, fonctions

6 Calcul littéral

Activité 1 Réfléchir sur le statut de la lettre
Activité 2 Utiliser une expression littérale
Activité 3 Écrire et utiliser une expression littérale
Activité 4 Tester une égalité
Activité 5 Écrire une expression littérale

7 Proportionnalité

Activité 1 Reconnaitre une situation de proportionnalité
Activité 2 Calculer une quatrième proportionnelle
Activité 3 Calculer une quatrième proportionnelle
Activité 4 Utiliser une échelle
Activité 5 Appliquer un pourcentage

8 Calcul et représentation de grandeurs

Activité 1 Exploiter la représentation graphique d'une grandeur en fonction d'une autre
Activité 2 Calculer des horaires et des durées
Activité 3 Exploiter un graphique distance-temps

9 Représentation et traitement de données

Activité 1 Calculer des effectifs et des fréquences
Activité 2 Calculer et interpréter une moyenne
Activité 3 Représenter graphiquement des données numériques par un diagramme en bâtons et un histogramme
Activité 4 Représenter graphiquement des données non numériques par un diagramme circulaire

10 Probabilités

Activité 1 Remettre en cause l'idée qu'au bout de *n* répétitions de la même expérience à *n* issues, chacune des *n* issues possibles est obtenue
Activité 2 Remettre en cause l'idée que les dés ont de la « mémoire »
Activité 3 Remettre en cause l'idée que toutes les issues d'une expérience aléatoire sont équiprobables
Activité 4 Appréhender la notion de probabilité de façon qualitative
Activité 5 Découvrir la notion d'expérience aléatoire
Activité 6 Exprimer la probabilité d'un évènement avec un vocabulaire courant

Espace et géométrie

11 Construction et transformations de figures

Activité 1 Réinvestir les notions de symétrique d'une droite par rapport à une droite et de médiatrice d'un segment
Activité 2 Approcher de façon intuitive la symétrie centrale et la distinguer de la symétrie axiale
Activité 3 Situer le centre de symétrie d'une figure
Activité 4 Introduire des propriétés de la symétrie centrale : conservation de l'alignement et symétrique d'une droite
Activité 5 Introduire des propriétés de la symétrie centrale : conservation des longueurs et des angles
Activité 6 Découvrir le centre de symétrie d'une figure

12 Angles

Activité 1 Découvrir les angles alternes-internes
Activité 2 Découvrir la propriété des angles alternes-internes avec des droites parallèles
Activité 3 Découvrir et démontrer la somme des angles d'un triangle
Activité 4 Découvrir la réciproque de la propriété des angles alternes-internes

13 Triangles et cercles

Activité 1 Utiliser la définition d'un cercle
Activité 2 Utiliser la définition et la propriété d'équidistance de la médiatrice
Activité 3 Découvrir l'inégalité triangulaire
Activité 4 Reconnaitre des triangles particuliers

14 Quadrilatères

Activité 1 Retrouver la définition et les propriétés du parallélogramme
Retrouver la définition d'un rectangle et d'un losange
Activité 2 Construire un parallélogramme avec ou sans quadrillage
Activité 3 Découvrir la propriété « Si les diagonales d'un quadrilatère se coupent en leur milieu, alors c'est un parallélogramme. »
Activité 4 Découvrir la propriété « Si un quadrilatère a ses côtés opposés deux à deux de même longueur, alors c'est un parallélogramme. »

15 Solides de l'espace

Activité 1 Reconnaitre et représenter un parallélépipède rectangle et un prisme droit, calculer son volume
Reconnaitre et représenter un cylindre de révolution, calculer son volume
Activité 2 Reconnaitre et représenter une pyramide, calculer son volume
Activité 3 Reconnaitre et représenter un cône de révolution, calculer son volume

Programme officiel du cycle 4

B.O. spécial n° 11, 26 novembre 2015.

Le **programme de mathématiques** est rédigé pour l'ensemble du cycle. Les connaissances et compétences visées sont des attendus de la fin du cycle. Pour y parvenir, elles devront être travaillées de manière progressive et réinvesties sur toute la durée du cycle. [...] La mise en œuvre du programme doit permettre de développer les six compétences majeures de l'activité mathématique qui sont détaillées dans le tableau ci-après. Pour ce faire, une place importante doit être accordée à la résolution de problèmes, qu'ils soient internes aux mathématiques, ou liés à des situations issues de la vie quotidienne ou d'autres disciplines. [...]

Compétences travaillées
Chercher (domaines du socle : 2, 4) • Extraire d'un document les informations utiles, les reformuler, les organiser, les confronter à ses connaissances. • S'engager dans une démarche scientifique, observer, questionner, manipuler, expérimenter (sur une feuille de papier, avec des objets, à l'aide de logiciels), émettre des hypothèses, chercher des exemples ou des contre-exemples, simplifier ou particulariser une situation, émettre une conjecture. • Tester, essayer plusieurs pistes de résolution. • Décomposer un problème en sous-problèmes.
Modéliser (domaines du socle : 1, 2, 4) • Reconnaître des situations de proportionnalité et résoudre les problèmes correspondants. • Traduire en langage mathématique une situation réelle (par exemple, à l'aide d'équations, de fonctions, de configurations géométriques, d'outils statistiques). • Comprendre et utiliser une simulation numérique ou géométrique. • Valider ou invalider un modèle, comparer une situation à un modèle connu (par exemple un modèle aléatoire).
Représenter (domaines du socle : 1, 5) • Choisir et mettre en relation des cadres (numérique, algébrique, géométrique) adaptés pour traiter un problème ou pour étudier un objet mathématique. • Produire et utiliser plusieurs représentations des nombres. • Représenter des données sous forme d'une série statistique. • Utiliser, produire et mettre en relation des représentations de solides (par exemple, perspective ou vue de dessus/de dessous) et de situations spatiales (schémas, croquis, maquettes, patrons, figures géométriques, photographies, plans, cartes, courbes de niveau).
Raisonner (domaines du socle : 2, 3, 4) • Résoudre des problèmes impliquant des grandeurs variées (géométriques, physiques, économiques) : mobiliser les connaissances nécessaires, analyser et exploiter ses erreurs, mettre à l'essai plusieurs solutions. • Mener collectivement une investigation en sachant prendre en compte le point de vue d'autrui. • Démontrer : utiliser un raisonnement logique et des règles établies (propriétés, théorèmes, formules) pour parvenir à une conclusion. • Fonder et défendre ses jugements en s'appuyant sur des résultats établis et sur sa maîtrise de l'argumentation.
Calculer (domaine du socle : 4) • Calculer avec des nombres rationnels, de manière exacte ou approchée, en combinant de façon appropriée le calcul mental, le calcul posé et le calcul instrumenté (calculatrice ou logiciel). • Contrôler la vraisemblance de ses résultats, notamment en estimant des ordres de grandeur ou en utilisant des encadrements. • Calculer en utilisant le langage algébrique (lettres, symboles, etc.).
Communiquer (domaines du socle : 1, 3) • Faire le lien entre le langage naturel et le langage algébrique. Distinguer des spécificités du langage mathématique par rapport à la langue française. • Expliquer à l'oral ou à l'écrit (sa démarche, son raisonnement, un calcul, un protocole de construction géométrique, un algorithme), comprendre les explications d'un autre et argumenter dans l'échange. • Vérifier la validité d'une information et distinguer ce qui est objectif et ce qui est subjectif ; lire, interpréter, commenter, produire des tableaux, des graphiques, des diagrammes.

Thème A - Nombres et calculs

Attendus de fin de cycle

- Utiliser les nombres pour comparer, calculer et résoudre des problèmes.
- Comprendre et utiliser les notions de divisibilité et de nombres premiers.
- Utiliser le calcul littéral.

Connaissances et compétences associées	Exemples de situations, d'activités et de ressources pour l'élève
Utiliser les nombres pour comparer, calculer et résoudre des problèmes	
Utiliser diverses représentations d'un même nombre (écriture décimale ou fractionnaire, notation scientifique, repérage sur une droite graduée) ; passer d'une représentation à une autre. • Nombres décimaux. • Nombres rationnels (positifs ou négatifs), notion d'opposé. • Fractions, fractions irréductibles, cas particulier des fractions décimales. • Définition de la racine carrée ; les carrés parfaits entre 1 et 144. • Les préfixes de nano à giga.	Rencontrer diverses écritures dans des situations variées (par exemple nombres décimaux dans des situations de vie quotidienne, notation scientifique en physique, nombres relatifs pour mesurer des températures ou des altitudes). Relier fractions, proportions et pourcentages. Associer à des objets des ordres de grandeurs (par exemple, la taille d'un atome, d'une bactérie, d'une alvéole pulmonaire, la longueur de l'intestin, la capacité de stockage d'un disque dur, la vitesse du son et de la lumière, la population française et mondiale, la distance de la Terre à la Lune et au Soleil, la distance du Soleil à l'étoile la plus proche). Prendre conscience que certains nombres ne sont pas rationnels.

Connaissances et compétences associées	Exemples de situations, d'activités et de ressources pour l'élève
Comparer, ranger, encadrer des nombres rationnels. Repérer et placer un nombre rationnel sur une droite graduée. • Ordre sur les nombres rationnels en écriture décimale ou fractionnaire. • Égalité de fractions.	Montrer qu'il est toujours possible d'intercaler des rationnels entre deux rationnels donnés, contrairement au cas des entiers.
Pratiquer le calcul exact ou approché, mental, à la main ou instrumenté. Calculer avec des nombres relatifs, des fractions ou des nombres décimaux (somme, différence, produit, quotient). Vérifier la vraisemblance d'un résultat, notamment en estimant son ordre de grandeur. Effectuer des calculs numériques simples impliquant des puissances, notamment en utilisant la notation scientifique. • Définition des puissances d'un nombre (exposants entiers, positifs ou négatifs).	Pratiquer régulièrement le calcul mental ou à la main, et utiliser à bon escient la calculatrice ou un logiciel. Effectuer des calculs et des comparaisons pour traiter des problèmes (par exemple, comparer des consommations d'eau ou d'électricité, calculer un indice de masse corporelle pour évaluer un risque éventuel sur la santé, déterminer le nombre d'images pouvant être stockées sur une clé USB, calculer et comparer des taux de croissance démographique).
Comprendre et utiliser les notions de divisibilité et de nombres premiers	
Déterminer si un entier est ou n'est pas multiple ou diviseur d'un autre entier. Simplifier une fraction donnée pour la rendre irréductible. • Division euclidienne (quotient, reste). • Multiples et diviseurs. • Notion de nombres premiers.	Recourir à une décomposition en facteurs premiers dans des cas simples. Exploiter tableurs, calculatrices et logiciels, par exemple pour chercher les diviseurs d'un nombre ou déterminer si un nombre est premier. Démontrer des critères de divisibilité (par exemple par 2, 3, 5 ou 10, ou la preuve par 9. Étudier des problèmes d'engrenages (par exemple braquets d'un vélo, rapports de transmission d'une boîte de vitesses, horloge), de conjonction de phénomènes périodiques (par exemple éclipses ou alignements de planètes).
Utiliser le calcul littéral	
Mettre un problème en équation en vue de sa résolution. Développer et factoriser des expressions algébriques dans des cas très simples. Résoudre des équations ou des inéquations du premier degré. • Notions de variable, d'inconnue. Utiliser le calcul littéral pour prouver un résultat général, pour valider ou réfuter une conjecture.	Comprendre l'intérêt d'une écriture littérale en produisant et employant des formules liées aux grandeurs mesurables (en mathématiques ou dans d'autres disciplines). Tester sur des valeurs numériques une égalité littérale pour appréhender la notion d'équation. Étudier des problèmes qui se ramènent au premier degré (par exemple, en factorisant des équations produits simples à l'aide d'identités remarquables). Montrer des résultats généraux, par exemple que la somme de trois nombres consécutifs est divisible par 3.

Repères de progressivité

La maitrise des techniques opératoires et l'acquisition du sens des nombres et des opérations appréhendés au cycle 3 sont consolidées tout au long du cycle 4.

Les élèves rencontrent dès le début du cycle 4 le nombre relatif qui rend possible toutes les soustractions. Ils généralisent l'addition et la soustraction dans ce nouveau cadre et rencontrent la notion d'opposé. Puis ils passent au produit et au quotient, et, quand ces notions ont été bien installées, ils font le lien avec le calcul littéral.

Au cycle 3, les élèves ont rencontré des fractions simples sans leur donner le statut de nombre. Dès le début du cycle 4, les élèves construisent et mobilisent la fraction comme nombre qui rend toutes les divisions possibles. En 5e, les élèves calculent et comparent proportions et fréquences, justifient par un raisonnement l'égalité de deux quotients, reconnaissent un nombre rationnel. À partir de la 4e, ils sont conduits à additionner, soustraire, multiplier et diviser des quotients, à passer d'une représentation à une autre d'un nombre, à justifier qu'un nombre est ou non l'inverse d'un autre. Ils n'abordent la notion de fraction irréductible qu'en 3e.

La notion de racine carrée est introduite en lien avec le théorème de Pythagore ou l'agrandissement des surfaces. Les élèves connaissent quelques carrés parfaits, les utilisent pour encadrer des racines par des entiers et utilisent la calculatrice pour donner une valeur exacte ou approchée de la racine carrée d'un nombre positif.

Les puissances de 10 d'exposant entier positif sont manipulées dès la 4e, en lien avec les problèmes scientifiques ou technologiques. Les exposants négatifs sont introduits progressivement. Les puissances positives de base quelconque sont envisagées comme raccourci d'un produit.

Dès le début du cycle 4, les élèves comprennent l'intérêt d'utiliser une écriture littérale. Ils apprennent à tester une égalité en attribuant des valeurs numériques au nombre désigné par une lettre qui y figure. À partir de la 4e, ils rencontrent les notions de variables et d'inconnues, la factorisation, le développement et la réduction d'expressions algébriques. Ils commencent à résoudre, de façon exacte ou approchée, des problèmes du 1er degré à une inconnue et apprennent à modéliser une situation à l'aide d'une formule, d'une équation ou d'une inéquation. En 3e, ils résolvent algébriquement équations et inéquations du 1er degré, et mobilisent le calcul littéral pour démontrer. Ils font le lien entre forme algébrique et représentation graphique.

Thème B - Organisation et gestion de données, fonctions

Attendus de fin de cycle

- Interpréter, représenter et traiter des données.
- Comprendre et utiliser des notions élémentaires de probabilités.
- Résoudre des problèmes de proportionnalité.
- Comprendre et utiliser la notion de fonction.

Connaissances et compétences associées	Exemples de situations, d'activités et de ressources pour l'élève
Interpréter, représenter et traiter des données	
Recueillir des données, les organiser. Lire des données sous forme de données brutes, de tableau, de graphique. Calculer des effectifs, des fréquences. • Tableaux, représentations graphiques (diagrammes en bâtons, diagrammes circulaires, histogrammes). Calculer et interpréter des caractéristiques de position ou de dispersion d'une série statistique. • Indicateurs : moyenne, médiane, étendue.	Utiliser un tableur, un grapheur pour calculer des indicateurs et représenter graphiquement les données. Porter un regard critique sur des informations chiffrées, recueillies, par exemple, dans des articles de journaux ou sur des sites web. Organiser et traiter des résultats issus de mesures ou de calculs (par exemple, des données mises sur l'environnement numérique de travail par les élèves dans d'autres disciplines) ; questionner la pertinence de la façon dont les données sont collectées. Lire, interpréter ou construire un diagramme dans un contexte économique, social ou politique : résultats d'élections, données de veille sanitaire (par exemple consultations, hospitalisations, mortalité pour la grippe), données financières relatives aux ménages (par exemple impôts, salaires et revenus), données issues de l'étude d'un jeu, d'une œuvre d'art...
Comprendre et utiliser des notions élémentaires de probabilités	
Aborder les questions relatives au hasard à partir de problèmes simples. Calculer des probabilités dans des cas simples. • Notion de probabilité. • Quelques propriétés : la probabilité d'un événement est comprise entre 0 et 1 ; probabilité d'événements certains, impossibles, incompatibles, contraires.	Faire le lien entre fréquence et probabilité, en constatant matériellement le phénomène de stabilisation des fréquences ou en utilisant un tableur pour simuler une expérience aléatoire (à une ou à deux épreuves). Exprimer des probabilités sous diverses formes (décimale, fractionnaire, pourcentage). Calculer des probabilités dans un contexte simple (par exemple, évaluation des chances de gain dans un jeu et choix d'une stratégie).
Résoudre des problèmes de proportionnalité	
Reconnaitre une situation de proportionnalité ou de non-proportionnalité.	Étudier des relations entre deux grandeurs mesurables pour identifier si elles sont proportionnelles ou non ; ces relations peuvent être exprimées par : • des formules (par exemple la longueur d'un cercle ou l'aire d'un disque comme fonction du rayon, la loi d'Ohm exprimant la tension comme fonction de l'intensité) ; • des représentations graphiques (par exemple des nuages de points ou des courbes) ; • un tableau (dont des lignes ou des colonnes peuvent être proportionnelles ou non).
Résoudre des problèmes de recherche de quatrième proportionnelle. Résoudre des problèmes de pourcentage. • Coefficient de proportionnalité.	Compléter un tableau de proportionnalité en utilisant, par exemple, le produit en croix. Calculer et interpréter des proportions (notamment sous forme de pourcentages) sur des données économiques ou sociales ; appliquer des pourcentages (par exemple, taux de croissance, remise, solde, taux d'intérêt) à de telles données. Établir le fait que, par exemple, augmenter de 5 % c'est multiplier par 1,05 et diminuer de 5 % c'est multiplier par 0,95 ; proposer quelques applications (par exemple que l'on n'additionne pas les remises).
Comprendre et utiliser la notion de fonction	
Modéliser des phénomènes continus par une fonction. Résoudre des problèmes modélisés par des fonctions (équations, inéquations). • Dépendance d'une grandeur mesurable en fonction d'une autre. • Notion de variable mathématique. • Notion de fonction, d'antécédent et d'image. • Notations $f(x)$ et $x \mapsto f(x)$. • Cas particulier d'une fonction linéaire, d'une fonction affine.	Utiliser différents modes de représentation et passer de l'un à l'autre, par exemple en utilisant un tableur ou un grapheur. Lire et interpréter graphiquement les coefficients d'une fonction affine représentée par une droite. Étudier et commenter des exemples (fonction reliant la tension et l'intensité dans un circuit électrique, fonction reliant puissance et énergie, courbes de croissance dans un carnet de santé, tests d'effort, consommation de carburant d'un véhicule en fonction de la vitesse, production de céréales en fonction des surfaces ensemencées, liens entre unités anglo-saxonnes et françaises, impôts et fonctions affines par morceaux...). Faire le lien entre fonction linéaire et proportionnalité.

Repères de progressivité

Les caractéristiques de position d'une série statistique sont introduites dès le début du cycle. Les élèves rencontrent des caractéristiques de dispersion à partir de la 4e.

Les activités autour de la proportionnalité prolongent celles du cycle 3. Au fur et à mesure de l'avancement du cycle, les élèves diversifient les points de vue en utilisant les représentations graphiques et le calcul littéral. En 3e, les élèves sont en mesure de faire le lien entre proportionnalité, fonctions linéaires, théorème de Thalès et homothéties et peuvent choisir le mode de représentation le mieux adapté à la résolution d'un problème.

En 5e, la rencontre de relations de dépendance entre grandeurs mesurables, ainsi que leurs représentations graphiques, permet d'introduire la notion de fonction qui est stabilisée en 3e, avec le vocabulaire et les notations correspondantes.

Dès le début et tout au long du cycle 4 sont abordées des questions relatives au hasard, afin d'interroger les représentations initiales des élèves, en partant de situations issues de la vie quotidienne (jeux, achats, structures familiales, informations apportées par les médias, etc.), en suscitant des débats. On introduit et consolide ainsi petit à petit le vocabulaire lié aux notions élémentaires de probabilités (expérience aléatoire, issue, probabilité). Les élèves calculent des probabilités en s'appuyant sur des conditions de symétrie ou de régularité qui fondent le modèle équiprobable. Une fois ce vocabulaire consolidé, le lien avec les statistiques est mis en œuvre en simulant une expérience aléatoire, par exemple sur un tableur. À partir de la 4e, l'interprétation fréquentiste permet d'approcher une probabilité inconnue et de dépasser ainsi le modèle d'équiprobabilité mis en œuvre en 5e.

Thème C - Grandeurs et mesures

Attendus de fin de cycle

- Calculer avec des grandeurs mesurables ; exprimer les résultats dans les unités adaptées.
- Comprendre l'effet de quelques transformations sur des grandeurs géométriques.

Connaissances et compétences associées	Exemples de situations, d'activités et de ressources pour l'élève
Calculer avec des grandeurs mesurables ; exprimer les résultats dans les unités adaptées	
Mener des calculs impliquant des grandeurs mesurables, notamment des grandeurs composées, en conservant les unités. Vérifier la cohérence des résultats du point de vue des unités. • Notion de grandeur produit et de grandeur quotient. • Formule donnant le volume d'une pyramide, d'un cylindre, d'un cône ou d'une boule.	Identifier des grandeurs composées rencontrées en mathématiques ou dans d'autres disciplines (par exemple, aire, volume, vitesse, allure, débit, masse volumique, concentration, quantité d'information, densité de population, rendement d'un terrain). Commenter des documents authentiques (par exemple, factures d'eau ou d'électricité, bilan sanguin).
Comprendre l'effet de quelques transformations sur des grandeurs géométriques	
Comprendre l'effet d'un déplacement, d'un agrandissement ou d'une réduction sur les longueurs, les aires, les volumes ou les angles. • Notion de dimension et rapport avec les unités de mesure (m, m^2, m^3).	Utiliser un rapport de réduction ou d'agrandissement (architecture, maquettes), l'échelle d'une carte. Utiliser un système d'information géographique (cadastre, géoportail, etc.) pour déterminer une mesure de longueur ou d'aire ; comparer à une mesure faite directement à l'écran.

Repères de progressivité

Le travail sur les grandeurs mesurables et les unités de mesure, déjà entamé au cycle 3, est poursuivi tout au long du cycle 4, en prenant appui sur des contextes issus d'autres disciplines ou de la vie quotidienne. Les grandeurs produits et les grandeurs quotients sont introduites dès la 4e. L'effet d'un déplacement, d'un agrandissement ou d'une réduction sur les grandeurs géométriques est travaillé en 3e, en lien avec la proportionnalité, les fonctions linéaires et le théorème de Thalès.

Thème D - Espace et géométrie

Attendus de fin de cycle

- Représenter l'espace.
- Utiliser les notions de géométrie plane pour démontrer.

Connaissances et compétences associées	Exemples de situations, d'activités et de ressources pour l'élève
Représenter l'espace	
(Se) repérer sur une droite graduée, dans le plan muni d'un repère orthogonal, dans un parallélépipède rectangle ou sur une sphère. • Abscisse, ordonnée, altitude. • Latitude, longitude. Utiliser, produire et mettre en relation des représentations de solides et de situations spatiales. Développer sa vision de l'espace.	Repérer une position sur carte à partir de ses coordonnées géographiques. Mettre en relation diverses représentations de solides (par exemple, vue en perspective, vue de face, vue de dessus, vue en coupe) ou de situations spatiales (par exemple schémas, croquis, maquettes, patrons, figures géométriques). Utiliser des solides concrets (en carton par exemple) pour illustrer certaines propriétés. Utiliser un logiciel de géométrie pour visualiser des solides et leurs sections planes afin de développer la vision dans l'espace. Faire le lien avec les courbes de niveau sur une carte.

Connaissances et compétences associées	Exemples de situations, d'activités et de ressources pour l'élève
Utiliser les notions de géométrie plane pour démontrer	
Mettre en œuvre ou écrire un protocole de construction d'une figure géométrique. Coder une figure. Comprendre l'effet d'une translation, d'une symétrie (axiale et centrale), d'une rotation, d'une homothétie sur une figure.	Construire des frises, des pavages, des rosaces. Utiliser un logiciel de géométrie dynamique, notamment pour transformer une figure par translation, symétrie, rotation, homothétie. Faire le lien entre parallélisme et translation, cercle et rotation.
Résoudre des problèmes de géométrie plane, prouver un résultat général, valider ou réfuter une conjecture. • Position relative de deux droites dans le plan. • Caractérisation angulaire du parallélisme, angles alternes / internes. • Médiatrice d'un segment. • Triangle : somme des angles, inégalité triangulaire, cas d'égalité des triangles, triangles semblables, hauteurs, rapports trigonométriques dans le triangle rectangle (sinus, cosinus, tangente). • Parallélogramme : propriétés relatives aux côtés et aux diagonales. • Théorème de Thalès et réciproque. • Théorème de Pythagore et réciproque.	Distinguer un résultat de portée générale d'un cas particulier observé sur une figure. Faire le lien entre théorème de Thalès, homothétie et proportionnalité. Utiliser la trigonométrie du triangle rectangle pour calculer des longueurs ou des angles. Démontrer, par exemple, que des droites sont parallèles ou perpendiculaires, qu'un point est le milieu d'un segment, qu'une droite est la médiatrice d'un segment, qu'un quadrilatère est un parallélogramme, un rectangle, un losange ou un carré. Étudier comment les notions de la géométrie plane ont permis de déterminer des distances astronomiques (estimation du rayon de la Terre par Eratosthène, distance de la Terre à la Lune par Lalande et La Caille, etc.).

Repères de progressivité

Les problèmes de construction constituent un champ privilégié de l'activité géométrique tout au long du cycle 4. Ces problèmes, diversifiés dans leur nature et la connexion qu'ils entretiennent avec différents champs mathématiques, scientifiques, technologiques ou artistiques, sont abordés avec les instruments de tracé et de mesure. Dans la continuité du cycle 3, les élèves se familiarisent avec les fonctionnalités d'un logiciel de géométrie dynamique ou de programmation pour construire des figures.

La pratique des figures usuelles et de leurs propriétés, entamée au cycle 3, est poursuivie et enrichie dès le début et tout au long du cycle 4, permettant aux élèves de s'entraîner au raisonnement et de s'initier petit à petit à la démonstration.

Le théorème de Pythagore est introduit dès la 4e, et est réinvesti tout au long du cycle dans des situations variées du plan et de l'espace. Le théorème de Thalès est introduit en 3e, en liaison étroite avec la proportionnalité et l'homothétie, mais aussi les agrandissements et réductions.

La symétrie axiale a été introduite au cycle 3. La symétrie centrale est travaillée dès le début du cycle 4, en liaison avec le parallélogramme. Les translations, puis les rotations sont introduites en milieu de cycle, en liaison avec l'analyse ou la construction des frises, pavages et rosaces, mais sans définition formalisée en tant qu'applications ponctuelles. Une fois ces notions consolidées, les homothéties sont amenées en 3e, en lien avec les configurations de Thalès, la proportionnalité, les fonctions linéaires, les rapports d'agrandissement ou de réduction des grandeurs géométriques.

Thème E - Algorithmique et programmation

Attendus de fin de cycle

- Écrire, mettre au point et exécuter un programme simple.

Connaissances et compétences associées	Exemples de situations, d'activités et de ressources pour l'élève
Décomposer un problème en sous-problèmes afin de structurer un programme ; reconnaître des schémas. Écrire, mettre au point (tester, corriger) et exécuter un programme en réponse à un problème donné. Écrire un programme dans lequel des actions sont déclenchées par des événements extérieurs. Programmer des scripts se déroulant en parallèle. • Notions d'algorithme et de programme. • Notion de variable informatique. • Déclenchement d'une action par un événement, séquences d'instructions, boucles, instructions conditionnelles.	Jeux dans un labyrinthe, jeu de Pong, bataille navale, jeu de nim, tic tac toe. Réalisation de figure à l'aide d'un logiciel de programmation pour consolider les notions de longueur et d'angle. Initiation au chiffrement (Morse, chiffre de César, code ASCII...). Construction de tables de conjugaison, de pluriels, jeu du cadavre exquis... Calculs simples de calendrier. Calculs de répertoire (recherche, recherche inversée...). Calculs de fréquences d'apparition de chaque lettre dans un texte pour distinguer sa langue d'origine : français, anglais, italien, etc.

Repères de progressivité

En 5e, les élèves s'initient à la programmation événementielle. Progressivement, ils développent de nouvelles compétences, en programmant des actions en parallèle, en utilisant la notion de variable informatique, en découvrant les boucles et les instructions conditionnelles qui complètent les structures de contrôle liées aux événements.

CHAPITRE 1

Ta mission

Trouver les diviseurs et les multiples d'un nombre entier et reconnaitre un nombre premier.

Nombres entiers

Jeux

• Trouver le chemin dans ce labyrinthe. On ne peut avancer dans une case que si le nombre qu'elle contient est un multiple du nombre précédent.

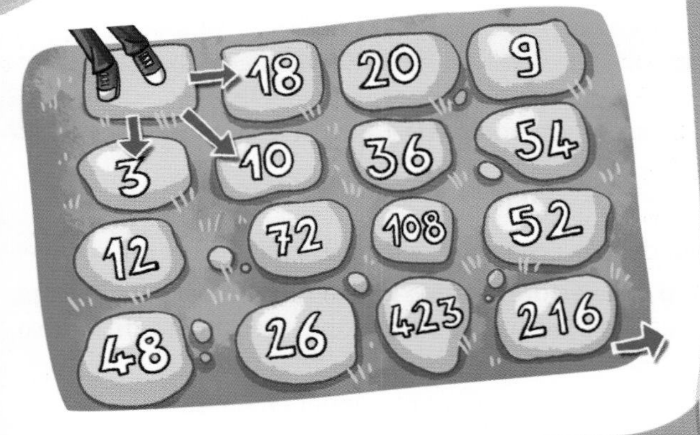

INFOS

Les os d'Ishango et les nombres premiers

Le géologue belge Jean de Heinzelin de Braucourt a découvert en 1950 des os datant de plus de 20 000 ans avant notre ère au bord du lac Édouard dans la région d'Ishango en République démocratique du Congo.

L'un de ces os pourrait comporter les plus anciennes représentations de nombres premiers connues à ce jour.

Questions flash

1. Parmi les nombres suivants, lesquels sont dans la table de multiplication de 5 ?
   21 ; 40 ; 28 ; 515
2. Poursuivre les suites logiques suivantes.
   a. 3 6 12 … …
   b. 5 10 15 … …
   c. 30 27 24 … …
   d. 4 6 8 … …
   e. 7 9 11 … …
   f. 90 80 70 … …
3. Trouver les nombres manquants dans les égalités suivantes.
   a. $6 \times … = 18$
   b. $5 \times … = 40$
   c. $63 \div … = 21$
   d. $48 \div … = 8$
4. Grâce à l'affichage de la calculatrice ci-dessous, compléter les pointillés des phrases suivantes.
   37⊢4 Q=9 R=1
   a. Dans la division euclidienne de 37 par 4, 9 est le … et 1 est le …
   b. $37 = … \times … + …$
   c. $4 \times … < 37 < 4 \times …$
5. Jean veut stoker 34 Go de données sur des clés USB de 16 Go.
   • Combien lui faut-il de clés USB ?
6. Siwan vient d'acheter 2 lots de 3 paquets de 100 feuilles.
   • De combien de feuilles dispose-t-il ?
7. Lucille a acheté 4 paquets de 10 gâteaux chacun. Elle décide de les partager équitablement entre ses 3 meilleurs amis. Elle mangera les gâteaux restants.
   • Combien de gâteaux mangera Lucille ?

Douche à l'italienne — Activité 1

M. Parmesure veut refaire le sol de sa douche à l'italienne de dimensions 144 cm sur 120 cm. Il souhaite y poser du carrelage carré dont la longueur du côté est un nombre entier de centimètres et de façon à ne faire aucune découpe.

1. Peut-il mettre des carrés de 5 cm de côté ?
2. Quelles sont toutes les dimensions possibles de ce carrelage ?
3. M. Parmesure a décidé d'acheter des carreaux de 3 cm de côté. Ces carreaux sont vendus par lots de 500 carreaux.
   a. Combien de lots doit-il acheter ?
   b. Combien lui restera-t-il de carreaux non utilisés ?

Le jeu de Juniper Green — Activité 2 — Prise d'initiative

Pour ce jeu, qui se joue à deux, on utilise une grille de 20 cases numérotées de 1 à 20 et les règles suivantes.

1	2	3	4	5
6	7	8	9	10
11	12	13	14	15
16	17	18	19	20

Règle 1 : chaque joueur, à tour de rôle, coche une case qui n'a pas encore été cochée.

Règle 2 : à l'exception du coup d'ouverture, chaque joueur ne peut cocher une case que si son numéro est un diviseur ou un multiple du numéro de la case cochée au coup précédent.

Règle 3 : un joueur perd la partie lorsqu'il ne peut plus jouer en utilisant les règles précédentes.

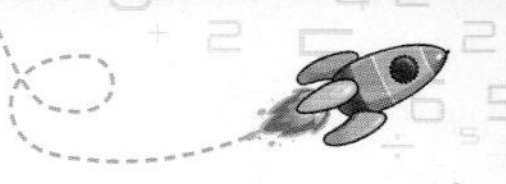

1. Le premier joueur démarre une nouvelle partie en cochant le 14. Le second joueur coche alors le 7 en se disant qu'il est sûr de gagner. A-t-il raison ?
2. Jouer à ce jeu avec un camarade.
3. Est-il possible de choisir au départ un nombre qui garantit au premier joueur de gagner ?

Le compte est bon

Activité 3

1. Comment reconnait-on si un nombre est divisible par 2, par 3, par 4, par 5, par 9 et par 10 sans utiliser la calculatrice ?
2. En suivant les règles du jeu ci-dessous et sans utiliser la calculatrice, trouver les nombres suivants.

120 ; 105 ; 270 ; 280

Règles du jeu

Le but du jeu est de retrouver le nombre donné à l'aide des règles énoncées.

À partir de neuf nombres :

Règle 1 Effectuer uniquement des multiplications pour trouver un résultat imposé.

Règle 2 Chaque nombre ne peut être utilisé qu'une seule fois.

Règle 3 On n'est pas tenu d'utiliser tous ces nombres.

Le crible d'Eratosthène

Activité 4

En mathématiques, un crible est une technique algorithmique permettant de donner une liste de nombres possédant certaines propriétés.

1	2	3	4	5	6	7	8	9	10
11	12	13	14	15	16	17	18	19	20
21	22	23	24	25	26	27	28	29	30
31	32	33	34	35	36	37	38	39	40
41	42	43	44	45	46	47	48	49	50
51	52	53	54	55	56	57	58	59	60
61	62	63	64	65	66	67	68	69	70
71	72	73	74	75	76	77	78	79	80
81	82	83	84	85	86	87	88	89	90
91	92	93	94	95	96	97	98	99	100

Ératosthène, astronome, philosophe et mathématicien grec du IIIe siècle av. J.-C.

1. Reproduire le tableau ci-dessus puis barrer le nombre 1.
2. Entourer le 2, premier nombre non barré, puis barrer tous les multiples de 2 autres que 2.
3. Entourer le premier nombre ni entouré ni barré, puis barrer tous ses multiples autres que lui-même.
4. Répéter la consigne de la question précédente jusqu'à avoir barré ou entouré tous les nombres.
5. Quelle particularité possèdent les vingt-cinq nombres entourés ?

On lit ce tableau de la gauche vers la droite

1 Déterminer les diviseurs d'un nombre entier

Définition

Un **entier naturel** est un nombre entier positif ou nul.

Définition

Effectuer la **division euclidienne** d'un nombre entier a par un nombre entier b différent de 0, c'est trouver deux nombres entiers naturels q et r tels que :

$$a = b \times q + r \quad \text{avec} \quad r < b$$

a s'appelle le **dividende**, b le **diviseur**, q le **quotient** et r le **reste**.

La division euclidienne de 377 par 12

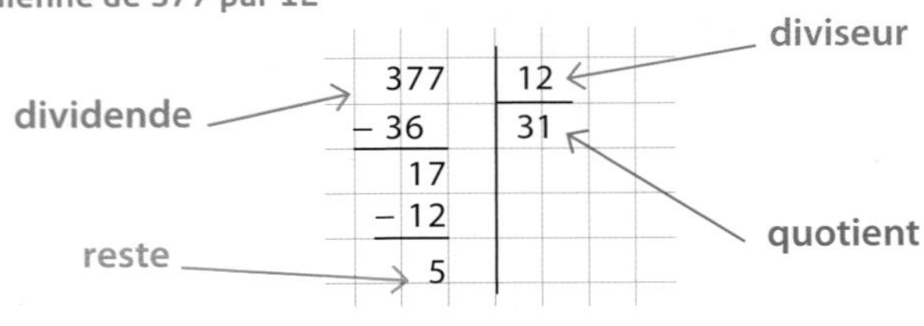

On écrit alors : $377 = 12 \times 31 + 5$ avec $5 < 12$

Définition

a et b désignent deux nombres entiers positifs ($b \neq 0$).

Lorsque la division euclidienne de a par b donne un **reste nul**, on dit que :

- a est un **multiple de** b
- b est un **diviseur de** a
- a est **divisible par** b

Exemple 1

La division euclidienne de 85 par 17 donne $85 = 17 \times 5 + 0$, le reste est nul.

On dit que :
- 85 est un multiple de 17 et de 5.
- 5 et 17 sont des diviseurs de 85.
- 85 est divisible par 17 et par 5.

Exemple 2

- 20 est un multiple de 1 ; 2 ; 4 ; 5 ; 10 et 20.
- On peut aussi dire que 1 ; 2 ; 4 ; 5 ; 10 et 20 sont des diviseurs de 20.

On dit aussi que 20 est divisible par 1 ; 2 ; 4 ; 5 ; 10 et 20.

- Zéro ne divise aucun nombre.
- Tout nombre est un multiple de 1.
- Tout nombre entier est divisible par 1 et par lui-même.
- Certaines calculatrices disposent d'une fonction « division euclidienne ».

Pour la Casio fx-92 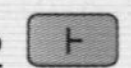 Pour la TI collège 

Savoir-faire

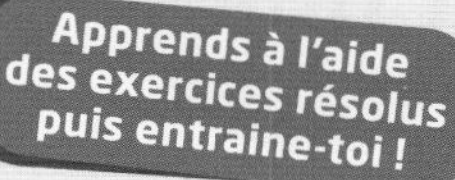
Apprends à l'aide des exercices résolus puis entraine-toi !

1 Déterminer les diviseurs d'un nombre entier

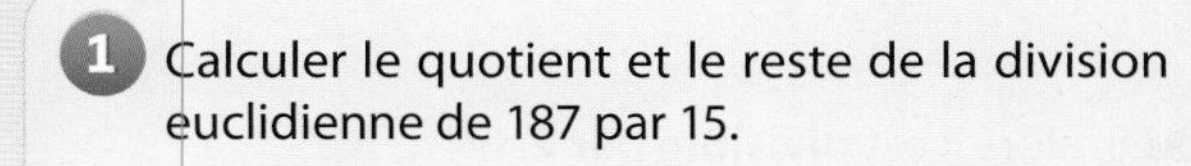

1 Calculer le quotient et le reste de la division euclidienne de 187 par 15.

Solution

On pose la division :

187	15
− 15	12
37	
− 30	
7	

Tu n'es pas obligé de poser les soustractions. Tu peux faire les calculs de tête et poser :

187	15
37	12
7	

On peut donc écrire la division euclidienne de 187 par 15.

$187 = 15 \times 12 + 7$ avec $7 < 15$

N'oublie pas de vérifier que le reste est plus petit que le diviseur.

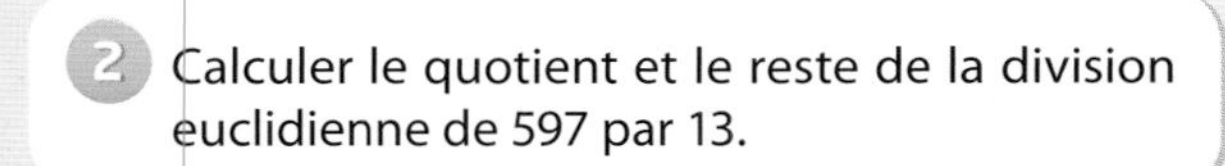

2 Calculer le quotient et le reste de la division euclidienne de 597 par 13.

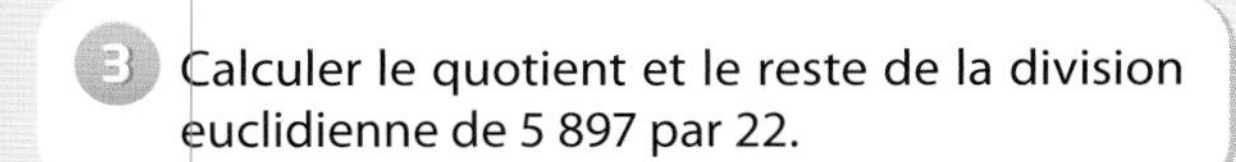

3 Calculer le quotient et le reste de la division euclidienne de 5 897 par 22.

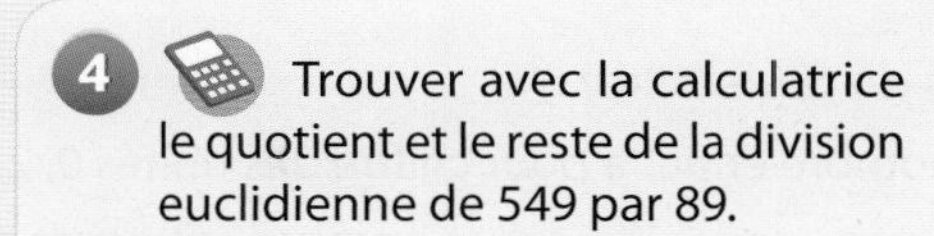

4 Trouver avec la calculatrice le quotient et le reste de la division euclidienne de 549 par 89.

Solution

On tape

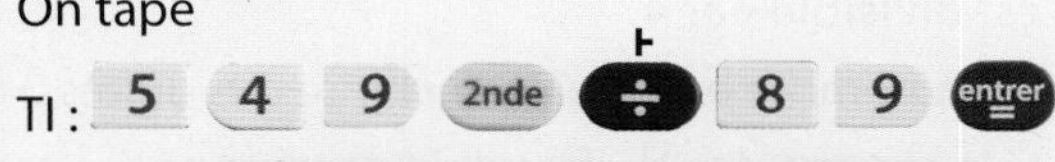

TI : 5 4 9 2nde ÷ 8 9 entrer

Casio : 5 4 9 ⊢ 8 9 EXE

L'écran affiche :

549⊢89 Q=6 R=15

Le quotient de la division euclidienne de 549 par 89 est 6 et le reste est 15.

On peut donc écrire la division euclidienne de 549 par 89 : $549 = 89 \times 6 + 15$

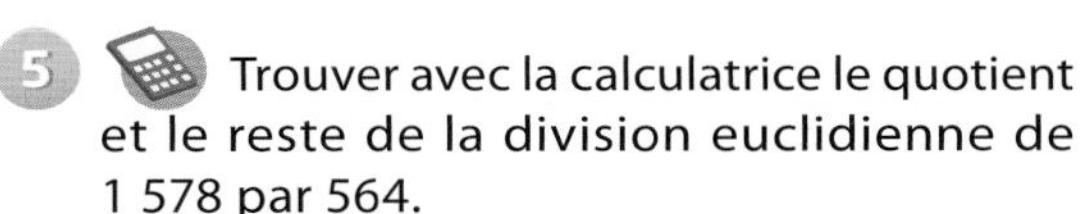

5 Trouver avec la calculatrice le quotient et le reste de la division euclidienne de 1 578 par 564.

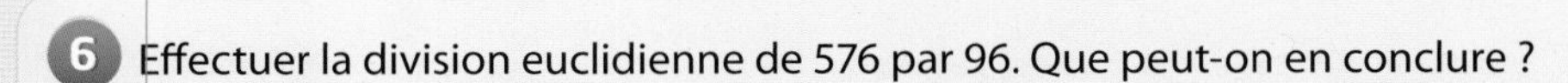

6 Effectuer la division euclidienne de 576 par 96. Que peut-on en conclure ?

Solution

On pose d'abord la division :

576	96
− 576	6
0	

Conclusion : le reste est zéro donc 96 est un diviseur de 576.

On peut dire aussi que 576 est un multiple de 96.

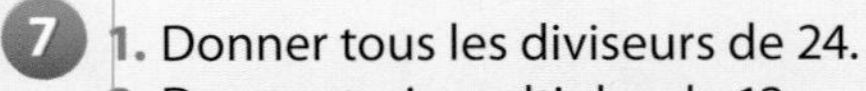

7 **1.** Donner tous les diviseurs de 24.
2. Donner trois multiples de 12.

Solution

1. Si un nombre est un diviseur de 24, le reste de la division euclidienne de 24 par ce nombre est zéro.

- Tout nombre entier est divisible par 1 et par lui-même donc 1 et 24 sont des diviseurs de 24.
- On sait que $24 = 2 \times 12$ donc 2 est un diviseur de 24 mais 12 est également un diviseur de 24.
- $24 = 3 \times 8$ donc 3 et 8 sont des diviseurs de 24.
- $24 = 4 \times 6$ donc 4 et 6 sont des diviseurs de 24.
- $24 = 5 \times \ldots$ est impossible avec un nombre entier donc 5 n'est pas un diviseur de 24.
- En conclusion, les diviseurs de 24 sont :
  1, 2, 3, 4, 6, 8, 12, 24

2. Pour obtenir un multiple de 12, il suffit de le multiplier par un nombre.

On a donc : $36 = 12 \times \mathbf{3}$; $48 = 12 \times \mathbf{4}$; $120 = 12 \times \mathbf{10}$ …

Il en existe une infinité !

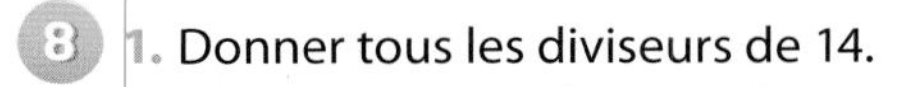

8 **1.** Donner tous les diviseurs de 14.
2. Donner cinq multiples de 6.

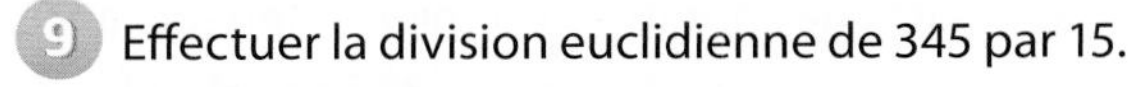

9 Effectuer la division euclidienne de 345 par 15.

- Que peut-on en conclure ?

2 Utiliser des critères de divisibilité

Propriétés

Critères de divisibilité

- Si un nombre entier a pour chiffre des unités 0, 2, 4, 6 ou 8, alors il est **divisible par 2.**
- Si la somme des chiffres d'un nombre entier est divisible par 3, alors ce nombre est **divisible par 3.**
- Si les deux derniers chiffres d'un nombre entier forment un nombre divisible par 4, alors ce nombre est **divisible par 4.**
- Si un nombre entier a pour chiffre des unités 0 ou 5, alors il est **divisible par 5.**
- Si la somme des chiffres d'un nombre entier est divisible par 9, alors ce nombre est **divisible par 9.**
- Si un nombre entier a pour chiffre des unités 0, alors il est **divisible par 10.**

- 138 est divisible par 2 car son chiffre des unités est 8, c'est un nombre pair.
- 186 est divisible par 3 car la somme de ses chiffres est égale à 15, qui est divisible par 3.
- 5 436 est divisible par 4 car 36 est divisible par 4.
- 175 est divisible par 5 car son chiffre des unités est 5.
- 936 est divisible par 9 car la somme de ses chiffres est égale à 18, qui est divisible par 9.
- 220 est divisible par 10 car son chiffre des unités est 0.

3 Reconnaitre un nombre premier

Définition

Un **nombre premier** est un nombre entier positif qui admet exactement deux diviseurs : 1 et lui-même.

- 6 n'est pas un nombre premier : il admet 2 et 3 comme diviseurs.
- 7 est un nombre premier : il n'est divisible que par 1 et par 7.

- **0 n'est pas premier** car il possède une infinité de diviseurs.
- **1 n'est pas premier** car il possède un seul diviseur : lui-même.
- **2 est le seul nombre premier pair** car tous les nombres pairs sont divisibles par 2.

Propriété

- Il existe une infinité de nombres premiers.
- Liste des nombres premiers inférieurs à 50 :

2, 3, 5, 7, 11, 13, 17, 19, 23, 29, 31, 37, 41, 43, 47

Savoir-faire

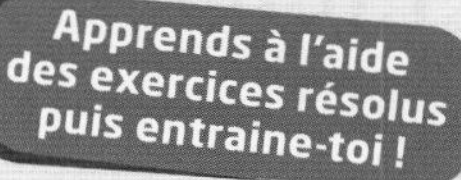
Apprends à l'aide
des exercices résolus
puis entraine-toi !

2 Utiliser des critères de divisibilité

10 Le nombre 2 781 est-il divisible par 2, 3, 5 ou 9 ?

Solution

- Le nombre 2 781 n'est pas pair, donc il n'est pas divisible par 2.
- Pour savoir s'il est divisible par 3 et 9, on additionne tous ses chiffres : $2 + 7 + 8 + 1 = 18$.
  18 est divisible par 3 et par 9 donc 2 781 est divible par 3 et 9.
- 2 781 ne se termine ni par 0 ni par 5, donc il n'est pas divisible par 5.
- En conclusion, 2 781 est divisible par 3 et par 9.

11 Le nombre 3 210 est-il divisible par 2, 4 ou 10 ?

Solution

- Le nombre 3 210 se termine par 0, il est donc divisible par 2 et par 10.
- 10 n'est pas divisible par 4 donc 3 210 n'est pas divisible par 4.
- En conclusion, 3 210 est divisible par 2 et par 10.

12 Recopier et compléter le tableau suivant en répondant par oui ou par non.

est divisible par ↷	2	3	4	5	9	10
165						
639						
250						
6 732						

3 Reconnaitre un nombre premier

13 Le nombre 567 est-il premier ?

Solution

On cherche si 567 admet d'autres diviseurs que 1 et lui-même. On utilise d'abord les critères de divisibilité.

- 567 est impair donc il n'est pas divisible par 2.
- Il ne se termine pas par 0 ou 5 donc il n'est pas divisible par 5.
- On cherche si 567 est divisible par 3. Pour cela, on calcule la somme de ses chiffres : $5 + 6 + 7 = 18$.
  La somme des chiffres de 567 est divisible par 3 donc 567 est divisible par 3.
  On peut conclure que 567 n'est pas un nombre premier.

14 Le nombre 59 est-il premier ?

Solution

On cherche si 59 admet d'autres diviseurs que 1 et lui-même. On utilise d'abord les critères de divisibilité.

- 59 n'est pas pair donc 59 n'est pas divisible par 2. Il n'est même divisible par aucun nombre pair.

  Si 59 était divisible par un nombre pair, alors 59 serait un multiple de 2 et serait divisible par 2.

- La somme des chiffres de 59 est égale à 14 qui n'est pas divisible par 3. Donc 59 n'est pas divisible par 3.
- 59 ne se termine pas par 0 ou par 5 donc 59 n'est pas divisible par 5.
- On effectue la division euclidienne de 59 par 7 : $59 = 7 \times 8 + 3$. Le reste n'est pas nul donc 59 n'est pas divisible par 7.
- On continue de la même façon jusqu'à ce qu'on ait montré que 59 n'admet aucun autre diviseur que 1 et lui-même.

  Pour aller plus vite, on peut se contenter de tester la divisibilité de 59 par tous les nombres premiers inférieurs à la moitié de 59, c'est-à-dire 2 ; 3 ; 5 ; 7 ; 11 ; 13 ; 17 ; 19 ; 23 et 29.

- En conclusion, 59 est un nombre premier.

15 1. 209 est-il un nombre premier ? 2. 97 est-il un nombre premier ? 3. 6 921 est-il un nombre premier ?

Exercices

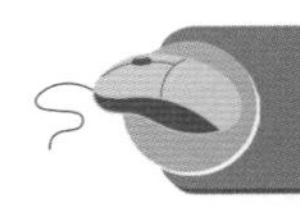

2 pages d'exercices supplémentaires dans le manuel numérique

Déterminer les diviseurs d'un nombre entier

➡ Savoir-faire p. 21

Questions flash

diapo

16 **Vrai ou faux ?**
Dire si les affirmations suivantes sont vraies ou fausses.
1. 56 est un multiple de 8.
2. 0 est un diviseur de 16.
3. 5 divise 20.
4. 1 est un multiple de 9.
5. 48 est divisible par 2.
6. 26 est un multiple de 4.

17 Compléter les phrases suivantes par les nombres qui conviennent.
1. … est à la fois un multiple et un diviseur de 25.
2. … est un multiple de tous les nombres.
3. … est un diviseur de tous les nombres.
4. … et … sont les diviseurs de 7.
5. … est le plus petit multiple de 2 et 9.

18 Donner le quotient et le reste de la division euclidienne de :
a. 23 par 3
b. 41 par 6
c. 30 par 5
d. 52 par 9

19 Recopier et compléter les phrases suivantes par les mots « multiple » ou « diviseur ».
1. 0 est un … de 1.
2. 80 est un … de 80.
3. 9 est un … de 72.
4. 42 est un … de 14.
5. 1 est un … de 17.
6. 13 est un … de 39.
7. 24 est un … de 3.
8. 45 est un … de 5.

20 1. Trouver tous les multiples de 6 compris entre 19 et 32.
2. Trouver tous les diviseurs de 18 ; 20 ; 54 ; 196.

21 Trouver le plus grand multiple de 46 inférieur à 300.

22 Maximilien affirme « 72 a exactement 10 diviseurs ». A-t-il raison ?

23 1. Trouver trois nombres ayant exactement 3 diviseurs.
2. Trouver trois nombres ayant exactement 4 diviseurs.

24 1. Trouver le plus petit nombre divisible à la fois par 2 ; 3 et 5.
2. Trouver le plus petit nombre divisible à la fois par 4 et 10.

25 Trouver tous les diviseurs communs à 24 et 42.

26 1. Écrire les dix plus petits multiples de 10.
2. Écrire les dix plus petits multiples de 12.
3. Quel est le plus petit multiple commun non nul à 10 et 12 ?

Le plus petit multiple commun non nul de deux nombres (ici, de 10 et 12) est appelé le PPCM.

27 1. Trouver tous les diviseurs communs à 24 et 60.
2. Quel est le plus grand diviseur commun à ces deux nombres ?

Le plus grand diviseur commun de deux nombres (ici, de 24 et 60) est appelé le PGCD.

28 À la question « Effectuer la division euclidienne de 60 par 8 », quatre élèves ont proposé des réponses différentes.

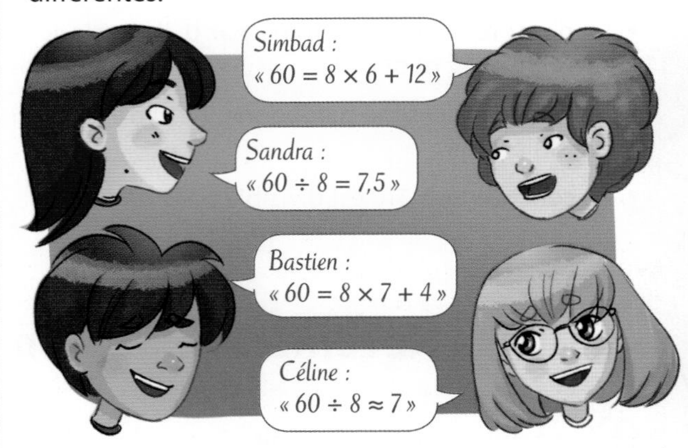
Simbad :
« 60 = 8 × 6 + 12 »
Sandra :
« 60 ÷ 8 = 7,5 »
Bastien :
« 60 = 8 × 7 + 4 »
Céline :
« 60 ÷ 8 ≈ 7 »

- Qui a raison ?

29 On donne les égalités suivantes.
$24 \times 5 = 120$; $24 \times 6 = 144$; $24 \times 7 = 168$
- Sans poser la division, quel est le quotient et le reste de la division euclidienne de 150 par 24 ?

30 1. Effectuer la division euclidienne de 278 par 8.
2. Effectuer la division euclidienne de 1 245 par 9.

31 1. Dans une division euclidienne, le diviseur est égal à 9, le quotient est égal à 4 et le reste est égal à 7. Quel est le dividende ?
2. On effectue la division euclidienne de 337 par un nombre. Le quotient est 12 et le reste est 13. Quel est le diviseur ?

32 Les égalités suivantes traduisent-elles des divisions euclidiennes ? Si oui, indiquer toutes les possibilités en précisant le dividende, le diviseur, le quotient et le reste.
a. $4\,433 = 45 \times 98 + 23$
b. $321 = 17 \times 18 + 15$
c. $203 = 6 \times 31 + 17$

Utiliser des critères de divisibilité

Savoir-faire p. 23

Questions flash

33 Vrai ou faux ?
Dire si les affirmations suivantes sont vraies ou fausses.
1. 22 est divisible par 2.
2. 14 est divisible par 4.
3. 25 est divisible par 5.
4. 50 est divisible par 10.
5. 29 est divisible par 9.
6. 180 est divisible par 9.

34 Vrai ou faux ?
Dire si les affirmations suivantes sont vraies ou fausses.
1. 75 est divisible par 3.
2. 800 est divisible par 5.
3. 96 est divisible par 3.
4. 4 divise 84.
5. 216 n'est pas divisible par 4.
6. 820 est un multiple de 2.
7. 846 n'est pas divisible par 10.
8. 579 est divisible par 9.
9. 9 855 est divisible par 9.

35 Reproduire et compléter le tableau suivant en répondant par oui ou par non.

est divisible par	2	3	4	5	9	10
360						
456						
282						
46 221						
33 525						
6 288						

36 On donne les nombres suivants.
5 900 ; 485 ; 1 548 ; 452 ; 123 ; 584
1. Lesquels sont des multiples de 2 ?
2. Lesquels sont des multiples de 3 ?
3. Lesquels sont des multiples de 5 ?

37 On donne les nombres suivants.
2 102 ; 756 ; 10 200 ; 295 ; 898 ; 207
1. Lesquels sont divisibles par 4 ?
2. Lesquels sont divisibles par 9 ?
3. Lesquels sont divisibles par 10 ?

38 On donne les nombres suivants.
48 ; 58 180 ; 27 900 ; 63 672 ; 42 324 ; 34 410
- Trouver ceux qui sont à la fois divisibles par 3 et par 4.

39 Vrai ou faux ?
Dire si les affirmations suivantes sont vraies ou fausses.
1. Tous les nombres divisibles par 3 sont divisibles par 9.
2. Tous les multiples de 4 sont des multiples de 8.
3. Tous les nombres divisibles par 10 sont divisibles par 5.

Reconnaitre un nombre premier

Savoir-faire p. 23

Questions flash

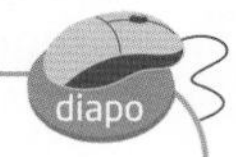

40 Vrai ou faux ?
Dire si les affirmations suivantes sont vraies ou fausses.
1. 1 est un nombre premier.
2. 3 est un nombre premier.
3. 6 n'est pas un nombre premier.
4. 2 ; 3 ; 5 et 11 sont les quatre plus petits nombres premiers.
5. Tous les nombres premiers sont des nombres impairs.

41 Parmi les nombres suivants, lesquels sont des nombres premiers ?
13 ; 18 ; 23 ; 43 ; 87 ; 101 ; 197 ; 319 ; 415

42 Vrai ou faux ?
Dire si les affirmations suivantes sont vraies ou fausses.
1. 103 est un nombre premier.
2. 97 n'est pas un nombre premier.
3. Le produit 8×24 est un nombre premier.
4. 125 est un nombre premier.
5. 49 n'est pas un nombre premier.

43
1. Déterminer le nombre de nombres premiers inférieurs à 100 se terminant par 2.
2. Déterminer le nombre de nombres premiers inférieurs à 100 se terminant par 3.

44 Vrai ou faux ?
Dire si les affirmations suivantes sont vraies ou fausses.
1. Tous les nombres impairs sont premiers.
2. Aucun nombre pair n'est premier.
3. La différence entre deux nombres premiers consécutifs est toujours 2.
4. La somme de deux nombres premiers est un nombre premier.
5. Aucun multiple de 5 n'est premier.

45 Tiphaine dit à Jolan : « 53 est un nombre premier. »
Jolan lui répond : « Alors 106 aussi ! »
- Tiphaine et Jolan ont-ils raison ?

Faire le point

Vérifie tes connaissances.

QCM Donner la seule réponse correcte parmi les trois proposées.

1 Déterminer les diviseurs d'un nombre entier	Réponse A	Réponse B	Réponse C
1. Le quotient et le reste de la division euclidienne de 362 par 12 sont :	$q = 31$ et $r = 0$	$q = 2$ et $r = 30$	$q = 30$ et $r = 2$
2. La division euclidienne de 169 par 11 donne un quotient de 15 et un reste de 4. On peut écrire :	$169 = 15 \times 4 + 11$	$169 = 11 \times 4 + 15$	$169 = 11 \times 15 + 4$
3. 38 a pour diviseur :	12	19	21
4. 15 a pour multiple :	5	45	3
2 Utiliser des critères de divisibilité			
1. 123 est divisible par :	2	3	5
2. 732 est divisible par :	5 et 3	3 et 9	3 et 2
3. 3 560 est divisible par :	5 et 2	5 et 3	2 et 3
3 Reconnaitre un nombre premier			
1. Un nombre premier n'est divisible que :	par 1	par lui-même	par 1 et par lui-même
2. Dans la liste des nombres 15, 16, 17, 18 et 19 :	15 et 17 sont des nombres premiers	17 et 19 sont des nombres premiers	16, 17 et 18 sont des nombres premiers

Pour t'aider à retenir le cours.*

Carte mentale

Nombres entiers

La division euclidienne

dividende	diviseur
reste	quotient

dividende = diviseur × quotient + reste
avec reste < diviseur

Les diviseurs et les multiples

La division euclidienne de **75** par 15 :
75 = 3 × 15 + 0

75 est un *multiple* de 15 et de 3.
15 et 3 sont des *diviseurs* de **75**.

Les nombres premiers

- Ils ont exactement deux diviseurs : 1 et eux-mêmes.
- 2, 3, 5, 7, 11 sont des nombres premiers.

Les critères de divisibilité

- par 2, le nombre se termine par 0, 2, 4, 6 ou 8.
- par 3, la somme de ses chiffres est un multiple de 3.
- par 4, le nombre formé par ses 2 derniers chiffres est un multiple de 4.
- par 5, le nombre se termine par 0 ou 5.
- par 9, la somme de ses chiffres est un multiple de 9.
- par 10, le nombre se termine par 0.

*Tu peux aussi construire ta propre carte mentale.

Algorithmique et outils numériques

46 Algorithme et tableur

1. Paolo a créé dans Scratch une « liste » de variables qu'il a appelée multiples. Il a ensuite écrit le script suivant.

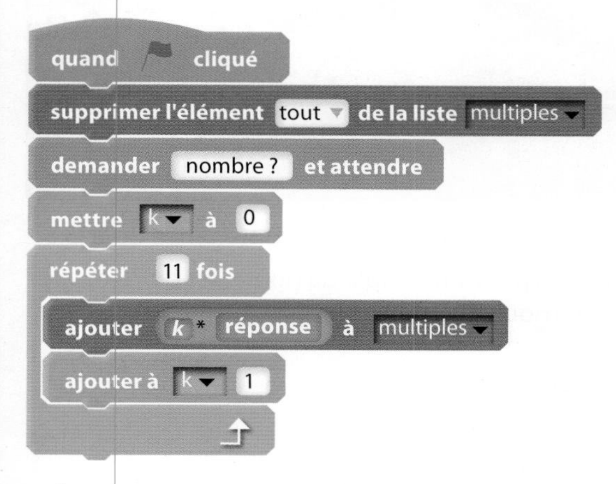

À quoi peut servir le script de Paolo ?

2. Paolo décide de créer une feuille de calcul dans un tableur qui fasse exactement la même chose. On présente ci-contre ce qu'il a commencé à faire. Paolo décide que le nombre entré par l'utilisateur dans son script devra être entré dans la cellule B1.

	A	B
1	Nombre :	
2		
3	k	multiples
4	0	
5	1	
6	2	
7	3	
8	4	
9	5	
10	6	
11	7	
12	8	
13	9	
14	10	

a. Quelle formule doit-on entrer dans la cellule B4 pour qu'elle puisse être recopiée vers le bas ?

b. Quelle sera alors la formule qui sera recopiée en B13 ?

47 Modulo

Julia a écrit ce script.

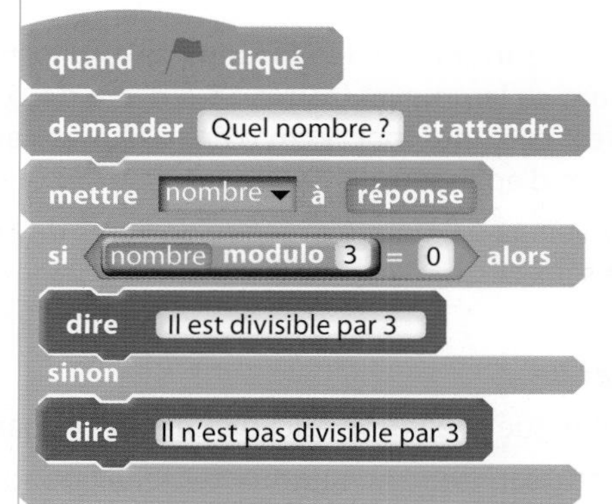

1. Que calcule-t-on grâce à la commande nombre modulo 3 ?

2. À quoi peut servir le script de Julia ?

3. Modifier ce script pour qu'il teste si le nombre entré par l'utilisateur est pair ou impair.

4. Modifier ce script pour qu'il demande à l'utilisateur un nombre et un diviseur à tester et qu'il affiche si le diviseur à tester est ou non un diviseur du nombre.

48 Cryptage

Pour transmettre un message codé à son ami Romain, Gladys utilise la méthode suivante pour chaque lettre de son message.

① Elle repère le rang de la lettre dans l'alphabet, que l'on note x.

② Elle calcule le résultat de $17x + 56$.

③ Elle cherche le reste de la division euclidienne de ce résultat par 26.

④ Elle obtient le rang d'une nouvelle lettre qui sera la lettre codée, que l'on note y.

Par exemple, la lettre « a » est codée en « e ».

Pour coder plus facilement son message, elle réalise une feuille de calcul.

	A	B	C	D	E
1	Alphabet initial	Rang x	$17x + 56$	Rang y	Cryptage
2	a	0	56	4	e
3	b	1			
4	c	2			
5	d	3			
6	e	4			
7	f	5			
8	g	6			
9	h	7			
10	i	8			
11	j	9			

1. Reproduire cette feuille de calcul avec toutes les lettres de l'alphabet.

2. Compléter les colonnes C et D avec les formules appropriées.

> Le reste de la division euclidienne de a par b est donné par la formule : =MOD(a ; b).

3. Compléter la colonne E avec les lettres codées.

> Pour obtenir une lettre à partir d'un nombre, on peut utiliser la fonction : = CAR(x). Cette fonction renvoie la lettre « a » si $x = 97$, « b » si $x = 98$, « c » si $x = 99$…

4. Romain reçoit le message codé suivant de Gladys :
« pg uy gr mteazkir »
Décoder ce message.

Pour mieux cibler les compétences			
Chercher	65 77 80	Raisonner	52 86
Modéliser	71	Calculer	50 51
Représenter	70 73	Communiquer	68 79

49 Céréales

Un paquet de céréales contient environ 375 grammes.

- Combien de portions individuelles de 25 grammes peut-on faire avec ce paquet ?

50 Plan de table

Un couple de futurs mariés organise la réception de leur mariage. Ils reçoivent 208 convives et souhaiteraient faire des tables avec le même nombre de couverts.

- Quelles possibilités ont-ils ?

51 Cinéma

Noémie adore aller au cinéma et conserve tous les tickets d'entrée en souvenir. Elle en a 67. Elle veut les ranger dans des pochettes qui peuvent en contenir 9.

- Combien lui faut-il de pochettes ?

52 Préparation d'un mariage

Trois amies veulent répartir 1 653 calissons par petits paquets.

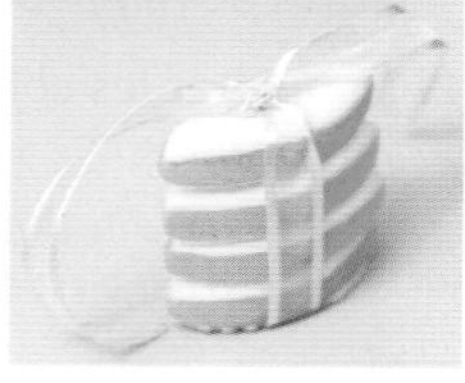

Célia voudrait faire des paquets de 2, Lila des paquets de 3 et Chloé des paquets de 5.

- Laquelle d'entre elles arrivera à répartir tous les calissons sans qu'il en reste ?

53 Tournoi de handball

Les professeurs du collège organisent un tournoi de hand-ball pour toutes les classes de 5e. Il y a 149 élèves et les équipes doivent toutes comporter cinq joueurs.

- Combien y aura-t-il de remplaçants si l'on constitue le plus d'équipes possible ?

54 Tonneau

Une barrique bordelaise a une contenance de 225 L.

- Combien peut-on remplir de bouteilles de 75 cL avec une barrique ?

55 Des bonbons

Juliette veut préparer des sachets de 12 bonbons à donner à chacune de ses 6 copines pour son anniversaire. Les paquets dans le magasin en contiennent 30.

- Combien doit-elle acheter de paquets ?

56 Durées

1. Combien y a-t-il de minutes dans 7 380 s ?
2. Combien y a-t-il d'heures dans 900 min ?
3. Combien y a-t-il d'heures et de minutes dans 972 min ?

57 Les courses

Le cuisinier a commandé 14 rôtis de porc à 12 € l'un et 18 rôtis de bœuf. La facture est de 546 €.

- Combien coute un rôti de bœuf ?

58 Des livres

Max veut ranger ses livres dans sa bibliothèque. Il mesure sa largeur et trouve 58 cm. Il a deux types de livres, ceux qui font 5 cm d'épaisseur et ceux qui font 7 cm d'épaisseur.

- Combien va-t-il pouvoir mettre de livres de chaque type sans laisser d'espace ?

59 Dividende

On a effectué la division euclidienne de 171 par 8.

- De combien peut-on augmenter le dividende sans que le quotient change ?

60 Rallye Kangourou 2015

J'ai choisi un nombre entier à deux chiffres. Si je multiplie entre eux les deux chiffres de ce nombre, je trouve 15.

- Que vais-je trouver si je les additionne ?

61 Des verres

Un commerçant a acheté 36 lots de 12 verres. Il constate que 7 verres se sont cassés pendant le transport.

- Peut-il faire des paquets de 10 pour les revendre ?

62 Cœur

Le cœur est un organe musculaire extraordinaire qui, chaque heure, effectue environ 4 500 battements.

- Calculer le nombre de battements effectués durant toute la vie d'une personne de 70 ans.

63 Les nombres parfaits

Pour aller plus loin

On dit qu'un nombre entier est parfait s'il est égal à la somme de ses diviseurs excepté lui-même.

- Montrer que 6 et 28 sont des nombres parfaits.

64 Engrenages

La grande roue d'un engrenage possède 12 dents et la petite en possède 6.

- Combien de tours fait la petite roue quand la grande en fait 3 ?

65 Rallye mathématique

Madame Rallye partage 35 pièces de 1 € entre ses trois enfants : Sandra, Pierre et Christian.

Chaque enfant reçoit une somme égale à son âge. Il n'y a pas de jumeaux mais Sandra, la plus âgée, a le double de l'âge de Christian qui est le plus jeune.

- Combien reçoit chaque enfant ?

Source : IREM Paris Nord.

66 Année bissextile ?

Les années bissextiles sont des années dont le numéro est divisible par 4. Les années dont le numéro est divisible par 100 ne sont pas bissextiles, sauf celles dont le numéro est divisible par 400.

- Parmi les années suivantes, lesquelles sont des années bissextiles ?

636 ; 2000 ; 1900 ; 1224 ; 1562 ; 2020

67 Programme de calcul

On donne le programme suivant.

> Choisir un nombre entier.
> Le multiplier par 8.
> Ajouter 10 au résultat.
> Diviser le résultat par 2.

1. Appliquer ce programme à 5, à 7 puis à 11.
2. Obtient-on toujours un nombre entier ? Justifier.

68 Énergie nucléaire

Un réacteur nucléaire peut délivrer entre 7 000 000 MWh et 8 000 000 MWh par an.

Les éoliennes d'aujourd'hui sont capables de développer une puissance de 5 MW.

Le chiffre retenu pour l'éolien européen installé est de 2 000 MWh de production annuelle par MW de puissance installée.

- Combien faut-il d'éoliennes pour remplacer un réacteur ?

69 Running the numbers

Dans ses séries d'œuvres *Running the numbers*, le plasticien américain Chris Jordan présente d'immenses panneaux photographiques qui, de loin, ressemblent à une photographie d'art contemporain, mais qui, de près, laissent apparaitre un seul et même objet reproduit des milliers de fois pour représenter l'impact catastrophique des excès de la société de consommation sur l'environnement.

Plastic Bottles, 2007, représente deux millions de bouteilles en plastique, soit la quantité utilisée aux États-Unis toutes les cinq minutes.

1. Quel est le nombre de bouteilles en plastique utilisées en une journée aux États-Unis ?
2. Sachant qu'il faut 58 bouteilles pour fabriquer une couette pour deux personnes, combien de couettes pourrait-on fabriquer par jour aux États-Unis avec ces bouteilles en plastique ?
3. Une autre œuvre de cette série s'intitule *106 000 canettes en aluminium jetées dans les poubelles toutes les trente secondes aux États-Unis.*

Le nombre de canettes jetées est-il supérieur au nombre de bouteilles en plastique utilisées par jour aux États-Unis ?

Plastic Bottles, partial zoom.

70 Changement de vitesse

Le braquet correspond au nombre de tours de roues que fait le vélo lorsque le cycliste effectue un tour de pédales.

Pour le calculer, on fait le quotient du nombre de dents du plateau par le nombre de dents du pignon.

Dans le cas d'un vélo de route avec une transmission composée de plateaux de 36 et 48 dents et de dix pignons de 12 à 28 dents, les techniciens proposent souvent le tableau suivant.

Nombre de dents du pignon / Nombre de dents du plateau	12	13	14	…
36				
48				

- Sans remplir le tableau, peut-on prévoir quand le braquet du vélo sera un nombre entier ?

71 Éclipse

PC

Un phénomène est dit périodique quand il se répète régulièrement.

Les éclipses solaires se reproduisent quasiment à l'identique au bout d'une période de 6 585 jours.

- Une éclipse a eu lieu en France le 11 aout 1999. Quelle est la date de l'éclipse suivante ?

72 Des tours

PEAC

La tour de Pise en Italie a 293 marches et la tour de Pey-Berland à Bordeaux en a 233.

- Quel est leur point commun ?

73 Les poupées

Cibélia range ses poupées. Elle en a moins de 100.

Quand elle les range par 4, par 5 ou par 6, il en reste toujours 3 toutes seules. Quand elle les range par 7, il n'en reste aucune.

- Combien possède-t-elle de poupées exactement ?

74 Le prénom

Annabelle s'amuse à écrire son prénom sur une feuille entière. Les mots sont écrits les uns à la suite des autres.

- Quelle sera la 1 000e lettre écrite par Annabelle ?

75 Le « père cent »

Aujourd'hui, mardi, c'est le « père cent » des élèves du lycée qui fêtent les 100 jours avant la première épreuve du baccalauréat.

- Quel jour de la semaine aura lieu la première épreuve de cet examen ?

76 Le vélo

Nina et Xavier font du vélo sur un parcours qui forme une boucle. Nina fait un tour en 15 minutes et Xavier en 12 minutes. Ils partent ensemble à 11 h.

- À quelle heure vont-ils passer ensemble au point de départ ?

77 Relevé d'identité bancaire

Le Relevé d'Identité Bancaire (ou RIB) contient les coordonnées bancaires précises d'une personne.

Il est composé de gauche à droite de 5 chiffres pour le code de la banque, 5 chiffres pour le code du guichet, 11 chiffres pour le numéro du compte et 2 chiffres pour la clé. La clé est calculée en suivant les étapes ci-dessous ; N étant le nombre formé par les 21 premiers chiffres du RIB.

① On calcule le reste de la division euclidienne de $100 \times N$ par 97.

② La clé RIB est obtenue en retranchant ce reste à 97.

- Calculer la clé de ce RIB :

$N = 584\ 968\ 745\ 100\ 014\ 500\ 269$

Crédit Mutuel
RELEVE D'IDENTITE BANCAIRE
SPECIMEN

Identifiant national de compte bancaire - RIB

Banque	Guichet	N° compte	Clé	Devise
58496	87451	00014500269		EUR

CM

Identifiant international de compte bancaire

IBAN (International Bank Account Number)
FR76 1234 5678 7458 2566 0001 478

BIC (Bank Identifier Code)
CMCIFR

Domiciliation
CM CIC
100 Avenue de la Banque
75001 Paris

Titulaire du compte (Account Owner)
www.CarteBancairePrepayee.net
777 Avenue du Visa
90210 MasterCard sous boix Cedex

Remettez ce relevé à tout organisme ayant besoin de connaître vos références bancaires pour la domiciliation de vos virements ou de prélèvements à votre compte.Vous éviterez ainsi des erreurs ou des retards d'exécution.

PARTIE RESERVEE AU DESTINATAIRE DU RELEVE

78 Christmas

LV

January 2015

Mon.	Tue.	Wed.	Thu.	Fri.	Sat.
			1	2	3

- From this calendar, determine which day of the week Christmas was celebrated in 2015.

79 Le loto

Marine a décidé de tenter sa chance au loto et de ne jouer que des nombres premiers.

Elle affirme ainsi réduire son choix à un quart des numéros existants parmi les 49 nombres de la grille et les 10 numéros « chance ».

- A-t-elle raison ?

80 Billets de banque

Sur les billets de banque en euros figure un code de 11 chiffres précédé d'une lettre.

On remplace la lettre par son rang dans l'alphabet comportant 26 lettres. On obtient ainsi un nombre à 12 ou 13 chiffres.

On cherche ensuite le reste de la division de ce nombre par 9. Ce reste est le même pour tous les billets authentiques : 8.

1. Le code V02396040124 figure sur un billet de banque. Ce code est-il celui d'un billet authentique ?
2. Sur un billet de banque authentique, la partie du code formé par les 11 chiffres est 16122343242 mais la lettre qui les précède est effacée. Quelle lettre a dû être effacée ? (Il y a plusieurs possibilités.)

81 Calculatrice

Vincent a effectué une opération à l'aide de sa calculatrice. Voilà ce qu'il obtient à l'écran :

58:27
2,148148148

- Quel est le 128e chiffre après la virgule ?

82 Le petit train dommois

Amélia attend le petit train touristique pour visiter la ville de Domme dans le Périgord. Il passe toutes les 25 minutes. Actuellement, il est 10 h. Un train vient de partir et 228 personnes attendent encore devant Amélia.

- À quelle heure Amélia montera-t-elle dans le petit train sachant que celui-ci peut contenir 45 personnes ?

83 Des champignons

Rayan a ramassé 95 cèpes et 160 girolles.

Il souhaite les partager équitablement avec certains de ses amis. Il lui reste alors 5 cèpes et 10 girolles.

- Avec combien d'amis au maximum peut-il partager sa récolte ? Calculer le nombre de champignons donnés à chacun de ses amis.

84 Cubes et pavés droits

Prise d'initiative

On veut remplir un cube, dont les arêtes mesurent un nombre entier de centimètres, en juxtaposant des pavés droits identiques, tous disposés de la même façon, dont la longueur est 60 cm, la largeur 40 cm et la hauteur 24 cm.

- Quelle est la valeur minimale possible pour la longueur de l'arête du cube ?

85 La terrasse

La terrasse de M. Durin mesure 5,40 m sur 6,60 m. Il veut la recouvrir de dalles en bois carrées dont le côté mesure un nombre entier de centimètres, mais ne souhaite pas faire de découpes.

1. Les dalles carrées de 9 cm de côté conviennent-elles ?
2. Qu'en est-il de celles de 20 cm de côté ?
3. Quelle est la plus grande taille de dalles qu'il peut acheter ? Combien doit-il en acheter ?

86 Addition cachée

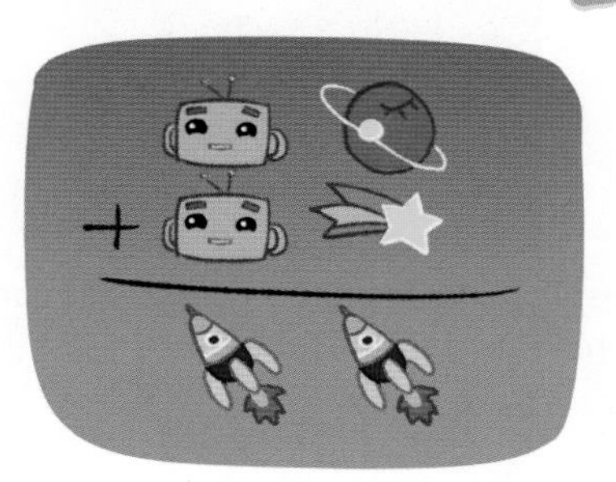

- Retrouver les chiffres de cette addition de nombres premiers sachant qu'une image représente toujours le même chiffre.

87 Des étagères

AV

Un menuisier construit des étagères sur le modèle suivant.

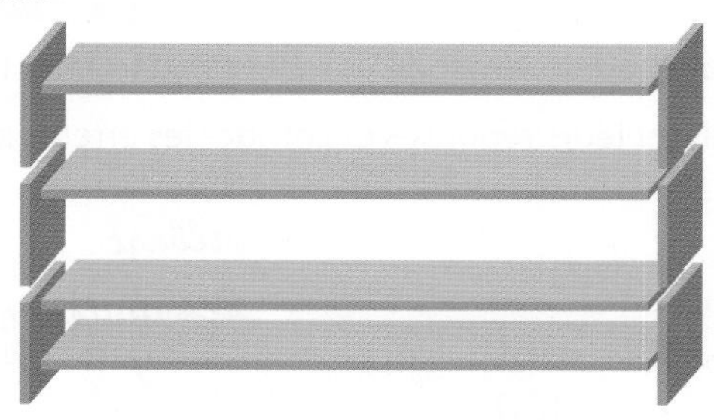

Pour construire une étagère, il faut :

- 4 planches longues
- 6 planches courtes
- 12 petites équerres
- 2 grandes équerres
- 14 vis

Ce menuisier dispose dans son stock de 26 planches longues, 33 planches courtes, 200 petites équerres, 20 grandes équerres et 510 vis.

- Avec le stock dont il dispose, combien d'étagères le menuisier peut-il construire ?

Source : PISA.

Travailler autrement

Utilisable en AP

À chacun sa méthode !

Deux énoncés pour un exercice

Exercice 1

Les dessins ♥ et ♣ cachent chacun un chiffre. Quelle valeur doit-on donner à ♥ et ♣ pour que le nombre 12♥35♣ soit divisible à la fois par 9 et par 10 ?

Exercice 2

PEAC Voici un tableau intitulé *Répartition aléatoire de 40 000 carrés suivant les chiffres pairs et impairs de l'annuaire téléphonique, 50 % gris 50 % bleu*, réalisé en 1961 par l'artiste français François Morellet, né en 1926. Ce tableau est un carré de côté 80 cm.

- Quelle est la taille de chacun des petits carrés bleus et gris présents dans ce tableau ?

Exercice 1

Les dessins ♥ et ♣ cachent chacun un chiffre. Quelle(s) valeurs(s) doit-on donner à ♥ et ♣ pour que le nombre 12♥35♣ soit divisible à la fois par 3 et par 5 ?

Exercice 2

PEAC Voici un tableau intitulé *Répartition aléatoire de 40 000 carrés suivant les chiffres pairs et impairs de l'annuaire téléphonique, 50 % gris 50 % bleu*, réalisé en 1961 par l'artiste français François Morellet, né en 1926. Ce tableau est un carré de côté 80 cm.

- Donner toutes les autres possibilités de titre que l'artiste aurait pu donner à ce tableau, en considérant que la taille de chacun des petits carrés doit être un nombre entier de millimètres.

Écriture d'un énoncé

1. Écrire un énoncé de problème dont la solution utilise les calculs ci-contre.
2. Donner cet énoncé à son voisin et lui demander de résoudre le problème.

```
76×3              228
228⊢14    Q=16  R=4
```

Analyse d'une production

Le professeur a demandé aux élèves de trouver tous les diviseurs de 100. Voici des travaux d'élèves.

- Analyser leurs réponses et corriger les erreurs s'il y en a.

Sophie
$1 \times 100 = 100$
$2 \times 50 = 100$
$4 \times 25 = 100$
$5 \times 20 = 100$
Les diviseurs de 100 sont : 1 2 4 5 20 25 50 100

Albert
Les diviseurs de 100 sont :
1 2 4 5 et 10

```
100⊢1   Q=100 R=0
100⊢2    Q=50 R=0
100⊢3    Q=33 R=1
100⊢4    Q=25 R=0
100⊢5    Q=20 R=0
100⊢6    Q=16 R=4
100⊢7    Q=14 R=2
100⊢8    Q=12 R=4
100⊢7    Q=14 R=2
100⊢8    Q=12 R=4
100⊢9    Q=11 R=1
100⊢10   Q=10 R=0
```

Zian
Les diviseurs de 100 sont :
2 4 5 10 20 25 50

```
100:2              50
100:3
          33,33333333
100:4              25
100:5              20
100:6
          16,66666667
100:7
          14,28571429
100:8            12,5
100:9
          11,11111111
100:10             10
```

CHAPITRE
2
Ta mission
Te repérer
dans un calcul comportant
plusieurs opérations.

Enchainement d'opérations

Jeux

Le Pac-man veut sortir du labyrinthe mais les portes ne s'ouvriront que si son « compteur » affiche 18. Aucun retour en arrière n'est possible.

- Quel est le bon chemin ?

10 ; +9 ; −13 ; ×3 ; −8 ; +6 ; ×0,25 ; ×0,5 ; −2

Des outils de calcul qui évoluent à travers les époques

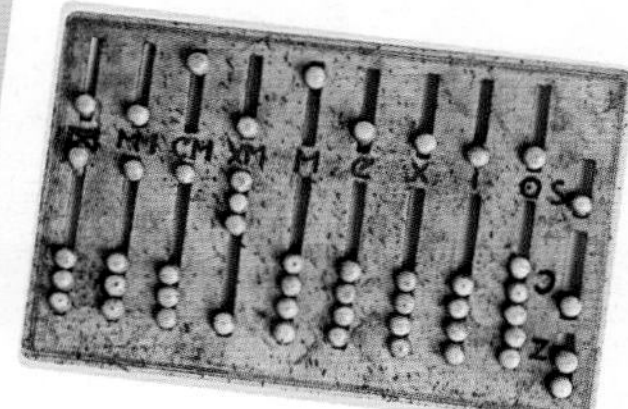

Cet abaque romain en ivoire datant du IIe siècle est considéré comme l'une des premières machines à calculer.

Et voici la toute première calculatrice électronique datant de 1968 de marque Hewlett-Packard et qui coutait alors près de 2 000 dollars !

Activités

Questions flash

1. Inès possède 50 romans, 45 BD et 35 mangas. Combien de livres possède-t-elle au total ?

2. Retrouver rapidement le montant total qui a disparu du ticket.

Farine	1,60 €
Sucre	3,15 €
Beurre	8,85 €
Œufs	18,40 €
Poudre d'amandes	12,00 €

3. Nathan habite à 3,5 km de son collège. Il s'y rend 5 fois par semaine. Combien de kilomètres parcourt-il chaque semaine ?

4. Quel est le volume en cm^3 d'un aquarium en forme de pavé droit de 50 cm de longueur, 40 cm de largeur et 30 cm de hauteur ?

5. Hatim a lu un recueil de 10 poésies composées chacune de 2 strophes de 4 vers et de 2 strophes de 3 vers. Combien de vers a-t-il lus au total ?

Le bon ordre — Activité 1

Léo se demande dans quel ordre effectuer les calculs suivants :

$A = 100 - 93 + 7 \qquad B = 16 \div 2 \times 4$

$C = 150 - 50 - 10 \qquad D = 20 \div 4 \div 2$

1. Calculer l'expression A de trois façons différentes :
   - en commençant par effectuer la soustraction ;
   - en commençant par effectuer l'addition ;
   - en entrant l'expression complète dans la calculatrice.
2. Par quelle opération doit-on commencer pour calculer correctement l'expression A ?
3. Par quelle opération doit-on commencer pour calculer correctement les expressions B, C et D ?
4. Énoncer une règle de calcul valable pour ces quatre expressions.

Le défi de Zoé — Activité 2

Quand Zoé entre dans le labyrinthe, elle tape sur sa calculatrice, en une seule ligne, les nombres et les opérations qu'elle rencontre le long de son chemin (elle ne peut aller que vers la droite et vers le bas).

1. À la sortie du labyrinthe, la calculatrice de Zoé affiche 14 comme résultat. Quel chemin Zoé a-t-elle suivi ?
2. Écrire les calculs correspondant à trois autres chemins, ainsi que leurs résultats.
3. Dans quel ordre la calculatrice semble-t-elle effectuer les opérations ?

Épreuve sportive — Activité 3

Une épreuve de biathlon, organisée lors de jeux dans les Alpes, utilise 17 km de pistes de fond dégagées et 7 km de pistes de fond boisées. Les participants doivent effectuer 4 séries de tirs à la carabine à intervalles réguliers comme indiqué ci-contre.

1. L'épreuve junior se déroule sur les pistes de fond dégagées. Au bout de combien de kilomètres le premier tir est-il réalisé ?
2. L'épreuve adulte se déroule sur la totalité du parcours. Au bout de combien de kilomètres le premier tir est-il réalisé ? Donner deux écritures possibles du calcul.

Dans le métro

Activité 4 — Prise d'initiative

Kassy, en voyage à Los Angeles, a invité trois de ses amis à la rejoindre au bowling situé non loin de la station de métro « Manchester Square ».

Pour se rendre à ce rendez-vous :

– Peter décide de partir de la station secondaire « Exposition Park » pour faire un trajet direct ;

– Stacy doit partir de la station principale « **Rosa Parks** » ;

– Mason monte à la station secondaire « **Culver Junction** » et change de ligne à la station suivante.

• En s'aidant des documents, déterminer qui des trois amis a le moins de trajet à faire pour rejoindre Kassy.

Que de vocabulaire...

Activité 5

1. Un collège a décidé d'augmenter la quantité de **produits** bio dans les plats qu'il propose aux élèves. Cela va bien sûr représenter une augmentation des dépenses, mais il espère diminuer cette **somme** d'argent en s'adressant à un producteur local. Les **termes** du contrat passé avec ce producteur précisent que les prix pratiqués ne doivent pas varier quels que soient les **facteurs** extérieurs. Le collège espère que les élèves apprécieront **à terme** la **différence** de qualité des plats.
   • Les mots en gras utilisés dans ce texte ont-ils le même sens en français qu'en mathématiques ?

2. Dans les quatre calculs suivants, on dit que :

A est une somme	B est un produit	C est un quotient	D est une différence
$A = 15 + 5 \times 2$	$B = 15 \times (5 - 2)$	$C = (15 + 5) \div 2$	$D = 15 - (5 + 2)$

   • Quelle étape du calcul a permis de donner le nom à chaque expression ?

1 Calculer sans parenthèses ▶ Vidéo

Règles

- Dans une expression sans parenthèses, ne comportant **que des additions et des soustractions**, on effectue les calculs **de la gauche vers la droite**.
- Dans une expression sans parenthèses, ne comportant **que des multiplications et des divisions**, on effectue les calculs **de la gauche vers la droite**.

A = 12 − 5 + 8
A = 7 + 8
A = 15

B = 40 ÷ 8 × 10
B = 5 × 10
B = 50

Règle

Dans une expression sans parenthèses, on effectue d'abord les multiplications et les divisions, puis les additions et les soustractions. On dit que **la multiplication et la division sont prioritaires par rapport à l'addition et à la soustraction.**

C = 23 + 6 × 4
C = 23 + 24
C = 47

D = 7 × 8 − 12 ÷ 4
D = 56 − 12 ÷ 4
D = 56 − 3
D = 53

La multiplication et la division étant prioritaires, on choisit celle par laquelle on veut commencer ou on effectue les deux en même temps.

2 Calculer avec des parenthèses ▶ Vidéo

Règles

- Dans une expression avec des parenthèses, on effectue **d'abord les calculs entre parenthèses**.
- Quand il y a plusieurs niveaux de parenthèses, **on commence par les plus intérieures**.
- À l'intérieur des parenthèses, on applique les priorités de calcul.

E = 9 × (7 + 4)
E = 9 × 11
E = 99

F = 2,5 × [7 − (5 − 3)]
F = 2,5 × [7 − 2]
F = 2,5 × 5
F = 12,5

G = 12 × (5 + 2 × 3)
G = 12 × (5 + 6)
G = 12 × 11
G = 132

- Les parenthèses changent l'ordre des calculs et donc le résultat.
- Les parenthèses disparaissent lorsque les calculs situés à l'intérieur sont achevés.

H = 4,5 + 27 ÷ 9
H = 4,5 + 3
H = 7,5

I = (4,5 + 27) ÷ 9
I = 31,5 ÷ 9
I = 3,5

Savoir-faire

Apprends à l'aide des exercices résolus puis entraine-toi !

1 Calculer sans parenthèses

1 Calculer $A = 18 - 3 + 5 - 7$.

Solution

Comme il n'y a ni multiplication ni division, on effectue les calculs de la gauche vers la droite.

$A = 18 - 3 + 5 - 7$
$A = 15 + 5 - 7$
$A = 20 - 7$
$A = 13$

2 Calculer $B = 35 \times 2 \div 7 \times 3$.

Solution

Comme il n'y a que des multiplications et des divisions, on effectue les calculs de la gauche vers la droite.

$B = 35 \times 2 \div 7 \times 3$
$B = 70 \div 7 \times 3$
$B = 10 \times 3$
$B = 30$

3 Calculer $C = 42 - 12 \div 4$.

Solution

On commence par la division car elle est prioritaire.

$C = 42 - 12 \div 4$
$C = 42 - 3$
$C = 39$

4 Calculer $D = 8 \div 2 - 3 \times 5$.

Solution

On commence par la multiplication et la division car elles sont prioritaires. On choisit celle par laquelle on veut commencer ou on effectue les deux en même temps.

$D = 38 \div 2 - 3 \times 5$
$D = 19 - 3 \times 5$
$D = 19 - 15$
$D = 4$

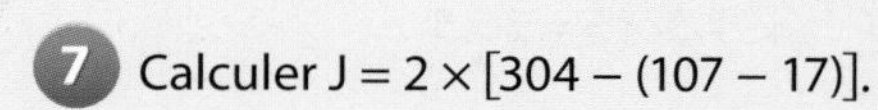

5 Calculer chaque expression :

$E = 13 - 7 + 10 + 8$ $F = 4 \times 6 \div 2 \times 3$ $G = 19 + 5 \times 2$ $H = 8 \times 10 - 35 \div 5$

2 Calculer avec des parenthèses

6 Calculer $I = 145 - (88 - 7 \times 11)$.

Solution

On commence par effectuer le calcul entre parenthèses, en appliquant les priorités de calcul à l'intérieur.

$I = 145 - (88 - 7 \times 11)$
$I = 145 - (88 - 77)$
$I = 145 - 11$
$I = 134$

Dans les parenthèses, on respecte les priorités. Ici, on commence par la multiplication.

7 Calculer $J = 2 \times [304 - (107 - 17)]$.

Solution

On commence par effectuer le calcul entre parenthèses en commençant par les parenthèses les plus intérieures.

$J = 2 \times [304 - (107 - 17)]$
$J = 2 \times [304 - 90]$
$J = 2 \times 214$
$J = 428$

8 Calculer chaque expression :

$K = 19 - (5 + 12)$ $L = 11 \times (7 - 1)$ $M = 200 - (20 + 7 \times 8)$ $N = 100 \div [10 \times (16 - 6)]$

3 Calculer avec un quotient ▶Vidéo

Règle

Une expression qui figure au numérateur ou au dénominateur d'un quotient est considérée comme une expression entre parenthèses.

Exemples

$A = \frac{9+5}{7}$

A peut aussi s'écrire : $(9 + 5) \div 7$

$A = \frac{14}{7}$

$A = 2$

$B = \frac{20}{8-3}$

B peut aussi s'écrire : $20 \div (8 - 3)$

$B = \frac{20}{5}$

$B = 4$

4 Utiliser le bon vocabulaire ▶Vidéo

Définition

- Le résultat d'une addition est une **somme**. Les nombres additionnés sont les **termes**.
- Le résultat d'une soustraction est une **différence**. Les nombres qui interviennent dans la soustraction sont les **termes**.
- Le résultat d'une multiplication est un **produit**. Les nombres multipliés sont les **facteurs**.
- Le résultat d'une division est un **quotient**.

Exemples

$25 + 3,5 = 28,5$: 25 et 3,5 → termes ; 28,5 → somme

$38,7 - 12,4 = 26,3$: 38,7 et 12,4 → termes ; 26,3 → différence

$7,3 \times 5 = 36,5$: 7,3 et 5 → facteurs ; 36,5 → produit

$27 \div 6 = \frac{27}{6} = 4,5$: 27 → dividende ; 6 → diviseur ; 27 (dans la fraction) → numérateur ; 6 (dans la fraction) → dénominateur ; 4,5 → quotient

Règle

La nature d'une expression comportant plusieurs opérations est déterminée par l'opération à effectuer **en dernier**.

Exemple

Dans l'expression $3 + 5 \times 4$, c'est l'addition qu'on effectue en dernier, car la multiplication est prioritaire. Cette expression est donc une **somme** : c'est la somme de 3 et du produit de 5 par 4.

Savoir-faire

Apprends à l'aide des exercices résolus puis entraine-toi !

3 Calculer avec un quotient

9 Calculer l'expression $A = \dfrac{12-7}{2}$.

Solution

On commence par effectuer le calcul qui se trouve au numérateur du quotient. $A = \dfrac{12-7}{2} = \dfrac{5}{2} = 2{,}5$

10 Calculer l'expression $B = \dfrac{28+14}{29-8}$.

Solution

On commence par effectuer les calculs qui se trouvent au **numérateur** et au **dénominateur** du quotient. On choisit celui par lequel on veut commencer ou on effectue les deux en même temps.

$$B = \frac{28+14}{29-8} = \frac{42}{21} = 2$$

11 Calculer chaque expression :

$C = \dfrac{25+8}{3}$ $\quad D = \dfrac{37-12}{5}$ $\quad E = \dfrac{45}{12-3}$ $\quad F = \dfrac{52-12}{13+7}$

4 Utiliser le bon vocabulaire

12 Écrire le calcul qui permet d'obtenir la somme de 15 et du double de 8.

Solution

La somme s'obtient en effectuant une addition, le double en effectuant une multiplication par 2.
Le calcul s'écrit $15 + 2 \times 8$.

13 Traduire par une phrase l'expression :
$G = 7 - 15 \div 3$

Solution

Dans l'expression $G = 7 - 15 \div 3$, la division est prioritaire. C'est la soustraction que l'on effectue en dernier. Cette expression est donc une **différence** : G est la **différence** entre 7 et le **quotient** de 15 par 3.

14 1. Écrire les calculs qui permettent d'obtenir :

a. la somme du triple de 7 et de 13
b. la différence entre le double de 12,5 et 9
c. le quadruple du produit de 5 par 11
d. le quotient de 54 par le triple de 9
e. la différence entre 5 et le quotient de 4 par 3
f. le produit de la somme de 5 et de 2 par la différence entre 8 et 2

2. Traduire les calculs suivants par une phrase.

$H = 9 + 8 \times 7$ $\quad I = 23 + \dfrac{7}{2}$ $\quad J = \dfrac{48}{15-3}$ $\quad K = 6 \times 5 + 4 \times 3$

Exercices

2 pages d'exercices supplémentaires dans le manuel numérique

Calculer sans parenthèses

Savoir-faire p. 37

Questions flash

diapo

15 Calculer mentalement :

$A = 8 - 4 - 2$ | $B = 20 - 2 + 10$
$C = 25 - 7 - 4$ | $D = 31 + 30 - 13$
$E = 18 + 21 - 17 - 8$ | $F = 18 - 11 + 23 - 14$

16 Calculer mentalement :

$A = 3 \times 5 \times 2$ | $B = 15 \times 4 \div 3$
$C = 12 \div 2 \times 3$ | $D = 30 \div 3 \div 5$
$E = 21 \div 7 \times 5 \div 3$ | $F = 2 \times 12 \div 4 \times 3$

17 Calculer mentalement :

$A = 1 + 2 \times 3$ | $B = 14 - 6 \div 3$
$C = 9 \times 3 + 4$ | $D = 9 + 3 \times 4$
$E = 2 + 4 \times 7 - 15$ | $F = 73 - 63 \div 7$

18 Calculer en détaillant les étapes :

$A = 40 + 16 - 12 + 4 - 8$ | $B = 11 - 5 + 15 - 4 + 3$
$C = 8 + 9 - 5{,}7 - 4{,}7$ | $D = 3 - 2{,}7 + 2{,}3 + 4$
$E = 18{,}2 - 5{,}1 + 4{,}5$ | $F = 0{,}8 - 0{,}13 + 0{,}54 - 0{,}4$

19 Calculer en détaillant les étapes :

$A = 20 \times 12 \div 6 \div 2$ | $B = 10 \times 8 \div 4 \times 5$
$C = 24 \div 4 \times 2 \div 3$ | $D = 30 \div 6 \times 5 \times 2 \div 10$

20 Calculer en détaillant les étapes :

$A = 22 - 9 - 3$ | $B = 7 \times 8 \div 2$
$C = 215 - 14 + 1 + 3 - 7$ | $D = 72 \div 4 \times 2$
$E = 1\,600 \div 16 \div 2$ | $F = 37{,}3 - 18{,}3 + 10$

21 Compléter les égalités suivantes avec les signes + et –.

a. 13 … 5 … 2 = 16 | b. 13 … 5 … 2 = 20
c. 13 … 5 … 2 = 6 | d. 13 … 5 … 2 = 10

22 Compléter les égalités suivantes avec les symboles × et ÷ .

a. 20 … 5 … 2 = 8 | b. 20 … 5 … 2 = 50
c. 20 … 5 … 2 = 200 | d. 20 … 5 … 2 = 2

23 Effectuer les calculs suivants.

$A = 24 - 5 \times 3$ | $B = 5 + 45 \div 5$
$C = 12 - 6 \div 2$ | $D = 36 \div 6 + 6$

24 Effectuer les calculs suivants.

$A = 5 \times 6 - 3 \times 4$ | $B = 15 \div 3 + 2 \times 5$
$C = 22 - 3 \times 6 + 5$ | $D = 2 + 4 \times 5 - 2 \times 7$

25 Effectuer les calculs suivants.

$A = 2 - 6 \div 3 + 3 \times 4 + 1$ | $B = 2{,}5 + 3 \times 7 - 35 \div 5$
$C = 12 \div 3 - 1 + 7 \times 8$ | $D = 4{,}5 - 5 \div 2 + 1{,}5 \times 2$

26 Voici des calculs que Lucas a commencés.

- Ce qu'il a écrit est-il juste ? Expliquer pourquoi.

$A = 20 - 5 \times 2$ | $B = 12 - 6 + 8$
$A = 15 \times 2$ | $B = 6 + 8$
$A = \ldots$ | $B = \ldots$
$C = 40 - 8 \div 4$ | $D = 5 \times 3 + 9$
$C = 32 \div 4$ | $D = 15 + 9$
$C = \ldots$ | $D = \ldots$

27 Trois élèves ont calculé l'expression numérique :

$$A = 3 + 2 \times 5 - 4$$

1. Quel élève a trouvé le bon résultat ?
2. Expliquer les erreurs commises par chacun des deux autres.

Calculer avec des parenthèses

Savoir-faire p. 37

Questions flash

diapo

28 Calculer mentalement :

$A = 12 - (6 + 5)$ | $B = 44 - (21 - 5)$
$C = 2 \times (7 + 8)$ | $D = (16{,}5 - 4{,}5) - (7 - 3)$
$E = (5 - 2) \times (5 + 4)$ | $F = 6 \times (4 - 3{,}5)$

29 Calculer mentalement :

$A = 4 \times (50 - 30)$ | $B = (6 + 4) \times 2 + 7$
$C = 4 + (3 + 2) \times 7$ | $D = (24 \div 2) \div (18 \div 3)$

30 Calculer en détaillant les étapes :

$A = 31 - (4 + 5) \times 2$ | $B = (14 + 7) \div 3 + 4$
$C = 42 \times (13 - 11) \div 3$ | $D = 40 - (13 - 6) \times (1 + 2)$

31 Calculer chaque expression en détaillant les étapes :

$A = [14 - (2 + 3)] \times 2$ $\quad B = 12 \div [(4 + 2) \times 2]$

$C = [8 - (7 - 2)] \times 3$ $\quad D = 0{,}5 \times [38 - (7 + 3)]$

32 Recopier les calculs suivants en supprimant les parenthèses qui sont inutiles, puis les effectuer.

$A = (25 - 7) - 8$ $\quad B = 5 + (49 \div 7)$

$C = (3 \times 2) + 2 \times (5 - 3)$ $\quad D = 6 \times [(5 \times 2) - 4]$

33 Calculer à la main chacune des expressions suivantes, puis vérifier à la calculatrice.

$A = 225 - [(15 + 7) \times 10 - 2]$

$B = 15 + 7 \times (100 - 20) \div 8 + 2$

$C = [10 \times 3{,}2 - (79 - 71)] \div 6$

34 1. Calculer 62 – 30 – 7 + 20.

2. Placer des parenthèses dans 62 – 30 – 7 + 20 pour trouver 59.

3. Placer des parenthèses dans 62 – 30 – 7 + 20 pour trouver 19.

Calculer avec un quotient

Savoir-faire p. 39

Questions flash

35 Calculer mentalement :

$A = \dfrac{7+9}{5-3}$ $\quad B = \dfrac{14}{2} - \dfrac{4}{8}$

$C = 1 + \dfrac{12+15}{3}$ $\quad D = \dfrac{23-5}{2} - \dfrac{1}{2}$

36 Luce a calculé l'expression $\dfrac{3\,051}{2{,}5 + 6{,}5}$ et a trouvé 1 226,9.
Elle ne comprend pas pourquoi son professeur lui dit qu'elle s'est trompée.

- Lui expliquer son erreur.

37 Associer chaque expression de la colonne verte à l'expression de la colonne orange qui lui correspond.

Colonne verte	Colonne orange
$A = 24 - \dfrac{6}{3}$	$E = 24 \div (6 - 3)$
$B = \dfrac{24}{6-3}$	$F = (24 - 6) \div 3$
$C = \dfrac{24-6}{3}$	$G = 24 \div 6 - 3$
$D = \dfrac{24}{6} - 3$	$H = 24 - 6 \div 3$

38 Calculer chacune des expressions suivantes, puis vérifier à la calculatrice.

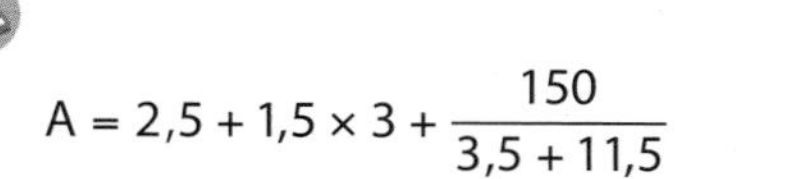

$A = 2{,}5 + 1{,}5 \times 3 + \dfrac{150}{3{,}5 + 11{,}5}$ $\quad B = \dfrac{\frac{56}{28}}{4}$

$C = \dfrac{27{,}8 + 32{,}5}{2{,}5 \times 4}$ $\quad D = \dfrac{5 \times (10{,}6 - 9{,}8) + 40}{20 - 10{,}3 + 1{,}3}$

39 1. Calculer chacune des expressions suivantes.

$A = \dfrac{16}{\frac{8}{2}}$ $\quad B = 16 + \dfrac{8}{2}$

$C = \dfrac{16}{2} + 8$ $\quad D = \dfrac{16+8}{2}$

2. Associer chacune de ces expressions à la séquence-calculatrice qui lui correspond puis vérifier les résultats à la calculatrice.

① 1 6 + 8 ÷ 2

② (1 6 + 8) ÷ 2

③ 1 6 ÷ 2 + 8

④ 1 6 ÷ 8 ÷ 2

Utiliser le bon vocabulaire

Savoir-faire p. 39

Questions flash

40 Pour chacune des expressions suivantes, déterminer la dernière opération qui sera effectuée.
Dire alors s'il s'agit d'une somme, d'une différence, d'un produit ou d'un quotient.

a. $15 - 3 \times 2$ $\quad$ b. $200 \div 2 - 5 \times 7$

c. $45 \div (9 + 6)$ $\quad$ d. $20 \div (5 - 3) + 1$

41 Traduire chacune des expressions suivantes par une phrase en français.

a. 9×14 $\quad$ b. $5 \times 7 - 3$

c. $8 \times (9 - 3)$ $\quad$ d. $64 \div 15$

e. $(15 + 13) \div 7$ $\quad$ f. $(15 + 7) \times (10 - 7)$

42 Calculer mentalement :

a. la différence entre 28 et le quotient de 21 par 7

b. le produit de 5 par la somme de 7 et 2

c. le quotient de la somme de 17 et 7 par 2

43 Traduire les expressions suivantes par un calcul.

a. le quotient de 28 par 7

b. la somme de 30 et du produit de 2 par 12

c. le produit de 15 par la somme de 2 et de 7

Faire le point

QCM

Donner la seule réponse correcte parmi les trois proposées.

	Réponse A	Réponse B	Réponse C
1 Calculer sans parenthèses			
1. Dans l'expression $20 - 6 + 4$, il faut commencer par :	$6 + 4$	$20 - 6$	l'opération de son choix
2. Dans l'expression $20 \div 4 \times 5$, il faut commencer par :	4×5	l'opération de son choix	$20 \div 4$
3. Dans l'expression $4 + 9 \times 2$, il faut commencer par :	9×2	$4 + 9$	l'opération de son choix
2 Calculer avec des parenthèses			
1. Dans l'expression $[12 - (4 + 3)] \times 2$, il faut commencer par :	la soustraction	l'addition	la multiplication
2. $6 + 4 \times (3 - 2)$ est égal à :	28	10	16
3 Calculer avec un quotient			
1. $\dfrac{2 + 3 \times 4}{5 + 2}$ est égal à :	$\dfrac{20}{7}$	6	2
2. $\dfrac{12 - 3}{2 + 1}$ est égal à :	$12 - 3 \div 2 + 1$	$12 - 3 \div (2 + 1)$	$(12 - 3) \div (2 + 1)$
4 Utiliser le bon vocabulaire			
Le quotient de la somme de 8 et de 7 par 3 est égal à :	$(8 + 7) \div 3$	$8 + \dfrac{7}{3}$	$8 + 7 \div 3$

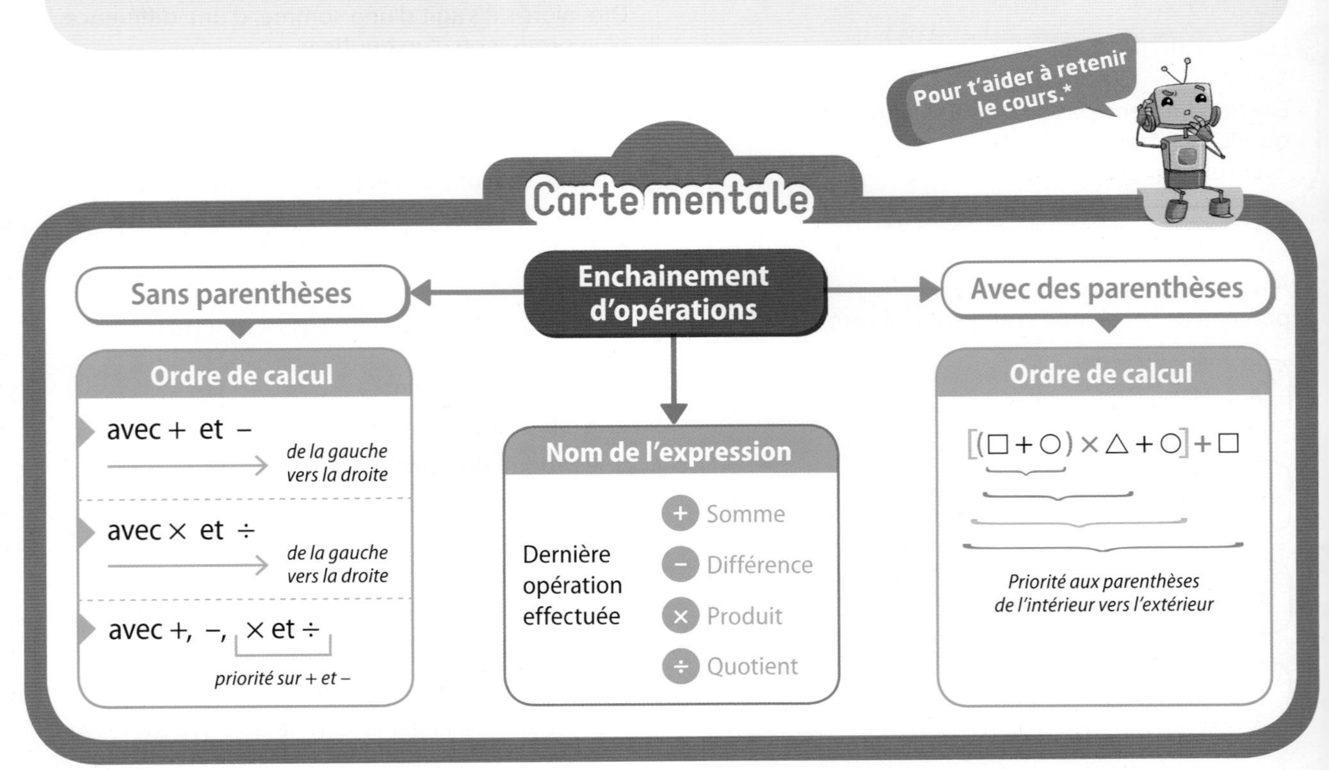

*Tu peux aussi construire ta propre carte mentale.

Algorithmique et outils numériques

44 Merlin le magicien

Voici un programme de calcul :

> Choisir un nombre.
> Calculer son double et son triple.
> Ajouter les deux nombres obtenus.
> Diviser le résultat par 10.

1. Appliquer ce programme avec le nombre 2, puis avec le nombre 5.
2. On souhaite appliquer à nouveau ce programme avec les nombres :
   49 ; 132 ; 1 785 ; 13 853
   Reproduire et compléter cette feuille dans un tableur :

	A	B	C	D	E
1	Nombre choisi	49	132	1785	13853
2	Son double				
3	Son triple				
4	Leur somme				
5	Quotient par dix				

3. Merlin constate qu'il est très facile de deviner le nombre choisi en connaissant le résultat final. Paul lui dit : « Mais tu es un magicien ! »
   Que peut-on en penser ?

45 Priorité !

Le professeur a demandé à sa classe de faire dire au lutin de Scratch le résultat du calcul suivant :

$$20 - 3 \times 5 - 2$$

Voici le calcul que cinq élèves ont placé dans leur script :

Ahmed : ((20 – 3) * 5) – 2

Enzo : (20 – 3) * (5 – 2)

Kaena : 20 – ((3 * 5) – 2)

Lucie : (20 – (3 * 5)) – 2

Ornella : 20 – (3 * (5 – 2))

• Quel élève a raison ? Quel résultat obtiennent les autres élèves ?

46 Scripts et calculs

Pour chacun des scripts suivants, dire quelle valeur sera renvoyée.

①

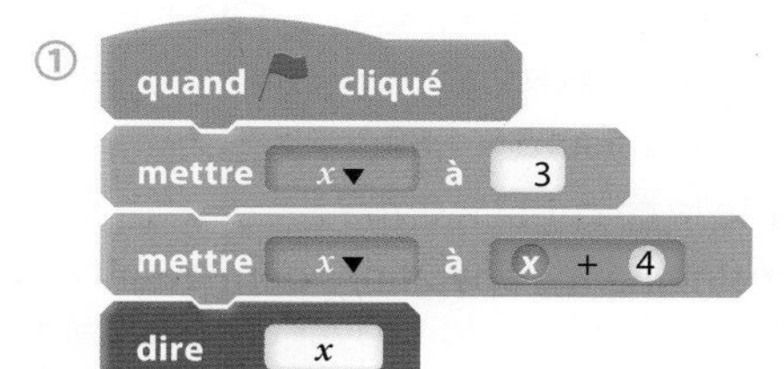

②

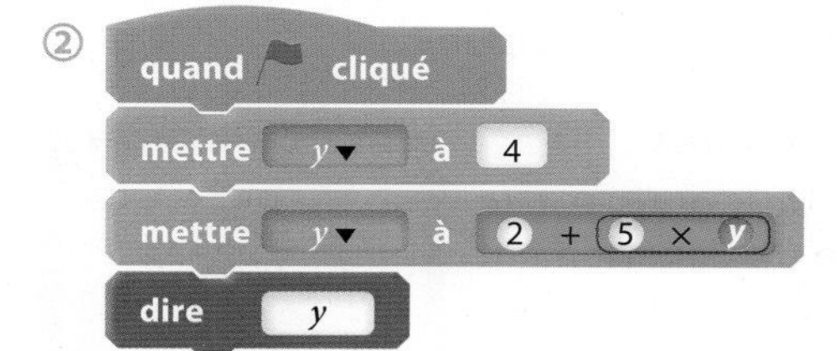

③

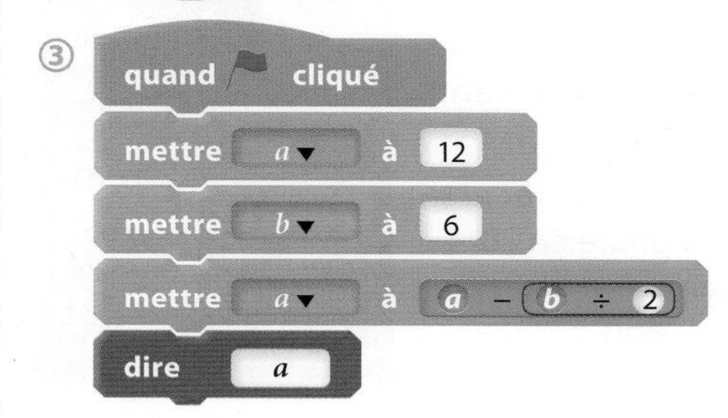

47 Merlin, le retour

Merlin propose un jeu à son copain Arthur : « Prends ton âge et ajoute 12. Divise le résultat par 2 puis retranche 6. Pour finir, retranche encore la moitié de ton âge. Je sais combien tu as trouvé ! »

1. Essayer ce jeu avec plusieurs âges différents.
2. On a écrit le script correspondant à ce programme de calcul mais les différentes étapes ont été mélangées. Remettre les blocs dans le bon ordre, puis tester le script avec d'autres valeurs.

① mettre x à x / 2

② mettre x à x – 6

③ quand cliqué
demander quel est ton âge ? et attendre

④ dire x

⑤ mettre x à x – (réponse / 2)

⑥ mettre x à réponse + 12

3. Comment Merlin pouvait-il connaitre à l'avance le résultat ?

Pour mieux cibler les compétences			
Chercher	57 63 64 66 67	Raisonner	66 68 69
Modéliser	65 67	Calculer	52 59
Représenter	60	Communiquer	65 69

48 Sucreries

Magali achète 5 paquets de gâteaux à 1,80 € pièce et 12 sucettes à 0,70 € pièce.

1. Que représente le calcul $5 \times 1{,}80$?
2. Que représente le calcul $12 \times 0{,}70$?
3. Écrire un enchainement d'opérations permettant de trouver le prix total qu'elle doit payer en n'utilisant que les nombres écrits dans l'énoncé.
4. Effectuer ce calcul et conclure.

49 Le phare de Contis

Le phare de Contis est le seul phare du département des Landes. En 2014, 13 300 visiteurs ont gravi ses 183 marches, dont 9 298 adultes et 3 741 enfants de 3 à 12 ans.

- Quelle a été la recette annuelle du phare en 2014 ? Écrire le calcul à l'aide d'une seule expression.

TARIF
Adulte : 3 €
Enfant de 3 à 12 ans : 1 €
Moins de 3 ans : gratuit

50 Qui dit vrai ?

Victor affirme : « Calculer le produit de la somme de 8 et de 7 par 5 revient au même que calculer la somme du produit de 8 par 7 et de 5 ». Candice lui affirme qu'il a tort.

- Qui a raison ? Pourquoi ?

51 Expressions

Pour chacune des trois situations suivantes, écrire une seule expression permettant de répondre à la question posée :

1. Emma a acheté trois livres identiques et a payé 36 €. Vincent, qui avait 150 €, achète un de ces livres. Quelle somme reste-t-il à Vincent ?
2. Dans une planche de 150 cm de long, Paul découpe trois morceaux de 36 cm de long. Quelle longueur reste-t-il ?
3. Théo doit lire un livre de 150 pages. Le lundi, il lit 36 pages. Il le termine en lisant le même nombre de pages chacun des trois jours suivants. Combien de pages a-t-il lu chacun de ces trois jours ?

52 À la boulangerie

Noé achète 3 baguettes de pain à 0,90 € chacune et 5 croissants. Il paie avec un billet de 10 € et la boulangère lui rend 3,30 €.

1. Que permet de connaitre chacun de ces calculs ?
   a. $3 \times 0{,}90 = 2{,}70$
   b. $10 - 3{,}30 = 6{,}70$
   c. $6{,}70 - 2{,}70 = 4$
   d. $4 \div 5 = 0{,}80$
2. Écrire une expression qui permet de calculer directement le prix d'un croissant en n'utilisant que les nombres écrits dans l'énoncé.

53 Scientifique ?

Mathis tape sur sa calculatrice la séquence de touches suivante. 2 + 5 × 3 − 8 entrer

Il obtient sur son écran de calculatrice le résultat ci-contre.

13 13

- Mathis a-t-il utilisé une calculatrice scientifique ? Pourquoi ?

54 Anniversaire

Franck veut acheter un bouquet de roses pour l'anniversaire de sa femme, constitué d'autant de roses que son âge. En entrant chez la fleuriste, il voit que les roses coutent 3 € chacune. Vu la quantité achetée, la fleuriste lui fait un prix global à 100 € le bouquet. « J'ai fait une économie de 5 € » pense Franck.

- Quel est l'âge de la femme de Franck ? Écrire le calcul à l'aide d'une seule expression en n'utilisant que les nombres écrits dans l'énoncé.

55 Parking

M. Oscar a stationné sa voiture tout l'après-midi dans un parking souterrain du centre-ville.

TARIFS DU PARKING

Si une heure est incomplète, chaque quart d'heure entamé sera facturé 0,25 €.

1re heure	gratuite
2e heure	2,50 €
3e heure	1,50 €
À partir de la 4e heure : 1 € / heure	

TICKET

HEURE D'ENTRÉE
13H45

HEURE DE SORTIE
19H20

- Combien va-t-il payer ?

56 Sportif !

EPS

Lors d'un raid nature, Yanis doit courir 3 boucles de 3 200 m chacune dans un bois, puis effectuer 5 tours de 4,5 km au bord d'un lac en VTT et terminer par une descente de rivière en canoë. Le raid totalise 39,7 km.

- Quelle distance Yanis doit-il parcourir en canoë ? Écrire le calcul à l'aide d'une seule expression en n'utilisant que les nombres écrits dans l'énoncé.

57 À la Poste

Voici un extrait des principaux tarifs courrier au départ de la France métropolitaine, au 5 janvier 2015 :

LETTRE VERTE	Service standard d'envoi de lettres et petits objets jusqu'à 3 cm d'épaisseur

Pour les envois vers : La France, Monaco, Andorre et secteurs postaux (armée). Complément d'affranchissement aérien vers l'outre-mer pour les envois de plus de 20 g
- **Service universel :** Jusqu'à 2 kg
- **Délai :** J+2, indicatif
- **Dimensi :** Minimales : 14 × 9 cm
  Maximales : L + ℓ + H = 100 cm, avec L < 60 cm
- **Complément aérien :**
  – Vers zone OM1 : Guyane, Guadeloupe, Martinique, La Réunion, St-Pierre-et-Miquelon, St-Barthélemy, St-Martin et Mayotte : 0,05 € par tranche de 10 g
  – Vers zone OM2 : Nouvelle-Calédonie, Polynésie française, Wallis-et-Futuna, T.A.A.F. : 0,11 € par tranche de 10 g
- **Exemple de complément :** Pour un envoi de 32 g vers la Guadeloupe : 1,15 € + 4 × 0,05 € = 1,35 €

POIDS JUSQU'À	TARIFS NETS
20 g	0,68 €
50 g	1,15 €
100 g	1,75 €
250 g	2,75 €
500 g	3,70 €
1 kg	4,85 €
2 kg	6,30 €
3 kg	6,90 €

1. Combien paye-t-on pour envoyer une lettre de 165 g à Bordeaux ?
2. Combien paye-t-on pour envoyer une lettre de 90 g à Pointe-à-Pitre en Guadeloupe ?
3. Combien paye-t-on pour envoyer une lettre de 370 g à Nouméa en Nouvelle-Calédonie ?

58 Le camping

Un camping dans les Pyrénées propose les tarifs suivants pour une nuit.

Tarifs Camping	BASSE SAISON	HAUTE* SAISON
Voiture + tente ou caravane ou camping car	5,50 €	6,50 €
Adulte	4,50 €	5,50 €
Enfant de 4 à 10 ans	1,60 €	2,10 €
Enfant – de 3 ans	Gratuit	Gratuit
Appareils électriques : 10 ampères	3,50 €	3,50 €
Voiture ou moto supplémentaire	1,50 €	2,00 €
Chien : Carnet obligatoire	1,50 €	2,00 €
Taxe de séjour (> 13 ans)	0,35 € par nuit et par personne	

** Période de juin à septembre.*

Cylia, 12 ans, ses deux petits frères de 7 et 9 ans, ainsi que ses deux parents souhaitent séjourner dans ce camping de l'après-midi du 20 juillet jusqu'au matin du 24 juillet. Cette famille veut réserver un emplacement pour leur voiture et leur caravane, avec électricité, sans animaux domestiques.

- Combien va leur couter ce séjour ? Écrire le calcul à l'aide d'une seule expression en n'utilisant que les nombres écrits dans l'énoncé.

59 Écologie

CIT

Les Français consomment environ 144 litres d'eau minérale en bouteille par an et par personne. On sait que :
- 1 litre d'eau pèse 1 kg ;
- chaque bouteille contient 1,5 litre d'eau ;
- chaque bouteille vide pèse 75 g.

- Combien de kilogrammes de déchets seraient économisés par personne et par an si les Français ne consommaient que de l'eau du robinet ? Écrire le calcul à l'aide d'une seule expression en n'utilisant que les nombres écrits dans l'énoncé.

60 Chaud ou froid...

PC

Aux États-Unis, les températures sont exprimées en degrés Fahrenheit (°F) alors qu'en France, elles sont exprimées en degrés Celsius (°C).
Pour convertir les degrés Fahrenheit en degrés Celsius, voici le programme de calcul qu'il faut effectuer :

> Choisir le nombre en degrés Fahrenheit.
> Retrancher 32.
> Multiplier le résultat par 5.
> Diviser le nombre obtenu par 9.

On veut convertir 50°F en degrés Celsius.
1. Effectuer le programme de calcul ci-dessus et donner le résultat.
2. Écrire les calculs à effectuer à l'aide d'une seule expression comportant une écriture fractionnaire.
3. Vérifier à la calculatrice.
4. En 1953, Ray Bradbury a écrit un livre intitulé *Fahrenheit 451*. Rechercher pourquoi il a choisi ce titre. À quelle température en °C cela correspond-il ?

61 Recyclage

CIT

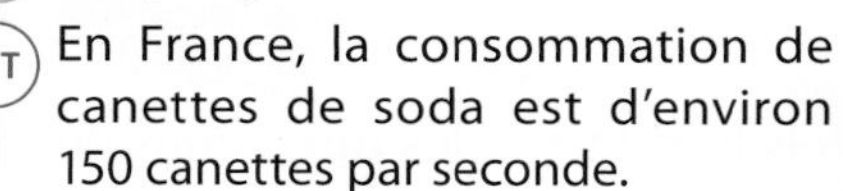

En France, la consommation de canettes de soda est d'environ 150 canettes par seconde.

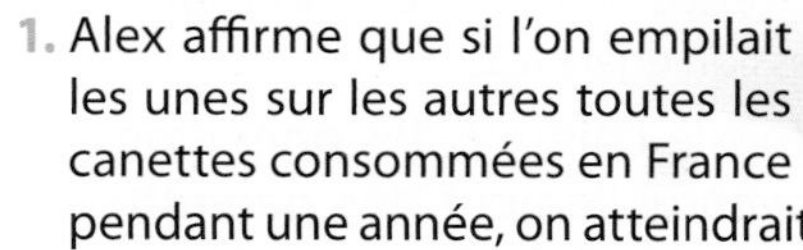

1. Alex affirme que si l'on empilait les unes sur les autres toutes les canettes consommées en France pendant une année, on atteindrait la Lune ! Sachant que la hauteur d'une canette est d'environ 11,6 cm et que la distance Terre-Lune est de 384 400 km, Alex a-t-il raison ?

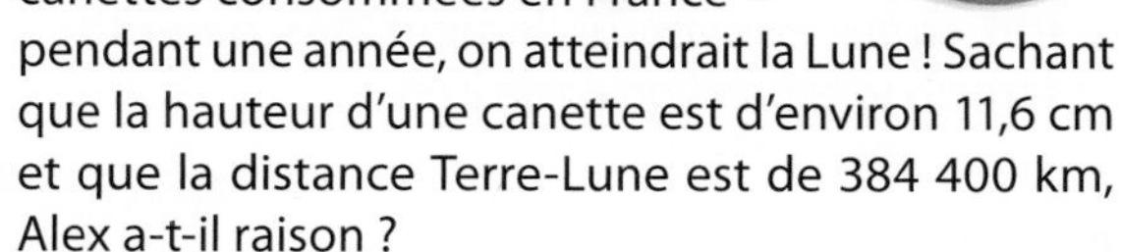

2. Une canette peut être recyclée à l'infini. On estime qu'environ 60 % des canettes sont recyclées en France. Si l'on recycle 670 canettes, on récupère la quantité d'aluminium nécessaire à la fabrication d'un vélo. Au bout d'un an, combien peut-on fabriquer de vélos avec le recyclage des canettes en France ?

Problèmes

62 Missing signs

LV

Complete the equalities below using the signs +, –, ×, ÷ and (…).

a. 5 4 3 2 1 = 0
b. 5 4 3 2 1 = 1
c. 5 4 3 2 1 = 2
d. 5 4 3 2 1 = 3
e. 5 4 3 2 1 = 4
f. 5 4 3 2 1 = 5

63 Facture

Les parents de Samir viennent de recevoir leur facture d'électricité. Malheureusement, Samir, qui est très maladroit, a renversé du café sur ce document.

• Écrire une expression qui permettra aux parents de Samir de retrouver la somme du chèque qu'ils doivent faire pour régler cette facture. Puis, à l'aide d'un tableur, éditer cette facture. Les nombres manquants devront être trouvés à l'aide de formules.

ÉLECTRICITÉ	Abonnement 4,33 €/mois du 10/01/15 au 10/01/16	Consommation du 14/11/14 au 16/11/15
Relevé ou estimation en kWh		
ancien		22 133
nouveau		25 153
différence		
Prix du kWh en €		0,0767
Montant HT en €		
Taxes locales en €	9,07	
TVA en €	50,04	
TOTAL TTC en €		

64 Défis !

1. En utilisant 5 fois le chiffre 5, les opérations de ton choix et éventuellement des parenthèses, écrire une expression égale à 55.
2. En utilisant 6 fois le chiffre 6, les opérations de ton choix et éventuellement des parenthèses, écrire une expression égale à 66.

65 Roman Opalka

PEAC

Le peintre franco-polonais Roman Opalka (1931 – 2011) a tenté, à partir de 1965, d'inscrire une trace du temps irréversible en peignant les nombres entiers se succédant : 1 ; 2 ; 3…

Toutes ses toiles, qu'il appelle « détails » et qui ont pour titre « 1965 / 1 – ∞ », mesurent 196 cm × 135 cm et montrent les nombres qui se suivent du haut à gauche au bas à droite. Il utilise toujours la même typographie. Le dernier nombre qu'il a inscrit sur une toile est 5 569 249. Il a peint au total 231 toiles.

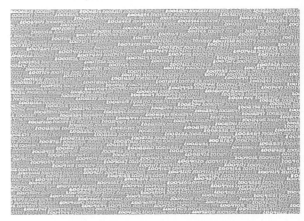

Opalka 1965/1-∞ ; *Détail peinture 1987108-2010495*, 196 × 135 (*Fragment*)

1. Donner un ordre de grandeur de la quantité de nombres inscrits sur une toile.
2. Sur son premier tableau, il a inscrit les nombres de 1 à 35 327. Comparer la quantité de nombres écrits sur ce premier tableau à l'ordre de grandeur trouvé à la question 1. Comment expliquer cette différence ?

66 Match de rugby

EPS

Au rugby, plusieurs actions permettent de marquer des points.

– Si le joueur aplatit son ballon derrière la ligne, il marque un essai (5 points).

– Si le buteur transforme cet essai en faisant passer le ballon au pied au-dessus de la barre horizontale et entre les deux barres verticales, cela rapporte deux points supplémentaires à l'équipe.

– Si l'équipe marque une pénalité, elle remporte 3 points.

Lors de la dernière journée du TOP 14, l'équipe de l'Union Bordeaux Bègles a gagné contre le Stade Français (23 – 17).

• Déterminer par quelles actions chaque équipe a pu marquer ses points. Existe-t-il plusieurs possibilités ? Si oui, les donner toutes pour chaque équipe.

67 Cloture

Paul veut cloturer son terrain, il a prévu d'installer un portail et un portillon.

- Déterminer le montant que Paul devra payer pour cloturer son terrain.

Doc. 1 Plan du terrain

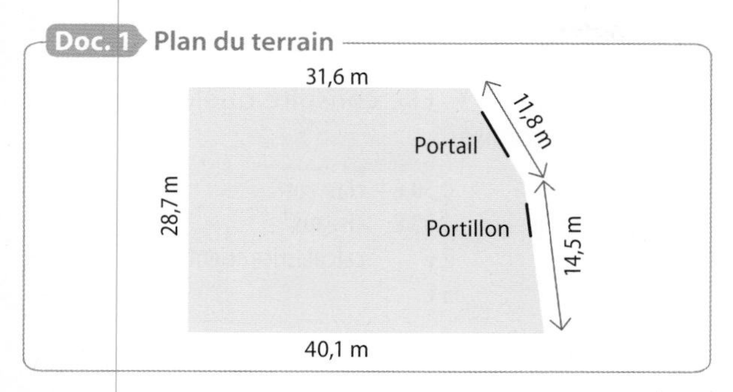

Doc. 2

Grillage soudé **21,90 €**
Dimensions du grillage :
L. 2 000 cm × h. 120 cm.
Poteau en métal **2,95 €**
Dimensions :
30 mm × 30 mm × h. 1,2 m.
Recommandation d'utilisation :
Planter un poteau tous les 2 mètres.

Doc. 3

Portail en fer Oria
299,00 €
Dimensions :
L. 300 cm × h. 200 cm.

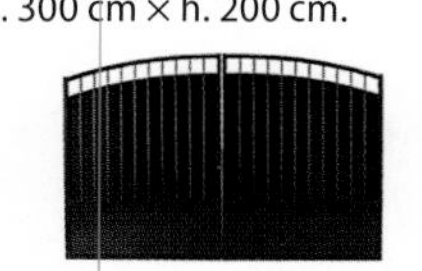

Doc. 4

Portillon résidentiel 150 cm
349,00 €
Dimensions :
L. 100 cm × h. 150 cm.

68 La tour Eiffel

Prise d'initiative

M. et Mme Dumoulin décident d'aller visiter la tour Eiffel avec leurs trois enfants : Élise (13 ans), Maxime (7 ans) et Arthur (3 ans). Les deux derniers prendront l'ascenseur avec leur maman pendant que l'ainée fera le trajet avec son papa par les escaliers. Ils se retrouveront tous au 2e étage.

- Élise affirme qu'en choisissant de visiter la tour Eiffel ainsi au lieu de tous monter au sommet, ils ont économisé suffisamment d'argent pour offrir une canette de soda et une glace à chaque membre de la famille. A-t-elle raison ?

Doc. 1

Consommations	Tarifs
Canette de soda	2 €
Glace	3 €
Gaufre nature	4 €

Doc. 2

À partir du 1er janvier 2015	Adultes	Jeunes 12-24 ans	Tarifs réduits Enfants 4-11 ans Handicapés*
Billet d'entrée ascenseur (jusqu'au 2e étage)	9 €	7 €	4,50 €
Billet d'entrée ascenseur avec sommet	15,50 €	13,50 €	11 €
Billet d'entrée escalier (jusqu'au 2e étage)	5 €	4 €	3,50 €

**Tarif réduit pour un accompagnateur par personne handicapée.*

Source : www.tour-eiffel.fr

69 Se brosser les dents ... sans gaspillage

CIT

La ressource en eau sur notre planète semble immense, mais 97 % de cette eau est salée ! Sur les 3 % restants, une partie est prisonnière des glaciers, une autre partie est soumise aux pollutions d'origine agricole, industrielle ou domestique.

- Calculer l'économie annuelle en euros réalisée par une personne qui déciderait de fermer le robinet d'eau à chaque fois qu'elle se brosse les dents.

Doc. 1

Économiser 30 à 40 % d'eau, c'est simple et possible	
Prenez une douche plutôt qu'un bain	**Utilisez un verre à dent**
Douche de 5 min Si vous arrêtez l'eau pour vous savonner = **15 L** Si l'eau coule en continu = **60 L**	Si vous laissez l'eau couler pendant le brossage (2 min) = **8 L**
Bain En fonction de la taille de la baignoire, un bain utilise **150** à **200 L**	

Doc. 2

LES RECOMMANDATIONS DE L'USFBD POUR UNE BONNE SANTÉ BUCCO-DENTAIRE

- **2 brossages** par jour **matin** et **soir** pendant **2 minutes**
- L'utilisation d'un **dentifrice fluoré**
- L'utilisation du **fil dentaire** chaque **soir**
- Une visite au moins **1 fois par an** chez le **dentiste**, et ce dès l'âge de 1 an
- Une **alimentation variée** et **équilibrée**

Doc. 3 Exemple de facture annuelle d'eau

FACTURE EAU 52 m^{3}	Cout/m^{3}	Montant TTC
Eau potable	1,40 €	72,80 €
Assainissement	1,50 €	78,00 €
Redevances pour l'Agence de l'eau		
Préservation des ressources en eau	0,10 €	5,20 €
Lutte contre la pollution	0,20 €	10,40 €
Modernisation des réseaux	0,16 €	8,32 €
TOTAL TTC à payer :		**174,72 €**

Utilisable en AP

À chacun sa méthode !

Deux énoncés pour un exercice

Exercice 1

Clara consulte quelques prix de fournitures scolaires :

stylo bille	0,50 €	classeur	5 €
stylo quatre couleurs	2 €	ciseaux	3 €
cahier	1,50 €	calculatrice scientifique	15 €
cartable	35 €		

Elle écrit l'expression suivante :

$$4 \times 5 + 15 + 6 \times 0{,}50 + 1{,}50$$

1. D'après cette expression, quels articles Clara souhaite-t-elle acheter ?
2. Calculer l'expression proposée par Clara. À quoi correspond son résultat ?

Exercice 2

Compléter avec les signes +, – ou × pour que chacune des égalités suivantes soit vraie.

a. 3 … 3 … 3 … 3 = 6
b. 3 … 3 … 3 … 3 = 18
c. 3 … 3 … 3 … 3 = 30
d. 3 … 3 … 3 … 3 = 9

Exercice 3 Le compte est bon

Règles du jeu :
– Tous les nombres doivent être utilisés.
– Chaque nombre ne peut être utilisé qu'une seule fois.
– On peut utiliser les opérations de son choix.

On tire les nombres suivants : 

• Quelle suite d'opérations faut-il effectuer pour obtenir 9 comme résultat ? Écrire une seule expression.

Exercice 1

Clara possède 35 €. Elle consulte quelques prix de fournitures scolaires :

stylo bille	0,50 €	classeur	5,20 €
stylo quatre couleurs	1,30 €	ciseaux	3 €
cahier	2 €	calculatrice scientifique	15 €
cartable	35 €		

Elle écrit l'expression suivante :

$$35 - 2 \times 5{,}2 - 15 - 3 \times 0{,}5$$

1. D'après cette expression, quels articles Clara souhaite-t-elle acheter ?
2. Calculer l'expression proposée par Clara. À quoi correspond son résultat ?

Exercice 2

Compléter avec les signes +, –, × ou ÷ pour que chacune des égalités suivantes soit vraie.

a. 3 … 3 … 3 … 3 = 0
b. 3 … 3 … 3 … 3 = 15
c. 3 … 3 … 3 … 3 = 10
d. 3 … 3 … 3 … 3 = 5

Exercice 3 Le compte est bon

Règles du jeu :
– Tous les nombres doivent être utilisés.
– Chaque nombre ne peut être utilisé qu'une seule fois.
– On peut utiliser les opérations de son choix.

On tire les nombres suivants : 15 3 4 50 10

• Quelle suite d'opérations faut-il effectuer pour obtenir 9 comme résultat ? Écrire une seule expression.

Écriture d'un énoncé

1. Écrire un énoncé de problème dont la solution est donnée par le calcul de l'expression :
$$3{,}5 \times 5 + 9 \times 2$$
2. Écrire un énoncé de problème dont la solution est donnée par le calcul de l'expression :
$$50 - 3 \times 4$$
3. Donner ces deux énoncés à son voisin et lui demander de résoudre les problèmes.

Analyse d'une production

Le professeur demande à ses élèves de calculer l'expression :

$$A = 19 - 7 \times 2 + 8$$

Voici la réponse de trois élèves :

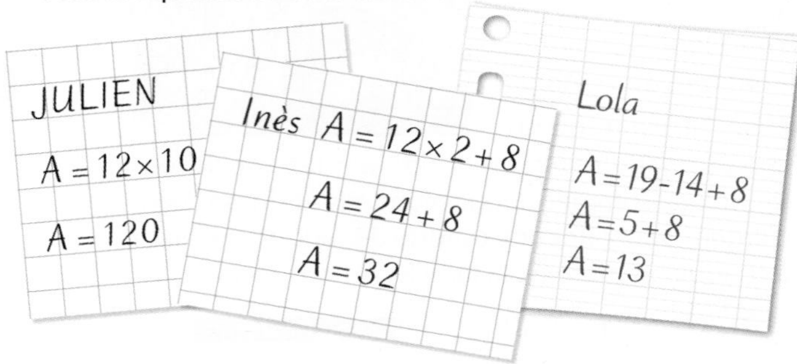

• Corriger les réponses des élèves en expliquant les erreurs commises, quand il y en a.

CHAPITRE 3

Ta mission
Approfondir tes connaissances sur la signification des fractions.

Fractions

Jeux

Bastien avait rangé ses dominos de façon que chaque fraction se retrouve à côté de son illustration ; son petit frère est arrivé et a tout mélangé.

- Dans quel ordre doit-il les remettre ?

La construction d'une gamme musicale

Au VIe siècle avant J.-C., Pythagore connaissait la relation entre la longueur d'une corde tendue et le son qu'elle émet quand elle est frottée. En réduisant de moitié la longueur d'une corde donnant un Do, on obtient une corde donnant un Do plus aigu.

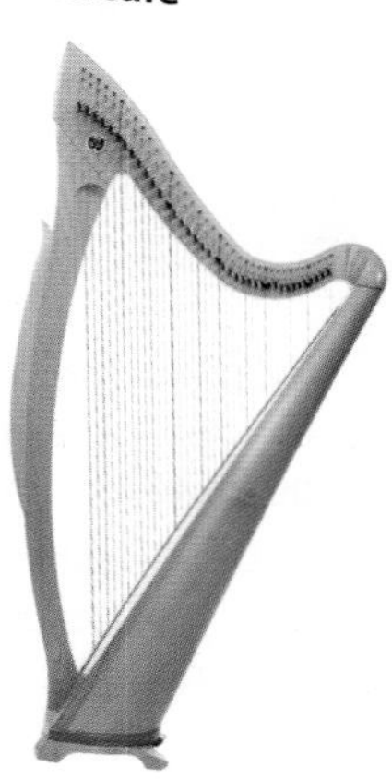

En utilisant d'autres rapports $\left(\frac{3}{4}, \frac{4}{5}, \frac{8}{9} \dots\right)$, on peut construire toute la gamme.

Activités

Questions flash

diapo

1. Guillaume affirme avoir colorié en jaune $\frac{1}{7}$ de la surface du puzzle ci-dessous. A-t-il raison ?

Partez !

2. Mina a acheté un sac de bonbons ; elle les a comptés et en a trouvé 48. Pourra-t-elle les partager équitablement avec ses deux amies sans qu'il en reste ?

3. Chaque figure est découpée en plusieurs parts égales. Dans chaque cas, donner la fraction de la figure qui a été coloriée.

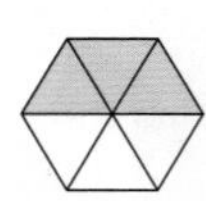  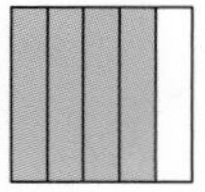 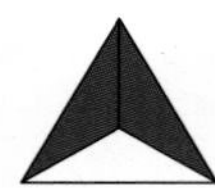 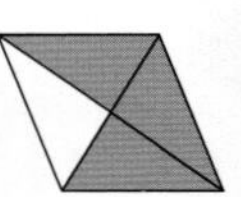

Des partages

Activité 1

Dans la salle d'arts plastiques, quatre feuilles identiques sont collées les unes aux autres. Trois élèves, Mathieu, Hanane et Natacha, sont chargés de les colorier très minutieusement en bleu. Ils doivent se répartir équitablement le travail. Pour cela, Natacha décide d'effectuer des pliages. Elle dit à ses camarades :

« Je n'ai pas de règle pour mesurer, mais en deux plis seulement, je vais déterminer la partie que chacun devra colorier. De plus, la surface attribuée à chacun sera d'un seul morceau. »

1. Comment va-t-elle procéder ? Reproduire le modèle ci-dessous sur du papier non quadrillé et le plier pour expliquer la méthode de Natacha.
2. Quelle fraction permet de représenter ce partage équitable des quatre feuilles ?
3. Une fois le travail terminé, le professeur félicite les trois élèves : « C'est très bien, j'ai vu que chacun a colorié la même surface, vous étiez trois et les quatre feuilles sont finalement uniformément bleues. » La phrase du professeur se traduit par $3 \times \ldots = \ldots$

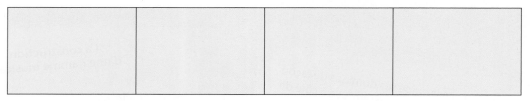

Au marché

Activité 2

Un maraicher vient vendre ses légumes au marché ; chaque cageot contient 2,25 kg de légumes et la quantité totale est de 108 kg.

1. Quelle est la masse de légumes contenue dans :
   a. deux cageots ?
   b. douze cageots ?
   c. quatre cageots ?
   d. vingt cageots ?
2. Sans effectuer de calcul, indiquer ce que représente chacun des quotients suivants.

$$\frac{4,5}{2} \; ; \; \frac{27}{12} \; ; \; \frac{9}{4} \; ; \; \frac{45}{20}$$

Que peut-on en déduire ? Quelle fraction semble la plus simple ?

3. Recopier et compléter les égalités suivantes.

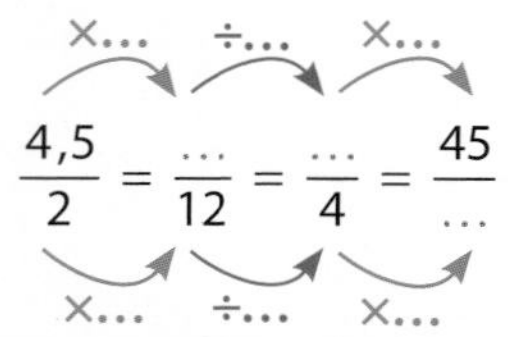

$$\frac{4,5}{2} = \frac{\ldots}{12} = \frac{\ldots}{4} = \frac{45}{\ldots}$$

(flèches : ×… ; ÷… ; ×…)

4. Le maraicher ne se souvient plus combien il avait chargé de cageots le matin dans son camion. Son fils Étienne lui dit qu'il suffit de diviser la masse totale de légumes par la masse contenue dans un cageot.
   - A-t-il raison ? Comment effectuer cette division ?

Le nettoyage

Activité 3

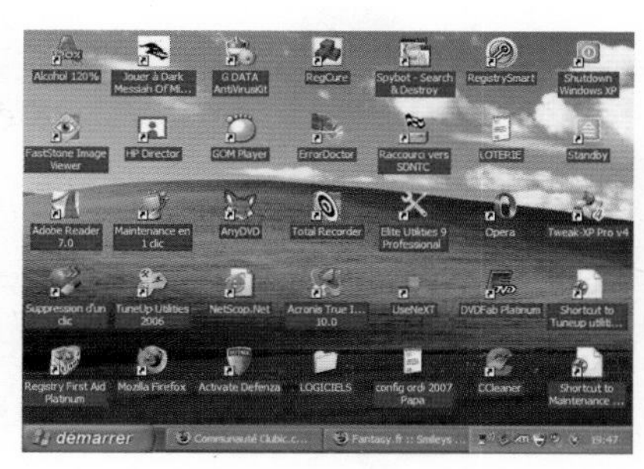

Sofien, Helena et Jérémy ont le même écran d'ordinateur et ont choisi la même taille d'icônes. Le bureau de leur ordinateur est alors entièrement rempli. Ils décident de supprimer les icônes inutiles sur leur bureau.

Sofien dit : « J'ai supprimé $\frac{3}{5}$ de mes icônes. »

Helena réplique : « Moi, j'en ai supprimé $\frac{4}{7}$! »

Jérémy surenchérit : « J'en ai supprimé bien plus que chacun d'entre vous car j'en ai éliminé 20 sur 35 ! »

- Jérémy a-t-il raison ? Qui a supprimé le plus d'icônes ? Pourquoi ?

Le flan au caramel

Activité 4

Mathias et Zorah ont réalisé séparément leur propre recette de flan au caramel. Ils avaient les ingrédients nécessaires mais ils ne disposaient, chacun, que d'une seule bouteille de lait de 1 L.

Le lendemain, ils se retrouvent au collège et décrivent leur recette :

« J'ai employé les $\frac{3}{4}$ de ma bouteille de lait » dit Zorah.

« Moi, j'ai utilisé les $\frac{7}{5}$ de ma bouteille de lait » répond Mathias.

- Que peut-on penser de ces deux affirmations ?

Le village de la mobilité

Activité 5
Prise d'initiative

Le village de la mobilité

Découvrez comment vous déplacer autrement, on a tous à y gagner !

13 et 14 septembre
Pont Jacques-Chaban-Delmas
Station tram Bassins à Flot

BORDEAUX MÉTROPOLE www.bordeaux-metropole.fr

Lors de la journée de la mobilité, les 13 et 14 septembre 2015 à Bordeaux, un sondage a été réalisé auprès de 150 élèves de 6e pour connaitre le moyen de transport qu'ils utilisent le plus fréquemment pour venir au collège. Leurs réponses sont représentées dans le diagramme circulaire ci-dessous.

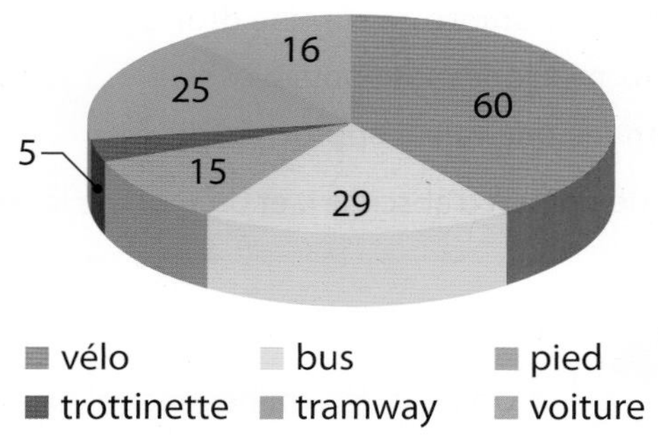

Hugo affirme que la proportion d'élèves qui viennent à vélo est de $\frac{2}{5}$.

Elsa pense qu'elle est de 40 %.

- Peut-on les départager ?

Cours

1 Connaitre la notion de fraction 

Définition

a et b désignent deux nombres ($b \neq 0$).

- Le **quotient** de a par b est le nombre qui, multiplié par b, donne a. On le note $\boldsymbol{a \div b}$ ou $\boldsymbol{\dfrac{a}{b}}$.

Le quotient de 5 par 4 est $\dfrac{5}{4}$.
C'est le nombre qui, multiplié par 4, donne 5 :
$$\frac{5}{4} \times 4 = 5$$

Le quotient de 2 par 3 est $\dfrac{2}{3}$.
C'est le nombre qui, multiplié par 3, donne 2 :
$$\frac{2}{3} \times 3 = 2$$

On ne peut jamais diviser par 0.

Définition

Si a et b sont des nombres entiers ($b \neq 0$), on dit que $\dfrac{a}{b}$ est une **fraction**.

dividende ↘ $a \div b = \dfrac{a}{b}$ ← numérateur
diviseur ↗ ← dénominateur

$\dfrac{3}{7}$ est une fraction mais $\dfrac{2,5}{4}$ n'est pas écrit sous forme de fraction car 2,5 n'est pas entier.

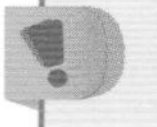

Un quotient n'est pas toujours un nombre décimal.

- $\dfrac{5}{4} = 5 \div 4 = 1,25$ donc $\dfrac{5}{4}$ est un nombre décimal.
- $\dfrac{2}{3} = 2 \div 3$. La division décimale de 2 par 3 ne se termine jamais :
  $\dfrac{2}{3}$ n'est pas un nombre décimal, mais on peut en donner une valeur approchée : $\dfrac{2}{3} \approx 0,667$.

2,0000	3
20	0,666 ···
20	
20	
...	

Méthodes

Pour repérer le nombre $\dfrac{a}{b}$ sur une droite graduée, où a et b sont deux nombres entiers ($b \neq 0$), deux méthodes sont possibles :

- on détermine une valeur approchée de $\dfrac{a}{b}$;
- on place le point A d'abscisse a et on partage le segment [OA] en b parties égales.

On veut placer le nombre $\dfrac{4}{3}$ sur une droite graduée.

- On peut déterminer une valeur approchée de $\dfrac{4}{3}$:
  $$\frac{4}{3} \approx 1,33$$
- On peut également placer le point A d'abscisse 4 et partager le segment [OA] en 3 parties égales.

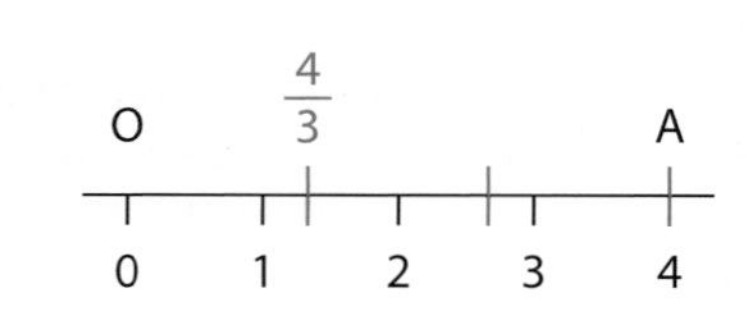

Savoir-faire

Apprends à l'aide des exercices résolus puis entraine-toi !

1 Connaitre la notion de fraction

1 Compléter les égalités suivantes.

a. $\ldots \times 3 = 7$ b. $11 \times \ldots = 9$

Solution

a. $\frac{7}{3} \times 3 = 7$ car le quotient de 7 par 3 est le nombre qui, multiplié par 3, donne 7.

b. $11 \times \frac{9}{11} = 9$ car le quotient de 9 par 11 est le nombre, qui, multiplié par 11, donne 9.

2 On donne les quotients suivants.

$$\frac{3}{4} \; ; \; \frac{3,5}{2} \; ; \; \frac{10}{3} \; ; \; \frac{9}{3} \; ; \; \frac{7}{11}$$

1. Quel est celui qui n'est pas écrit sous forme de fraction ?
2. Donner l'écriture décimale de chaque quotient lorsque c'est possible.

Solution

1. $\frac{3,5}{2}$ n'est pas écrit sous forme de fraction car le numérateur n'est pas un nombre entier.

2. • $\frac{3}{4} = 3 \div 4 = 0,75$

• $\frac{3,5}{2} = 3,5 \div 2 = 1,75$

• $\frac{10}{3}$ n'admet pas d'écriture décimale car la division de 10 par 3 ne se termine pas.

• $\frac{9}{3} = 9 \div 3 = 3$

3 est aussi un nombre décimal.

• $\frac{7}{11}$ n'admet pas d'écriture décimale car la division de 7 par 11 ne se termine pas.

3 Voici une demi-droite graduée :

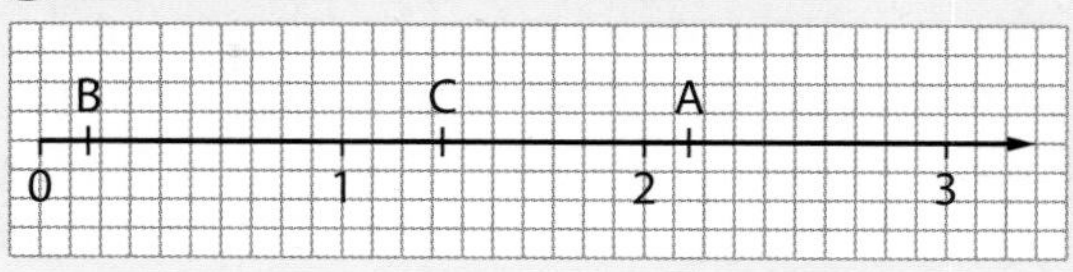

Parmi les nombres, $\frac{4}{3}$, $\frac{15}{7}$, $\frac{1}{6}$, quelle est l'abscisse de A ? de B ? de C ?

Solution

On commence par déterminer une valeur approchée de chaque fraction, puis on place le nombre obtenu sur la droite graduée.

$$\frac{4}{3} \approx 1,33 \; ; \; \frac{15}{7} \approx 2,14 \; ; \; \frac{1}{6} \approx 0,17$$

On obtient donc $A\left(\frac{15}{7}\right)$; $B\left(\frac{1}{6}\right)$; $C\left(\frac{4}{3}\right)$.

4 Placer les nombres $\frac{5}{3}$ et $\frac{4}{6}$ sur la demi-droite graduée ci-dessous.

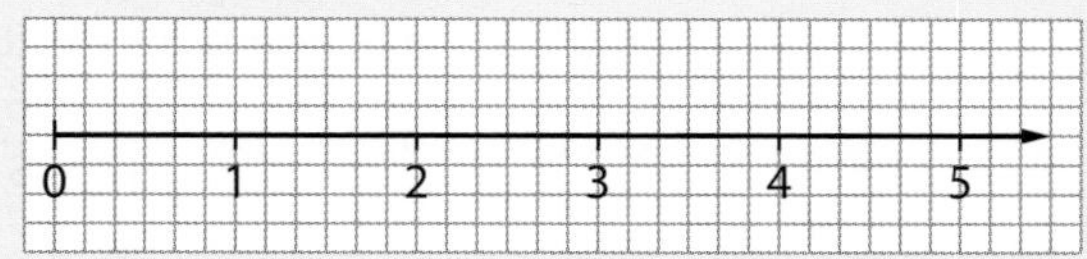

Solution

• On place le point A d'abscisse 5 et on partage le segment [OA] et 3 parties égales.

• On place le point B d'abscisse 4 et on partage le segment [OB] et 6 parties égales.

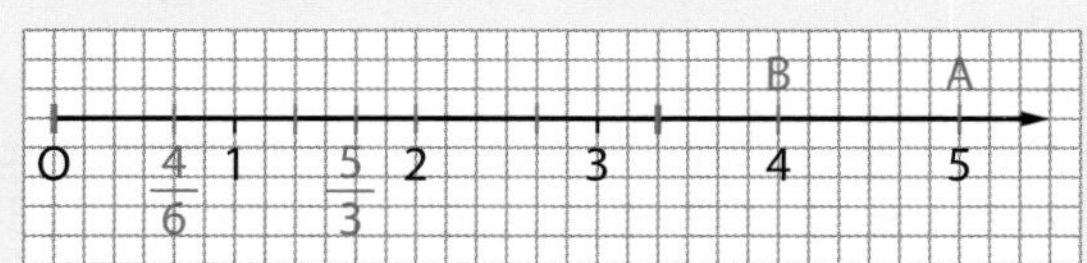

5 On considère les quotients suivants.

$$\frac{7}{2} \; ; \; \frac{5}{6} \; ; \; \frac{12,5}{2,5} \; ; \; \frac{4}{3}$$

1. Écrire ces quotients sous forme décimale, lorsque c'est possible.
2. Citer les quotients qui sont écrits sous forme de fraction.
3. Placer les quotients sur la demi-droite graduée ci-dessous.

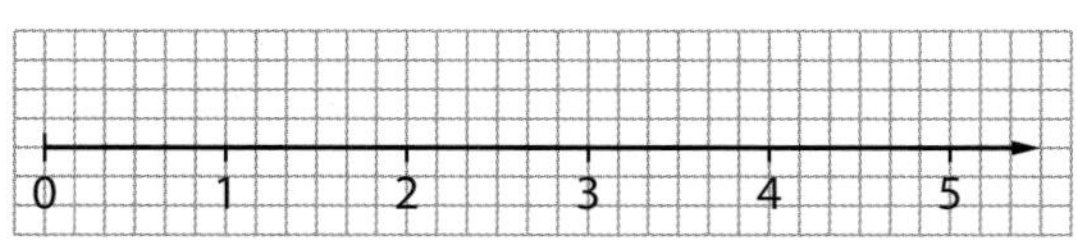

2 Reconnaitre des fractions égales 

Propriété

Un quotient ne change pas si l'on **multiplie** ou si l'on **divise** son numérateur **et** son dénominateur par un même nombre non nul.
a, b et k désignent trois nombres ($b \neq 0$, $k \neq 0$).

$$\frac{a}{b} = \frac{a \times k}{b \times k} \quad \text{et} \quad \frac{a}{b} = \frac{a \div k}{b \div k}$$

$\frac{2,5}{3} = \frac{2,5 \times 2}{3 \times 2} = \frac{5}{6}$

$\frac{24}{30} = \frac{24 \div 3}{30 \div 3} = \frac{8}{10}$

Méthode

Simplifier une fraction consiste à écrire une fraction qui lui est égale avec un numérateur et un dénominateur plus petits.

Pour cela, on cherche un diviseur commun au numérateur et au dénominateur.

On veut simplifier la fraction $\frac{36}{15}$.

- 36 est **divisible par 3** car la somme de ses chiffres est égale à 9 et le nombre 9 est divisible par 3.
- 15 est **divisible par 3** car la somme de ses chiffres est égale à 6 et le nombre 6 est divisible par 3.
- On peut donc écrire $\frac{36}{15} = \frac{36 \div 3}{15 \div 3} = \frac{12}{5}$.

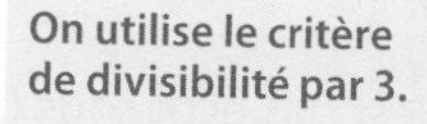

!

1. Pour simplifier une fraction, on peut utiliser des critères de divisibilité.
2. Si le dénominateur d'une fraction est 10, 100, 1000, …, on dit que cette **fraction** est **décimale.**

Méthode

Pour diviser un nombre par un nombre décimal, on peut multiplier le dividende et le diviseur par 10, 100, 1 000 … pour rendre le diviseur entier.

$8 \div 1,25 = \frac{8}{1,25} = \frac{8 \times 100}{1,25 \times 100} = \frac{800}{125}$.

On peut ensuite poser la division :

800	125
500	6,4
0	

On obtient $8 \div 1,25 = 6,4$.

$0,36 \div 1,2 = \frac{0,36}{1,2} = \frac{0,36 \times 10}{1,2 \times 10} = \frac{3,6}{12}$.

On peut ensuite poser la division :

3,6	12
36	0,3
0	

On obtient $0,36 \div 1,2 = 0,3$.

Savoir-faire

Apprends à l'aide des exercices résolus puis entraine-toi !

2 Reconnaitre des fractions égales

6 Recopier et compléter les égalités suivantes.

a. $\frac{4}{7} = \frac{20}{\ldots}$ **b.** $\frac{10}{7} = \frac{\ldots}{49}$ **c.** $\frac{2}{3} = \frac{5}{\ldots}$

Solution

a. $\frac{4}{7} = \frac{20}{35}$ car $\frac{4}{7} = \frac{4 \times 5}{7 \times 5}$.

b. $\frac{10}{7} = \frac{70}{49}$ car $\frac{10}{7} = \frac{10 \times 7}{7 \times 7}$.

c. $\frac{2}{3} = \frac{5}{7{,}5}$ car $\frac{2}{3} = \frac{2 \times 2{,}5}{3 \times 2{,}5}$.

7 Simplifier les fractions suivantes.

a. $\frac{45}{20}$ **b.** $\frac{108}{99}$ **c.** $\frac{300}{70}$

Solution

On cherche un diviseur commun au numérateur et au dénominateur.

a. 45 est **divisible par 5** car son chiffre des unités est 5.
20 est **divisible par 5** car son chiffre des unités est 0.

Donc $\frac{45}{20} = \frac{45 \div 5}{20 \div 5} = \frac{9}{4}$.

On utilise le critère de divisibilité par 5.

b. 108 est **divisible par 9** car la somme de ses chiffres est divisible par 9.
99 est **divisible par 9** car la somme de ses chiffres est divisible par 9.

Donc $\frac{108}{99} = \frac{108 \div 9}{99 \div 9} = \frac{12}{11}$.

On utilise le critère de divisibilité par 9.

c. 300 et 70 sont **divisibles par 10** car leur chiffre des unités est 0.

Donc $\frac{300}{70} = \frac{300 \div 10}{70 \div 10} = \frac{30}{7}$.

On utilise le critère de divisibilité par 10.

8 Effectuer les divisions suivantes.

a. $32 \div 1{,}6$ **b.** $21 \div 0{,}06$ **c.** $8{,}28 \div 2{,}3$

Solution

On écrit le quotient sous forme fractionnaire, puis on rend le dénominateur entier. On peut alors effectuer la division.

a. $32 \div 1{,}6 = \frac{32}{1{,}6}$
$= \frac{32 \times 10}{1{,}6 \times 10} = \frac{320}{16}$
$= 20$

Ici, on multiplie le diviseur par 10 pour le rendre entier.

b. $21 \div 0{,}06 = \frac{21}{0{,}06}$
$= \frac{21 \times 100}{0{,}06 \times 100} = \frac{2100}{6}$
$= 350$

c. $8{,}28 \div 2{,}3 = \frac{8{,}28}{2{,}3}$
$= \frac{8{,}28 \times 10}{2{,}3 \times 10} = \frac{82{,}8}{23}$
$= 3{,}6$

9 Écrire sous la forme d'une fraction décimale :

a. 35,9 **b.** $81 \div 50$

Solution

a. $35{,}9 = \frac{35{,}9}{1}$
$= \frac{35{,}9 \times 10}{1 \times 10} = \frac{359}{10}$

Une fraction est décimale quand le dénominateur est 10, 100, 1 000.

b. $81 \div 50 = \frac{81}{50}$
$= \frac{81 \times 2}{50 \times 2} = \frac{162}{100}$

Ici, on doit multiplier par 2 le numérateur et le dénominateur.

10 **1.** Écrire les fractions $\frac{5}{9}$ et $\frac{2}{3}$ avec un dénominateur égal à 36.

2. Simplifier les fractions suivantes.

$\frac{39}{12}$; $\frac{55}{40}$; $\frac{400}{300}$; $\frac{45}{27}$

11 **1.** Effectuer les divisions suivantes.

a. $34{,}2 \div 3{,}8$ **b.** $13{,}65 \div 3{,}25$

2. Calculer $\frac{2}{25}$ mentalement, à l'aide d'une fraction décimale.

Cours

3 Comparer des fractions ▶Vidéo

Règle

a, *b* et *c* désignent trois nombres ($c > 0$).

Si deux quotients ont le **même dénominateur**, le plus grand est celui qui a le plus grand numérateur.

$$\text{Si } \boldsymbol{a < b} \text{ alors } \boldsymbol{\frac{a}{c} < \frac{b}{c}}.$$

$\frac{3}{7} < \frac{5}{7}$ car $3 < 5$.

Méthode

Pour comparer deux fractions de dénominateurs différents, on peut les réduire au même dénominateur.

On veut comparer $\frac{7}{3}$ et $\frac{13}{6}$. On peut écrire $\frac{7}{3} = \frac{2 \times 7}{2 \times 3} = \frac{14}{6}$.

Or $14 > 13$ donc $\frac{14}{6} > \frac{13}{6}$. Donc $\frac{7}{3} > \frac{13}{6}$.

Règle

a et *b* désignent deux nombres ($b > 0$).

Si $\boldsymbol{a > b}$, alors $\boldsymbol{\frac{a}{b} > 1}$.   Si $\boldsymbol{a < b}$, alors $\boldsymbol{\frac{a}{b} < 1}$.   Si $\boldsymbol{a = b}$, alors $\boldsymbol{\frac{a}{b} = 1}$.

On veut comparer les nombres suivants : 1 ; $\frac{3}{4}$; $\frac{15}{12}$.

- $\frac{3}{4} < 1$ car $3 < 4$.
- $\frac{15}{12} > 1$ car $15 > 12$.
- On a donc $\frac{3}{4} < 1 < \frac{15}{12}$.

4 Exprimer une proportion 

Vocabulaire

Une **proportion** peut s'exprimer sous forme d'une fraction, d'un nombre décimal ou d'un pourcentage.

Dans une classe de 5e, il y a 18 filles sur un total de 30 élèves.

On dit que la **proportion** de filles dans cette classe est égale à : $\frac{\text{nombre de filles}}{\text{nombre total d'élèves}} = \frac{18}{30}$.

On dit aussi que cette proportion est de **0,6** car $\frac{18}{30} = 0{,}6$.

Comme $0{,}6 = \frac{60}{100}$, on dit aussi que cette proportion est de $\frac{60}{100}$ ou **60 %**.

Savoir-faire

Apprends à l'aide des exercices résolus puis entraine-toi !

3 Comparer des fractions

12 Comparer les fractions suivantes.

a. $\frac{17}{9}$ et $\frac{20}{9}$ **b.** $\frac{10}{3}$ et $\frac{37}{12}$ **c.** $\frac{5}{6}$ et $\frac{6}{7}$

Solution

a. $\frac{17}{9} < \frac{20}{9}$ car les deux fractions ont le même dénominateur et $17 < 20$.

b. Pour comparer des fractions de dénominateurs différents, on les écrit avec le même dénominateur : $\frac{10}{3} = \frac{10 \times 4}{3 \times 4} = \frac{40}{12}$.

Or $\frac{40}{12} > \frac{37}{12}$ car $40 > 37$. Donc $\frac{10}{3} > \frac{37}{12}$.

c. $\frac{5}{6} = \frac{5 \times 7}{6 \times 7} = \frac{35}{42}$

et $\frac{6}{7} = \frac{6 \times 6}{7 \times 6} = \frac{36}{42}$.

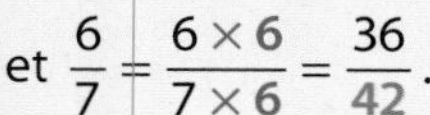

Or $35 < 36$ donc $\frac{5}{6} < \frac{6}{7}$.

Un multiple de 6 et de 7 est 42.

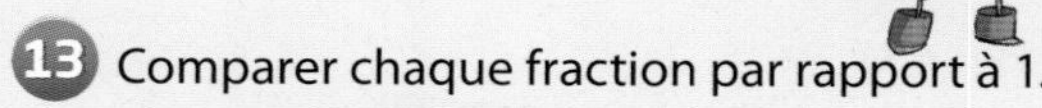

13 Comparer chaque fraction par rapport à 1.

a. $\frac{19}{20}$ **b.** $\frac{50}{41}$ **c.** $\frac{82}{82}$ **d.** $\frac{15}{11}$ **e.** $\frac{4}{7}$

Solution

a. $\frac{19}{20} < 1$ car $19 < 20$.

b. $\frac{50}{41} > 1$ car $50 > 41$.

c. $\frac{82}{82} = 1$ car le numérateur est égal au dénominateur.

d. $\frac{15}{11} > 1$ car $15 > 11$.

e. $\frac{4}{7} < 1$ car $4 < 7$.

14 Comparer les fractions suivantes.

a. $\frac{20}{11}$ et $\frac{18}{11}$ **b.** $\frac{7}{9}$ et $\frac{4}{3}$ **c.** $\frac{4}{3}$ et $\frac{11}{7}$

15 Comparer chaque fraction par rapport à 1.

a. $\frac{5}{3}$ **b.** $\frac{36}{38}$ **c.** $\frac{26}{23}$ **d.** $\frac{2}{2}$ **e.** $\frac{204}{100}$

4 Exprimer une proportion

16 Dans un jeu de 32 cartes, il y a 4 rois.

- Quelle est la proportion de rois dans ce jeu de cartes ?

Solution

La proportion de rois dans ce jeu est de :

$$\frac{4}{32} = \frac{4 \div 4}{32 \div 4} = \frac{1}{8} = 0{,}125$$

17 Une part de 125 g de gâteau contient 30 g de sucre.

- Quel est le pourcentage de sucre dans cette part de gâteau ?

Solution

$\frac{30}{125} = 30 \div 125 = 0{,}24$.

Or $0{,}24 = \frac{24}{100} = 24\ \%$, il y a donc 24 % de sucre dans cette part de gâteau.

18 Sur son disque dur, Pierre possède 50 films dont 20 sont des films d'action et 15 des films d'animation.

1. Exprimer la proportion de films d'action sur le disque dur de Pierre.
2. Quel est le pourcentage de films d'animation sur le disque dur de Pierre ?

Exercices

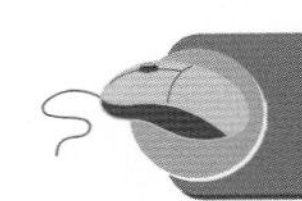

2 pages d'exercices supplémentaires dans le manuel numérique

Connaitre la notion de fraction

Savoir-faire p. 53

Questions flash

19 Compléter les phrases ci-dessous avec les expressions suivantes.

numérateur – dénominateur –
la fraction – le quotient

a. … $\frac{6}{25}$ représente … de 6 par 25

b. … $\frac{1,5}{2,8}$ est égal à … $\frac{15}{28}$

c. 7 est le … de … $\frac{4}{7}$, et son … est 4

20 **Vrai ou faux ?**
Dire si les affirmations suivantes sont vraies ou fausses.

1. Toutes les fractions sont égales à des nombres décimaux.
2. Tous les nombres décimaux peuvent s'écrire sous la forme d'une fraction.

21 Compléter chaque égalité.

a. $5 \times \frac{11}{5} = \ldots$ b. $\frac{7}{3} \times 3 = \ldots$

c. $9 \times \frac{7}{\ldots} = 7$ d. $3 \times \frac{\ldots}{3} = 11$

22 Compléter chaque égalité.

a. $13 \times \frac{\ldots}{\ldots} = 1$ b. $11 \div 6 = \frac{\ldots}{\ldots}$

c. $6 \times \frac{\ldots}{\ldots} = 11$ d. $8 \times \frac{\ldots}{\ldots} = 7$

23 Nikolay, Maéva et Kévin se partagent équitablement sept pains au chocolat.

1. Quelle fraction représente la part de chacun ?
2. Peut-on écrire ce nombre sous forme décimale ?

24 Le professeur du club radio d'un collège propose à certains élèves de faire un enregistrement. Chaque élève aura le même temps de parole et, pendant onze minutes, six élèves devront se relayer au micro.

1. Quel est, très exactement, en minutes, le temps de parole accordé à chaque élève ?
2. Peut-on écrire ce nombre sous forme décimale ?

25 Reproduire la droite graduée ci-dessous et placer les nombres suivants.

$\frac{1}{6}$; $\frac{1}{3}$; $\frac{3}{2}$; $\frac{7}{2}$; $\frac{7}{3}$

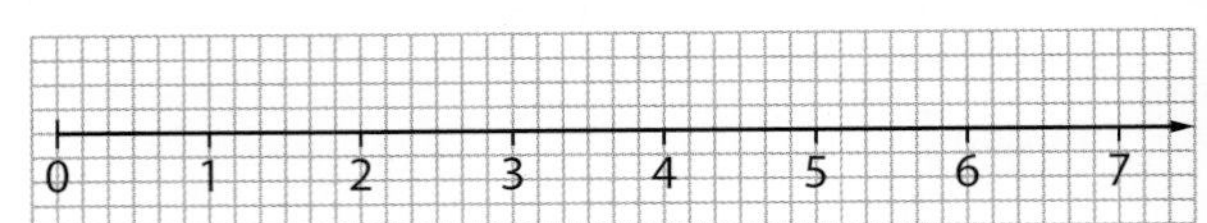

Reconnaitre des fractions égales

Savoir-faire p. 55

Questions flash

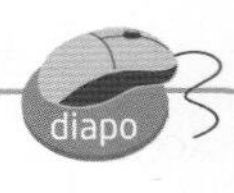

26 Élise et Thomas utilisent une éprouvette. Élise dit : « Nous avons rempli les $\frac{3}{4}$ de l'éprouvette »

Thomas répond : « Non, nous avons rempli les $\frac{9}{12}$ ».

- Qui a raison ? Pourquoi ?

27 **Vrai ou faux ?**
Dire si les affirmations suivantes sont vraies ou fausses.

1. Tous les nombres entiers peuvent s'écrire sous la forme d'une fraction décimale.
2. Un quotient de deux nombres décimaux peut toujours s'écrire sous la forme d'une fraction.
3. Une fraction peut toujours se simplifier.

28 Simplifier les fractions suivantes.

$\frac{14}{18}$; $\frac{20}{30}$; $\frac{25}{10}$; $\frac{15}{12}$

29 Recopier et compléter chacune des égalités suivantes.

a. $\frac{3}{5} = \frac{3 \times 7}{5 \times \ldots} = \frac{\ldots}{\ldots}$ b. $\frac{3}{4} = \frac{3 \times \ldots}{4 \times 15} = \frac{\ldots}{\ldots}$

c. $\frac{80}{100} = \frac{80 \div 20}{\ldots \div \ldots} = \frac{\ldots}{\ldots}$ d. $\frac{49}{21} = \frac{49 \div \ldots}{21 \div \ldots} = \frac{\ldots}{3}$

30 Recopier et compléter chacune des égalités suivantes.

a. $\frac{4}{3} = \frac{\ldots}{15}$ b. $\frac{5}{6} = \frac{\ldots}{36}$ c. $\frac{3,4}{7,8} = \frac{34}{\ldots}$

d. $\frac{56}{24} = \frac{7}{\ldots}$ e. $\frac{72}{45} = \frac{\ldots}{5}$

Recopier les fractions suivantes et entourer d'une même couleur celles qui sont égales.

$$\frac{81}{99} ; \frac{6}{7} ; \frac{7}{8} ; \frac{12}{16} ; \frac{75}{100} ; \frac{9}{11} ; \frac{12}{14} ; \frac{3}{4} ; \frac{36}{42}$$

Simplifier les fractions suivantes.

$$\frac{81}{72} ; \frac{55}{60} ; \frac{24}{16} ; \frac{44}{33}$$

1. Simplifier la fraction $\frac{15}{18}$.
2. Trouver la fraction égale à $\frac{15}{18}$ dont le numérateur est 25.
3. Trouver la fraction égale à $\frac{15}{18}$ dont le dénominateur est 24.

On veut remplir des verres de 0,12 L avec une bouteille de 1,5 L de soda.

- Combien peut-on remplir de verres ?

Romain va à la station-service pour remplir le réservoir de son scooter. Il paye 5,13 € pour 4,5 L d'essence.

- Combien coute un litre d'essence ?

Comparer des fractions

Savoir-faire p. 57

Questions flash — diapo

Compléter les phrases suivantes avec les mots qui conviennent.

a. Dans la fraction $\frac{11}{3}$, le … est supérieur au … donc elle est … à 1.

b. Les fractions $\frac{4}{7}$ et $\frac{6}{7}$ ont le même … ; la plus petite des deux est donc celle qui a le plus petit …

Ranger les nombres suivants dans l'ordre décroissant.

$$\frac{128}{13} ; \frac{45}{13} ; \frac{9}{13} ; \frac{4}{13} ; \frac{8}{13} ; \frac{130}{13}$$

Comparer les nombres ci-dessous.

a. $\frac{2}{3}$ et $\frac{5}{3}$ b. 3,2 et $\frac{31}{10}$ c. $\frac{5}{7}$ et 1

d. $\frac{11}{8}$ et $\frac{25}{27}$ e. $\frac{3}{4}$ et $\frac{70}{100}$

Recopier et entourer :
– en bleu, les quotients égaux à 1
– en rouge, les quotients inférieurs à 1
– en vert, les quotients supérieurs à 1

$\frac{7}{5}$	$\frac{25}{1}$	$\frac{12\,578}{12\,758}$	$\frac{4{,}3}{4{,}3}$	$\frac{3{,}5}{3{,}50}$
$\frac{189}{269}$	$\frac{1}{0{,}5}$	$\frac{45{,}04}{45{,}4}$	$\frac{3\,895}{389{,}5}$	$\frac{548\,231}{549\,321}$

40 Ranger les nombres suivants dans l'ordre décroissant.

$$0 ; 1 ; \frac{1}{3} ; \frac{2}{9} ; \frac{9}{2}$$

41 Ranger les nombres suivants dans l'ordre croissant.

$$\frac{25}{4} ; \frac{3}{7} ; \frac{3}{2} ; \frac{5}{14} ; 1$$

Exprimer une proportion

Savoir-faire p. 57

Questions flash — diapo

42 Dans un jeu de 32 cartes, quelle est la proportion de cœurs ? De valets ? Dans chaque cas, donner les réponses sous une forme simplifiée.

43 En 5e A, sur 25 élèves, il y a 3 gauchers.

- Quel est le pourcentage de gauchers dans cette classe ?

44 Relier les proportions égales.

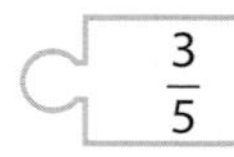

55%	$\frac{7}{10}$	$\frac{3}{5}$	$\frac{11}{20}$
$\frac{1}{25}$	0,6	0,7	4 %

45 Un grand aquarium contient 150 poissons dont 15 sont des poissons-clowns.

1. Exprimer à l'aide d'une fraction la proportion de poissons-clowns dans cet aquarium.
2. Est-il exact d'affirmer que, dans cet aquarium, 10 % des poissons sont des poissons-clowns ?

46 Arthur a 48 livres dans sa bibliothèque. On y trouve 18 BD, 14 mangas et 16 romans.

1. Quelle est la proportion de BD ? Déterminer le pourcentage de BD.
2. Quelle est la proportion de mangas ? Donner le pourcentage de mangas arrondi à l'unité.

47 Sur environ 33,7 millions de résidences principales en France, on estime à 3,7 millions le nombre de logements situés en zone inondable en 2009.

- Quelle est la proportion de logements inondables en France en 2009 ? Exprimer ce résultat en pourcentage (arrondi à l'unité).

Faire le point

Vérifie tes connaissances.

QCM Donner la seule réponse correcte parmi les trois proposées.

1 Connaitre la notion de fraction	Réponse A	Réponse B	Réponse C
1. La fraction $\frac{5}{7}$ est le nombre qui :	multiplié par 5, donne 7	multiplié par 7, donne 5	multiplié par 2, donne 7
2. Dans la fraction $\frac{9}{8}$:	9 est le numérateur	8 est le numérateur	9 est le dénominateur
3. Le nombre $\frac{8}{3}$:	est égal à 2,66	est égal à 2,666 666 667	n'est pas égal à 2,66
2 Reconnaitre des fractions égales			
1. La fraction $\frac{12}{26}$ est égale à :	$\frac{6}{13}$	$\frac{1}{6}$	$\frac{16}{30}$
2. Une fraction égale à $\frac{32}{20}$ est :	$\frac{3,2}{2}$	$\frac{16}{10}$	1,6
3. Une fraction décimale égale à $\frac{7}{5}$ est :	$\frac{140}{100}$	$\frac{70}{10}$	1,4
3 Comparer des fractions			
1. La fraction $\frac{15}{13}$ est :	inférieure à 1	égale à 1	supérieure à 1
2. La fraction $\frac{5}{7}$ est :	inférieure à $\frac{6}{7}$	égale à $\frac{6}{7}$	supérieure à $\frac{6}{7}$
4 Exprimer une proportion			
1. Dans un sachet de 20 bonbons, il y a 6 bonbons à la menthe. La proportion de bonbons à la menthe dans ce sachet est :	6 %	$\frac{6}{10}$	0,3
2. Dans une boite de 20 friandises, il y a 5 sucettes au citron. La proportion de sucettes au citron dans cette boite est :	25 %	$\frac{6}{20}$	5,2

Pour t'aider à retenir le cours.*

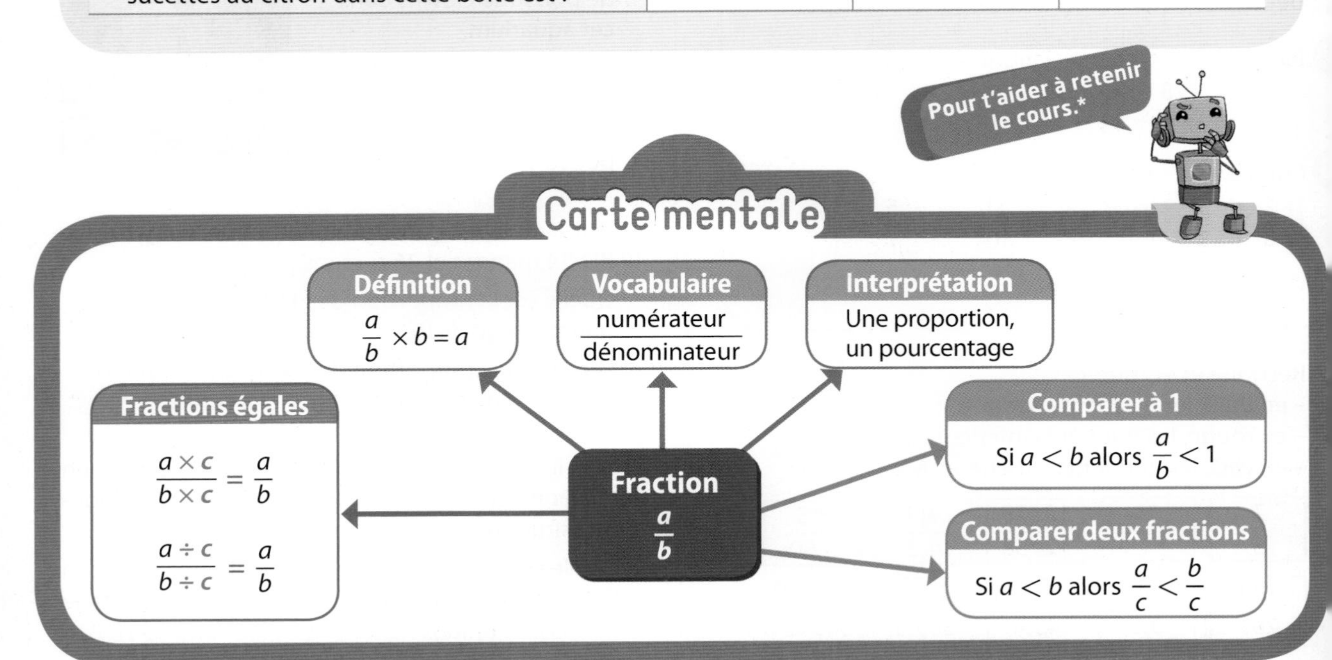

*Tu peux aussi construire ta propre carte mentale.

Algorithmique et outils numériques

Consommation de hamburgers

La consommation de hamburgers est en hausse dans le monde entier. On souhaite étudier la proportion de hamburgers consommés dans les pays suivants.

Allemagne – États-Unis – France – Espagne – Grande-Bretagne – Italie

Pour répondre à cette question, on utilise un tableur.

	A	B	C	D
1	Pays	Nombre de hamburgers mangés par an	Nombre d'habitants	Proportion
2	Allemagne	960 440 000	80 620 000	
3	Espagne	420 900 000	46 770 000	
4	Etats-Unis	49 000 000 000	318 900 000	
5	France	900 000 000	66 030 000	
6	Grande Bretagne	1 024 000 000	60 000 000	
7	Italie	300 235 000	59 830 000	

1. Quelle formule doit-on entrer dans la cellule D2 ?
2. Classer ces pays du plus petit consommateur de hamburgers par habitant, au plus grand.

À petits pas

Paul a écrit le script sur Scratch.

1. À quelle valeur est égale la variable n à la première étape de la boucle ? À la deuxième étape ? À la troisième étape ?
2. Quelle forme a le tracé réalisé avec ce script ? Comment peut-on l'expliquer ?

Les smileys

Yacine joue à un jeu vidéo. Au début de la partie, il possède 1 000 smileys rouges sur son compte.

À chaque fois qu'il réussit un défi, 50 smileys verts se rajoutent. Pour passer au niveau suivant, 37,5 % des smileys de son compte doivent être verts.

Pour déterminer le nombre de smileys verts qu'il doit obtenir, on utilise un tableur :

	A	B	C	D
1	Nombre de smileys rouges	Nombre de smileys verts	Nombre total de smileys	Proportion de smileys verts
2	1000	0	1000	0
3	1000	50	1050	0,047619048
4	1000			
5	1000			

1. Quelles formules doit-on entrer dans les cellules B4, C4 et D4 ?
2. Combien de smileys verts Yacine doit-il gagner pour passer au niveau suivant ?

51 Flocon de Koch

En 1904, le mathématicien suédois Helge Von Koch a construit un flocon de neige : à partir d'un triangle équilatéral, il a remplacé le tiers central de chaque segment par un triangle équilatéral sans base et répété cette opération plusieurs fois.

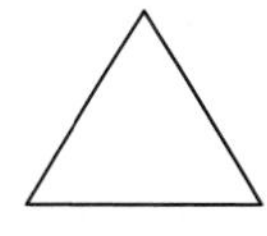

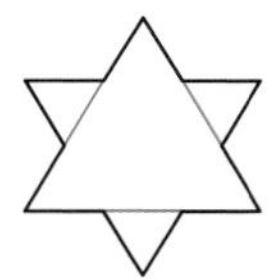

Le tableur permet de calculer le périmètre de ce flocon aux différentes étapes de sa construction :

C3 =C2*4

	A	B	C	D
1	Rang	Longueur d'un côté	Nombre de côtés	Périmètre
2	1	1	3	
3			12	

1. Quelle formule doit-on entrer dans la cellule D2 ?
2. Quelle formule doit-on entrer dans la cellule A3 pour passer automatiquement au rang suivant ?
3. Quelle formule doit-on entrer dans la cellule B3 ?
4. Voici ce qui s'affiche à la deuxième et à la troisième ligne, une fois les formules entrées :

	A	B	C	D
1	Rang	Longueur d'un côté	Nombre de côtés	Périmètre
2	1	1	3	3
3	2	1/3	12	4
4	3	1/9	48	5,3333333

- Quel est le périmètre du flocon à la dixième étape ?

Pour mieux cibler les compétences			
Chercher	77 78	Raisonner	76 78
Modéliser	58 69	Calculer	70 72
Représenter	59 67	Communiquer	62 69

52 Prix à l'unité

Voici des bouteilles identiques exposées par packs dans deux magasins. Les packs peuvent être ouverts et les bouteilles vendues à l'unité.
Lydie veut acheter une seule bouteille au meilleur prix.

- Quel magasin va-t-elle choisir ? Expliquer la méthode.

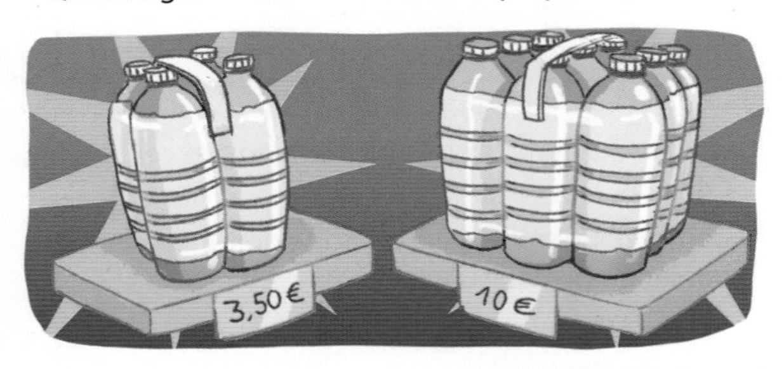

Magasin A Magasin B

53 Tableau d'honneur

Durant l'année 2015, les membres d'un club de badminton ont tous disputé le même nombre de matchs. Claire a gagné les $\frac{3}{5}$ des matchs , Karim les $\frac{2}{3}$ et Christopher les $\frac{17}{30}$.

1. Christopher pense être le meilleur. A-t-il raison ?
2. Classer ces trois membres du club.

54 Gaming

Samedi, Florent a joué sur sa console pendant $\frac{3}{4}$ h et Amélie pendant $\frac{41}{60}$ h.

1. Qui a joué le plus longtemps ?
2. Exprime le temps de jeu de chacun en minutes.

55 Au gouter

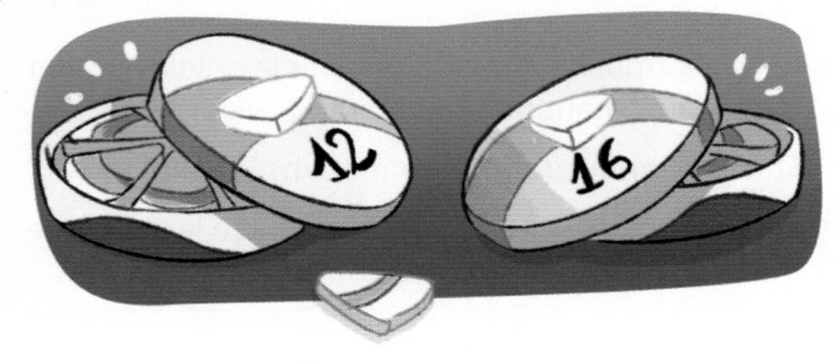

1re boite 2e boite

1. Pour le gouter, Martin tartine son morceau de pain avec 3 portions de fromage. Quel pourcentage du contenu de la première boite a-t-il mangé ?
2. Son copain Léo a mangé le même pourcentage de la deuxième boite. Combien de portions de la deuxième boite a-t-il mangées ?

56 Disparition (FR)

La Disparition est un roman écrit par Georges Perec en 1968 ; il comporte 300 pages et ne contient pas une seule fois la lettre « e ».

- Dans la phrase ci-dessous, si on enlève tous les « e », quelle proportion de lettres fait-on disparaitre ?
  « Le mot fraction vient du latin *fractio* qui signifie "briser". »

57 Journée sportive

Dans un collège, lors de la grande journée du sport, les élèves de chaque classe ont disputé différents matchs de basketball, handball et football. Voici les premiers résultats obtenus :

Classe	Nombre de matchs joués	Nombre de victoires
5e A	12	8
5e B	10	7

- Quelle est la meilleure de ces deux classes ? Justifier.

58 Des diagrammes

Une enquête sur le temps passé à faire les devoirs le soir a été menée auprès des élèves des classes de 5e d'un collège. Voici quelques résultats :

- $\frac{3}{10}$ des élèves disent consacrer 45 minutes chaque soir à leur devoir ;
- $\frac{4}{9}$ des élèves ont répondu 30 minutes.

1. Pour représenter les résultats du questionnaire, Alex a construit le diagramme circulaire ci-contre. Calculer la mesure du secteur angulaire représentant les 3/10.

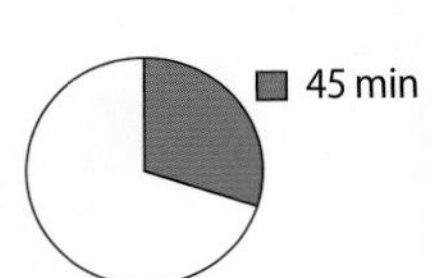

2. Alicia, quant à elle, a décidé de construire un diagramme semi-circulaire. Les 4/9 ont été représentés sur le diagramme semi-circulaire ci-contre.

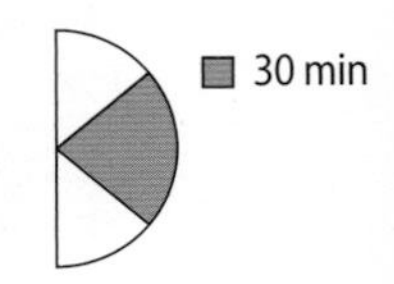

Y a-t-il plus d'élèves qui travaillent 45 minutes que d'élèves qui travaillent 30 minutes ? Justifier.

59 Félix le chat

Félix, le chat, fait le tour complet d'une piscine circulaire. Comme il a horreur des éclaboussures, il reste constamment à deux mètres du bord.

- Sachant qu'il a parcouru 62,8 m, calculer le diamètre de la piscine. (Prendre 3,14 comme valeur approchée de π).

Emploi du temps

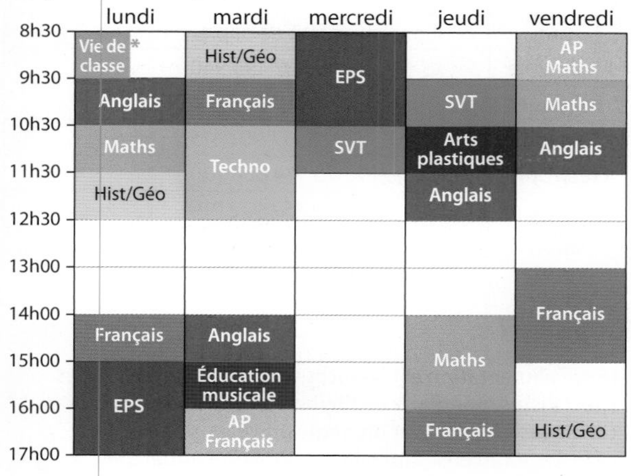

	lundi	mardi	mercredi	jeudi	vendredi
8h30 – 9h30	Vie de classe*	Hist/Géo	EPS		AP Maths
9h30 – 10h30	Anglais	Français	EPS	SVT	Maths
10h30 – 11h30	Maths	Techno	SVT	Arts plastiques	Anglais
11h30 – 12h30	Hist/Géo	Techno		Anglais	
12h30 – 13h00					
13h00 – 14h00					Français
14h00 – 15h00	Français	Anglais		Maths	Français
15h00 – 16h00	EPS	Éducation musicale		Maths	
16h00 – 17h00	EPS	AP Français		Français	Hist/Géo

* La vie de classe est assurée par le professeur de mathématiques.

Le jour de son entrée en 6e, Laurine découvre son emploi du temps. Elle remarque qu'elle a cours d'anglais presque tous les jours.

1. Quelle est la proportion d'heures d'anglais dans la semaine par rapport au nombre total d'heures de cours ? Cette proportion est-elle la même toutes les semaines ?
2. L'AP se déroule avec le professeur de la matière concernée. Quel professeur voit-elle le plus souvent ? Dans quelle proportion ?

Space heroes

Kevin is playing Space Heroes. He has only got 3 lives left to accomplish his mission. He can see he has almost got all the suns.

1. What percentage of suns has he already got?
2. However, he doesn't know if he has a more important proportion of stars or martians. Compare these two proportions.

Imaginer

Rédiger un énoncé de problème de mathématiques comportant au moins cinq septièmes des éléments suivants : amis – télévision - quatre – mercredi – 10 % – partage(r) – $\frac{3}{5}$

Affichage

Un mur rectangulaire mesure 5 m de long et 2 m de haut. Trois affiches identiques sont collées sur ce mur. Elles occupent la totalité de la surface du mur.

- Quel nombre permet d'écrire l'aire exacte de chaque affiche en mètres carrés (m^2) ? Peut-on l'écrire sous forme décimale ?

64 Évaporation des océans

SVT

L'eau des océans s'évapore et retombe sous forme de précipitations. $\frac{4}{43}$ de ces eaux évaporées retombent sur les continents, le reste retombe sur les océans. En une année, le volume d'eau évaporée des océans est égal à 430 000 km^3.

- Calculer le volume d'eau retombée en une année :
  a. sur les continents   b. sur les océans

65 Défi

1. Par quel nombre peut-on compléter la double inégalité ci-dessous ?

$$\frac{7}{12} < \frac{\dots}{4} < \frac{3}{2}$$

2. Peut-on trouver plusieurs solutions ?

66 Harry Potter

À Gringotts, la banque des sorciers, il est possible d'échanger de l'argent moldu (en euros) contre de l'argent des sorciers (en gallions, mornilles et noises).

Taux de change
Un gallion = 7,89 €
Une mornille = 0,36 €
Une noise = 0,016 €

Harry a échangé 54 € contre des mornilles.

1. Combien de mornilles Harry a-t-il obtenues ?
2. Aurait-il pu obtenir 7 gallions ?

67 Chant en canon

Trois chanteurs entonnent une chanson de 3 phrases de même longueur qu'ils chantent chacun 4 fois. Le deuxième chanteur commence à chanter lorsque le premier entonne la deuxième phrase et le troisième chanteur commence à chanter lorsque le premier chanteur entonne la troisième phrase.

- Pendant quelle fraction de leur prestation les trois chanteurs ont-ils chanté ensemble ?

Concours Kangourou, 2003.

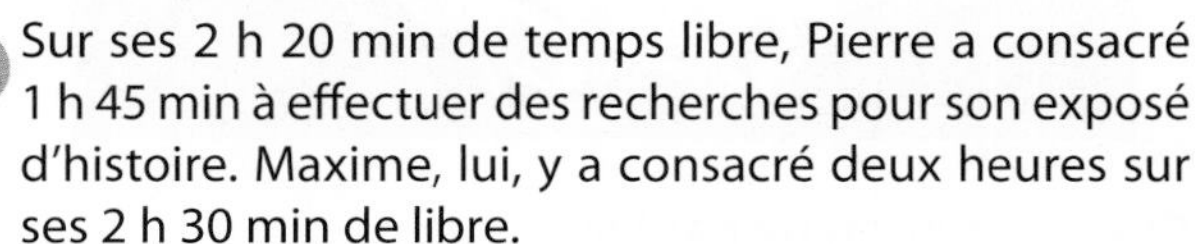

68 Fraction de temps

Sur ses 2 h 20 min de temps libre, Pierre a consacré 1 h 45 min à effectuer des recherches pour son exposé d'histoire. Maxime, lui, y a consacré deux heures sur ses 2 h 30 min de libre.

- Calculer, pour chacun, le pourcentage de temps passé à préparer son exposé par rapport à son temps libre.

69 Anniversaire

Manon, 9 ans, a décidé d'inviter 8 de ses amies pour fêter son anniversaire.

1. Si elle partage équitablement tout le gâteau circulaire entre elles, quelle part du gâteau chacune mangera-t-elle ? Donner la réponse sous forme de fraction.
2. Représenter ce gâteau, le partager précisément et colorier en bleu la part mangée par Manon.
3. L'an prochain, pour ses 10 ans, elle invitera 9 de ses amies. Représenter ce futur gâteau et colorier en jaune la part mangée par Manon.

Problèmes

70 Approcher un nombre

Le professeur affirme que les deux fractions $\frac{78\,539\,823}{25\,000\,000}$ et $\frac{355}{113}$ ne sont pas égales.

1. Calculer ces quotients à l'aide de la calculatrice. Pourquoi l'affichage de la calculatrice semble-t-il contredire l'affirmation du professeur ?
2. Trouver comment justifier l'affirmation du professeur.
3. $\frac{355}{113}$ est une approximation d'un célèbre nombre. Lequel ?

71 Jeu du Uno

Quatre copains jouent au célèbre jeu de cartes Uno. Ce jeu comporte :
– des cartes bleues, rouges, jaunes et vertes numérotées (19 de chaque couleur) ;
– 36 cartes Action.

1. Quelle proportion du nombre total de cartes représente chaque couleur ?
2. Quelle proportion du nombre total de cartes représentent les cartes action ? Simplifier cette fraction.
3. Au début de la partie, on distribue 7 cartes à chaque joueur et on place le reste dans un paquet au centre de la table. Quelle proportion de cartes n'a pas été distribuée ? Donner le résultat sous forme d'une fraction simplifiée, puis en pourcentage.

72 Consommation de papier

HG

Parmi les six pays cités ci-dessous, quel est celui où la proportion de papier consommé par habitant est la moins élevée ?

Doc. 1 Nombre d'habitants en 2015

Drapeaux	Pays	Nombre d'habitants
	Allemagne	80 854 408
	Belgique	11 323 973
	Canada	35 099 836
	États-Unis	321 368 864
	France	66 663 766
	Japon	126 919 659

Doc. 2 Consommation totale de papier

Pays	Consommation de papier par an (en kg)
Allemagne	19 607 193 940
Belgique	3 601 023 414
Canada	6 117 901 415
États-Unis	73 914 838 720
France	9 452 922 019
Japon	27 668 485 660

73 Trop salé ?

SVT

Notre alimentation est beaucoup trop riche en sel. Or les spécialistes mondiaux de l'hypertension et des maladies cardiovasculaires sont unanimes : l'excès de sel est néfaste pour l'ensemble de la population, quel que soit l'âge.

Voici deux étiquettes de produits alimentaires :

Mini pizzas apéro 60 g

Apport énergétique	140 Kcal
Matières grasses	5,5 g
Glucides	14,7 g
Fibres	0,9 g
Protéines	7,1 g
Sel	0,9 g

Lasagnes 300 g

Apport énergétique	379 Kcal
Matières grasses	13,8 g
Glucides	44,4 g
Fibres	4,2 g
Protéines	17,1 g
Sel	1,8 g

• Quel est le produit le plus salé ?

74 Les lois

CIT

En France, le Parlement est composé de la chambre des députés, l'Assemblée nationale, et de la chambre des sénateurs, le Sénat. Les 925 parlementaires votent les lois et peuvent se réunir exceptionnellement pour réviser la Constitution française. La révision de la Constitution est approuvée à condition qu'au moins 555 parlementaires votent « pour ».

1. Quelle est la proportion de votes « pour » nécessaire à la révision de la Constitution ? Simplifier le résultat.
2. Parmi les 577 députés, si 294 votent « pour », quel pourcentage de « oui » faut-il obtenir parmi les sénateurs pour réviser la Constitution ?

Suite de fractions

Pour chacune des fractions $\frac{3}{5}$; $\frac{4}{7}$; $\frac{6}{11}$, trouver une écriture équivalente sous forme de fraction telle que le dénominateur de la première soit égal au numérateur de la deuxième et le dénominateur de la deuxième soit égal au numérateur de la troisième.

Cinéma

Sofian, très intéressé par le cinéma, possède un écran de 3,70 m de largeur sur 2,50 m de hauteur $\left(\text{format } \frac{3,70}{2,50}\right)$ pour projeter ses films.

Le format d'une image correspond au quotient de la largeur par la hauteur, noté $\frac{\ell}{h}$.

Lors des projections, l'image est toujours positionnée sur toute la largeur de l'écran, mais selon le format du film, la hauteur de l'image est réduite et des bandes noires horizontales apparaissent sur les parties non utilisées de l'écran.

- Parmi les formats cinématographiques suivants, quels sont les plus adaptés à son écran ?

- $\frac{4}{3}$ (format natif du cinéma muet)
- $\frac{1,85}{1}$ (format généralement utilisé au cinéma)
- $\frac{16}{9}$ (format courant des télévisions actuelles)
- $\frac{2,35}{1}$ (format Panavision)

Béton

Doc. 1 Méthode pour fabriquer du béton

Doc. 2 Granulats

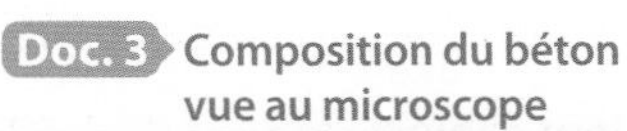

Doc. 3 Composition du béton vue au microscope

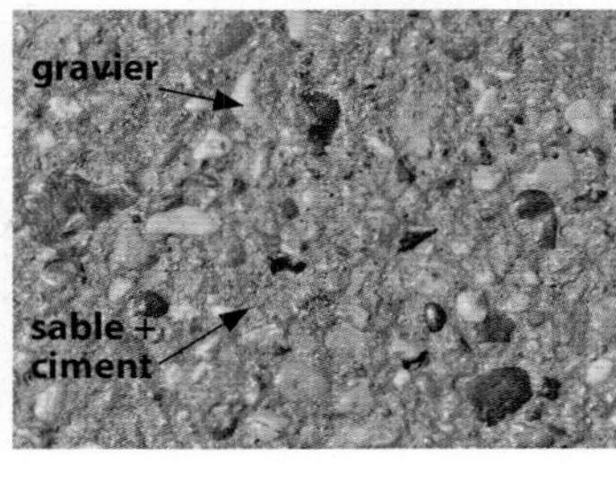

Pour fabriquer le béton nécessaire aux fondations d'une maison, une entreprise a utilisé et mélangé 4 000 L d'eau, 36 m^3 de granulats (sable + graviers) et 8 m^3 de ciment.

1. Donner les proportions de ciment, de granulats et d'eau nécessaires à la fabrication du béton par cette entreprise.
2. Yvan veut faire lui-même son béton en respectant le même dosage que celui de l'entreprise. Il dispose de seaux de maçon identiques et veut établir un mode d'emploi en utilisant les informations ci-dessus.
   a. Compléter sa fiche :

   Fabrication du béton : mode d'emploi

   Mélanger :
   … seau(x) de ciment
   … seau(x) de granulats
   … seau(x) d'eau.

   b. Y a-t-il plusieurs possibilités ?

78 Manger équilibré

SVT

Voici le menu de Fabrice (12 ans) pour son déjeuner : un hamburger, une belle portion de frites et 100 g de salade de fruits.

- Son repas est-il équilibré ?

On s'aidera des documents ci-dessous pour argumenter la réponse.

Doc. 1 Valeurs nutritionnelles du menu de Fabrice

Un hamburger (253 kcal)	Une portion de frites (599 kcal)	100 g de salade de fruits (79 kcal)
30 g de glucides 13 g de protides 9 g de lipides	65 g de glucides 6 g de protides 35 g de lipides	18,3 g de glucides 0,7 g de protides 0,3 g de lipides

Doc. 2 Apport calorique conseillé par jour

10-12 ans	2 500 kcal	
13-15 ans	garçons : 3 200 kcal	filles 2 500 kcal
16-20 ans	garçons : 3 600 kcal	filles 2 400 kcal
Adultes	hommes : 2 800 kcal	femmes 2 300 kcal
Personnes âgées	2 200 kcal	

Le déjeuner doit représenter environ 35 % de l'apport calorique quotidien.

Doc. 3 Apport calorique des éléments nutritionnels

1 g de glucides	4 kcal
1 g de protides	4 kcal
1 g de lipides	9 kcal

Doc. 4 Répartition de l'apport calorique des éléments nutritionnels dans un repas équilibré

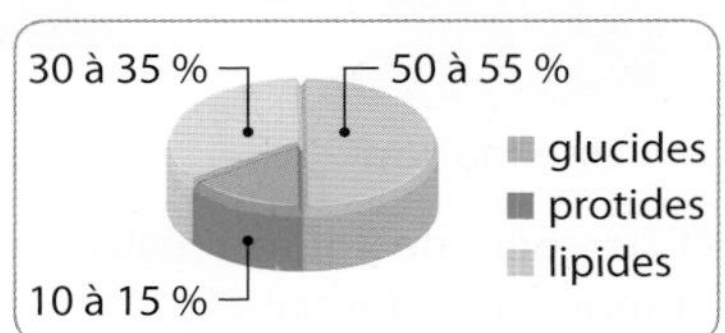

Travailler autrement

Utilisable en AP

Deux énoncés pour un exercice

Exercice 1

Dans une classe, il y a 10 filles et 14 garçons.

1. Tracer un rectangle de 6 cm sur 4 cm et colorier en bleu la proportion de filles dans cette classe.
2. Trouver une autre façon géométrique de représenter cette proportion.

Exercice 2

En 1904, le mathématicien suédois Helge Von Koch a construit un flocon de neige : à partir d'un triangle équilatéral, il a remplacé le tiers central de chaque segment par un triangle équilatéral sans base et répété cette opération plusieurs fois.

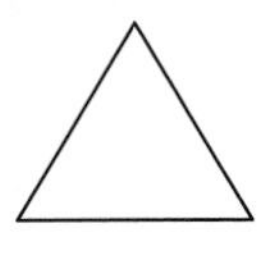
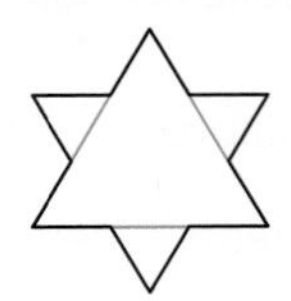

1. Construire un triangle équilatéral de côté 9 cm ; calculer son périmètre.
2. À partir de ce triangle, effectuer la construction de Koch une fois. Le périmètre de la figure est-il toujours le même ?

Pour aller plus loin : 51 p. 61

Exercice 1

Représenter géométriquement, de deux façons différentes, la proportion de filles dans sa classe.

Exercice 2

En 1904, le mathématicien suédois Helge Von Koch a construit un flocon de neige : à partir d'un triangle équilatéral, il a remplacé le tiers central de chaque segment par un triangle équilatéral sans base et répété cette opération plusieurs fois.

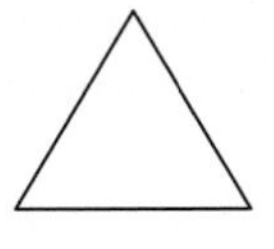
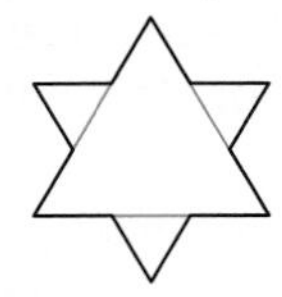

1. Construire un triangle équilatéral de côté 9 cm ; calculer son périmètre.
2. À partir de ce triangle, effectuer la construction de Koch une fois. Le périmètre de la figure est-il toujours le même ?
3. Recommencer cette construction une dernière fois. Quel est son périmètre ?

Pour aller plus loin : 51 p. 61

Jeu : Le tangram

- Construire un carré et le découper de façon identique au modèle ci-contre.
- Colorier les pièces de façon à pouvoir réaliser chacune des figures suivantes.

Une maison

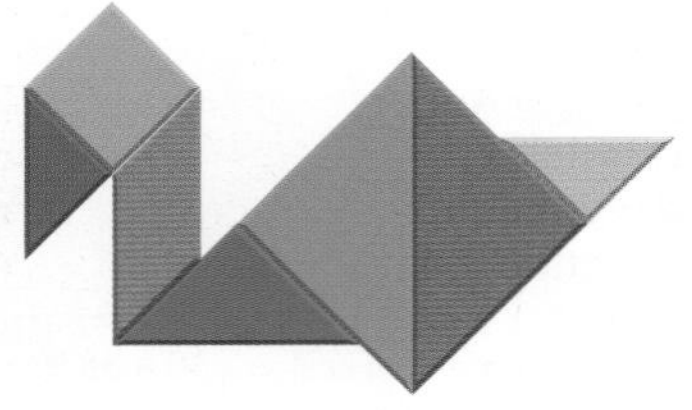

Un cygne

- Chercher une figure à réaliser avec les morceaux de tangram et demander à son voisin de la réaliser : le premier qui réalise la figure demandée a gagné !

Analyser une production

Le professeur a demandé aux élèves de simplifier la fraction $\frac{144}{324}$. Voici ce que Mélanie et Zoé ont écrit sur leur cahier :

Mélanie $\frac{144}{324} = \frac{16}{36}$

Zoé $\frac{144}{324} = \frac{36}{81}$

Elles comparent leurs cahiers et constatent qu'elles ne trouvent pas le même résultat.

- Se sont-elles trompées ? Recopier ces réponses, puis les compléter et les corriger si nécessaire.

CHAPITRE 4

Ta mission
Découvrir de nouveaux nombres plus petits que zéro.

Nombres relatifs : définition

Jeux

Notre robot ne peut avancer que vers un nombre toujours plus grand.

- Par où va-t-il passer pour sortir du labyrinthe ?

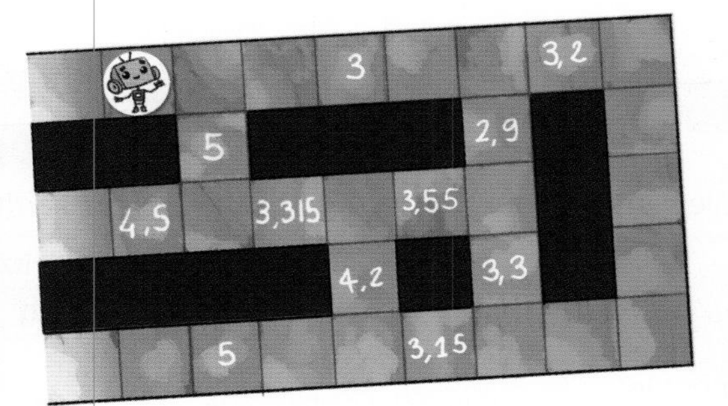

INFOS

Grâce aux données collectées par le satellite Landsat 8 en Antarctique, une équipe de chercheurs menée par le glaciologue Ted Scambos a pu dresser une carte des températures les plus froides jamais mesurées sur la Terre.

Activités

Questions flash

1. Voici le profil de la dixième étape du Tour de France 2015, Tarbes – La Pierre-Saint-Martin :

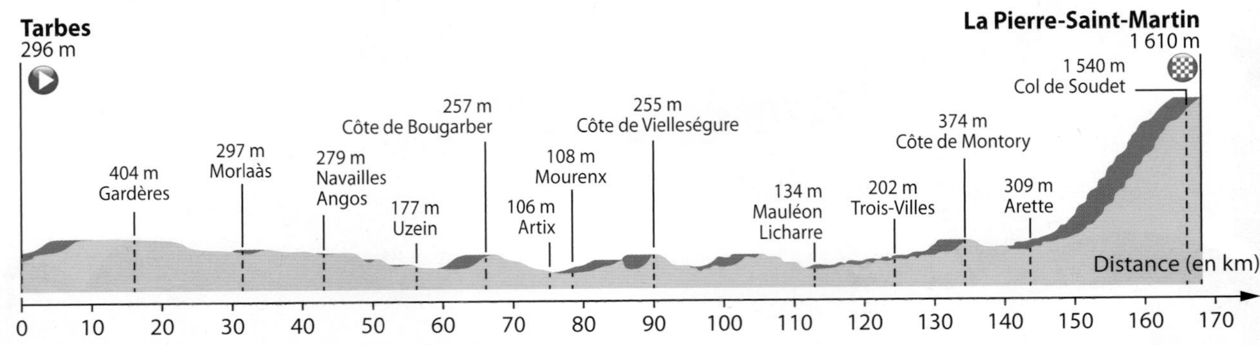

a. De quelle ville partent les coureurs ?
b. Christopher Froome a gagné cette étape, combien de kilomètres a-t-il parcourus ?
c. Où se trouvent les coureurs au bout de 90 km ?
d. Quelle ville est à une distance de Tarbes comprise entre 110 km et 120 km ?
e. Combien de kilomètres séparent Trois-Villes de Arette ?

2. Classer les Dalton dans l'ordre croissant de leur taille.

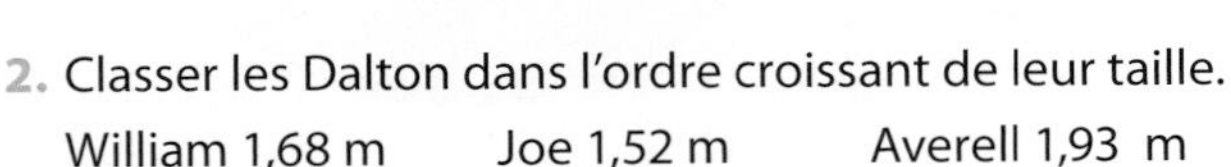

William 1,68 m Joe 1,52 m Averell 1,93 m Jack 1, 8 m

Dessus, dessous

Activité 1

1. a. Hier, il faisait 0 °C. Depuis la température a encore baissé de 4 °C. Quelle température fait-il aujourd'hui ?
b. Pierre est au rez-de-chaussée, il descend de trois étages. À quel niveau arrive-t-il ?
c. Un avion vole à 12 000 pieds, il descend de 5 000 pieds. Quelle est alors son altitude ?
d. Jules César est né 100 ans avant Jésus-Christ. En quelle année est-il né ?
e. Roméo possède 53 €. Il dépense 18 € pour acheter un t-shirt. Quelle somme lui reste-t-il ?
f. Un spéléologue part explorer un gouffre à une altitude de 110 m. Il descend de 150 m. Quelle est alors son altitude ?

2. Les nombres au-dessus de zéro sont appelés les nombres positifs, ceux en dessous de zéro sont appelés les nombres négatifs. Parmi les nombres trouvés précédemment, quels nombres sont négatifs ? Comment les distinguer des nombres positifs ?

3. Calculer les différences suivantes.
$A = 0 - 9$ $B = 0 - 8$ $C = 3 - 10$ $D = 5 - 12$ $E = 10 - 11,2$

Grâce aux nombres négatifs, on pourra effectuer des soustractions qui étaient jusqu'alors impossibles.

Sur la route

Activité 2

1. Adèle part de Paris pour se rendre à Biarritz. Sur son trajet, elle s'arrête à Tours, Poitiers, Bordeaux et enfin Biarritz. Placer chaque ville sur une demi-droite graduée en prenant Paris comme origine et une unité adaptée.

Ville	Tours	Poitiers	Bordeaux	Biarritz
Distance depuis Paris (en km)	240	340	580	780

2. Construire une nouvelle droite graduée et placer précisément le point A d'abscisse 0,5, le point B d'abscisse 1, le point C d'abscisse 1,2 et le point D d'abscisse 0,75.

Chaque point d'une droite graduée peut être repéré par un nombre appelé abscisse du point.

Températures

Activité 3

Pour son cours de sciences, pendant une semaine et chaque matin à 8 h 00, Fathi a relevé la température extérieure. Voici les données qu'il a recueillies :

Jour	Lundi	Mardi	Mercredi	Jeudi	Vendredi	Samedi	Dimanche
Température (en °C)	2	–3	–4,5	–0,5	1	4,5	0

1. Classer les températures dans l'ordre croissant.
2. Placer chaque température sur une même droite graduée.
3. Comparer la position des points sur la droite graduée et le classement fait à la question 1.
4. Quelle règle peut-on établir sur la comparaison des nombres relatifs ?

Chasse à l'œuf

Activité 4

Pour Pâques, la grand-mère d'Alex et de Julie a caché des œufs dans le jardin. Pour aider ses petits-enfants, elle leur a fait un plan. Chaque œuf est repéré par un point.

1. Comment peut-on faire pour donner la position précise du point A ? celle du point B ?
2. Les nombres qui servent à repérer des points sont appelés les coordonnées du point. La première coordonnée est appelée abscisse, la deuxième coordonnée est appelée ordonnée.
   Quelle sont les coordonnées des points C, E et F ?
3. Reproduire le repère et placer le point D (3 ; –2), représentant le point de départ de la chasse à l'œuf.

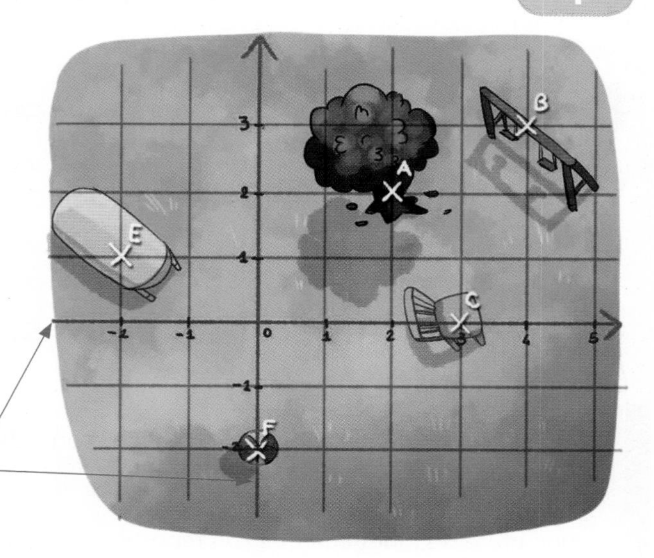

Un repère du plan est composé de deux axes : l'axe des abscisses et l'axe des ordonnées.

Mer Méditerranée

Activité 5

La profondeur moyenne de la mer Méditerranée est de –1 500 m et son point le plus bas se situe à –5 121 m.

Profondeur (en m)	0	–10	–30	–40	–50	–70	–100
Température (en °C)	23	22	16	14	13	13	13

Dans le tableau ci-dessous, on a présenté la température moyenne de l'eau en degrés Celsius (°C) en fonction de la profondeur en mètres. Les relevés ont été réalisés près de Marseille.

1. Représenter la température de l'eau en fonction de la profondeur de la mer. Pour cela :
   – construire un repère orthogonal (c'est-à-dire dont les axes sont perpendiculaires) ;
   – placer les points correspondant à chaque relevé de température, avec les profondeurs sur l'axe des abscisses et les températures sur l'axe des ordonnées.
2. Que se passe-t-il en-dessous d'une profondeur de –50 m ?

1 Connaitre les nombres relatifs

- Un **nombre positif** est un nombre supérieur à 0. On le note avec un signe + ou sans signe.
- Un **nombre négatif** est un nombre inférieur à 0. On le note avec un signe –.
- Les nombres positifs et les nombres négatifs forment l'ensemble des **nombres relatifs**.

- 3,2 est un nombre positif. On peut aussi le noter + 3,2.
- –5,4 est un nombre négatif.
- 0 est le seul nombre à la fois positif et négatif.
- 3,2 et –5,4 sont des nombres relatifs.

Grâce aux nombres négatifs, on pourra effectuer des soustractions qui étaient jusqu'alors impossibles. Par exemple, 8 – 10 = –2.

2 Repérer un point sur une droite graduée

Définition

Une droite graduée est une droite sur laquelle on a choisi :
- une **origine** ;
- un **sens** ;
- une **unité de longueur**, que l'on reporte régulièrement de part et d'autre de l'origine.

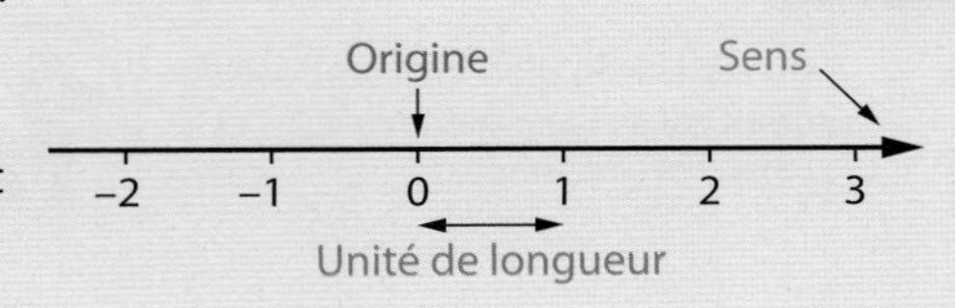

Propriété et définition

- Sur une droite graduée, chaque point est repéré par un nombre relatif, que l'on appelle **abscisse du point**.
- La distance à zéro d'un nombre a est la longueur du segment [OA], où A est le point d'abscisse a et O est l'origine de la droite graduée.

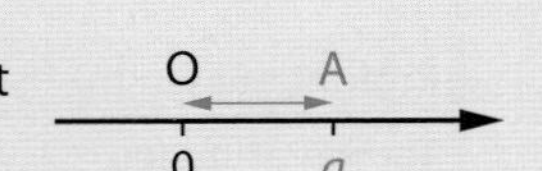

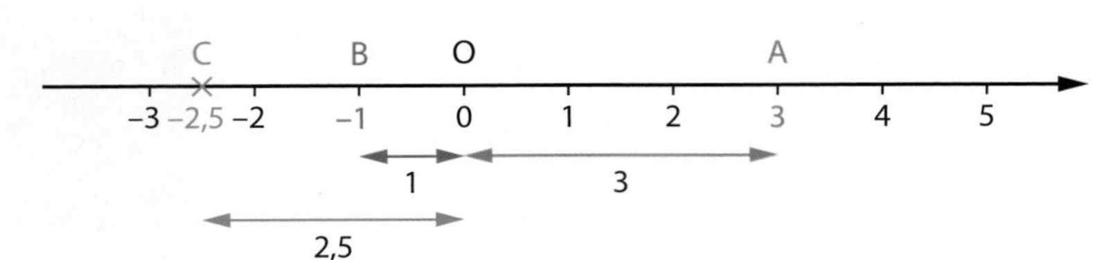

- Le point **A** a pour abscisse **3** ; la distance à zéro de 3 est égale à 3.
- Le point **B** a pour abscisse **–1** ; la distance à zéro de –1 est égale à 1.
- Le point **C** a pour abscisse **–2,5** ; la distance à zéro de –2,5 est égale à 2,5.

Savoir-faire

Apprends à l'aide des exercices résolus puis entraine-toi !

1 Connaitre les nombres relatifs

1 Recopier et entourer les nombres négatifs.
−3 ; 10 ; + 2,4 ; −8,2 ; −12,7

Solution

Les nombres négatifs sont tous les nombres qui comportent un signe −.

(−3) ; 10 ; + 2,4 ; (−8,2) ; (−12,7)

2 Associer un nombre relatif à chaque situation.
a. Hier, il faisait 3 °C en dessous de zéro.
b. Le mont Blanc culmine à 4 810 m.

Solution

La température est **inférieure à 0**, il fait donc −3 °C.
Le mont Blanc est **au-dessus** du niveau de la mer donc à + 4 810 m.

3 Calculer les différences suivantes.
A = 15 − 10 B = 10 − 15 C = 12 − 20 D = 15,8 − 16

Solution

- 15 > 10 donc la différence 15 − 10 est positive :
A = 15 − 10 = 5
- 10 < 15 donc la différence 10 − 15 est négative :
B = 10 − 15 = −5
- 12 < 20 donc la différence 12 − 20 est négative :
C = 12 − 20 = −8
- 15,8 < 16 donc la différence 15,8 − 16 est négative :
D = 15,8 − 16 = −0,2

4 Calculer les différences suivantes et entourer en rouge celles qui sont négatives.
E = 12 − 9 F = 3 − 8 G = 12,5 − 14 H = 12 − 10,4

2 Repérer un point sur une droite graduée

5 Lire les abscisses des points P, L, O, U et F.

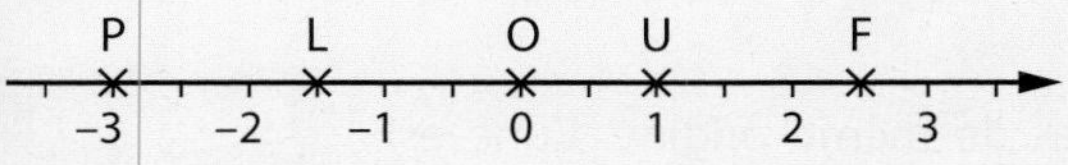

Solution

- L'abscisse du point P est −3.
- L'abscisse du point L est −1,5.
- O d'abscisse 0 est l'origine de la droite graduée.
- L'abscisse du point U est 1.
- L'abscisse du point F est 2,5.

6

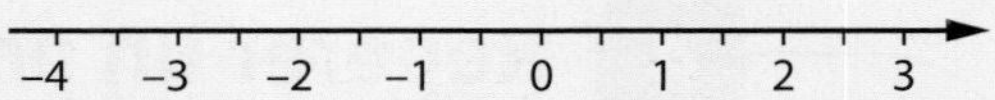

1. Reproduire la droite graduée et placer les points suivants.
A d'abscisse 0 ; C(1) ; H(2,5) ; L(−1) ; P(−2,5) ; S(−4)

2. Quelle est la distance à 0 de 2,5 ? de (−4) ?

Solution

1.

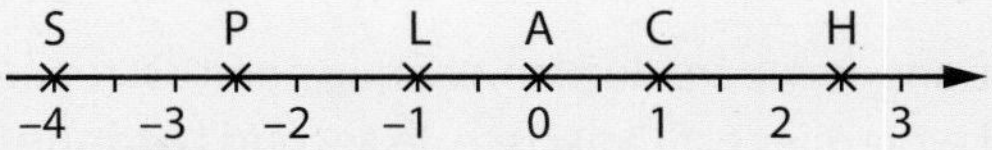

2. La distance à 0 de 2,5 est 2,5.
La distance à 0 de (−4) est 4.

7 **1.** Quelles sont les abscisses des points E, A, T et S ?

2. Recopier la droite graduée et placer les points R d'abscisse −5, L d'abscisse −3,5, I d'abscisse 1,5 et F d'abscisse 3.

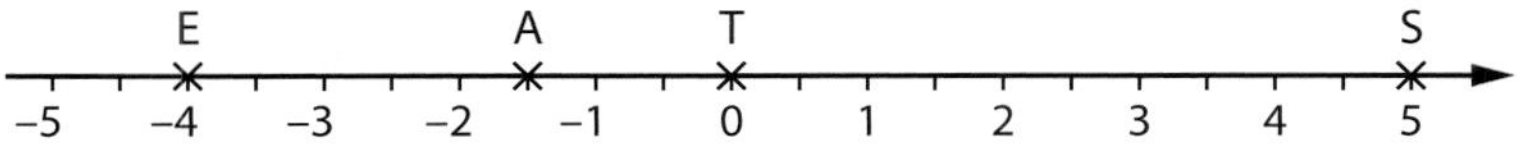

3 Comparer des nombres relatifs

Règle

Lorsqu'on parcourt une droite graduée dans le sens de la flèche, le plus petit de deux nombres relatifs est celui qu'on rencontre en premier.

Lorsqu'on parcourt cette droite dans le sens de la flèche, on rencontre d'abord –2 puis 3. Donc –2 est plus petit que 3.

Vocabulaire et notations

- On dit que –2,7 **est inférieur à** 1,4 et on note $-2{,}7 < 1{,}4$.
- On dit aussi que 1,4 **est supérieur à** –2,7 et on note $1{,}4 > -2{,}7$.

Règles

Comparer des nombres de signes différents

Un nombre positif est toujours supérieur à un nombre négatif.
$-2{,}4 < 1{,}7$

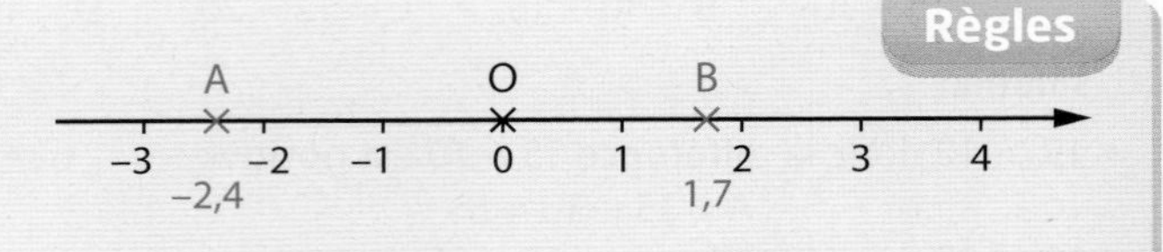

Comparer des nombres positifs

Si deux nombres sont positifs, le plus **grand** est celui qui a la plus **grande** distance à zéro.
$1{,}2 < 4{,}63$

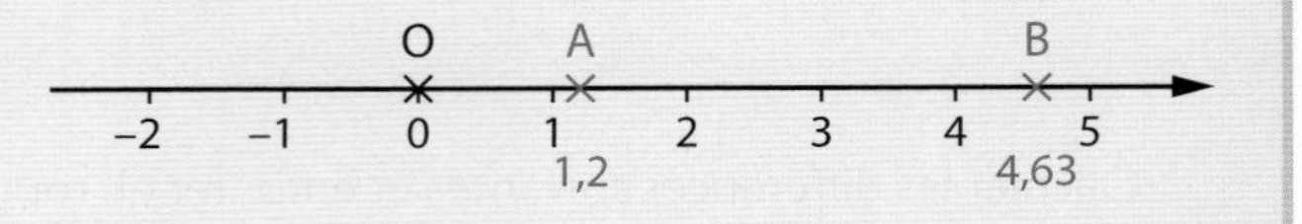

Comparer des nombres négatifs

Si deux nombres sont négatifs, le plus **grand** est celui qui a la plus **petite** distance à zéro.
$-3{,}5 < -1{,}17$

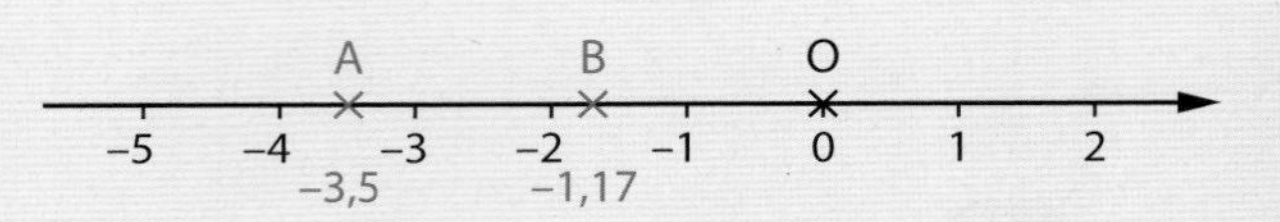

4 Repérer un point dans le plan

Définition

- Un repère du plan est formé par deux droites graduées de même origine. L'une est appelée l'axe des abscisses et l'autre l'axe des ordonnées.
- Quand les deux droites sont perpendiculaires, on dit que le repère est **orthogonal**.

Définition

Dans un repère du plan, chaque point est repéré par deux nombres relatifs : ses **coordonnées**. Le premier est l'abscisse, le second l'ordonnée. On les note (abscisse ; ordonnée).

Exemple

- L'abscisse du point A est 2.
  L'ordonnée du point A est 3.

Les coordonnées du point A se notent (2 ; 3).

- B a pour coordonnées (–3 ; 0).
- Les coordonnées du point C sont (0 ; –2).
- D(–3 ; –2).

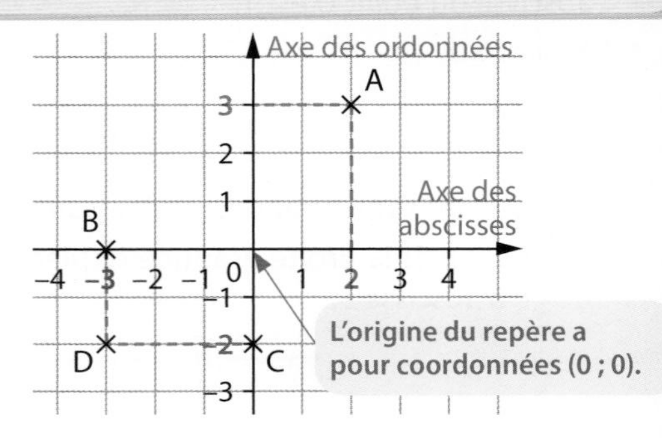

Savoir-faire

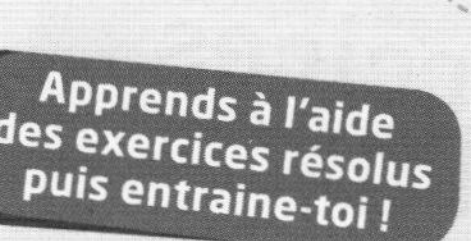
Apprends à l'aide
des exercices résolus
puis entraine-toi !

3 Comparer des nombres relatifs

8 Compléter par $<$ ou $>$.

$-6 \dots 0$; $5 \dots 0$; $2{,}5 \dots -3$; $-6 \dots 4$

Solution

Un nombre négatif est toujours inférieur à 0 et à un nombre positif.

$-6 < 0$; $5 > 0$; $2{,}5 > -3$; $-6 < 4$

9 Compléter par $<$ ou $>$.

$-8 \dots -7$; $4 \dots 5$; $-1{,}5 \dots -3$; $-5{,}2 \dots -2{,}8$

Solution

Si deux nombres sont négatifs, le plus grand est celui qui est le plus proche de 0.

$-8 < -7$; $4 < 5$; $-1{,}5 > -3$; $-5{,}2 < -2{,}8$

10 Ranger les nombres suivants dans l'ordre croissant : 25 ; –10 ; –2,5 ; 1,8 ; 10 ; –3,2

Solution

On commence par classer les nombres négatifs, puis on classe les nombres positifs.

$$-10 < -3{,}2 < -2{,}5 < 1{,}8 < 10 < 25$$

Croissant signifie du plus petit au plus grand.

11 Classer les nombres suivants dans l'ordre décroissant.

–1 ; 2,5 ; 3 ; –4 ; –4,5 ; 11

4 Repérer un point dans le plan

12 Lire les coordonnées des points R, O, S et E.

Solution

On commence par lire les **abscisses** (sur l'axe horizontal), puis les **ordonnées** (sur l'axe vertical).

Les coordonnées des points sont :

R(3 ; 2) ; O(0 ; –3) ;
S(–2 ; 0) ; E(–1 ; 3)

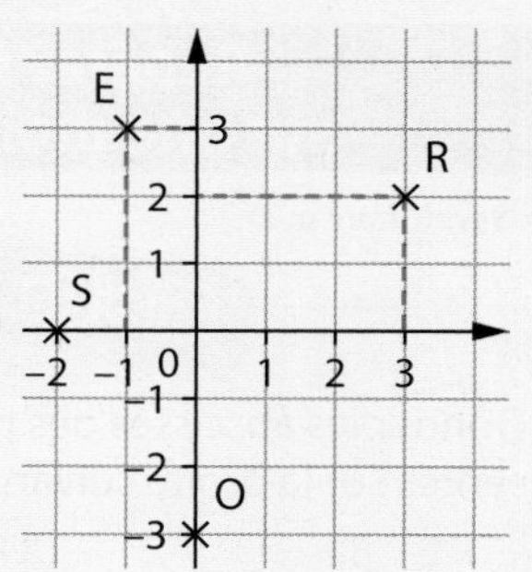
E
R
S
O

13 Construire un repère orthogonal puis placer les points suivants.

V(–2 ; 3) E(0 ; 4) R(1 ; 0) T(–3 ; 1)

Solution

Pour construire un repère orthogonal, on trace les deux axes perpendiculaires sur un quadrillage. On note les graduations sur chaque axe puis on place les points.

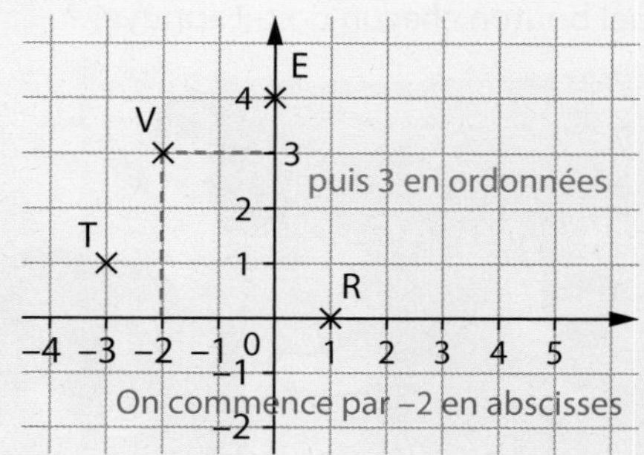
E
V
T
R
puis 3 en ordonnées
On commence par –2 en abscisses

Pour placer un point, on repère d'abord l'abscisse, puis on monte (ou on descend) sur le quadrillage jusqu'à la valeur de l'ordonnée.

Les coordonnées d'un point se lisent (abscisse ; ordonnée)

14 1. Lire les coordonnées des points B, L, E et U.

2. Reproduire le repère et placer les points N(4 ; 5), O(–1 ; 3), I(–2 ; 0) et R(–4 ; –1).

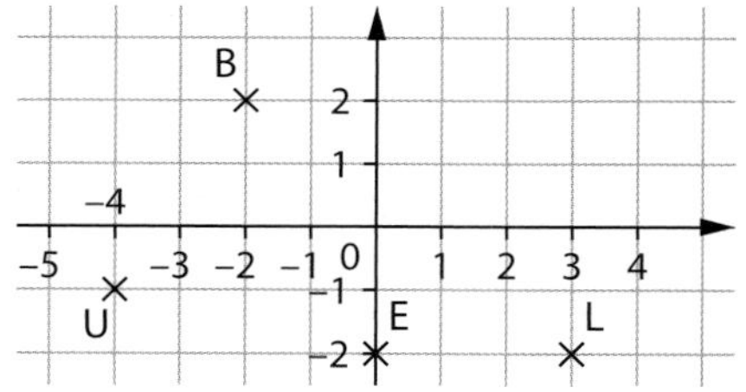
B
U
E
L

Exercices

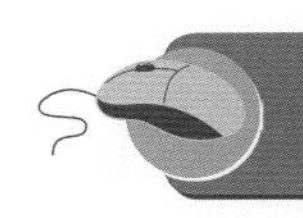

2 pages d'exercices supplémentaires dans le manuel numérique

Connaitre les nombres relatifs

Savoir-faire p. 71

Questions flash

15 Quelles sont les villes où la température est négative ?

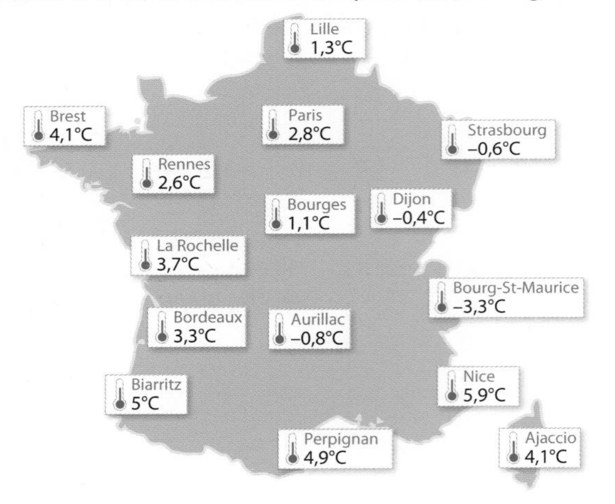

16 Dans chacun des cas suivants, donner la signification du signe –.

1. Rome a été fondée en –753.
2. À bord du Nautilus, le capitaine Némo est descendu à –20 000 m.
3. L'altitude de la mer Morte est –410 m.
4. Le résultat de la différence 8 – 12 est –4.
5. Le zéro absolu est la température théorique la plus basse qui puisse exister. Elle vaut –273,15 °C.

17 April va au 10e étage, Zoé au 2e sous-sol, Nolan au 5e sous-sol et Héloïse au 3e étage.

- Sur quel bouton chacun doit-il appuyer ?

18 Les situations suivantes ont-elles un sens ?

1. Pendant sa randonnée en montagne, Mathieu, qui a très soif, boit 1 L de sa bouteille de 75 cL.
2. Ce soir, il fait 5 °C. Il faut faire attention, car cette nuit la température va baisser de 8 °C.
3. Mathis a 5 bonbons. Très généreux, il en donne 6 à Lucas.
4. Romulus Augustule, né vers 461, est le dernier empereur romain. Auguste, le premier empereur romain, est né 524 ans avant lui.

19 Associer chaque opération à son résultat.

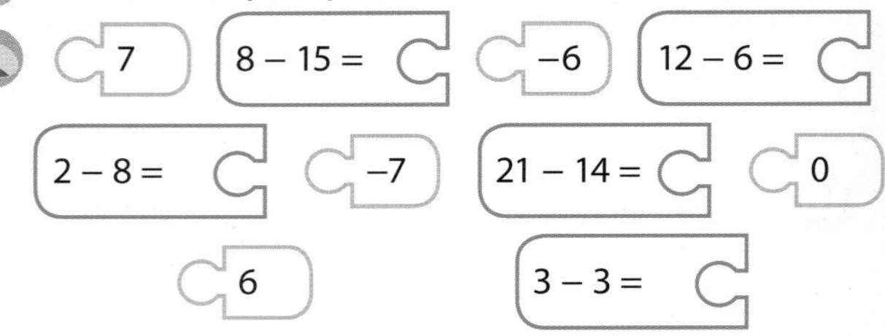

20 On présente ci-dessous les statistiques d'un tournoi de foot. Recopier et compléter le tableau suivant.

	Nombre de buts marqués	Nombre de buts encaissés	Différence de buts
Équipe A	8	6	…
Équipe B	3	4	…
Équipe C	10	…	2
Équipe D	6	6	…
Équipe E	…	9	–2

Repérer un point sur une droite graduée

Savoir-faire p. 71

Questions flash

21 Donner les abscisses des points A, B, C, D et E représentés sur la droite suivante.

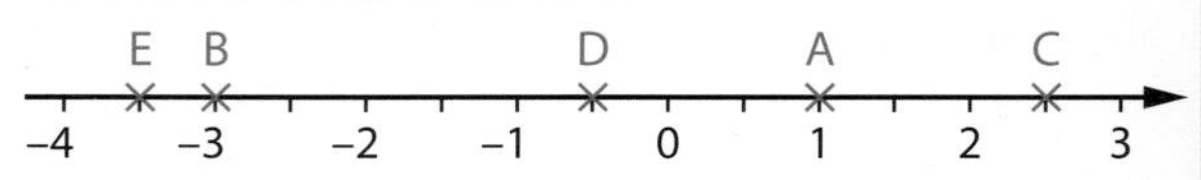

22 Donner les abscisses des points A, B, C, D et E représentés sur la droite suivante.

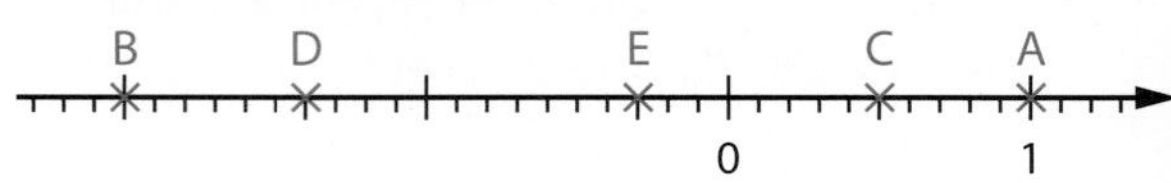

23 Donner les abscisses des points A, B, C, D et E représentés sur la droite suivante.

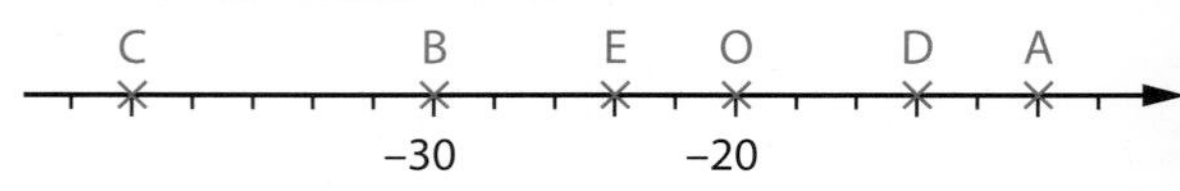

4 Tracer une droite graduée puis placer les points E, A et I comme ci-dessous.

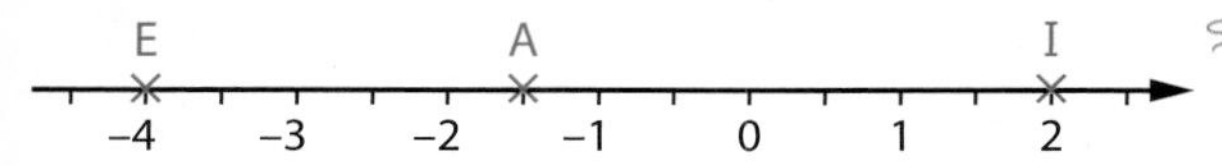

1. Donner l'abscisse des points E, A et I.
2. Placer les points N d'abscisse –5, F d'abscisse 4, T d'abscisse 1 et G d'abscisse –3,5.

5 Dans chaque cas, construire une droite graduée pour y placer les points suivants.

a. E d'abscisse –0,1 ; U d'abscisse 0,3 ; V d'abscisse –0,13 ; N d'abscisse 0,1 ; S d'abscisse 0,7
b. R d'abscisse –20 ; M d'abscisse –100 ; A d'abscisse –75 ; S d'abscisse –10
c. N d'abscisse 0,25 ; L d'abscisse –1 ; U d'abscisse –0,5 ; E d'abscisse 1

6 L'abscisse du point P sur la droite graduée ci-dessous est –30, celle du point T est –5.

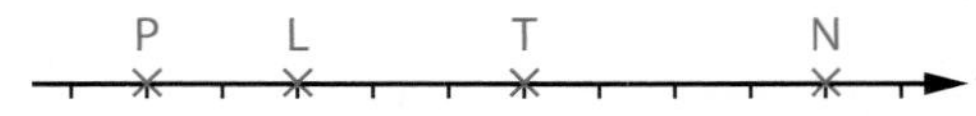

1. Où est le point O, origine de la droite ?
2. Quelles sont les abscisses des points L et N ?
3. Placer le point U d'abscisse –15.

Comparer des nombres relatifs

Savoir-faire p. 73

Questions flash

7 Comparer les nombres suivants.

a. –12 et 0 b. –1,2 et –3
c. –3 et –4 d. –1,2 et –1,19

8 Julia affirme qu'un nombre supérieur à –1 est toujours positif. A-t-elle raison ?

9 1. Citer un nombre inférieur à –12.
2. Citer un nombre compris entre –5 et –3.
3. Citer deux nombres entiers qui encadrent –3,4.

0

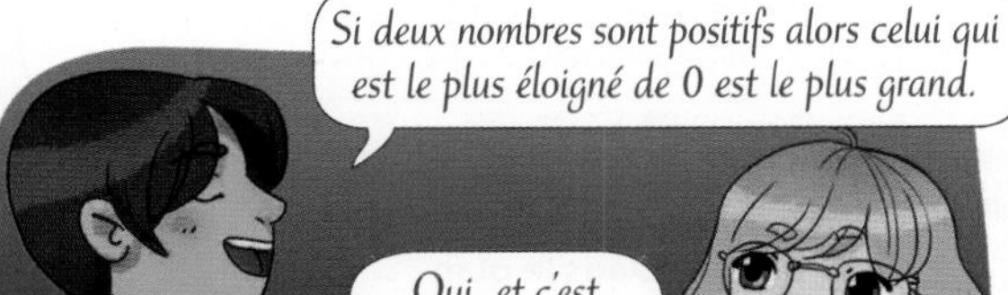

Si deux nombres sont positifs alors celui qui est le plus éloigné de 0 est le plus grand.

Oui, et c'est pareil pour les nombres négatifs.

- Ont-ils raison ?

1 Classer les nombres suivants dans l'ordre décroissant.

5,1 ; –2,4 ; –3,3 ; 0 ; 5,8 ; –0,1 ; 6,5

32 Recopier et compléter par le signe $<$ ou $>$ qui convient.

a. –4,04 … 4 b. 3,051 … –3,05
c. 0 … –57 d. –312 … –321
e. –0,001 … –0,0001 f. 1,2 … 1,18

33 Classer ces mathématiciens grecs dans l'ordre croissant de leur année de naissance.

Pythagore : –580 ; Thalès : –625 ;
Euclide : –275 ; Archimède : –287

34 Recopier et compléter par un nombre entier relatif qui convient.

a. $1{,}3 < \ldots < 2{,}7$ b. $-2{,}7 < \ldots < -1{,}03$
c. $-8{,}2 < \ldots < -7{,}8$ d. $-0{,}5 < \ldots < 0{,}2$
e. $0{,}5 < \ldots < 1{,}2$ f. $-1{,}9 < \ldots < -0{,}1$

35 Encadrer le nombre donné par deux nombres entiers relatifs consécutifs.

a. $\ldots < 2{,}8 < \ldots$ b. $\ldots < -2{,}8 < \ldots$
c. $\ldots < -3{,}5 < \ldots$ d. $\ldots < 25{,}7 < \ldots$

36 1. Citer trois nombres relatifs compris entre –6 et –4.
2. Y en a-t-il d'autres ?
3. Peut-on tous les citer ?

Repérer un point dans le plan

Savoir-faire p. 73

Questions flash

diapo

37 Donner les coordonnées des points F, L, E, U, R et S sur le graphique ci-contre.

38 **Vrai ou faux ?**
Dire si les affirmations suivantes sont vraies ou fausses.
1. L'abscisse du point A de coordonnées (–3 ; 4) est 4.
2. Dans un repère du plan, le point B de coordonnées (0 ; 5) est sur l'axe des abscisses.
3. Dans un repère du plan, l'abscisse et l'ordonnée d'un point peuvent être égales.

39 1. Dans un repère orthogonal, placer les points suivants.
A(3 ; 4) B(–2 ; 3) C(0 ; 5)
D(–3 ; 0) E(–2 ; –5) F(–2,5 ; 1,5)
2. Placer le point G sachant qu'il a la même abscisse que le point A et la même ordonnée que le point E.

40 1. Placer les points suivants dans un repère orthogonal.
I(–1 ; –2) J(0,5 ; –2) K(–1 ; 0)
L(–1 ; –3,5) M(1,5 ; –2)
2. Que peut-on dire des points I, J et M ?
3. Que peut-on dire des points I, K et L ?

Faire le point

Vérifie tes connaissances.

QCM

Donner la seule réponse correcte parmi les trois proposées.

	Réponse A	Réponse B	Réponse C
1 Connaitre les nombres relatifs			
1. 0 – 15 est égal à :	15	on ne sait pas	–15
2. –3 est un nombre :	négatif	positif	positif et négatif
2 Repérer un point sur une droite graduée On donne la droite graduée suivante. 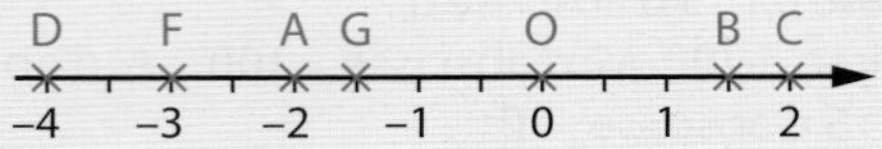			
1. L'abscisse du point C est :	2	–2	–1,5
2. Le point d'abscisse –2 est :	G	C	A
3 Comparer des nombres relatifs			
1. –2,8 est supérieur à :	–4,1	–1,2	3,4
2. On donne la liste de nombres suivante. –5,4 3,2 –1,5 0 –4,5 Le plus petit des nombres de cette liste est :	–1,5	–5,4	3,2
4 Repérer un point dans le plan 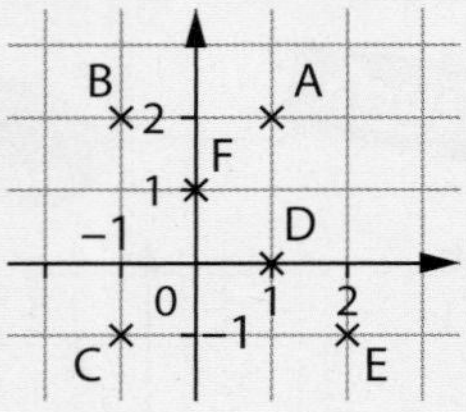			
1. Dans le repère ci-contre, les coordonnées du point C sont :	(–1 ; 1)	(1 ; –1)	(–1 ; –1)
2. Dans le repère ci-contre, le point de coordonnées (–1 ; 2) est :	A	B	E

Pour t'aider à retenir le cours.*

Carte mentale

Les nombres relatifs

Définitions

- Les **nombres négatifs** sont plus petits que 0 : *Ex.* –2 ; –5,1…
- Les **nombres positifs** sont plus grands que 0 : *Ex.* 3 ; 8,31…

Comparer

- **Deux nombres positifs**
  Le plus petit est celui qui est le plus proche de 0 : *Ex.* 3 < 4
- **Deux nombres négatifs**
  Le plus petit est celui qui est le plus éloigné de 0 : *Ex.* –4 < –3

Repérer des nombres relatifs

Sur une droite graduée

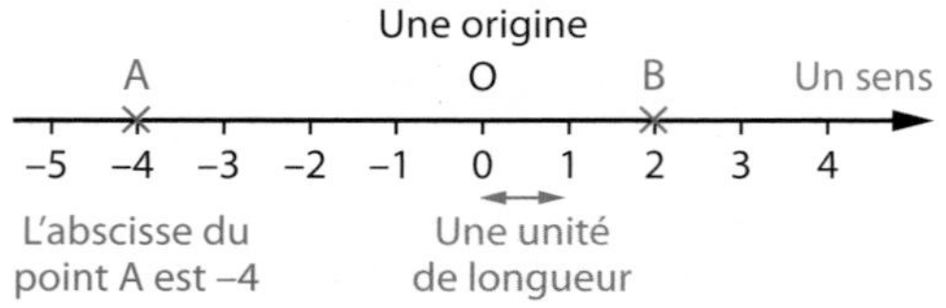

Dans le plan

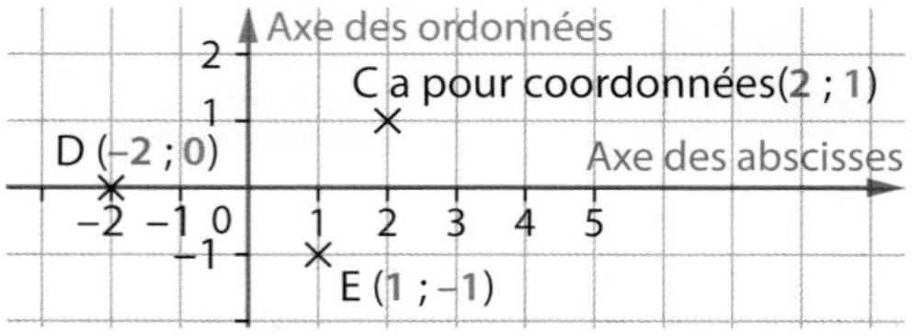

*Tu peux aussi construire ta propre carte mentale.

Algorithmique et outils numériques

Logo

Bastien a écrit le script suivant.

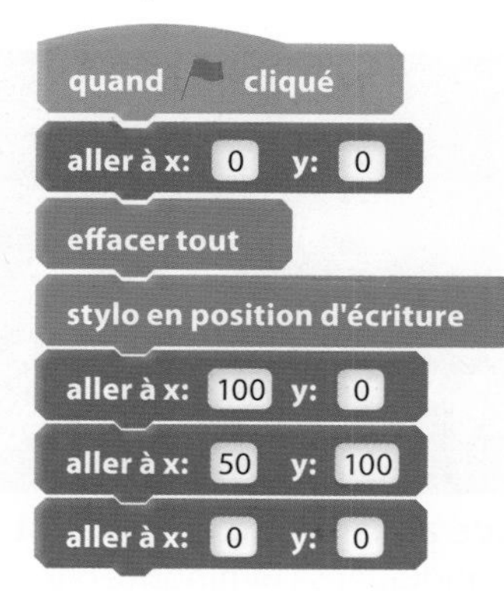
quand cliqué
aller à x: 0 y: 0
effacer tout
stylo en position d'écriture
aller à x: 100 y: 0
aller à x: 50 y: 100
aller à x: 0 y: 0

1. Quelle figure a-t-il tracée avec ce script ?
2. Modifier le script de Bastien pour tracer le logo ci-contre (on ne demande pas de tracer le quadrillage).

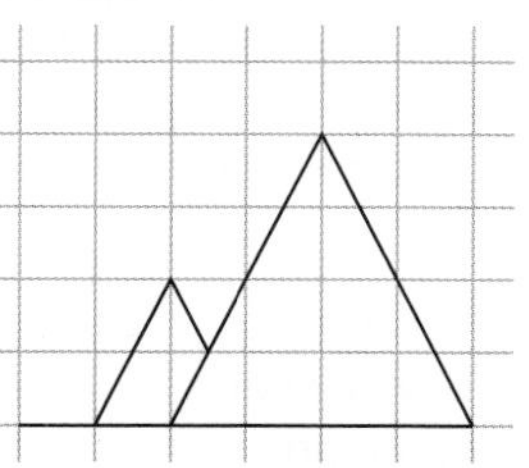

Méli-mélo

1. De quel point peut-on partir pour tracer la figure ci-dessous sans tracer deux fois le même segment ?
2. Léa a écrit un script pour tracer cette figure, mais les instructions ont été mélangées.
   Aider Léa à reconstituer son script.

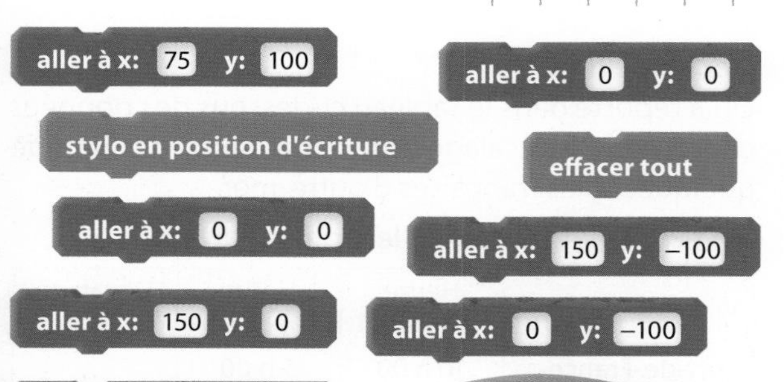
aller à x: 75 y: 100
aller à x: 0 y: 0
stylo en position d'écriture
effacer tout
aller à x: 0 y: 0
aller à x: 150 y: -100
aller à x: 150 y: 0
aller à x: 0 y: -100
aller à x: 150 y: 0
quand cliqué

Cassiopée

Cassiopée est l'une des constellations du ciel visible dans l'hémisphère Nord, elle est très facilement reconnaissable grâce à sa forme de « W ».

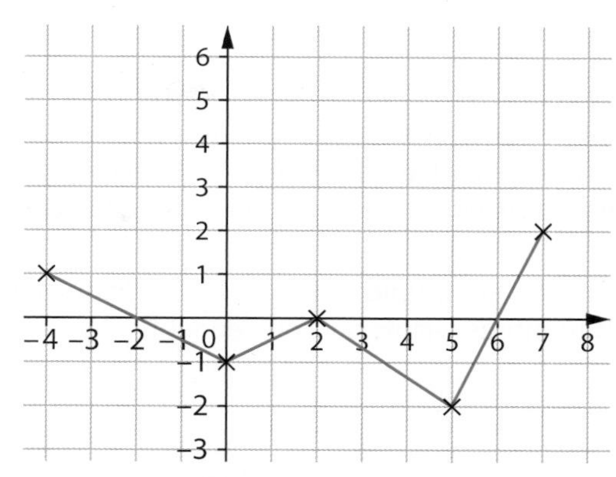

1. Ouvrir le logiciel de géométrie dynamique.
2. Faire apparaitre les axes et la grille en cliquant sur :

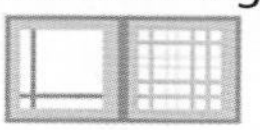

3. Placer le point A de coordonnées (–4 ; 1).

Saisie: A = (-4 , 1)

4. Terminer la construction de Cassiopée.

44 Symétriques

Voici les outils utiles dans cet exercice.

Saisie:

1. Ouvrir le logiciel de géométrie dynamique.
2. Placer le point A(–2 ; 2) et le point O (0 ; 0).
3. Construire le point B symétrique de A par rapport à l'axe des abscisses. Quelles sont ses coordonnées ?
4. Construire le point C symétrique de A par rapport à O. Quelles sont ses coordonnées ?
5. Construire le point D symétrique de A par rapport à l'axe des ordonnées. Quelles sont ses coordonnées ?
6. Quelle est la nature du quadrilatère ABCD ?

45 Chasse au trésor

Pat le pirate est à la recherche d'un trésor. Il accoste sur l'ile en A(2 ; 3), il trouve ensuite une pelle en P(–3 ; 4). Il continue son chemin et tombe sur une clé C(–4 ; 0). Pour finir, il aperçoit une carte sous un rocher R(0 ; –2). Sur la carte est écrit : « Le trésor se trouve à l'intersection des diagonales du quadrilatère APCR. »

- À l'aide d'un logiciel de géométrie dynamique, trouver l'emplacement du trésor et afficher ses coordonnées précises.

Pour mieux cibler les compétences			
Chercher	49 63	Raisonner	55 64
Modéliser	46 64	Calculer	50 63
Représenter	51 49	Communiquer	47 57

46 Le puits

Au fond de son jardin, Baptiste a un puits de 15 m de profondeur dans lequel stagnent 3 m d'eau. Pour plus de sécurité, il décide d'installer tout autour une barrière de 1,5 m de hauteur.

- Recopier et compléter le schéma ci-dessous avec les nombres relatifs qui conviennent.

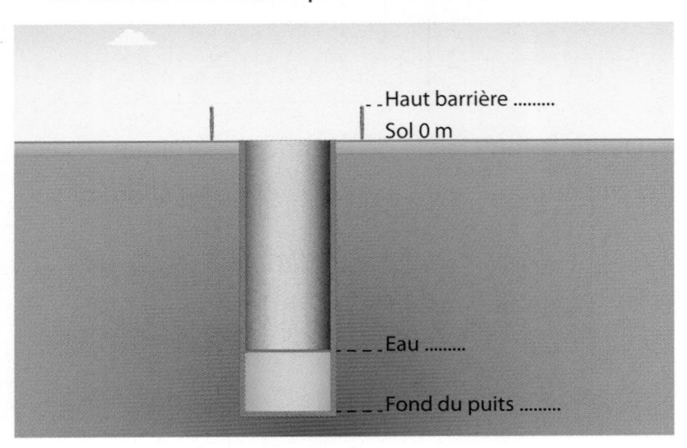

47 Évolution de population

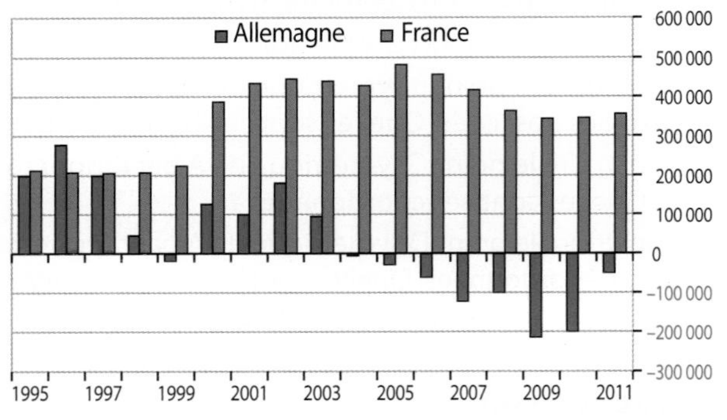

Source : Eurostat.

1. Que représente ce graphique ?
2. En quelle(s) année(s) la population française a-t-elle baissé ?
3. Que peut-on dire de la population française en 2005 ?
4. Combien d'habitants a perdu l'Allemagne en 2010 ?
5. En quelle(s) année(s) la population allemande a-t-elle baissé ?

48 Rome

HG

Rome a été fondée au VIIIe siècle avant J.-C.

L'année de sa fondation est un nombre relatif compris entre −750 et −760. La somme des chiffres de cette année est égale à 15.

- En quelle année la ville de Rome a-t-elle été fondée ?

49 Ça brille !

PC

La magnitude apparente d'un astre est une mesure utilisée pour indiquer sa luminosité dans le ciel. Plus la magnitude apparente est petite, plus l'objet est brillant. Voici la magnitude moyenne de quelques astres du système solaire :

	Magnitude moyenne
Soleil (S)	−26,7
Mercure (Me)	−2
Vénus (V)	−4,5
Mars (Ma)	−2,9
Lune Pleine (L)	12,7
Jupiter (J)	−2,8
Saturne (Sa)	−1
Uranus (U)	5,3
Neptune (N)	8

1. Quel est l'astre le plus brillant ? le moins brillant ?
2. Tracer une droite graduée et y placer les différents astres en fonction de leur magnitude.

50 Décalage horaire

On a reporté dans le tableau ci-dessous des données concernant le décalage horaire par rapport à Paris de quelques villes françaises d'outre-mer.

1. Recopier et compléter le tableau suivant.

Ville	Heure de Paris	Heure locale	Décalage horaire
Fort-de-France	10 h 00	5 h 00	…
Saint-Denis	11 h 30	14 h 30	…
Nouméa	…	22 h 00	+10
Cayenne	9 h 00	5 h 00	…
Papeete	8 h 00	…	−11

2. Placer les six villes sur une droite graduée en tenant compte du décalage horaire et en prenant Paris comme origine.
3. Quel est le décalage horaire entre Fort-de-France et Cayenne ?
4. Quel est le décalage horaire entre Papeete et Nouméa ?

Histoire

Les plus vieux témoignages d'écriture sont des tablettes sumériennes en écriture pictographique qui datent de 3 300 ans avant J.-C.

En France, les historiens mettent en évidence quatre grandes périodes :

- l'Antiquité, période commençant avec le début de l'écriture et se terminant par la chute de l'empire romain d'Occident (476)
- le Moyen Âge, période suivante allant jusqu'à la découverte de l'Amérique (1492)
- l'époque moderne, s'étendant jusqu'à la révolution française (1789)
- l'époque contemporaine, jusqu'à nos jours

• Représenter sur une droite graduée ces quatre grandes périodes de l'histoire.

Très chaud ou très froid

Un thermomètre à mercure permet de mesurer des températures allant de −38 °C à +356 °C.

Avec un thermomètre à alcool, on peut mesurer des températures allant de −112 °C à +78 °C.

1. Quel thermomètre doit-on utiliser pour mesurer la température de l'eau en ébullition ?
2. L'endroit habité le plus froid sur Terre se trouve dans le nord-est de la Sibérie, dans les villes de Verkhoyansk et Oimekon où les températures sont descendues jusqu'à −67,8 °C. Quel thermomètre peut-on utiliser pour mesurer cette température ?
3. Le record de froid sur Terre a été battu le 10 aout 2010 avec −93,2 °C. Peut-on mesurer cette température avec un thermomètre à alcool ?

Qui a tué Jules César ?

L'assassinat de Jules César en 44 avant J.-C. a été commandité par deux hommes plus jeunes que lui.

• Qui sont-ils ?

	Année de naissance	Année de décès
Jules César	−100	−44
Cléopâtre	−69	14
Marcus Junius Brutus	−85	−42
Cicéron	−106	−43
Vercingétorix	−82	−46
Caius Cassius Longinus	−87	−42

La bourse

L'indice de référence du marché boursier français est appelé le CAC 40. Il prend pour référence 40 grandes entreprises françaises.

Chaque jour, le prix des actions varie en fonction du marché, cette variation fait monter ou baisser le CAC 40.

On donne ci-dessous les variations du prix des actions de certaines entreprises françaises le 7 novembre 2015.

Entreprise	Prix de l'action	Variation
Carrefour	30,66	+2,2 %
Danone	64,29	+1,9 %
EDF	15,93	−0,8 %
L'Oréal	167	−1,12 %
LVMH	168,75	−2,74
Orange	16,43	+2,27 %
Veolia	22,14	−1,88 %

1. Quelles sont les entreprises qui ont vu leurs actions monter ?
2. Quelles sont les entreprises qui ont vu leurs actions baisser ?
3. Classer les entreprises dans l'ordre décroissant de l'évolution du prix de leurs actions.

55 Vénus

PEAC

Venus, dans la mythologie romaine, et Aphrodite, dans la mythologie grecque, sont les déesses de l'amour et de la beauté. Les deux déesses ont été représentées à de multiples reprises tout au long de l'histoire.

Vénus de Brassempouy, −22 000.

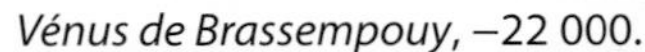

La Naissance de Vénus, 1499.

Vénus de Milo, −100.

Aphrodite sur son cygne, −460.

1. La Vénus de Brassempouy est-elle vraiment une représentation de Vénus ?
2. Classer ses œuvres dans l'ordre chronologique.

56 Qui suis-je ?

Mon prénom est inscrit dans le labyrinthe suivant. Il commence par un G. Pour trouver les lettres suivantes, il faut se déplacer vers la gauche, la droite, le haut ou le bas, toujours en direction d'un nombre relatif plus grand.

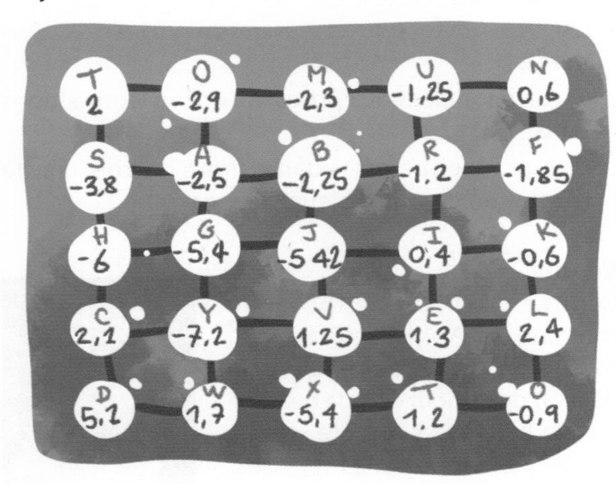

- Quel est mon prénom ?

57 Émissions de CO_2

CIT

Ce tableau représente l'évolution des émissions de CO_2 dues à l'énergie consommée par habitant dans différents pays du monde de 1990 à 2013.

Émissions en tonnes de CO_2 par habitant

	1990	2013	Évolution en %
France	5,9	4,8	−19,3
Allemagne	11,8	9,3	−21,9
États-Unis	19,2	16,2	−15,7
Chine	1,9	6,3	+224,5
Japon	8,5	9,7	+14,3

L'évolution pour le monde est +15,6 %.

1. En 1990, quels sont les habitants qui polluent le plus ? Quels sont ceux qui polluent le moins ?
2. En 2013, quels sont les habitants qui polluent le plus ? Quels sont ceux qui polluent le moins ?
3. Classer les pays dans l'ordre croissant de l'évolution de leur émission de CO_2.
4. Les habitants du pays qui a la plus forte évolution sont-ils ceux qui polluent le plus ?
5. Citer quelques petits gestes simples du quotidien qui permettent de réduire notre consommation d'énergie.

58 What time?

LV

Samantha is at Paris Airport, she's taking the plane to Los Angeles (California) at 8h00. It takes 11h30 to get there. The jet lag (or time difference) is – 9 hours. What time will it be in Los Angeles when she gets there?

59 Course cycliste

Lors d'une course cycliste à plusieurs étapes, les organisateurs ont chronométré les concurrents en prenant comme temps de référence le temps du leader de la course, c'est-à-dire 2 h 45 min 23 s.

1. Un cycliste constate que son temps affiché est −1 min 30 s. Quel temps a-t-il mis pour finir son étape ?
2. Un autre cycliste a mis 2 h 50 min 52 s. Quelle est la valeur de son temps affiché ?

60 Coordonnées GPS

HG

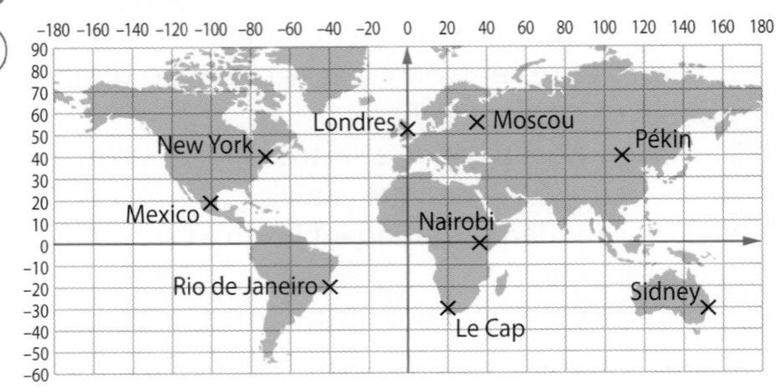

1. Quelle ville a pour coordonnées (20 ; −30) ?
2. Quelle ville est sur l'axe des ordonnées ? Quelles sont ses coordonnées ?
3. Quelle ville est sur l'axe des abscisses ? Quelles sont ses coordonnées ?
4. Citer toutes les villes dont les ordonnées sont négatives. Dans quel hémisphère se situent-elles ?
5. Quelle(s) ville(s) a (ont) des coordonnées négatives ? Quelles sont ses (leurs) coordonnées ?
6. Comment s'appelle le « parallèle » qui correspond à l'axe des abscisses ? Comment s'appelle le « méridien » qui correspond à l'axe des ordonnées ?

61 Coordonnées ?

Prise d'initiative

Azélia a placé trois points sur son cahier.

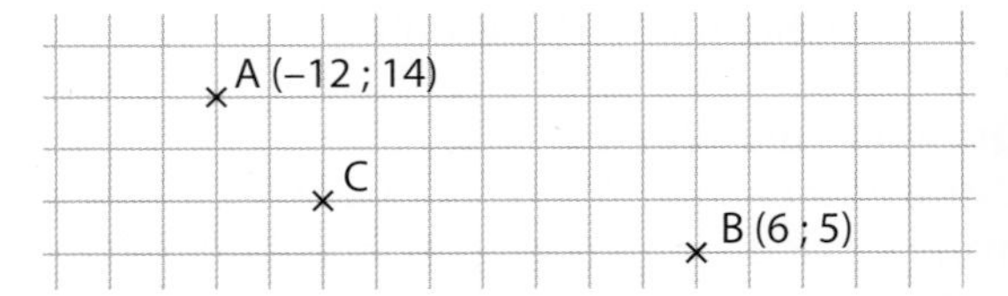

Elle connait les coordonnées des points A(−12 ; 14) et B(6 ; 5) mais a oublié celles du point C.

- Aider Azélia à retrouver les coordonnées du point C et à placer les axes du repère.

62 Où est la tortue ?

Prise d'initiative

Le LOGO est un langage de programmation développé à la fin des années 1970.

Il est principalement connu pour sa petite tortue qui se déplace dans son « jardin ».

Quelques commandes en LOGO

AV n	La tortue avance de *n* pas
RE n	La tortue recule de *n* pas
TD n	La tortue tourne de *n* degrés vers la droite
TG n	La tortue tourne de *n* degrés vers la gauche

BC	La tortue laisse une trace
LC	La tortue ne laisse pas de trace
ORIGINE	La tortue retourne au centre de l'écran
POS	Donne les coordonnées de la position de la tortue
REPETE *n* (instruction)	La tortue répète *n* fois la même instruction

1. La tortue est tournée vers la droite et positionnée en (−10 ; 0). Clémence exécute le programme suivant.

POUR FIGURE	
BC	
AV 20	TD 90
AV 20	TD 90
AV 20	TD 90
AV 20	TD 90
FIN	

a. Quelle figue a tracé la tortue ?
b. Préciser les coordonnées de la tortue à chaque étape.
c. Avec quelle autre commande Clémence aurait-elle pu écrire plus simplement son programme ?

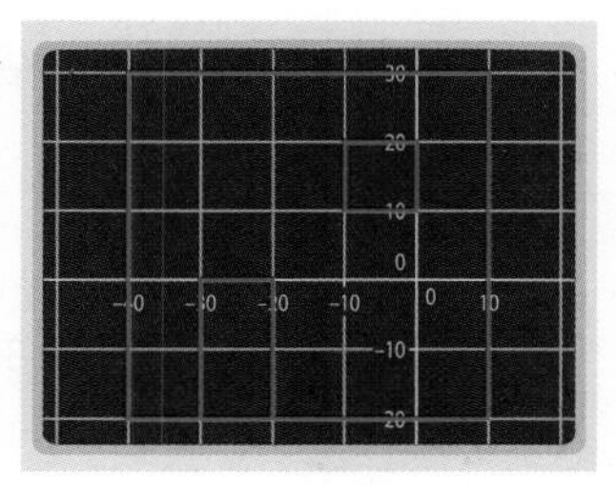

2. Quelles instructions Clémence doit-elle donner à la tortue pour qu'elle reproduise la figure ci-contre ?

63 Laser Quest

Prise d'initiative

Un groupe de sept amis terminent leur partie de Laser Quest. À la sortie, ils ne peuvent lire qu'une partie de leurs résultats car la colonne « total » ne s'est pas affichée. Le bilan final fait, certains auront droit à une récompense.

- À l'aide des documents suivants, aide M. Quest à répartir les récompenses.

Doc. 1 Résultats

PRÉNOMS	POINTS MARQUÉS	POINTS PERDUS	TOTAL
Anton	148	173	ERREUR !
Abibatou	192	163	ERREUR !
Lily	161	175	ERREUR !
Saïda	145	122	ERREUR !
Andréa	113	130	ERREUR !
Sarah	98	125	ERREUR !
Louis	200	125	ERREUR !

Doc. 2 Bonification

1er	2e	3e	Dernier
+20	+15	+10	+5

Doc. 3 Récompenses

PLUS DE 80 POINTS	**2** entrées gratuites
ENTRE 50 ET 79 POINTS	**1** entrée gratuite
ENTRE 20 ET 50 POINTS	**−5 €** sur la prochaine entrée
MOINS DE −20 POINTS	**1** entrée gratuite pour progresser

64 Échec et Mat

Prise d'initiative

Myriam a un échiquier électronique sur lequel chaque pièce est repérée par ses coordonnées. Chaque joueur dispose au départ de 16 pièces : 8 pions, 2 tours, 2 cavaliers, 2 fous, un roi et une dame.
Pour gagner, un joueur doit déclarer son rival « échec et mat » : le roi adverse est menacé de capture au prochain coup et aucune parade n'est possible.
Myriam, qui a les pièces noires, joue contre la machine, qui a les pièces blanches. Alors qu'elle venait de déclarer la machine échec et mat, toutes ses pièces noires sont tombées.

- Aider Myriam à replacer les pièces noires qui sont tombées et à retrouver la position du roi blanc en utilisant les informations suivantes.

Doc. 1 Échiquier avec les pièces restantes

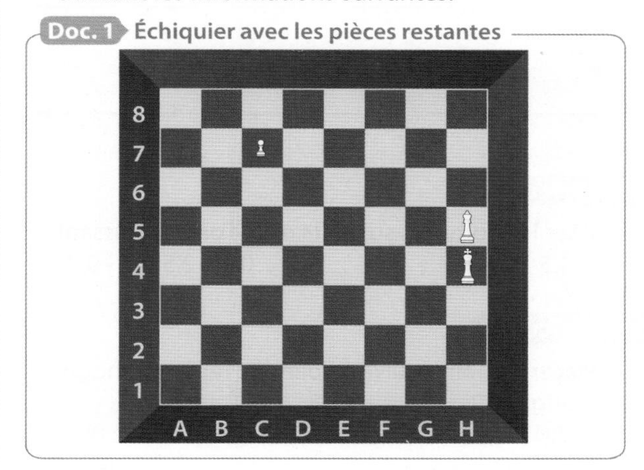

Doc. 2 Écran indiquant les positions des pièces noires

Fou 1	Cavalier 2	Tour 1	Roi	Dame
(C ; 6)	(A ; 2)	(D ; 1)	(B ; 2)	(F ; 6)

Doc. 3 Mouvements possibles des différentes pièces

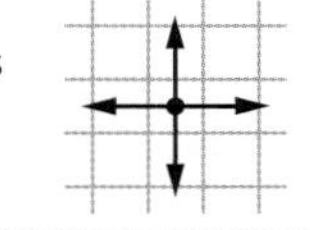
La **tour** se déplace d'autant de cases qu'elle veut parallèlement à l'axe des abscisses ou des ordonnées.

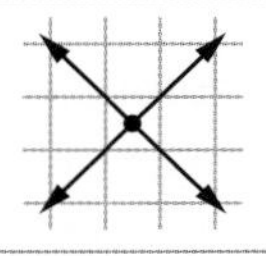
Le **fou** se déplace d'autant de cases qu'il veut en diagonale.

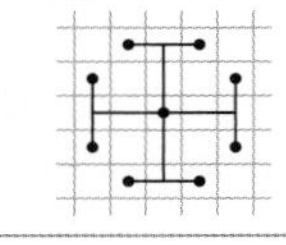
Le **cavalier** se déplace en L, c'est-à-dire de deux cases dans une direction (horizontale ou verticale), puis d'une case dans l'autre.

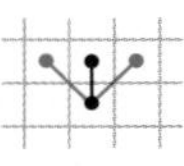
Le **pion** avance d'une seule case devant lui, mais il « mange » les autres pièces en diagonale.

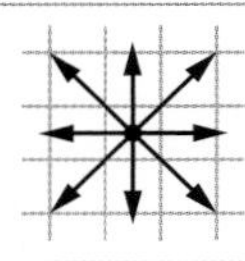
La **dame** peut se déplacer comme un fou ou comme une tour.

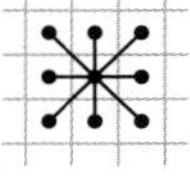
Le **roi** peut se déplacer d'une seule case tout autour de lui.

Travailler autrement

Utilisable en AP

À chacun sa méthode !

Deux énoncés pour un exercice

Exercice 1

Dans chacun des cas suivants, donner l'abscisse des points A, B, C et D.

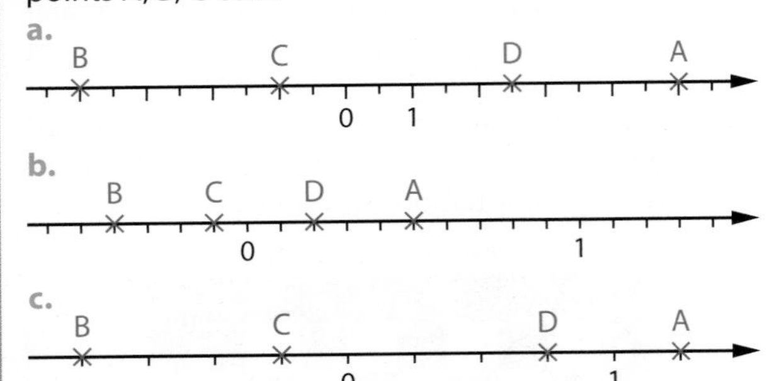

Exercice 2

Classer les nombres suivants dans l'ordre croissant.

–1,5 ; –3,2 ; 3,9 ; –5 ; 0 ; 2,5 ; –0,8

Exercice 3

1. Placer les points suivants dans un repère orthogonal d'origine O.
   A(1 ; 5) ; B(6 ; 6) ; C(6 ; 3) ; D(2 ; 0)
2. a. Construire le symétrique EFGH du quadrilatère ABCD par rapport à O.
   b. Donner les coordonnées des points E, F, G et H.
3. a. Construire le symétrique IJKL de ABCD par rapport à l'axe des abscisses.
   b. Donner les coordonnées des points I, J, K et L.

Exercice 1

Dans chacun des cas suivants, donner l'abscisse des points A, B, C et D.

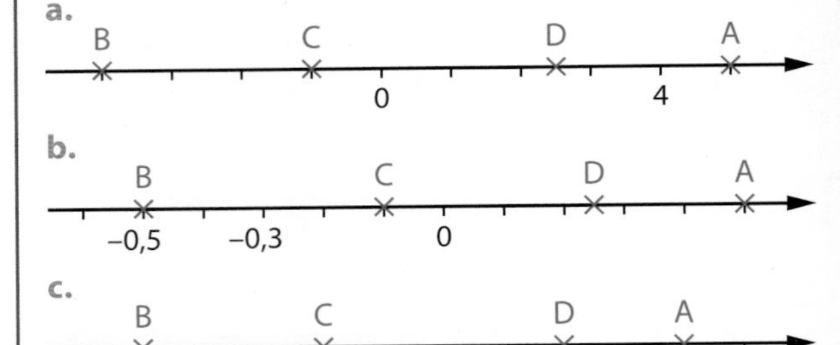

Exercice 2

Classer les nombres suivants dans l'ordre croissant.

–0,25 ; 0,45 ; 0,3 ; –0,35 ; 0,8 ; –0,3 ; –0,08

Exercice 3

1. Placer les points suivants dans un repère orthogonal d'origine O.
   A(–3 ; 2) ; B(2 ; 3) ; C(0,5 ; 1,5) ; D(–2 ; –3)
2. a. Construire le symétrique EFGH du quadrilatère ABCD par rapport à O.
   b. Donner les coordonnées des points E, F, G et H.
3. a. Construire le symétrique IJKL de ABCD par rapport à l'axe des abscisses.
   b. Donner les coordonnées des points I, J, K et L.

Travail en binôme

Bataille navale

1. Reproduire les deux grilles ci-contre.
2. Chaque joueur place 5 bateaux (5 points) dans la grille « mes bateaux » avec des coordonnées entières.
3. À tour de rôle, chaque joueur essaie de trouver la position d'un bateau adverse en donnant les coordonnées d'un point et en plaçant ce point dans la grille « tes bateaux » pour s'assurer de ne pas tirer deux fois au même endroit.
   Le gagnant est le premier joueur à avoir coulé tous les bateaux de son adversaire.

Mes bateaux

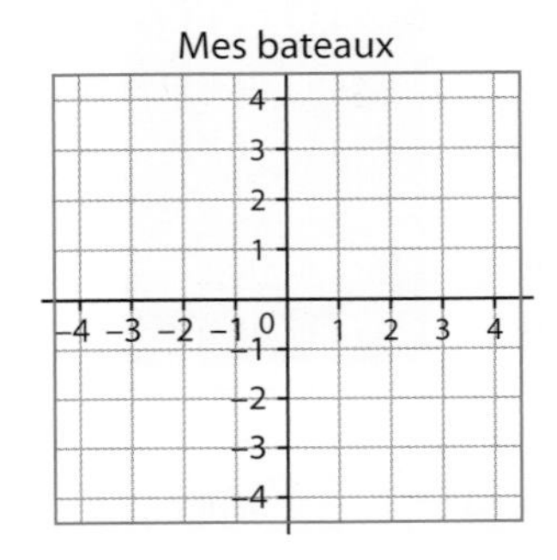

Tes bateaux

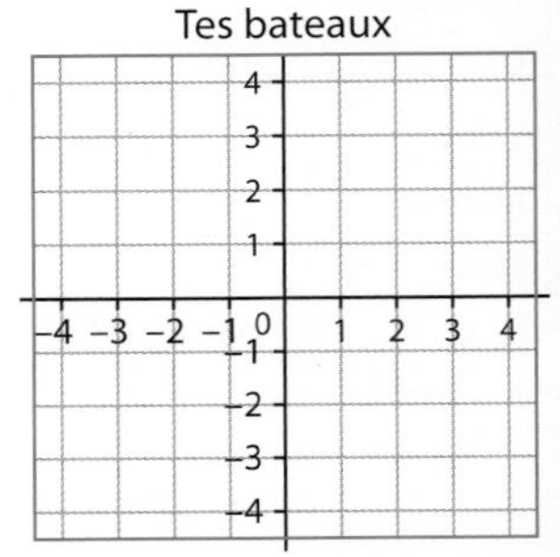

Analyse d'une production

Louise a classé les nombres suivants dans l'ordre décroissant.

–1,5 ; –5 ; –10 ; 0 ; 1,2 ; 3,5 ; 4,9 ; 10

- Analyser sa réponse et corriger ses erreurs s'il y en a.

CHAPITRE 5

Ta mission

Apprendre à ajouter et à soustraire des nombres relatifs.

Nombres relatifs : opérations

Jeux

Lili est montée de 3 barreaux, descendue de 7, puis remontée de 4, montée encore de 2 puis redescendue de 2.
- Où se trouve-t-elle ?

L'Everest, qui culmine à 8 848 m, est le sommet le plus haut du monde.

La fosse des Mariannes, qui s'enfonce à –11 034 m, est la fosse la plus profonde du monde.

La différence entre ces deux points extrêmes est de 19 882 m.

Activités

1. Ce graphique représente l'évolution de la température en fonction de l'heure de la journée.
   a. Dans chaque cas, préciser si la température est positive ou négative :
      • à 6 h • à 10 h • à 17 h
   b. Quelle température fait-il à 8 h ? à 12 h ?
   c. Quelle est la température la plus haute ?
   d. Quelle est la température la plus basse ?

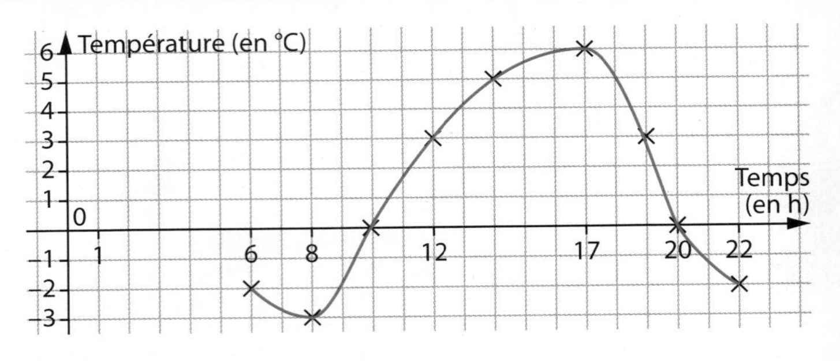

2. Pour chacun des points suivants, donner son abscisse puis sa distance à zéro.

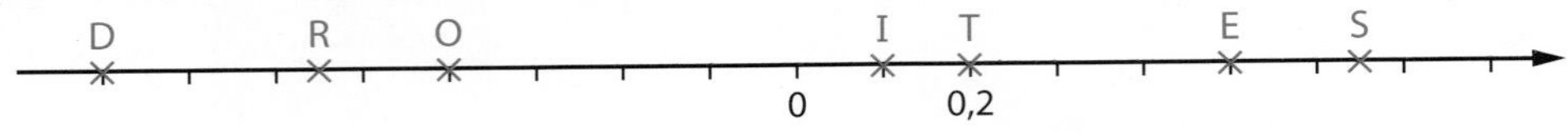

Jeu de dés

Activité 1

Nina, Djamel, Valentin, Roméo, Cali, Leïla et Pablo jouent aux dés.
Le principe du jeu est le suivant : on lance deux dés simultanément et on lit les deux nombres sur les faces supérieures des deux dés. **Pour chaque dé**, on associe le nombre obtenu à un nombre de points gagnés ou perdus.
• Si le nombre est pair, on gagne le nombre de points indiqués.
• Si le nombre est impair, on perd le nombre de points indiqués.
Dans le tableau ci-dessous, on a noté les résultats de chaque enfant lors de leur premier lancer.

	Nina	Valentin	Roméo	Cali	Pablo	Leïla	Djamel
Lancer de dés	⚀ ⚃	⚄ ⚁	⚁ ⚂	⚅ ⚀	⚄ ⚅	⚁ ⚃	⚂ ⚄

1. a. Pour chaque enfant, préciser s'il a finalement gagné ou perdu des points.
   b. Classer les enfants dans l'ordre croissant de leur nombre de points.
2. Recopier et compléter le tableau ci-dessous en écrivant le bilan de points de chaque enfant à l'aide d'une somme de deux nombres relatifs.

	Nina	Valentin	Roméo	Cali	Pablo	Leïla	Djamel
Lancer de dés	$(-1) + 4$	…	$2 + (-3)$	…	…	…	…
Bilan	3	…	…	…	…	…	…

3. a. Lors du deuxième lancer, Valentin a obtenu +5 points. Quels nombres sont apparus sur ses deux dés ?
   b. Djamel a obtenu –6 points, quels nombres a-t-il lus sur ses deux dés ?
4. Décrire une méthode qui permet de calculer la somme de deux nombres relatifs.
5. Voici le bilan des scores de Nina, Roméo et Leïla au bout de cinq parties :

	Lancer 1	Lancer 2	Lancer 3	Lancer 4	Lancer 5
Nina	+3	–4	–6	+4	–8
Roméo	–2	+6	+2	–3	–1
Leïla	+3	–8	–2	+12	–1

   a. Lequel des trois a gagné le plus de points ?
   b. Donner une méthode qui permet de calculer les scores le plus simplement possible.

Ça s'annule

Activité 2

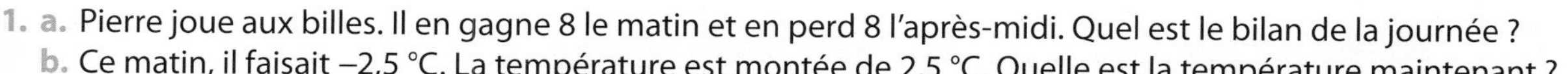

1. a. Pierre joue aux billes. Il en gagne 8 le matin et en perd 8 l'après-midi. Quel est le bilan de la journée ?
   b. Ce matin, il faisait –2,5 °C. La température est montée de 2,5 °C. Quelle est la température maintenant ?
2. a. Recopier et compléter les égalités suivantes : $8+(-8)=\dots$ $\quad -2,5+2,5=\dots$
   b. Sur une droite graduée, placer les nombres 8, – 8, – 2,5 et 2,5.
3. Donner les opposés des nombres suivants : 2 ; –6 ; –5,8 ; 7,9 ; 6,2

On dit que 8 et –8 sont deux nombres opposés.

Jeu de cartes

Activité 3

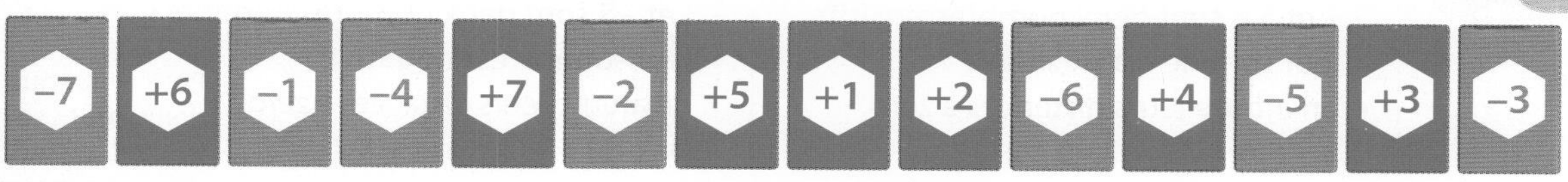

1. Faire la somme de toutes les cartes.
2. Si on enlève la carte [+5] que vaut la somme de toutes les cartes ?
3. On remet la carte précédente et on enlève la carte [–3]. Que vaut la somme de toutes les cartes ?
4. Même question pour les cartes : a. [–6] b. [+4] c. [+3] d. [–7]
5. Recopier et compléter la phrase suivante : Soustraire un nombre revient à … .

Orléans–Bruxelles

Activité 4

Jules part d'Orléans. Il doit se rendre à Bruxelles après avoir pris Mathis à Paris et Marianne à Valenciennes. On a représenté le trajet sur une droite graduée en prenant Paris comme origine.

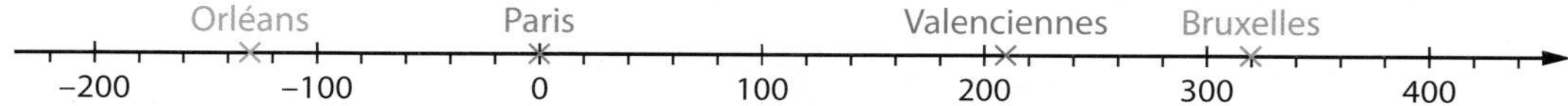

1. Quelle distance Jules a-t-il parcourue entre Orléans et Paris ?
2. Quelle distance Jules a-t-il parcourue en tout ? Quelle opération permet de calculer cette distance ?

Gâteau au chocolat

Activité 5

Prise d'initiative

Gâteau au chocolat
(ingrédients pour 16 enfants)
- *400 g de chocolat noir*
- *4 œufs*
- *250 g de beurre*
- *400 g de sucre en poudre*
- *200 g de farine*
- *2 sachets de levure*

Colette part faire des courses pour faire un gâteau au chocolat. Elle dispose d'un bon de réduction sur lequel est inscrit « –1,20 € » et d'un billet de 10 €.

1. Écrire une seule expression permettant de vérifier si Colette pourra acheter ce dont elle a besoin.
2. Effectuer ce calcul.

1 Additionner des nombres relatifs ▶Vidéo

Si deux nombres relatifs ont le **même signe**, alors leur somme a :
– le même signe que les deux nombres ;
– pour distance à zéro, la **somme** de leurs distances à zéro.

On veut calculer 2,3 + 5,6.
2,3 et 5,6 sont deux nombres positifs :
- leur somme est positive ;
- on ajoute leurs distances à zéro.

$2{,}3 + 5{,}6 = 7{,}9$

On veut calculer $-3 + (-5)$.
-3 et -5 sont deux nombres négatifs :
- leur somme est négative ;
- on ajoute leurs distances à zéro.

$-3 + (-5) = -(3 + 5) = -8$

Pour éviter que deux signes se suivent, on utilise des parenthèses.

Règle

Si deux nombres relatifs sont de **signes contraires**, alors leur somme a :
– le signe du nombre qui a la plus grande distance à zéro ;
– pour distance à zéro, la **différence** de leurs distances à zéro.

On veut calculer $7 + (-4)$.
7 et -4 sont de signes contraires :
- leur somme est positive car le nombre qui a la plus grande distance à zéro est 7 ;
- on soustrait leurs distances à zéro.

$7 + (-4) = 7 - 4 = 3$

On veut calculer $-5{,}6 + 3{,}4$.
$-5{,}6$ et 3,4 sont de signes contraires :
- leur somme est négative car le nombre qui a la plus grande distance à zéro est $-5{,}6$;
- on soustrait leurs distances à zéro.

$-5{,}6 + 3{,}4 = -(5{,}6 - 3{,}4) = -2{,}2$

Propriété

Dans une somme de plusieurs nombres relatifs, on peut :
– **modifier** l'ordre des termes ;
– **regrouper** plusieurs termes.

$6{,}3 + (-2) = 4{,}3$
$(-2) + 6{,}3 = 4{,}3$

$A = 2 + (-3) + 5{,}1 + (-4{,}3)$
$A = 2 + 5{,}1 + (-3) + (-4{,}3)$
$A = 7{,}1 + (-7{,}3)$
$A = -0{,}2$

On regroupe les nombres positifs entre eux et les nombres négatifs entre eux.

2 Reconnaitre deux nombres opposés ▶Vidéo

Définition

On dit que deux nombres sont **opposés** si leur somme est égale à 0.

- Deux nombres opposés ont des signes contraires : l'un est positif, l'autre est négatif.
- Deux nombres opposés ont la même distance à zéro.

- $(-6{,}7) + 6{,}7 = 0$ donc 6,7 est l'opposé de $-6{,}7$.
- L'opposé de $-3{,}2$ est $+3{,}2$ ou 3,2.

Savoir-faire

Apprends à l'aide des exercices résolus puis entraine-toi !

1 Additionner des nombres relatifs

1 Calculer $A = 3{,}4 + 5{,}8$.

Solution

3,4 et 5,8 sont **positifs**, leur somme est positive.
$A = 3{,}4 + 5{,}8$
$A = 9{,}2$

2 Calculer $B = -3 + (-8)$.

Solution

−3 et −8 sont **négatifs**.
Leur somme est **négative**, on **ajoute** leurs distances à 0.
$B = -(3 + 8)$ donc $B = -11$

3 Calculer $C = -7 + 9$.

Solution

−7 et 9 sont de signes contraires.
Leur somme est **positive** car $9 > 7$, on **soustrait** leurs distances à zéro.
$C = +(9 - 7)$ donc $C = 2$

4 Calculer $D = 5{,}2 + (-8{,}4)$.

Solution

5,2 et −8,4 sont de signes contraires.
Leur somme est **négative** car $8{,}4 > 5{,}2$, on **soustrait** leurs distances à zéro.
$D = -(8{,}4 - 5{,}2)$ donc $D = -3{,}2$

5 Calculer $E = 3 + (-4) + 5 + (-6) + (-2)$.

Solution

On regroupe les termes positifs entre eux et les termes négatifs entre eux.
$E = 3 + (-4) + 5 + (-6) + (-2)$
$E = 3 + 5 + (-4) + (-6) + (-2)$
$E = 8 + (-12)$
$E = -4$

6 Calculer en regroupant de manière astucieuse :
$F = 1{,}25 + (-3) + (-1{,}2) + 5 + 2{,}75 + (-0{,}8)$

Solution

On regroupe les termes positifs entre eux et les termes négatifs entre eux puis on effectue les calculs qui donnent un résultat entier.
$F = 1{,}25 + (-3) + (-1{,}2) + 5 + 2{,}75 + (-0{,}8)$
$F = 1{,}25 + 2{,}75 + 5 + (-1{,}2) + (-0{,}8) + (-3)$
$F = 4 + 5 + (-2) + (-3)$
$F = 9 + (-5)$
$F = 4$

7 Calculer les expressions suivantes.
$G = 3 + (-8{,}4)$ $H = -5{,}2 + 7{,}9$
$I = 3{,}4 + 7{,}5$ $J = -2 + (-8{,}1)$

8 Calculer les expressions suivantes en regroupant les termes.
$K = -4 + 8 + 5 + (-4) + (-3) + 6$
$L = -5 + (-8) + 7 + (-10) + 3$

9 Calculer les expressions suivantes de manière astucieuse.
$M = 0{,}5 + (-3{,}6) + (1{,}6) + 1{,}5 + (-0{,}4) + 2{,}3$
$N = (-1{,}25) + (-5{,}6) + 7{,}2 + (-1{,}75) + (-0{,}4)$

2 Reconnaitre deux nombres opposés

10 Donner les opposés des nombres suivants.
3 ; −8 ; 2,5 ; −4,2

L'opposé d'un nombre **positif** est **négatif**.
L'opposé d'un nombre **négatif** est **positif**.

Solution

- L'opposé de 3 est −3.
- L'opposé de −8 est +8.
- L'opposé de 2,5 est −2,5.
- L'opposé de −4,2 est 4,2.

11 Donner les opposés des nombres suivants. −10 ; 5 ; −11,2 ; −3,2 ; 10,8

3 Soustraire deux nombres relatifs 

Règle

Pour **soustraire** un nombre relatif, on ajoute son opposé.

On veut calculer $A = -5 - 2$.
Pour soustraire 2, on ajoute son opposé : -2.
$A = -5 - 2$
$A = -5 + (-2)$
$A = -(5 + 2)$
$A = -7$

On veut calculer $B = 3 - (-6{,}2)$.
Pour soustraire $-6{,}2$, on ajoute son opposé : $6{,}2$.
$C = 3 - (-6{,}2)$
$C = 3 + 6{,}2$
$C = 9{,}2$

Propriété

La **distance entre deux points** sur une droite graduée est égale à la différence entre la plus grande abscisse et la plus petite.

La distance entre A et B est égale à :
$AB = 3{,}5 - (-2)$
$AB = 3{,}5 + 2$
$AB = 5{,}5$

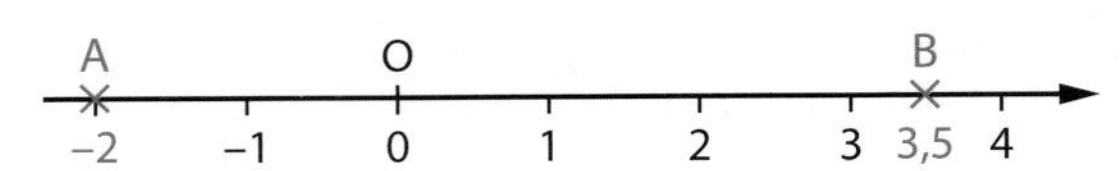

4 Enchainer des additions et des soustractions de nombres relatifs Vidéo

Méthode

Pour effectuer des additions et soustractions de nombres relatifs, on peut :
- **transformer** les soustractions en additions ;
- **regrouper** les nombres positifs entre eux et les nombres négatifs entre eux.

On veut calculer $D = (-1) + 3 - (-7) + (-2) - 5 - 4$.

- On transforme les soustractions en additions :

$D = (-1) + 3 - (-7) + (-2) - \;\; 5 - \;\; 4$
$D = (-1) + 3 + \;\; 7 \; + (-2) + (-5) + (-4)$

- On regroupe les termes positifs entre eux et les termes négatifs entre eux.

$D = 3 + 7 + (-1) + (-2) + (-5) + (-4)$
$D = \;\; 10 \;\; + \qquad (-12)$
$D = -2$

Savoir-faire

Apprends à l'aide des exercices résolus puis entraine-toi !

3 Soustraire deux nombres relatifs

12 Calculer $A = -12 - 3$.

Solution

Pour soustraire 3, on ajoute son opposé : −3.
$A = -12 - 3$
$A = -12 + (-3)$
$A = -15$

13 Calculer $B = -15 - (-8)$.

Solution

Pour soustraire −8, on ajoute son opposé : 8.
$B = -15 - (-8)$
$B = -15 + 8$
$B = -7$

14 Calculer les expressions suivantes.
$C = 12 - 8$ $D = 15 - (-9)$ $E = -4{,}5 - 12{,}1$ $F = -3{,}5 - (-1{,}2)$

15 Calculer la distance entre I et J.

Solution

L'abscisse du point I est −3.
L'abscisse du point J est 1.
La distance entre I et J est égale à la différence entre 1 et (−3).

On obtient : $IJ = 1 - (-3)$
$IJ = 1 + 3$
$IJ = 4$

4 Enchainer des additions et des soustractions de nombres relatifs

16 Calculer l'expression :
$$G = -3 + 8 - (-5) - 7 + (-8) + 10 + (-4)$$

Solution

- On commence par transformer les soustractions en additions.

$G = -3 + 8 - (-5) - 7 + (-8) + 10 + (-4)$
$G = -3 + 8 + 5 + (-7) + (-8) + 10 + (-4)$

Pour simplifier les calculs, on peut aussi chercher si certains nombres sont opposés : leur somme est égale zéro. Ici 8 et −8 sont opposés

$G = -3 + 5 + (-7) + 10 + (-4)$

- On regroupe les nombres positifs et les nombres négatifs :

$G = 5 + 10 + (-3) + (-7) + (-4)$
$G = 15 + (-14)$
$G = 1$

17 Calculer l'expression :
$$H = -5{,}7 - 10 + 1{,}8 + 2{,}7 - 21{,}8 - 0{,}3 + 6{,}2$$

Solution

- On commence par transformer les soustractions en additions.

$H = -5{,}7 - 10 + 1{,}8 + 2{,}7 - 21{,}8 - 0{,}3 + 6{,}2$
$H = -5{,}7 + (-10) + 1{,}8 + 2{,}7 + (-21{,}8) + (-0{,}3) + 6{,}2$

- On regroupe les nombres positifs et les nombres négatifs :

$H = 1{,}8 + 2{,}7 + 6{,}2 + (-5{,}7) + (-10) + (-21{,}8) + (-0{,}3)$
$H = 10{,}7 + (-37{,}8)$
$H = -27{,}1$

18 Calculer les expressions suivantes.

$I = 8 - 73 + (-8) + 5 - 7 - (-2) - 74$
$J = -5{,}2 + 0{,}25 - 8 - 3{,}8 + 7{,}3 - 2 + 1{,}75$

Exercices

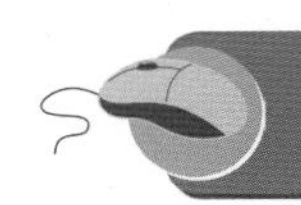

2 pages d'exercices supplémentaires dans le manuel numérique

Additionner des nombres relatifs

Savoir-faire p. 87

Questions flash

19 Préciser le signe de chacune des sommes suivantes.

A = −3 + 8 B = −5 + 5
C = 2 + 4 D = 8 + (−10)
E = −12,1 + (−8,7) F = 2,4 + (−2,5)

20 Calculer chacune des expressions suivantes.

A = 4 + (−5) B = 12,3 + 4,9
C = −8 + (−5) D = −4 + 4
E = 21,9 + (−31) F = −5,1 + 8,2

21 Calculer chacune des expressions suivantes.

A = −2 + 3 + (−4) + 5
B = 3 + (−4) + (−7) + 4
C = 0,5 + 2,1 + (−4) + 1,5

22 Associer chaque phrase à la somme qui lui correspond.

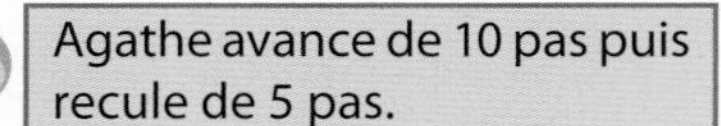

Agathe avance de 10 pas puis recule de 5 pas.	5 + 10
Anthony plonge à 10 m, puis descend encore de 5 m.	5 + (−10)
Charlotte mange 5 bonbons puis encore 10.	10 + (−5)
Lors d'un jeu de hasard, Justine a gagné 5 € puis perdu 10 €.	(−10) + (−5)

23 Calculer chacune des expressions suivantes.

A = 2,3 + 4,8 B = −4,1 + (−5,4)
C = 2,5 + (−1,8) D = (−7,2) + 2,9
E = −158 + (−87) F = 157 + (−278)

24 Relier chaque calcul au résultat qui convient.

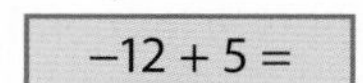

−12 + 5 =	−17
−5 + (−12) =	7
12 + (−5) =	17
12 + 5 =	−7

25 Compléter chacune des égalités suivantes par le nombre qui convient.

a. (−1) + … = 5 b. 8 + … = −3
c. (−5) + … = −7 d. 3,2 + … = 0
e. (−3,2) + … = −7,8 f. 5,4 + … = 3,9

26 Recopier et compléter chaque pyramide en sachant que le nombre de chaque case est égal à la somme des nombres des deux cases en dessous.

a.

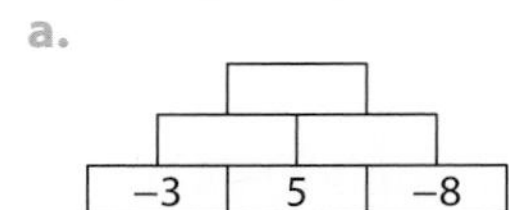

b.

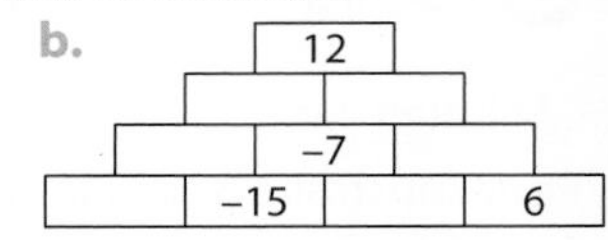

27 Citer, si possible :

a. deux nombres négatifs dont la somme est −7.
b. deux nombres de signes contraires dont la somme est égale à −3.
c. deux nombres positifs dont la somme est égale à −4.

28 Calculer les expressions suivantes.

A = (−3) + (−5) + 6 + (−1) + 12 + 8
B = 9 + (−5) + 6 + 9 + (−7) + (−2)
C = 0,1 + 0,5 + (−0,4) + 0,8 + (−0,6)

29 Calculer astucieusement :

A = 0,4 + (−5) + (−2,5) + 5 + 1,6
B = (−5,5) + 1,95 + 5,1 + (−1,5) + 0,05 + (−2,1)
C = 250 + (−425) + 150 + (−123) + (−75) + 38

Reconnaitre deux nombres opposés

Savoir-faire p. 87

Questions flash

30 Sans faire de calcul, dire lesquelles de ces sommes sont nulles (c'est-à-dire égales à 0).

A = 6 + (−6) B = −4 + 5 C = −12 + 12
D = 3,5 + 3,5 E = 3 + (−3) F = (−2) + (−2)

31 Donner les opposés des nombres suivants.

−5 ; 6 ; −2,4 ; 3,8 ; 0

32 **Vrai ou faux ?**

1. L'opposé de −8 est 8.
2. La somme de deux nombres opposés est négative.
3. Deux nombres opposés n'ont pas le même signe.
4. Deux nombres sont opposés s'ils ont la même distance à 0.

33 On donne la droite graduée suivante.

A (−3), B (−1), O (0), C (3), D (4) ; graduations : −3, −2, −1, 0, 1, 2, 3, 4, 5

1. Citer deux points qui ont des abscisses opposées.
2. Que dire de ces deux points ?
3. Quelle est l'abscisse du point E symétrique de B par rapport à O ?

Soustraire deux nombres relatifs

➡ Savoir-faire p. 89

Questions flash

4 Transformer chaque soustraction en addition.

A = 5 − (−3) B = 10 − (+5)
C = −10 − (−5) D = −2 − 4
E = 3 − 8 F = 7 − (−5)

5 Calculer chacune des expressions suivantes.

A = 5 − 4 B = 10 − (−5)
C = −5 − 8 D = 9 − 13
E = −8 − (−7) F = 6 − (−7)

6 On donne la droite graduée ci-dessous.

D (−4), C (−2), O (0), A (1), B (4) ; graduations : −4 −3 −2 −1 0 1 2 3 4

Calculer les distances suivantes.

a. AB b. OA
c. OD d. AC
e. DC f. BD

7 Calculer les expressions suivantes.

a. 3,2 − 5,35 b. 8,1 − (+15)
c. 4,7 − (−5) d. −120 − 56
e. −284 − (−45) f. −0,06 − (−3,4)

8 Relier chaque calcul au résultat qui convient.

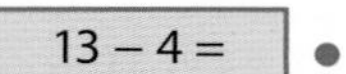

13 − 4 =	• •	17
4 − (−13) =	• •	−9
−13 − 4 =	• •	−17
4 − 13 =	• •	9

9 Compléter les égalités par le nombre qui convient.

a. −5 − … = −15 b. … − 5 = −2
c. 15 − … = 18 d. −21 − … = 17
e. 3,2 − … = 5,3 f. −24,9 − … = −31,4

0 On a placé cinq points sur une droite graduée.

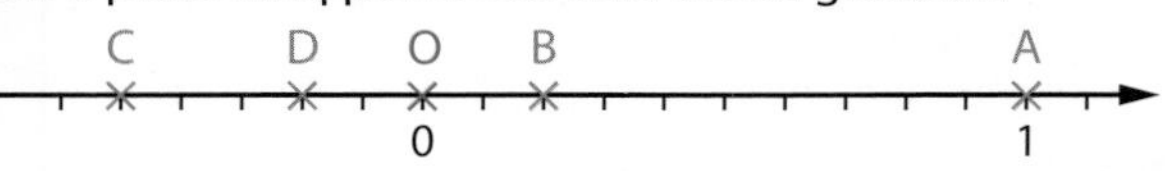

Calculer les distances :

a. AB b. OA c. OD
d. AC e. BD f. CD

1 1. Sur une droite graduée d'unité un centimètre, placer un point A d'abscisse −3.
2. Placer un point B tel que AB = 8 cm.
3. Écrire la différence qui permet de calculer la distance AB.
4. Existe-t-il un point C distinct de B tel que AC = 8 cm ?

42 L'amplitude thermique lors d'une journée est la différence entre la température la plus haute et la température la plus basse.

- Recopier et compléter le tableau suivant, où toutes les températures sont en degrés Celsius.

	Température basse (en °C)	Température haute (en °C)	Amplitude thermique
Lundi	3	17	…
Mardi	…	12	10
Mercredi	−2	8	…
Jeudi	−10	−1	…
Vendredi	−5	…	8
Samedi	0	3	…
Dimanche	…	7	9

Enchainer des additions et des soustractions de nombres relatifs

➡ Savoir-faire p. 89

Questions flash

43 Calculer chacune des expressions suivantes.

A = 3 + (−5) − (−3) + 5
B = 3 − (−5) + 3 +(−5)
C = −3 − 5 − (−3) − 5

44 Calculer chacune des expressions suivantes.

A = −1 + 7 − 8 + 3
B = 3 − (−7) − 8 + 3

45 1. a. Expliquer pourquoi calculer A = −2 + 3 − 8 − 5 + 10 revient à calculer A = 3 + 10 − 2 − 8 − 5.
b. Calculer la valeur de A.

2. Effectuer les calculs ci-dessous en suivant la méthode décrite à la question 1.
B = 20 + 15 − 12 + 3 − 20
C = −36 − 24 + 41 + 58 − 1
D = 0,7 − 3,5 + 2,5 − 8
E = −3,2 − 4 − 6,9 + 4

46 Calculer chacune des expressions suivantes.

A = −3 + (−7) − (−3) + 8 − 5 + 10
B = 135 + (−154) − (−65) − 46
C = 1,98 + (−5,2) − (−3,4) + 0,02 − 4,5
D = 21 − (−5 + 3) + (4 − 8) − 21

47 On donne :

$a = -2$; $b = 4$; $c = 3$; $d = -1$

a. Calculer $A = a - b + c - d$.
b. Calculer $B = a - (b + c) - d$.
c. Calculer $C = (b - a) - (c + d)$.

Faire le point

Vérifie tes connaissances.

QCM

Donner la seule réponse correcte parmi les trois proposées.

	Réponse A	Réponse B	Réponse C
1 Additionner des nombres relatifs			
1. –5,3 + 4,2 = …	1,1	–1,1	–9,5
2. 3 + (–5) + (–8) + 7 = …	–3	–7	–17
2 Reconnaitre deux nombres opposés			
1. L'opposé de –5,2 est :	–5,2	0	5,2
2. L'opposé d'un nombre positif est un nombre :	négatif	positif	on ne peut pas savoir
3 Soustraire deux nombres relatifs			
1. –8 – 7 = …	–1	–15	15
2. –8 – (–7) = …	–1	–15	1
3. On donne la droite graduée suivante. 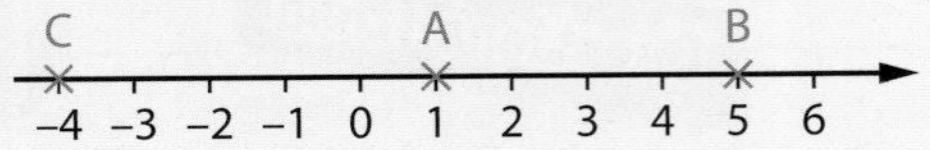 La distance BC est égale à :	5 – 4	5 – (–4)	5 – 1
4 Enchainer des additions et des soustractions de nombres relatifs			
1. –5 + 8 – 10 – 7 + 5 = …	–9	–19	1
2. 8 – (–5) + (–2) = …	1	–11	11

Pour t'aider à retenir le cours.*

Carte mentale

Opérations sur les nombres relatifs

Additionner des nombres relatifs

- **De même signe :** on ajoute les distances à zéro.
  Ex. 5 + 6 = 11 ; –5 + (–6) = –11.
- **De signes contraires :** on soustrait les distances à zéro.
  Ex. –3 + (+5) = 2 ; 3 + (–5) = –2

Soustraire des nombres relatifs

- **Nombres opposés :**
  signes contraires, même distance à zéro. *Ex.* 5 et –5
- **Soustraire :** c'est ajouter l'opposé.
  Ex. 5 – 8 = 5 + (–8) = –3 ; 10 – (–7) = 10 + 7 = 17

Enchainer les opérations

❶ On transforme les soustractions en additions.
❷ On regroupe les positifs et les négatifs.

Ex. 5 + (–8) – (–7) – 6 = 5 + (–8) + 7 + (–6)
= 5 + 7 + (–8) + (–6)
= 12 + (–14)
= –2

*Tu peux aussi construire ta propre carte mentale.

Algorithmique et outils numériques

48 Déplacements

On souhaite que le lutin de Scratch effectue le parcours schématisé ci-dessous.

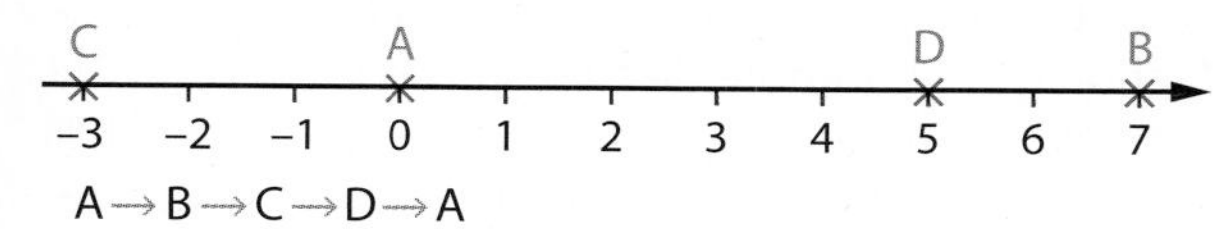

A → B → C → D → A

Le lutin est initialement placé en A.

1. Compléter le script suivant avec les valeurs appropriées.

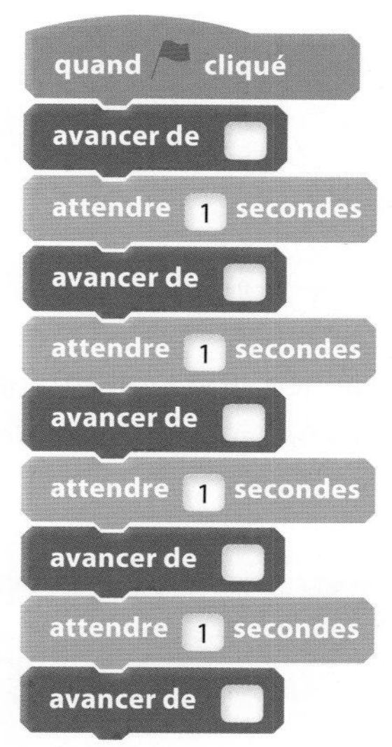

2. De combien a finalement avancé le lutin ?

49 Calculatrices

Alban et Joris ont deux calculatrices différentes.
Ils doivent tous les deux calculer l'expression suivante.
A = −8,7 − (−5,2) − 2,3.

Pour faire le calcul, Alban a tapé sur sa calculatrice TI :

Pour faire le même calcul, Joris a tapé sur sa calculatrice Casio :

− 8 , 7 − (− 5 , 2) − 2 , 3

Alban -8,7-(-5,2)-2,3

Joris -8,7-(-5,2)-2,3

1. Expliquer la différence entre la touche − et la touche (−).
2. a. La calculatrice de Joris fait-elle la distinction entre les deux signes − ?
   b. Y a-t-il une touche équivalente à la touche (−) sur la calculatrice de Joris ?
3. À l'aide de la calculatrice, calculer l'expression A.
4. Avec la calculatrice, calculer les expressions suivantes.
   B = 3,74 + (−5,24) − (−4,56) − 2,98
   C = −25,4 − (−18,75) + 5,96 − (−14,79)

50 La boucle est bouclée

Voici un programme de calcul :

> Choisir un nombre.
> Prendre le triple du nombre choisi.
> Prendre le double du nombre choisi.
> Faire la différence entre deux nombres obtenus.

1. Appliquer ce programme de calcul avec le nombre 3, puis avec le nombre 2,5.
2. On veut appliquer à nouveau ce programme de calcul à des nombres négatifs : −8 ; −23 et −52.
   a. Reproduire cette feuille de calcul avec un tableur.

	A	B	C	D
1	Nombre choisi	-8	-23	-52
2	Son triple			
3	Son double			
4	Leur différence			

   b. Quelles formules faut-il saisir en B2, B3, B4 puis recopier vers la droite ?
3. a. Finalement, que semble faire ce programme de calcul ?
   b. Comment peut-on l'expliquer ?

51 Coordonnées opposées

1. Ouvrir le logiciel de géométrie dynamique.
2. Faire apparaitre les axes et la grille en cliquant sur [icônes].
3. Placer le point A de coordonnées (−2 ; 7).
   Saisie: A=(-2,7)
4. Placer le point B dont les coordonnées sont les opposées de celles de A.
   Que dire du point B ?
5. Placer le point C qui a :
   • pour abscisse, l'abscisse du point A ;
   • pour ordonnée, l'opposé de l'ordonnée du point A.
   Que peut-on dire du point C par rapport au point A ?

Pour mieux cibler les compétences			
Chercher	59 69	Raisonner	55 71
Modéliser	67 71	Calculer	62 63 64
Représenter	54	Communiquer	58 72

52 L'ascenseur fou

Maïna est au deuxième étage. Elle entre dans l'ascenseur et appuie sur le bouton RDC. Mais au lieu de descendre, l'ascenseur se met à monter et descendre n'importe comment. Il monte d'abord de 3 étages, puis descend de 4 et encore de 2 pour enfin s'arrêter un étage plus haut.

- Maïna va-t-elle sortir au rez-de-chaussée ?

53 Programmes de calcul

1. Gabrielle pense à un nombre puis lui ajoute –6. Elle obtient 15. Quel est ce nombre ?
2. Louise pense à un nombre puis lui soustrait 8. Elle obtient –5. Quel est ce nombre ?
3. Paul pense à un nombre puis lui soustrait –9. Il obtient –2. Quel est ce nombre ?

54 Euskal Trail

EPS

Un trail est une course à pied en pleine nature.
Lors d'une étape de l'édition 2016 de l'Euskal Trail, dans le pays Basque, les participants effectuent un parcours de 40 km avec un dénivelé positif de 2 280 m et un dénivelé négatif de 2,55 km.
Cette étape démarre de Urepel à 420 m d'altitude pour arriver à Saint-Étienne-de-Baïgorry.

- À quelle altitude se trouve l'arrivée de la course ?

55 Lacs

HG

Le lac Tanganyika en Afrique et le lac Baïkal en Sibérie sont les deux lacs les plus profonds du monde.

1. Le lac Tanganyika est le lac le plus long du monde (677 km), il s'étend sur quatre pays différents. Son altitude moyenne est de 775 m. Sa profondeur maximale est de 1 433 m.
À quelle altitude se trouve le point le plus bas du lac Tanganyika ?
2. Le lac Baïkal est la plus grande réserve d'eau douce du monde. Il est à une altitude de 455 m et son point le plus bas se situe à 1 182 m en dessous du niveau de la mer.
Le lac Baïkal est-il le lac le plus profond du monde ?

56 Sécurité routière

CIT

Début 2014, les journalistes annonçaient avec satisfaction que le nombre de tués sur les routes en 2013 étaient historiquement bas, avec une baisse de 11 % par rapport à 2012. Dans le tableau ci-dessous sont présentés les résultats de l'année 2013 et de l'année 2014.

	Nombre de tués en 2013	Nombre de tués en 2014
Piétons	454	499
Cyclistes	151	159
Cyclos	153	165
Motos	642	625
Voitures	1616	1663
Poids Lourds	61	56

1. Le bilan de l'année 2014 a-t-il été aussi satisfaisant ?
2. Citer quelques facteurs responsables d'accidents.

57 L'effet de serre

CIT SVT

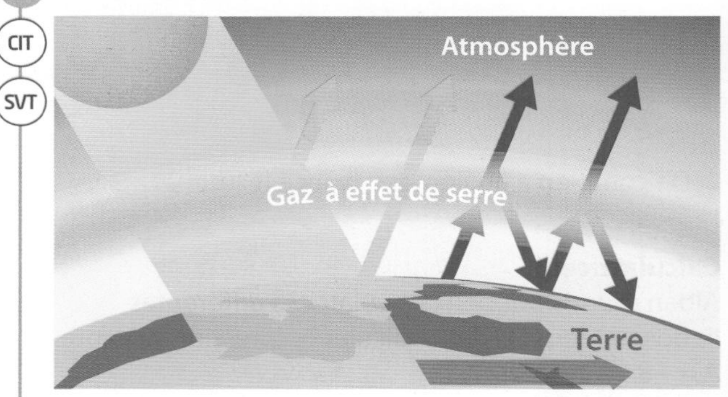

À l'origine, l'effet de serre est un phénomène naturel. La chaleur du Soleil rentre dans l'atmosphère, elle s'y trouve piégée par des « gaz à effet de serre », ce qui provoque une augmentation de la température du globe. On a ainsi une température moyenne de 15 °C à la surface de la Terre. S'il n'y avait pas cet effet de serre naturel, la température moyenne serait de –18 °C. Il n'y aurait pas de vie humaine sur la Terre.

- Quelle est l'amplitude entre ses deux températures ?

58 Accord de Kyoto

CIT

Lors du protocole de Kyoto (1997), certains pays ont signé un traité visant à réduire l'émission de gaz à effet de serre. L'Union européenne (UE) a obtenu de répartir son objectif global (une réduction de 8 % de ses émissions de gaz) entre ses quinze États membres de l'époque.
Le tableau ci-après rassemble les objectifs de certains pays de l'Union européenne.

1. Recopier et compléter le tableau.

Pays	Objectif Kyoto 2008-2012 (en %)	Évolution entre 2008 et 2012 (en %)	Bilan
Allemagne	–21	–24,4	
Autriche	–13	+2,9	
France	0		–10,6
Portugal		+2,5	–24,5
Suède	+4	–18,8	

Source : http://www.statistiques.developpement-durable.gouv.

2. Quels pays ont respecté leurs engagements ?
3. Pourquoi certains pays ne doivent pas forcément réduire leurs émissions de gaz à effet de serre ?

59 Calculatrice cassée

La calculatrice d'Azélia est cassée. Elle ne peut qu'ajouter 5 et retrancher 13. Voici l'écran de sa calculatrice :

-100

• Comment peut-elle faire pour afficher –101 ?

60 Plongée dans la mer Rouge

Lors d'une plongée dans la mer Rouge, Chloé et Siméo peuvent descendre jusqu'à 60 m. Au cours de leur périple, ils ont pu voir des poissons extraordinaires. Sur la droite graduée ci-dessous, on a représenté les différentes rencontres qu'ils ont pu faire.

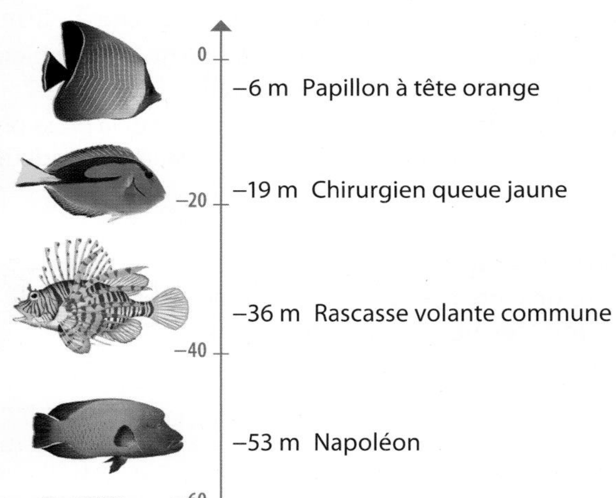

1. Ont-ils vraiment pu voir tous ces poissons ?
2. Quelle profondeur sépare le poisson papillon et la rascasse ?
3. Quelle profondeur sépare le napoléon et le chirurgien ?
4. Que permet de calculer l'expression –36 – (–53) ?
5. Ils ont aussi croisé une demoiselle domino séparée d'une profondeur de 7 m de la rascasse. À quelles profondeurs peut-elle être ?

61 Architecture

Dans le tableau suivant, on donne la date de début et la date de fin de construction de grands monuments.

	Début	Fin
Parthénon (Athènes)	–447	–432
Panthéon de Rome	–27	125
Mosquée Bleue (Istanbul)	1609	1616
Notre-Dame (Paris)	1163	1345
Sagrada Familia (Barcelone)	1882	prévue en 2026

• Classer ces monuments dans l'ordre décroissant de la durée de leur construction.

62 Comptes

Pour savoir ce qu'il lui reste dans sa tirelire, Eneko a fait un tableau récapitulant ses dépenses et ses recettes.

Date	Opération	Montant en €
31/03	Solde	+33,50 €
01/04	Argent de poche	+45 €
05/04	Téléphone	–19,90 €
12/04	Achat livres	–12,40 €
21/04	Anniversaire	+60 €
25/04	Cadeau Clémentine	–24,90 €
30/04	Solde	

• Quelle somme lui reste-t-il à la fin du mois d'avril ?

63 Tour de France

Voici le profil schématisé de la 19e étape du Tour de France 2015, qui part de Saint-Jean-de-Maurienne et va à La Toussuire.

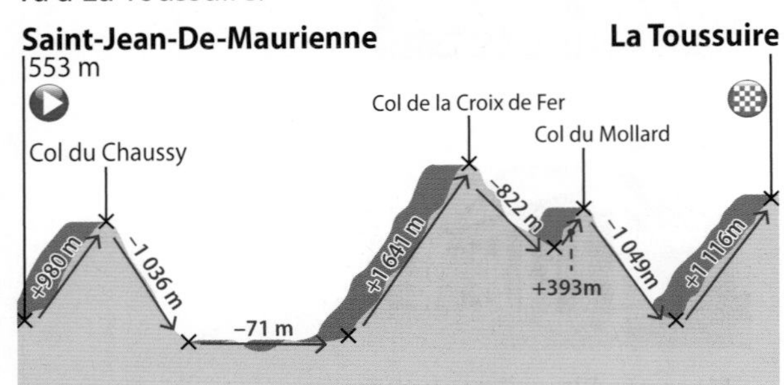

- À quelle altitude est l'arrivée ?

64 Cours du cacao

Cédric, qui est trader, suit attentivement les variations du cours du cacao. Début janvier, une tonne de cacao coutait 2 886 $. En février, le prix a brusquement chuté de 956 $. En mars, le cours s'est rétabli en prenant 925 $. En avril, le prix a augmenté de 53 $, puis il a baissé au mois de mai en perdant 354 $.

- Quel est le prix du cacao au mois de mai ?

65 Méthode

Thelma et Jeanne ont calculé l'expression :

$$A = -17 + 25 + (-47) - (-51) - 25$$

Voici leurs réponses :

Thelma :

$A = -17 + 25 + (-47) - (-51) - 25$
$A = -17 + 25 + (-47) + 51 + (-25)$
$A = 8 + (-47) + 51 + (-25)$
$A = -39 + 51 + (-25)$
$A = 12 + (-25)$
$A = -13$

Jeanne :

$A = -17 + 25 + (-47) - (-51) - 25$
$A = -17 + \cancel{25} + (-47) + 51 + (-\cancel{25})$
$A = 51 + (-17) + (-47)$
$A = 51 + (-64)$
$A = -13$

1. Leurs calculs sont-ils corrects ?
2. Quelle méthode a utilisée Thelma ?
3. Quelle méthode a utilisée Jeanne ?
4. Laquelle de ces deux méthodes parait la plus efficace ?

66 Souvenir of London

LV

£ 4.70

50 p. each

£ 5.20
£ 1.50 discount if you buy 2

£ 2

1. Louise is in London with her friends. She wants to buy some souvenirs for her family. In the shop window, she can see a sign reading:

   Spend £ 15 and you'll get £ 3 off

   She has got £ 15. Can she buy one doubledecker, three postcards, two mugs and one key ring?
2. If she can, how much change has she got left? Can she buy anything else?

67 Pression

PC

La pression est une force appliquée sur une surface.
La pression atmosphérique (P_A) au niveau de la mer est d'environ 1 bar, c'est-à-dire environ 1 kg par cm^2. Cela signifie qu'au niveau de la mer, chaque cm^2 de notre corps supporte environ 1 kg.
Dans l'eau, à 10 m de profondeur, chaque cm^2 de notre peau doit aussi supporter le poids d'un litre d'eau (1 kg).
La pression due à l'eau (P_E) à 10 m de profondeur est donc de 1 kg/cm^2, c'est-à-dire 1 bar. Si on descend à nouveau de 10 m, la pression augmentera à nouveau de 1 bar.
La pression absolue (P_T) en plongée est la pression totale, on a donc $P_T = P_A + P_E$.

1. Calculer la pression absolue subie par le corps à −10 m.
2. Denis est à −30 m, il descend à −60 m. De combien augmentera la pression absolue ?
3. Martine est à −10 m, elle est descendue et la pression absolue a augmenté de 4 bars. À quelle profondeur est-elle ?

68 Carré magique

Dans un carré magique, les sommes de tous les nombres d'une même ligne, d'une même colonne et d'une même diagonale sont égales.

①

−3	2	1
−1		

1. Compléter le carré magique ①.
2. Compléter le carré magique ② en utilisant une seule fois tous les nombres relatifs compris entre −12 et 12.

②

		−5	11	
	12	−2	−11	
−1	−10	6		8
7		9		−9
10	1	−8	3	

69 Défi !

Prise d'initiative

1. Calculer :
   a. 1 − 2
   b. 1 − 2 + 3
   c. 1 − 2 + 3 − 4
   d. 1 − 2 + 3 − 4 + 5
2. Déduire des résultats précédents le résultat de la somme : 1 − 2 + 3 − 4 + 5 − … + 97 − 98 + 99 − 100.

0 Quelle note ? Prise d'initiative

Liwa est interrogé sur les additions et les soustractions de nombres relatifs. Il obtient 1 point pour chaque bonne réponse, 0 point s'il n'y a aucune réponse et −0,5 point si la réponse est fausse.
Voici sa copie :

a. −6 + 10 = 4	f. 8,2 − 10,2 = −2
b. −5 + (−4) = −9	g. 3,5 + (−4,5) = −1
c. −10 + 2 = −12	h. −5,8 − 2,3 = −7,1
d. 3,8 − 5,4 = −1,6	i. 15,8 − 20,5 = …
e. 5,5 − (−3,5) = 2	j. −4,7 − (−7,9) = …

1. Quelle est la note de Liwa ?
2. Corriger ses erreurs et terminer les calculs qui n'ont pas été faits.

1 Tarot simplifié Prise d'initiative

Le tarot est un jeu de cartes qui se joue à 4 ou 5 joueurs. Au tarot à 5 joueurs, le joueur qui « prend » a le choix entre quatre mises : « prise », « garde », « garde sans le chien » et « garde contre le chien ».

- Lorsqu'il « prend », un joueur « appelle » un autre joueur qui sera son coéquipier durant la partie.
- Chaque mise lui fait gagner ou perdre des points.
  – Prise : 25 points – Garde sans : 4 × la prise
  – Garde : 2 × la prise – Garde contre : 6 × prise
- En cas de victoire, le joueur qui a « pris » remporte deux fois sa mise, celui qui joue avec lui remporte une fois la mise, les trois autres joueurs perdent chacun une fois la mise.
- En cas de défaite, le joueur qui a « pris » perd deux fois la mise, celui qui joue avec lui perd une fois la mise, les trois autres joueurs gagnent chacun une fois la mise.
- Pour que le score soit correct, il faut que la somme des points de tous les joueurs soit égale à 0.

1. Lors de la première partie, Pierre a misé une garde, il était avec Charles. Compléter le tableau des scores.

Charles	Djamal	Jean	Pierre	Sophie
+50				

2. Au bout de plusieurs tours, voici le tableau des scores :

Charles	Djamal	Jean	Pierre	Sophie
+300	−125	−100	50	−125
+250	−25	−150	+100	−175

a. Lors de la dernière partie, quels joueurs ont gagné, quels joueurs ont perdu ?
b. Quelle était la mise ? Quel joueur a « pris » ? Avec qui jouait-il ?

3. C'est le moment de la dernière partie. Sophie a « pris » une garde sans le chien et joue avec Djamal.

Voici les résultats avant d'avoir comptabilisé les derniers points :

Charles	Djamal	Jean	Pierre	Sophie
+450	+375	−600	−125	−100

a. Les scores sont-ils corrects ?
b. Quels sont les deux classements possibles après cette dernière partie ?

72 Besoins du muscle SVT

Pour évaluer les besoins d'un muscle en activité, Mathieu a mesuré les quantités de glucose (sucre), dioxygène (O_2) et dioxyde de carbone (CO_2) dans 100 mL de sang qui entrent et qui sortent du muscle.

Doc. 1 Muscle au repos

Sang entrant (pour 100 mL)
Glucose : 90 mg
Dioxygène : 20 mL
Dioxyde de carbone : 49 mL

Sang sortant (pour 100 mL)
Glucose : 80 mg
Dioxygène : 15 mL
Dioxyde de carbone : 54 mL

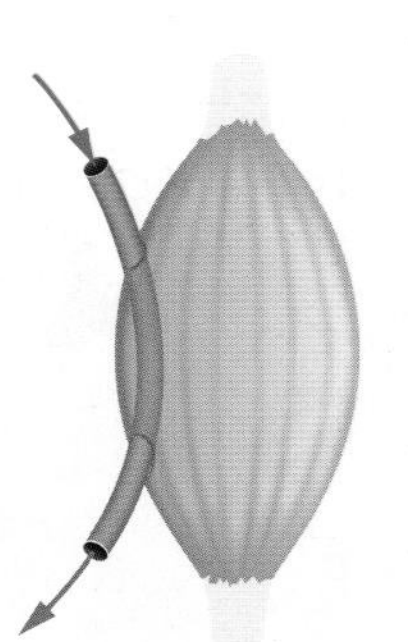

Muscle au repos

Doc. 2 Muscle en activité

Sang entrant (pour 100 mL)
Glucose : 90 mg
Dioxygène : 20 mL
Dioxyde de carbone : 49 mL

Sang sortant (pour 100 mL)
Glucose : 50 mg
Dioxygène : 11 mL
Dioxyde de carbone : 58 mL

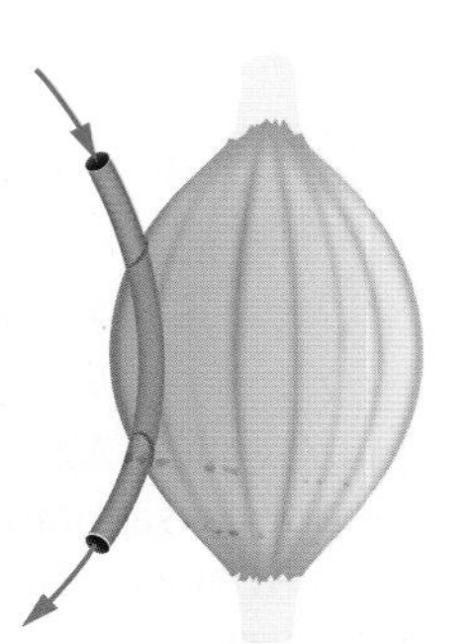

Muscle en activité

Doc. 3 Tableau de synthèse

		Quantité dans le sang entrant	Quantité dans le sang sortant	Différence de quantité entre le sang entrant et le sang sortant
Muscle au repos	Glucose			
	O_2			
	CO_2			
Muscle en activité	Glucose			
	O_2			
	CO_2			

- Aider Mathieu à compléter le tableau de synthèse et interpréter les résultats.

À chacun sa méthode !

Deux énoncés pour un exercice

Exercice 1 Pêche à la ligne

Dans son jeu vidéo, Léa gagne des points en pêchant des poissons mais elle peut en perdre si elle attrape des objets usagés.
Le tableau suivant récapitule les points gagnés ou perdus en fonction des objets ou poissons pêchés.

+50	+125	+150	+175	+200
−50	−125		−175	−200

Voilà ce qu'elle a pêché lors de trois parties différentes :

- Calculer son score après chacune des trois parties.

Exercice 2 Calcul littéral

On donne $a = 3$, $b = -2$ et $c = 1$. Calculer :
1. $a + b + c$ **2.** $a - b - c$

Exercice 3 Avec un tableur

	A	B	C
1	-2	17	
2	15	-19	19

Pour chaque cellule A2, B2 et C2, préciser la formule qui a été entrée sachant que chacune des valeurs des cellules A1 et B1 a été utilisée une seule fois pour chaque résultat.

Exercice 1 Pêche à la ligne

Dans son jeu vidéo, Léa gagne des points en pêchant des poissons mais peut en perdre si elle attrape des objets usagés.
Le tableau suivant récapitule les points gagnés ou perdus en fonction des objets ou poissons pêchés.

+50	+125	+150	+175	+200
−50	−125		−175	−200

Voilà ce qu'elle a pêché lors de trois parties différentes :

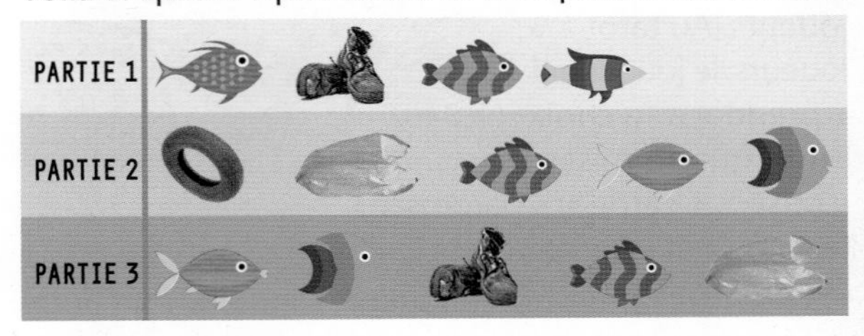

- Calculer son score après chacune des trois parties.

Exercice 2 Calcul littéral

On donne : $a = 3{,}2$; $b = -2{,}8$; $c = -1{,}4$. Calculer :
1. $a - b + c$ **2.** $a - (b - c)$

Exercice 3 Avec un tableur

	A	B	C
1	-2	17	-23
2	-8	-42	38

Pour chaque cellule A2, B2 et C2, préciser la formule qui a été entrée sachant que chacune des valeurs des cellules A1, B1 et C1 a été utilisée une seule fois pour chaque résultat.

Écriture d'un énoncé

1. Recopier et compléter la pyramide en sachant que le nombre de chaque case est égal à la somme des nombres des deux cases en dessous.

8,2
… | …
… | … | 10,9
… | −5,4 | … | 3,1

2. a. En utilisant les nombres 5, −3, −4 et 12 créer une nouvelle pyramide du même type que la précédente.
b. Donner la pyramide à un camarade pour qu'il la complète.

Analyse d'une production

On considère l'expression :
$A = -2 - (-8) + (-9) + 10$
Voici l'extrait de trois copies :

Pauline
$A = -2 + 8 + (-9) + 10$
$A = -2 + 8 - 9 + 10$
$A = -6 - 19$
$A = -15$

Ness
$A = -2 - (-8) + (-9) + 10$
$A = -2 + 8 + (-9) + 10$
$A = -2 + 8 + 10 + (-9)$
$A = 20 + (-9)$
$A = 11$

Thanh
$A = -2 - (-8) + (-9) + 10$
$A = -2 + 8 + (-9) + 10$
$A = 8 + 10 + (-2) + (-9)$
$A = 18 + (-11)$
$A = 7$

1. Dans chaque cas, préciser si le calcul est exact.
2. Corriger et expliquer les éventuelles erreurs.

Ta mission
Découvrir un nouveau langage fait de nombres et de lettres.

Calcul littéral

Jeux

Le trésor se trouve dans la salle ronde.
• À toi de trouver le bon chemin en évaluant les opérations : tu ne peux passer que si le résultat est juste.

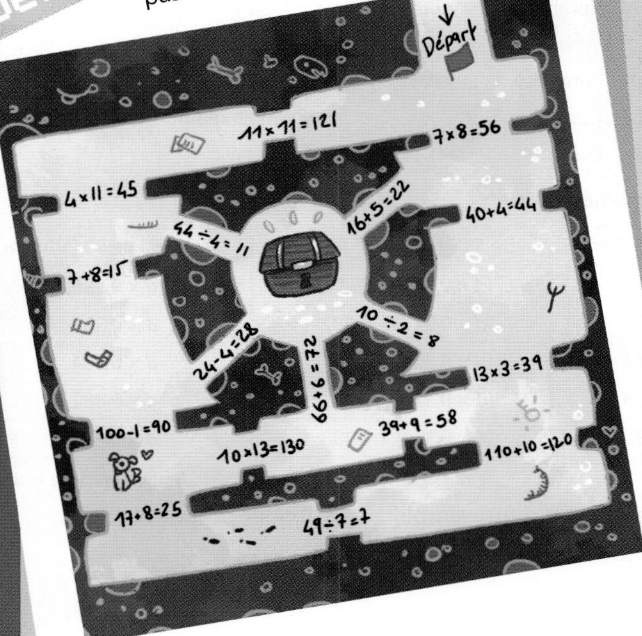

Le langage des nombres…

• pour les Mayas

• pour les Égyptiens

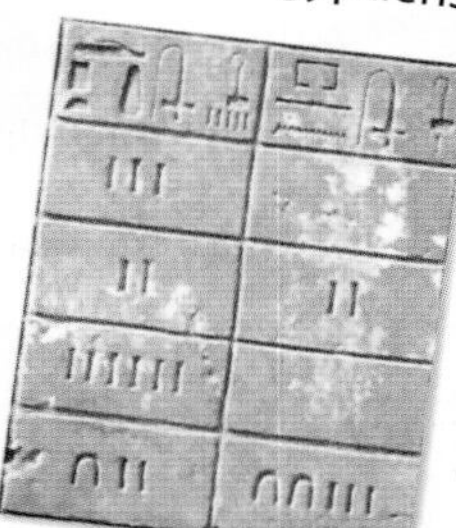

• pour les Romains

Questions flash

1. Compléter avec le symbole = ou ≠ :
   a. 13 … 103
   b. 3 unités et 1 dixième … 310 centièmes
   c. 2 500 g … 2,5 kg
   d. 240 mm … 2,4 cm
2. Donner l'aire des figures suivantes.

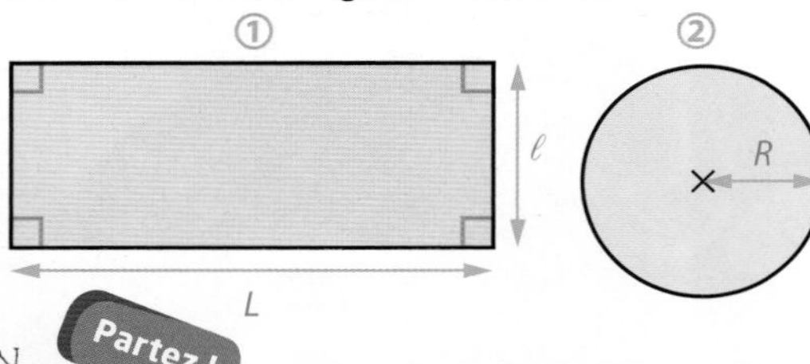

3. Compléter les phrases suivantes en indiquant l'opération à effectuer.
   a. Prendre le double d'un nombre, c'est …
   b. Prendre le triple d'un nombre, c'est …
   c. Prendre la moitié d'un nombre, c'est …
4. Compléter les phrases suivantes.
   a. L'aire d'un carré est égale au …
   b. Le périmètre d'un triangle est égal à …
5. Exprimer par un calcul :
   a. le produit de 7 et de la somme de 5 et 3.
   b. la différence entre 11 et le quotient de 9 par 4.

Partez !

Les multiples visages de X — Activité 1

1. Sur chacune des photos ci-contre, expliquer ce que désigne le (ou les) X.
2. Et en mathématiques, que peut désigner X ?

POSTCARD

Tuesday, February 15th
Hi Manu,
I'm on holiday in Vancouver for the Olympic Games !
Today, it's snowy and cold.
I can ski and I can play hockey. ☺
And you? What sports can you do?

XXX,
Kim

Manu Durant
16, rue d'Aix
Marseille 13304

Carte postale

Jeu du morpion

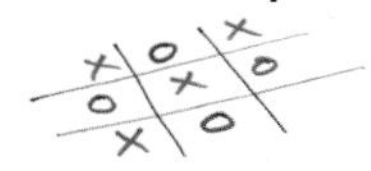

Dans une bibliothèque

Déduction des frais réels — Activité 2

Pour réduire le montant de ses impôts, Bruno a la possibilité de déduire de ses revenus les frais pour ses déplacements professionnels. Pour cela, il utilise un barème kilométrique qui permet de calculer ses frais en fonction de la puissance du véhicule et du nombre de kilomètres parcourus. Avec sa voiture, il a parcouru 17 000 km durant l'année 2015.

Doc. 1 Fiche technique de la voiture de Bruno

Nombres de cylindres	4
Cylindrée	1360 cc
Puissance du moteur	73 ch au régime de 5 200 tours/min
Couple moteur	118 Nm au régime de 3 300 tours/min
Puissance administrative	5 CV

Doc. 2 Barème kilométrique applicable aux voitures (en euros)

Puissance administrative	Jusqu'à 5 000 km	De 5 001 km à 20 000 km	Au-delà de 20 000 km
3 CV et moins	$d \times 0{,}41$	$(d \times 0{,}245) + 824$	$d \times 0{,}286$
4CV	$d \times 0{,}493$	$(d \times 0{,}277) + 1\,082$	$d \times 0{,}332$
5 CV	$d \times 0{,}543$	$(d \times 0{,}305) + 1\,188$	$d \times 0{,}364$
6 CV	$d \times 0{,}568$	$(d \times 0{,}32) + 1\,244$	$d \times 0{,}382$
7 CV et plus	$d \times 0{,}595$	$(d \times 0{,}337) + 1\,288$	$d \times 0{,}401$

(d représente la distance parcourue)

Source : service-public.fr

1. Dans le document 2, l'écriture de certaines expressions peut être simplifiée. Expliquer pourquoi.
2. Quel est le montant des frais que Bruno peut déduire de ses revenus ?

Quel cinéma ! — Activité 3

Mila adore aller au cinéma. Elle décide de se renseigner sur les tarifs proposés par la salle de cinéma SuperV3D, salle la plus proche de chez elle. SuperV3D propose deux tarifs : un tarif plein à 11,40 € la place ou la formule Étoile ci-dessous.

SuperV3D  **Formule Étoile**

Carte PASS'Ciné : 21,90 €
1 Place : 7,80 €

PASS'Ciné

Mila hésite à prendre la carte PASS'Ciné. Il faut l'aider à choisir, en déterminant à partir de combien de places il est plus intéressant de prendre la carte PASS'Ciné.

1. Pour 3 places achetées :
   a. Calculer le prix à payer par Mila pour 3 places de cinéma si elle ne prend pas de formule.
   b. Calculer le prix à payer par Mila pour 3 places de cinéma si elle prend la formule Étoile.
   c. Que doit donc choisir Mila ?
2. Pour 10 places achetées, que doit choisir Mila ?
3. On désigne par la lettre n le nombre de places achetées par Mila.
   a. Écrire une formule donnant le prix à payer par Mila si elle ne prend pas de formule.
   b. Écrire une formule donnant le prix à payer par Mila si elle prend la formule Étoile.
   c. Déterminer le nombre de places à partir duquel la formule Étoile est plus intéressante.
   d. Quel conseil donner à Mila ?

Tu peux utiliser une calculatrice, un tableur… ou calculer mentalement !

Une longueur inconnue — Activité 4

Dans la figure ci-contre, x est une longueur inconnue. On veut savoir s'il est possible que le triangle CDE et le rectangle ABCD aient le même périmètre.

1. Expliquer pourquoi :
   – le périmètre du triangle CDE peut s'écrire $x + 10$;
   – le périmètre du rectangle ABCD peut s'écrire $2 \times x + 4$.

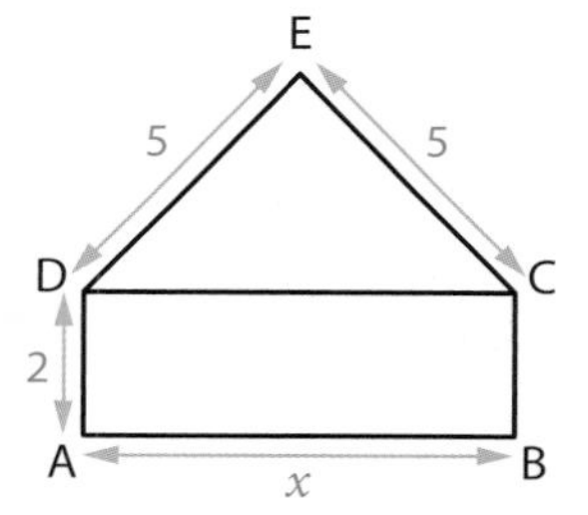

2. À l'aide d'un tableur, créer une feuille de calcul comme ci-contre, qui déterminera les valeurs numériques de ces deux expressions littérales pour des valeurs de x fixées.
   Quelle formule doit-on écrire dans la cellule B2 ? dans la cellule C2 ?

	A	B	C
1	Valeur de x	$x + 10$	$2 \times x + 4$
2	1		
3	2		
4	3		
5	4		
6	5		
7	6		
8	7		
9	8		
10	9		
11	10		

3. À la lecture de ce tableau, peut-on savoir s'il est possible que le triangle CDE et le rectangle ABCD aient le même périmètre ?

Bonjour ! — Activité 5 — Prise d'initiative

À leur arrivée au collège, Max, Kamel et Tiffany se saluent les uns les autres en se serrant la main.

1. Combien de poignées de mains ont échangé ces trois élèves ?
2. Alice arrive et salue à son tour ses trois camarades. Combien va-t-elle échanger de poignées de mains ?
3. Finalement, combien y en a-t-il eu en tout ?
4. Et si les 351 élèves du collège se saluaient en se serrant la main le matin, combien de poignées de mains échangeraient-ils ?

Tu peux t'aider d'un schéma, utiliser un tableur… ou même créer une formule !

1 Écrire une expression littérale ▶Vidéo

Définition

Une **expression littérale** est une expression mathématique qui comporte une ou plusieurs lettres. Ces lettres désignent des nombres.

Exemple 1

L'aire $\mathcal{A}$ d'un rectangle de longueur L et de largeur ℓ est donnée par l'expression littérale :

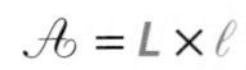

$$\mathcal{A} = L \times \ell$$

On appelle aussi cela une formule.

Exemple 2

Un site internet vend des clés USB à 4 € l'unité et facture la livraison 3 €.
Le prix à payer dépend du nombre n de clés USB achetées.
On exprime ce prix P par l'expression littérale :

$$P = 4 \times n + 3$$

2 Utiliser une expression littérale

Régle

Pour utiliser une expression littérale avec certaines valeurs, on **remplace** dans l'expression littérale toutes les **lettres** par leurs **valeurs**.

Exemple 1

On veut calculer l'aire d'un rectangle de longueur 6 cm et de largeur 4 cm.
On remplace L par 6 et ℓ par 4 dans la formule $\mathcal{A} = L \times \ell$:

$$\mathcal{A} = L \times \ell$$
$$\mathcal{A} = 6 \times 4$$
$$\mathcal{A} = 24$$

L'aire d'un rectangle de longueur 6 cm et de largeur 4 cm est donc de 24 cm^2.

Exemple 2

On reprend l'exemple 2 du paragraphe 1. On veut calculer le prix à payer si l'on achète 5 clés USB. On remplace n par 5 dans l'expression littérale $P = 4 \times n + 3$.

$$P = 4 \times n + 3$$
$$P = 4 \times 5 + 3$$
$$P = 20 + 3$$
$$P = 23$$

Ainsi, pour acheter 5 clés USB, il faudra payer 23 €.

Savoir-faire

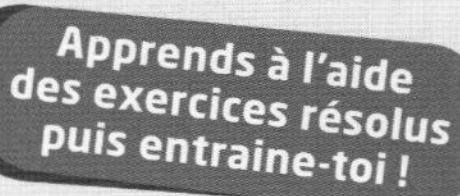
Apprends à l'aide
des exercices résolus
puis entraine-toi !

1 Écrire une expression littérale

1 Pour réaliser des travaux de peinture, l'entreprise Toucolor facture 100 € pour le matériel et les déplacements, puis 7 € par m^2 peint.

- Exprimer, à l'aide d'une expression littérale, le prix à payer P pour réaliser des travaux de peinture.

Solution

L'entreprise Toucolor propose un prix qui dépend du nombre de m^2 à peindre. On note x ce nombre de m^2.
On obtient ainsi $P = 100 + 7 \times x$.
Ainsi, le prix à payer pour réaliser des travaux de peinture est exprimé par l'expression littérale $P = 100 + 7 \times x$.

2 L'entreprise Arc-en-ciel souhaite concurrencer l'entreprise Toucolor.
Elle propose de facturer 9 € par m^2 de peinture.

- Exprimer, à l'aide d'une expression littérale, le prix à payer P pour réaliser des travaux de peinture.

3 On donne la figure ci-dessous.

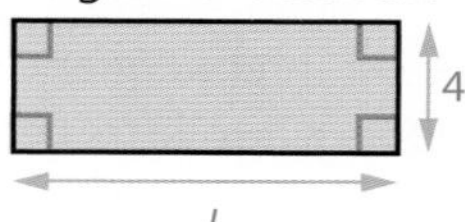
4
L

- Exprimer l'aire de ce rectangle à l'aide d'une expression littérale.

2 Utiliser une expression littérale

4 Pour réaliser les travaux de peinture, l'entreprise Toucolor facture 100 € pour le matériel et les déplacements, puis 7 € par m^2 peint.

- Quel est le prix facturé par l'entreprise Toucolor pour peindre 40 m^2 ?

Solution

Pour calculer le prix à payer pour peindre 40 m^2 par l'entreprise Toucolor :
– on exprime le prix à payer à l'aide d'une expression littérale. On obtient :

$$P = 100 + 7 \times x$$

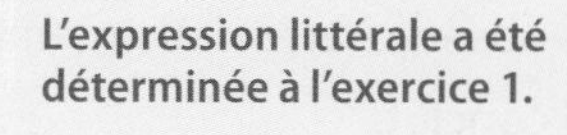
L'expression littérale a été
déterminée à l'exercice 1.

– on remplace x par 40 dans la formule $P = 100 + 7 \times x$.

$$P = 100 + 7 \times x$$
$$P = 100 + 7 \times 40$$
$$P = 100 + 280$$
$$P = 380$$

Ainsi, l'entreprise Toucolor facturera un prix de 380 € pour peindre 40 m^2.

5 On reprend l'énoncé de l'exercice 4.

- Quel est le prix facturé par l'entreprise Toucolor pour peindre 60 m^2 ?

6 L'entreprise Arc-en-ciel souhaite concurrencer l'entreprise Toucolor. Elle propose de facturer 9 € par m^2 de peinture.

- Quel est le prix facturé par l'entreprise Arc-en-ciel pour peindre 40 m^2 ? 60 m^2 ?

3 Tester une égalité ▶Vidéo

Définition

- Une **égalité** est constituée de deux membres séparés par un signe =.
- Une égalité est **vraie** quand les deux membres ont la même valeur.

$$\underbrace{3 \times 7}_{\text{membre de gauche}} = \underbrace{15 + 6}_{\text{membre de droite}}$$

Cette égalité est vraie car les deux membres ont la même valeur : 21.

Propriété

Une **égalité** où interviennent des expressions littérales peut être **vraie** pour certaines valeurs attribuées aux lettres et **fausse** pour d'autres.

On considère l'égalité $x + 2 = 8$.

- Si $x = 6$, cette égalité est vraie car $6 + 2 = 8$.

Les deux membres ont la même valeur : 8.

- Si $x = 9$, cette égalité est fausse car $9 + 2 = 11$ et $11 \neq 8$.

Le membre de gauche vaut 11 et le membre de droite vaut 8.

Pour **tester si une égalité est vraie** pour des valeurs affectées aux lettres :

① on calcule le membre de gauche en remplaçant chaque lettre par le nombre donné ;

② on calcule le membre de droite en remplaçant chaque lettre par le nombre donné ;

③ on observe si les deux membres sont égaux ou non ;

④ on conclut.

Exemples

Exemple 1

On veut tester l'égalité $x + 2 = 2 \times x - 3$ pour $x = 8$:

– membre de gauche :

$$x + 2 = 8 + 2 = 10$$

– membre de droite :

$$2 \times x - 3 = 2 \times 8 - 3 = 16 - 3 = 13$$

$10 \neq 13$

Les deux membres n'ont pas la même valeur donc l'égalité est fausse pour $x = 8$.

Exemple 2

On veut tester l'égalité $x + 2 = 2 \times x - 3$ pour $x = 5$:

– membre de gauche :

$$x + 2 = 5 + 2 = 7$$

– membre de droite :

$$2 \times x - 3 = 2 \times 5 - 3 = 10 - 3 = 7$$

Les deux membres ont la même valeur donc l'égalité est vraie pour $x = 5$.

Savoir-faire

Apprends à l'aide des exercices résolus puis entraine-toi !

3 Tester une égalité

7 On considère l'égalité $t + 3 = 2 \times t + 1$. Cette égalité est-elle vraie lorsque :

a. $t = 2$? **b.** $t = 1$?

Solution

a. On veut tester l'égalité $t + 3 = 2 \times t + 1$ pour $t = 2$:
– on remplace t par 2 dans le membre de gauche :

$$t + 3 = 2 + 3 = 5$$

– on remplace t par 2 dans le membre de droite :

$$2 \times t + 1 = 2 \times 2 + 1 = 4 + 1 = 5$$

Comme les deux membres ont la même valeur 5, l'égalité est vraie pour $t = 2$.

b. On veut tester l'égalité $t + 3 = 2 \times t + 1$ pour $t = 1$:
– on remplace t par 1 dans le membre de gauche :

$$t + 3 = 1 + 3 = 4$$

– on remplace t par 1 dans le membre de droite :

$$2 \times t + 1 = 2 \times 1 + 1 = 2 + 1 = 3$$

Comme $4 \neq 3$, les deux membres n'ont pas la même valeur, l'égalité est fausse pour $t = 1$.

8 On considère le rectangle et le carré ci-dessous.

- L'aire du rectangle est donnée par l'expression littérale $L \times 4$.

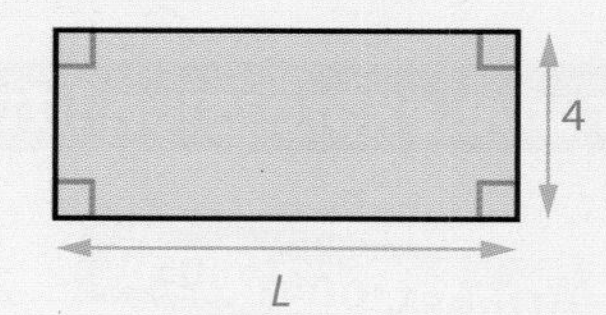

- L'aire du carré est donnée par l'expression littérale $L \times L$.

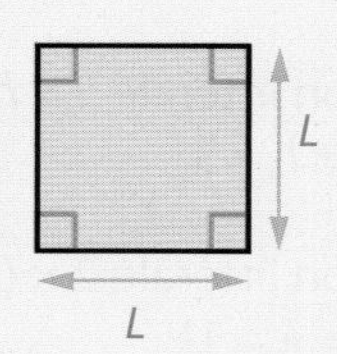

a. Que signifie l'égalité $L \times 4 = L \times L$?

b. Est-ce possible pour $L = 6$?

c. Est-ce possible pour $L = 4$?

Solution

a. L'égalité $L \times 4 = L \times L$ signifie que l'aire du rectangle est égale à celle du carré.

b. On veut tester cette égalité pour $L = 6$:
– on remplace L par 6 dans le membre de gauche :

$$L \times 4 = 6 \times 4 = 24$$

– on remplace L par 6 dans le membre de droite :

$$L \times L = 6 \times 6 = 36$$

– comme $24 \neq 36$, les deux membres n'ont pas la même valeur, l'égalité est fausse pour $L = 6$.

Les aires ne sont donc pas égales pour $L = 6$.

c. On veut tester cette égalité pour $L = 4$:
– on remplace L par 4 dans le membre de gauche :

$$L \times 4 = 4 \times 4 = 16$$

– on remplace L par 4 dans le membre de droite :

$$L \times L = 4 \times 4 = 16$$

Les deux membres ont la même valeur 16, l'égalité est vraie pour $L = 4$.

Les aires sont donc égales pour $L = 4$.

9 On considère l'égalité $y + 10 = 6 \times y - 5$.
Cette égalité est-elle vraie pour :

a. $y = 5$? **b.** $y = 3$?

10 Les aires du rectangle et du carré de l'exercice 8 sont-elles égales pour $L = 5$?

Exercices

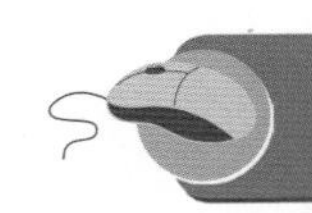

2 pages d'exercices supplémentaires dans le manuel numérique

Écrire une expression littérale

Savoir-faire p. 103

Questions flash

11 x désigne un nombre quelconque.
Exprimer à l'aide d'une expression littérale :

a. la somme de x et de 12
b. le produit de x par 5
c. la différence entre 17 et x
d. le quotient de x par 9

12 t désigne un nombre quelconque.
Exprimer à l'aide d'une expression littérale utilisant t :

a. le double de t
b. le triple de t
c. la moitié de t

13 Exprimer, à l'aide d'une expression littérale, le périmètre et l'aire du rectangle ci-contre.

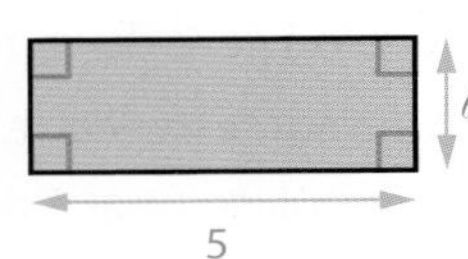

14 Exprimer, à l'aide d'une expression littérale, le périmètre et l'aire du triangle équilatéral ci-contre.

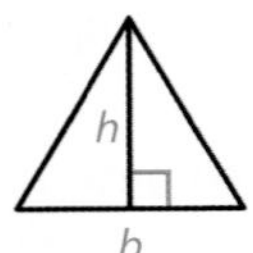

15 On appelle p le prix d'un cahier.

1. Un stylo coute 1 € de plus que le cahier.
Exprimer, à l'aide d'une expression littérale utilisant p, le prix du stylo.
2. Une gomme coute 3 € de moins que le cahier.
Exprimer, à l'aide d'une expression littérale, le prix de la gomme.
3. Un classeur coute deux fois plus cher que le cahier.
Exprimer le prix du classeur en fonction de p.
4. Un effaceur coute trois fois moins cher que le cahier.
Exprimer le prix de l'effaceur en fonction de p.

16 Voici un programme de calcul.
En notant x le nombre choisi au départ, exprimer le nombre obtenu avec ce programme à l'aide d'une expression littérale.

> Choisir un nombre.
> Multiplier par 4.
> Ajouter 7.

17 y désigne un nombre quelconque.
Pour chaque énoncé, retrouver l'expression littérale qui lui correspond.

Énoncé	Expression
La somme du produit de y par 5 et de 3.	$\dfrac{5}{(y+3)}$
Le quotient de 5 par la somme de y et de 3.	$y - \dfrac{3}{5}$
La différence entre y et le quotient de 3 par 5.	$y \times 5 + 3$
Le produit de 3 par la différence entre y et 5.	$(y-5) \times 3$

18 Arthur part au marché. Il achète 3 kg de tomates et 2 kg de carottes. On note t le prix de 1 kg de tomates et c le prix de 1 kg de carottes.

- Exprimer, à l'aide d'une expression littérale utilisant les lettres t et c, le montant de la dépense d'Arthur.

Utiliser une expression littérale

Savoir-faire p. 103

Questions flash

19 Calculer chaque expression littérale pour $n = 2$.
a. $n + 11$ b. $n \times 4 - 6$ c. $3 \times (n + 5)$

20 Calculer l'expression littérale $5 \times h - 7$ pour :
a. $h = 10$ b. $h = 3$ c. $h = 1$

21 Calculer l'expression littérale $2 \times (k - 1)$ pour :
a. $k = 1$ b. $k = 11$ c. $k = 46$

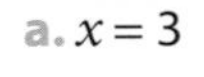

22 Calculer l'expression littérale $x \times (x + 18)$ pour :
a. $x = 3$ b. $x = 10$ c. $x = 2{,}5$

23 Calculer l'expression littérale $4 \times t + 9 \times s$ pour :
a. $t = 1$ et $s = 3$ b. $t = 11$ et $s = 8$

24 Compléter le tableau suivant.

	$4 \times (a + 10)$	$4 \times a + 10$
$a = 3$		
$a = 1{,}5$		
$a = 13$		

25 Compléter le tableau suivant.

	$15 \times x - 3 \times y$	$(x + y) \div 4$
$x = 1$ et $y = 2$		
$x = 0,5$ et $y = 1,5$		
$x = 3$ et $y = 15$		

26 Ève doit calculer l'expression littérale $b + 3 \times c$ pour $b = 6$ et $c = 7$. Voici sa copie :

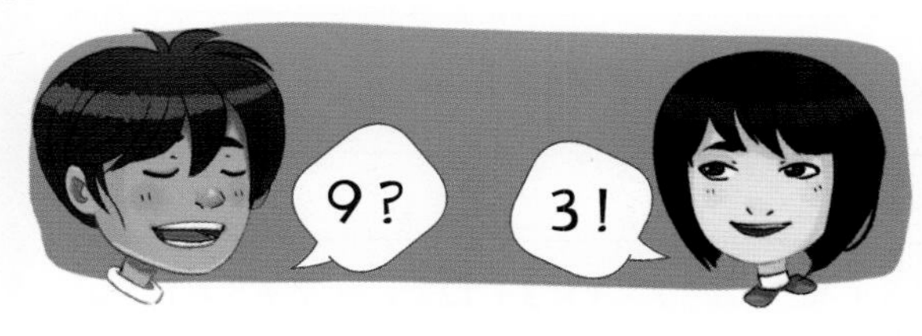

Pour b = 6 et c = 7
b + 3 × c = 7 + 3 × 6 = 25

1. Quelle erreur a-t-elle commise ?
2. Effectuer le calcul correct.

27 Deux élèves ont calculé l'expression littérale $2 \times t - r$ pour $t = 7$ et $r = 5$.

1. Quelle réponse est la bonne ?
2. Expliquer l'erreur commise par l'autre élève.

28 En thermodynamique, les températures ne se mesurent pas en degrés Celsius, mais en kelvin.
Pour convertir en kelvin une température donnée en degrés Celsius, il faut utiliser la formule :

$$T_{\text{kelvin}} = T_{\text{Celsius}} + 273,15$$

Quelle sera la température en kelvin correspondant à :
a. 0°C ? b. 37°C ? c. 100°C ?

Tester une égalité

Savoir-faire p. 105

Questions flash

diapo

29 Dire si les expressions suivantes sont des égalités.
a. $x + 7 = 3$ b. $y \times 8$ c. $4 + 3 \times 2 = 10$

30 **Vrai ou faux ?**
Dans chacun des cas suivants, dire si l'affirmation est vraie ou fausse. Justifier la réponse.
1. Pour $x = 2$: $x + 17 = 19$
2. Pour $y = 7$: $y - 4 = 7$
3. Pour $z = 9$: $2 \times z = 29$
4. Pour $r = 5$ et $t = 1$: $5 \times r + 6 \times t = 35$

31 Dans chacun des cas suivants, dire si l'égalité est vraie pour $n = 2$. Justifier la réponse.
a. $5 \times n = 10$ b. $n + 11 = 3 \times n + 5$ c. $0,5 \times n = 1$

32 On considère l'égalité suivante.

$$8 \times x + 1 = 40 - 5 \times x$$

Dans chacun des cas suivants, dire si elle est vraie ou fausse et justifier la réponse.
a. pour $x = 1$ b. pour $x = 2$ c. pour $x = 3$

33 **Vrai ou faux ?**
Dans chacun des cas suivants, dire si l'égalité est vraie ou fausse pour la valeur de t proposée.
1. $3 + t = 2 \times t + 7$, pour $t = 4$
2. $9 \times (t - 6) = 3 \times t$, pour $t = 9$
3. $4 \times (t - 1) = t \times t$, pour $t = 2$

34 **Vrai ou faux ?**
Dans chacun des cas suivants, dire si l'égalité est vraie ou fausse pour les valeurs proposées.
1. $1 + x = 2 \times y - 1$, pour $x = 2$ et $y = 2$
2. $2 \times (a + 1) = (b - 1) \times 3$, pour $a = 5$ et $b = 6$
3. $k \times (n + 1) = n + k$, pour $k = 1$ et $n = 2$

35 Associer chaque égalité de la colonne rouge à la valeur de y de la colonne bleue qui la rend vraie.

$y \times 5 - 9 = 2 \times y$ •	• $y = 1$
$y \times y = 2 \times y$ •	• $y = 2$
$4 \times y - 7 = y \div 2 + 7$ •	• $y = 3$
$6 \times (y + 1) = 8 \times y + 4$ •	• $y = 4$

36 On considère l'égalité :

$$2 \times (b - 3) = b - 4$$

- Parmi les étiquettes suivantes, choisir celle qui contient une affirmation juste.

L'égalité est vraie pour $b = 3$, mais fausse pour $b = 4$.

L'égalité est fausse pour $b = 4$, et pour $b = 3$.

L'égalité est vraie pour $b = 4$, mais fausse pour $b = 3$.

37 En France, la pointure P des chaussures est déterminée par la formule $P = 1,5 \times (L + 1)$ où L désigne la longueur du pied, en cm.
1. Paul, dont le pied mesure 25 cm, affirme chausser du 39. Est-ce exact ?
2. Flo chausse du 35 avec un pied mesurant 23 cm. Est-ce possible ?

Faire le point

Vérifie tes connaissances.

QCM

Donner la seule réponse correcte parmi les trois proposées.

1 Écrire une expression littérale	Réponse A	Réponse B	Réponse C
1. Le produit de 6 par la somme de n et de 2 est :	$6 \times n + 2$	$6 \times (n + 2)$	$6 + n \times 2$
(triangle rectangle de côtés 4, 3 et a) **2.** L'aire, en cm^2, du triangle est égale à :	$3 \times a \div 2$	$7 + a$	$3 \times a + 4$
3. n est un nombre entier. Le triple du nombre entier qui suit n est :	$3 \times (n - 1)$	$3 \times n + 1$	$3 \times (n + 1)$
2 Utiliser une expression littérale			
1. Calculer $7 \times x + 12$ pour $x = 3$, c'est effectuer :	$7 \times 3 + 12$	$7 \times x \times 3 + 12$	$7 + 3 + 12$
2. Si $a = 5$, alors $2 \times (a + 10)$ est égal à :	17	20	30
3 Tester une égalité			
1. L'égalité $6 \times y = y + 15$ est :	toujours vraie	vraie si $y = 3$	vraie si $y = 9$
2. L'égalité $5 \times t - 14 = 21$ est vraie pour :	$t = 7$	$t = 8$	$t = 6$
3. L'égalité $4 \times x + y = 43 - 3 \times x$ est vraie pour :	$x = 0$ et $y = 41$	$x = 2$ et $y = 26$	$x = 5$ et $y = 8$

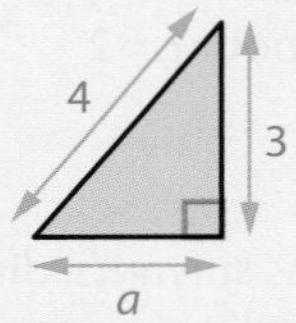

Pour t'aider à retenir le cours.*

Carte mentale

Calcul littéral

Expression littérale

Les lettres désignent des nombres

Ex. $x + 2$

Égalité

G = D

membre de gauche — *membre de droite*

Calcul de la valeur d'une expression littérale

On remplace la lettre par sa valeur

Ex. avec $x = 1$, $x + 2 = 1 + 2 = 3$

Tester une égalité

▶ Calcul de G puis ▶ Calcul de D

➡ si Résultat G = Résultat D alors l'égalité est **vraie**.

➡ si Résultat G ≠ Résultat D alors l'égalité est **fausse**.

**Tu peux aussi construire ta propre carte mentale.*

De l'aire

Paul a écrit le script suivant.

1. Quelles sont les variables utilisées dans ce script ?
2. Que fait le script de Paul ?

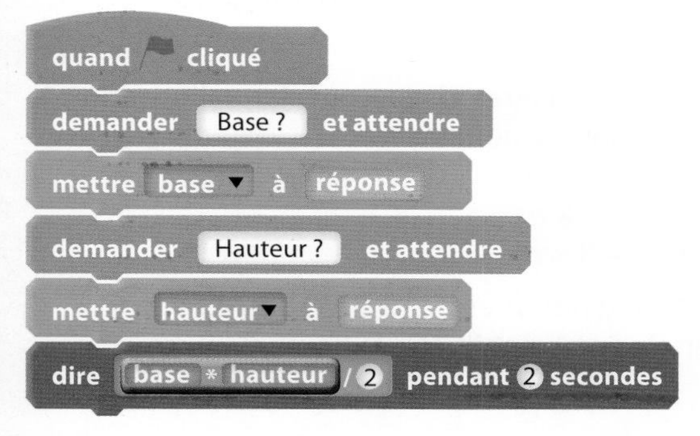

quand cliqué
demander Base ? et attendre
mettre base à réponse
demander Hauteur ? et attendre
mettre hauteur à réponse
dire base * hauteur / 2 pendant 2 secondes

3. Qu'affiche ce script si l'utilisateur entre pour base 12 et pour hauteur 6 ?

Égalité !

Dans la figure ci-dessous, ABCD est un carré. Son côté a une longueur inconnue qu'on note x. CDE est un triangle de hauteur 12. L'unité de longueur est le centimètre.

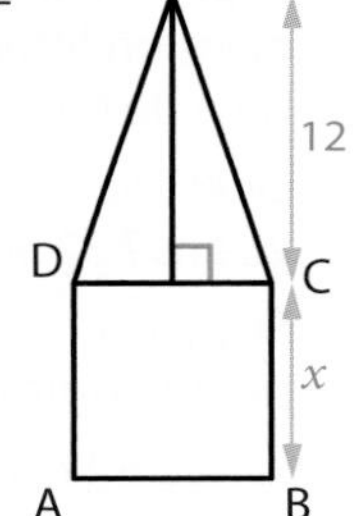

1. Donner l'aire du carré ABCD à l'aide d'une expression littérale utilisant x.
2. Donner l'aire du triangle CDE à l'aide d'une expression littérale utilisant x.
3. Expliquer ce que fait le script suivant.

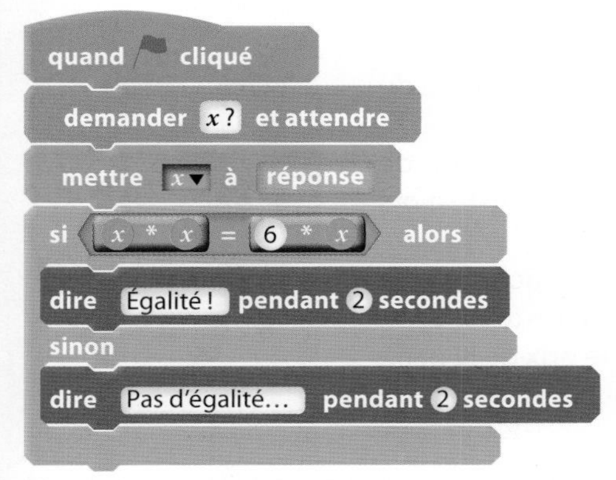

4. Trouver une valeur que peut entrer l'utilisateur pour que ce script affiche le message « Égalité ! ».

Châteaux de cartes

1. Combien faut-il de cartes pour construire un château de 3 étages ? 4 étages ?

2. Avec un tableur :

	A	B	C
1	Nombre d'étages	Nombre de cartes ajoutées	Nombre total de cartes du château
2	1	2	2
3	2	5	7
4	3	8	15
5	4		
6	5		

Quelle formule doit-on écrire dans la cellule B5 ? Et dans la cellule C5 ? Recopier ces formules vers le bas.

3. Combien de cartes possède un château de 120 étages ?
4. Maxime a 6 jeux de 52 cartes et il veut le maximum d'étages. Combien d'étages comportera son château et combien de cartes lui restera-t-il ?

41 La meilleure voiture

Une revue automobile utilise un système de notation pour évaluer les nouvelles voitures et décerner le label de « Voiture de l'année » à la voiture dont la note totale est la plus élevée.

Cinq nouvelles voitures viennent d'être évaluées, et les notes qu'elles ont obtenues figurent dans le tableau ci-dessous.

	A	B	C	D	E	F
1	Voiture	Dispositifs de sécurité (S)	Consommation de carburant (C)	Esthétique de la carrosserie (E)	Équipements intérieurs (T)	Note globale
2	A	3	1	2	3	
3	B	2	2	2	2	
4	C	3	1	3	2	
5	D	1	3	3	3	
6	E	3	2	3	2	

Les notes s'interprètent comme suit :
3 points = Excellent
2 points = Bon
1 point = Moyen

1. Pour calculer la note totale de chaque voiture, la revue automobile utilise la formule suivante.

$$\text{Note globale} = 3 \times S + 2 \times C + 2 \times E + T$$

À l'aide d'un tableur, déterminer la voiture qui a obtenu la meilleure note globale.

2. Le constructeur de la voiture A estime que la formule utilisée pour calculer la note globale n'est pas équitable. Proposer une autre formule qui permettrait à la voiture A d'avoir la meilleure note.

D'après PISA 2003.

Pour mieux cibler les compétences			
Chercher	60 63	Raisonner	49 62
Modéliser	48 53 54	Calculer	42 58 60
Représenter	51 56	Communiquer	54 63

42 C'est magique !

On considère l'expression littérale $2 \times (n + 3) - 6$.

1. Calculer cette expression pour :
   a. $n = 4$ b. $n = 11$ c. $n = 2{,}5$
2. Que constate-t-on ?

43 Balistique

PC

Lorsqu'une balle de pistolet est tirée en l'air, la hauteur maximale h qu'elle peut attendre est donnée par la formule : $h = v \times v \div 19{,}62$

où v désigne la vitesse initiale du tir (la hauteur h est exprimée en mètres et la vitesse v en mètres par seconde).

1. Calculer la hauteur atteinte par une balle tirée à 700 m/s.
2. Sachant que la limite entre l'atmosphère et l'espace est à environ 100 km, une balle tirée à 1 500 m/s pourrait-elle, théoriquement, entrer dans l'espace ?

44 Croisière

Pour une croisière promenade en Bateau Mouche, sont proposés les tarifs ci-dessous.

TARIF
Adulte : 13,50 €
Enfant : 6 €

La recette R, en euros, pour une croisière promenade est donnée par la formule :

$$R = 13{,}50 \times A + 6 \times E$$

1. Que désignent A et E dans cette formule ?
2. Calculer la recette d'une croisière promenade :
   a. lorsqu'il y a 113 adultes et 96 enfants ;
   b. lorsqu'il y a 275 adultes et 167 enfants.

45 Fournitures

Pour son entrée en classe de 5e, Hugues a acheté 7 cahiers et 3 classeurs. Il a payé 27,80 €.

Ne se souvenant plus du prix de ses fournitures, il écrit :

$$7 \times x + 3 \times y = 27{,}80$$

1. Que représentent x et y dans cette expression littérale ?
2. Est-il possible que :
   a. $x = 2{,}30$ et $y = 2{,}70$? b. $x = 2{,}90$ et $y = 2{,}50$?

46 Nombre mystère

« Je suis un nombre. Augmenté de 7, j'égale mon triple. Qui suis-je ? »

On note n ce nombre.

1. Parmi les égalités ci-dessous, laquelle traduit la description du nombre ?
   a. $n \times 7 = 3 + n$
   b. $n - 7 = 3 \times n$
   c. $n + 7 = 3 \times n$
2. Voici cinq nombres : 2 ; 2,5 ; 3 ; 3,5 ; 4.
   Certains peuvent-ils être le nombre mystère ?

47 Anniversaire

Nao fête son anniversaire. Il a la moitié de l'âge de son père diminué de 6.

On note x l'âge de son père.

1. Exprimer, à l'aide d'une expression littérale utilisant x, l'âge de Nao.
2. Quel âge a Nao si son père a 28 ans ? 32 ans ? 36 ans ?
3. Si son père a 26 ans, Nao peut-il avoir 7 ans ?
4. Si Nao a 11 ans, son père peut-il avoir 35 ans ?

48 Shopping

Avec leurs économies, Asya et Candice partent faire du shopping.

Asya achète une paire de chaussures. Il lui reste alors 13 €.

Candice, elle, achète une robe, et il lui reste 22 €.

On note c le prix de la paire de chaussures et r le prix de la robe.

1. Exprimer, à l'aide d'une expression littérale utilisant c, le montant des économies d'Asya.
2. Exprimer, à l'aide d'une expression littérale utilisant r, le montant des économies de Candice.
3. Sachant qu'Asya et Candice avaient la même somme au départ, quelle égalité peut-on écrire ?
4. Est-il possible que :
   - les chaussures aient couté 42 € et la robe 30 € ?
   - les chaussures aient couté 35 € et la robe 26 € ?

Le grand raid

Pour que leur entrainement soit le plus efficace, Patricia, 38 ans, et Jean-Laurent, 41 ans, participants au Grand Raid, souhaitent calculer leur fréquence cardiaque maximale (FCM).
Ils utilisent la méthode d'Astrand :
– formule pour les femmes : FCM = $226 - a$
– formule pour les hommes : FCM = $220 - a$
où a désigne l'âge de la personne.
Jean-Laurent affirme à Patricia qu'ils ont la même fréquence cardiaque maximale.

- A-t-il raison ? Pourquoi ?

Températures

Aux États-Unis, la température ne se mesure pas en degré Celsius (noté °C), mais en degré Fahrenheit (noté °F). Pour convertir en degrés Fahrenheit une température donnée en degrés Celsius, il faut utiliser la formule :

$$T_{\text{Fahrenheit}} = 32 + T_{\text{Celsius}} \times 1{,}8$$

Voici trois thermomètres en degrés Celsius.

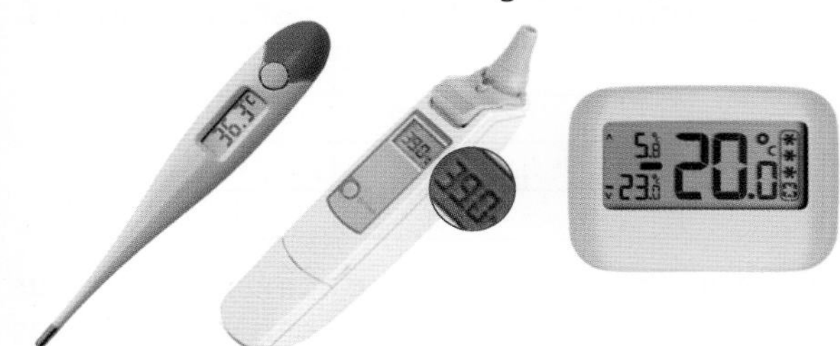

- Convertir les températures indiquées en degrés Fahrenheit.

Drôle de piano !

Voici la représentation du clavier d'un piano par le chercheur en mathématiques appliquées Jean-François Colonna.

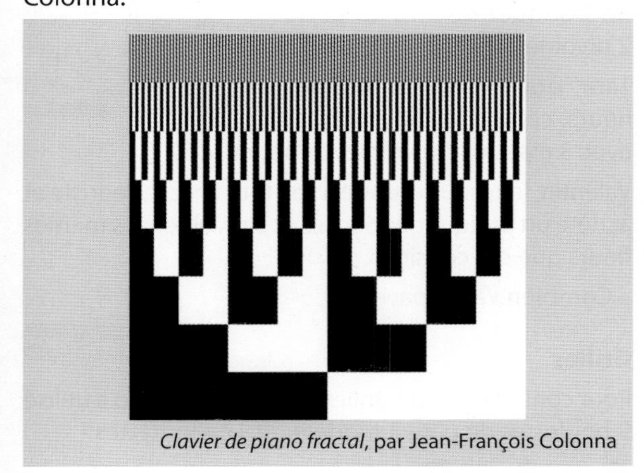

Clavier de piano fractal, par Jean-François Colonna

1. En observant cette image, décrire comment passer d'une ligne à celle du dessus.
2. Ce « clavier » est composé de 8 lignes. Combien y a-t-il de touches sur la ligne du haut ?
3. À partir d'un carré de 8 cm de côté et en s'inspirant du *Clavier de piano fractal* de Jean-François Colonna, créer un clavier composé de 4 lignes.

52 Numéros surtaxés

En France, les numéros d'appel commençant par 0899 ont le tarif suivant : 1,349 € par appel, puis 0,337 € par minute.

1. Exprimer, à l'aide d'une expression littérale, le cout d'un appel vers un numéro 0899.
2. Combien coute un appel de 10 min vers un numéro commençant par 0899 ? Et un appel de 30 min ?
3. Quelle est la durée d'un appel vers ce type de numéro qui serait facturé 6,404 € ? Et 14,829 € ?

53 Programmes de calcul

Nour et Flore ont créé chacune un programme de calcul.

PROGRAMME DE NOUR
Choisir un nombre.
Multiplier par 5.
Soustraire 20.

PROGRAMME DE FLORE
Choisir un nombre.
Soustraire 4.
Multiplier par le nombre de départ.

Elles les testent avec 4 et se rendent compte que les deux programmes donnent le même résultat. Elles essayent alors avec 5, la même chose se produit.

« C'est magique, s'exclame Nour, nos deux programmes donneront toujours des résultats identiques ! »

- Est-ce vrai ? Pourquoi ?

54 Taux de change

Candice part en voyage à New York. Arrivée sur place, elle a le choix entre deux bureaux de change :

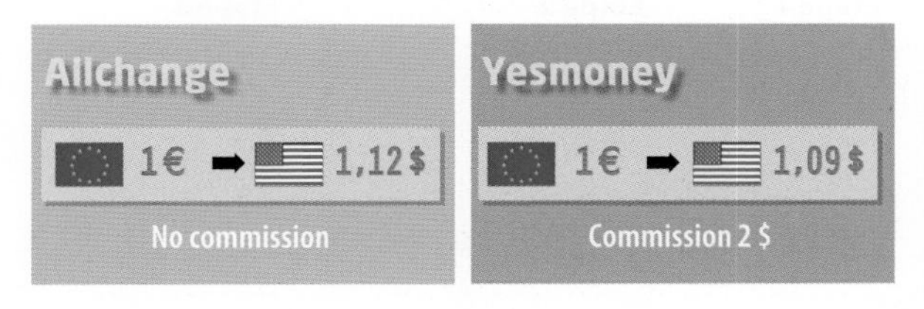

1. En utilisant un tableur, déterminer à partir de combien d'euros le bureau de change Yesmoney est plus rentable.
2. Quel conseil donner à Candice ?

Problèmes

55 **Who tells the truth?**

LV

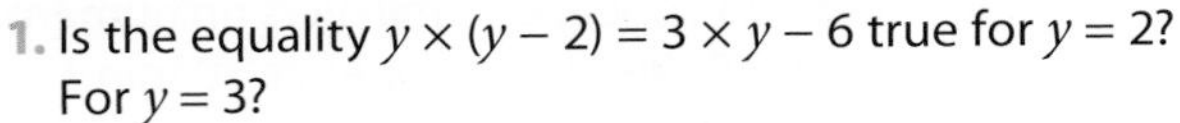

1. Is the equality $y \times (y - 2) = 3 \times y - 6$ true for $y = 2$? For $y = 3$?

2.

This equality is always true !
No ! You're wrong !

Who tells the truth? Explain the answer.

56 **Des histoires de périmètres**

Théo prend une feuille de papier et la partage en deux parties identiques. Il fait la même chose avec une des parties et répète l'opération jusqu'à obtenir 5 pièces.

Dans le plus petit rectangle, il désigne par a la mesure de la largeur et par b la mesure de la longueur.

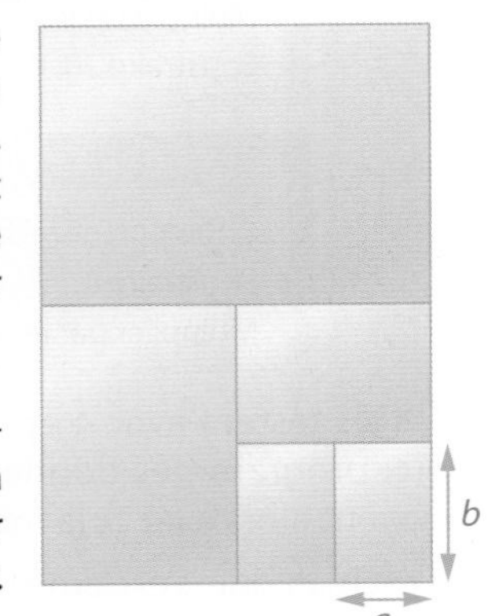

Voici la figure faite par Théo en utilisant le plus grand rectangle et le plus petit :

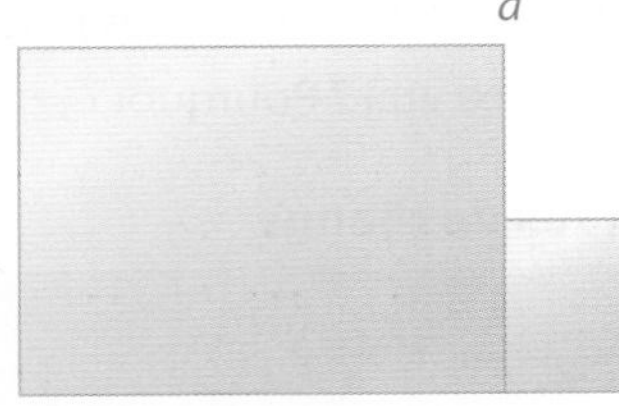

1. Exprimer le périmètre de cette figure en fonction de a et de b.
2. Julie a disposé le plus grand rectangle et le plus petit différemment.
   Sa forme a un périmètre de $8 \times a + 6 \times b$. Comment a-t-elle disposé ses rectangles ?

57 **La suite de maisons**

On réalise des maisons avec des cure-dents.

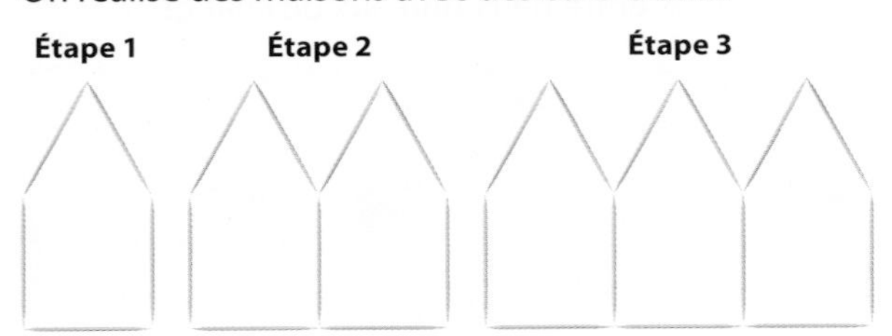

1. Combien de cure-dents faut-il pour réaliser 25 maisons ?
2. Combien de cure-dents faut-il pour réaliser 2 015 maisons ?
3. Julien affirme qu'avec 109 cure-dents, il construira des maisons et qu'il ne restera aucun cure-dents. A-t-il raison ?

58 **Une pyramide additive**

Le principe : chaque case contient la somme des nombres contenus dans les deux cases d'en dessous.

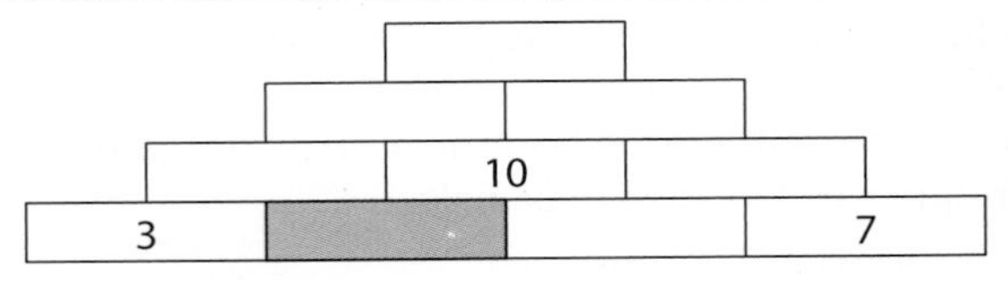

1. Compléter la pyramide :
   - une première fois en prenant 8 pour la case grisée ;
   - une deuxième fois en prenant 18 ;
   - une troisième fois en prenant 28.
2. Que constate-t-on ? Pourquoi ?

59 **Une autre pyramide additive**

Le principe : chaque case contient la somme des nombres contenus dans les deux cases d'en dessous.

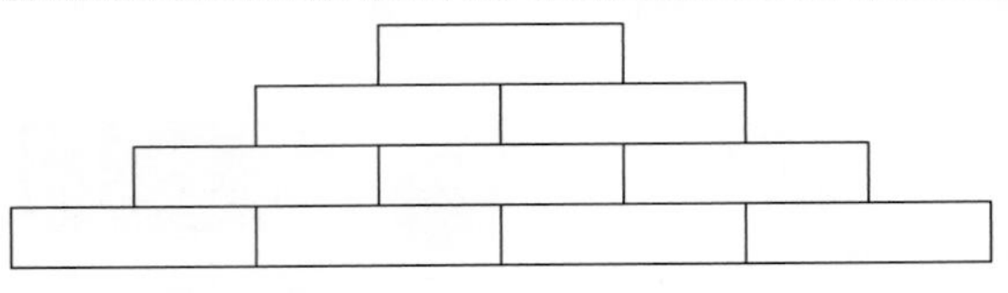

- Dans quel ordre placer quatre nombres donnés sur la ligne du bas pour obtenir le plus grand résultat possible au sommet ?

60 **Fête des mères**

Deux cousines, Flore et Tara, décident d'acheter chacune un bouquet de fleurs pour leur maman. Flore achète un bouquet de 7 roses et de 2 pivoines, qu'elle paye 38 €.

Tara, qui choisit les mêmes fleurs, compose son bouquet avec 3 roses et 4 pivoines, et dépense 32 €.

Valentin, leur cousin, entre à son tour chez le fleuriste et achète un bouquet de 5 roses et 3 pivoines, les mêmes fleurs que ses cousines.

- Combien va-t-il payer ?

61 **Grilles**

Pour construire cette grille de 2×2 carrés, Léo a utilisé 9 boulettes de pâte à modeler et 12 allumettes.

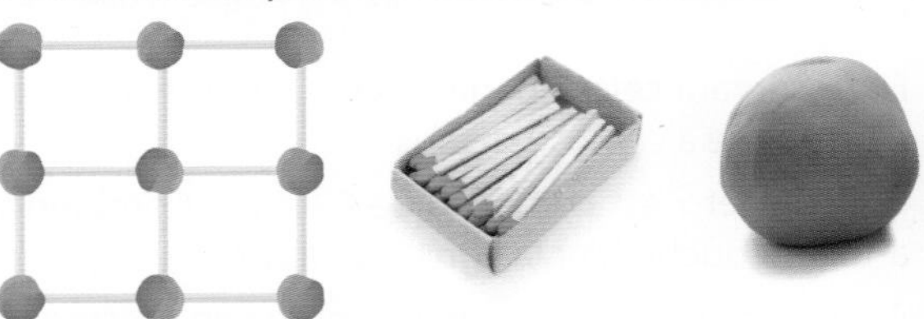

1. Combien de boulettes et d'allumettes seront nécessaires pour faire une grille de 3×3 carrés ?

2. Combien de boulettes et d'allumettes seront nécessaires pour faire une grille de 10 × 10 carrés ?

3. De combien d'allumettes aura-t-il besoin pour construire une grille carrée avec 289 boulettes de pâte à modeler ?

Source : Rallye Mathématique Transalpin.

Distance d'arrêt d'une voiture

Un automobiliste roule dans une agglomération à 30 km/h, lorsqu'un piéton surgit sur le passage piéton situé à 25 m.

Doc. 1 Distance d'arrêt

Lors d'un freinage d'urgence, le temps que met une voiture à s'arrêter se décompose en deux parties.

- Le **temps de réaction** du conducteur : c'est le temps nécessaire au conducteur pour prendre conscience de la situation, et appuyer sur le frein.
- Le **temps de freinage** lui-même.

La distance parcourue pendant ce freinage d'urgence est donnée par la formule :

$$\text{Distance d'arrêt} = D_R + D_F$$

où D_R est la distance de réaction et D_F est la distance de freinage. Toutes les distances sont en mètres.

Doc. 2 Distance de réaction

Le temps de réaction étant généralement d'une seconde, la formule donnant la distance de réaction en mètres, parcourue pendant le temps de réaction est :

$$D_R = \frac{v}{3{,}6}$$

où v est la vitesse du véhicule en km/h.

Doc. 3 Distance de freinage en fonction de la vitesse sur route sèche

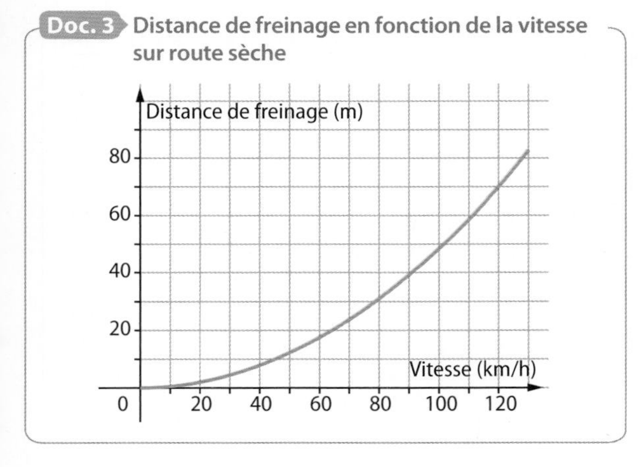

1. Dans la scène décrite, est-ce que l'automobiliste pourra s'arrêter avant le passage du piéton ?

2. Si l'automobiliste n'avait pas respecté la limitation de vitesse en agglomération en roulant deux fois plus vite, la voiture se serait-elle arrêtée avant le passage piéton ?

63 Économie d'énergie

PC CIT

L'énergie électrique E consommée par un appareil est égale au produit de la puissance P de cet appareil par la durée t de son fonctionnement : $E = P \times t$.

La puissance P est exprimée en Watt (W), la durée t en heures (h) et l'énergie E est exprimée en Watt-heure (Wh).

Doc. 1 Estimation de la consommation (puissance) des appareils courants en veille

Télévision	14 W
Décodeur TV	12 W
Chaine stéréo	2,5 W
Ordinateur	2 W
Box Internet	20 W
Imprimante	1,5 W
Lampe halogène	5 W
Four à micro-ondes	5,5 W
Machine à café	3 W

Doc. 2 Tarifs de l'électricité

Bruno a choisi un contrat d'électricité avec l'option « heures creuses » de 23 h à 7 h.

Les « heures pleines » sont de 7 h à 23 h.

1 KWh = 1 000 Wh

Prix du kWh TTC Heures pleines	Prix du kWh TTC Heures creuses
0,16 €	0,1114 €

Doc. 3 Estimation des plages horaires d'utilisation des appareils électriques de Bruno

(■ = case grisée)

Horaires	7h	8h	12h	13h	14h	16h	17h	18h	19h	20h	21h	22h	23h
Ordinateur				■		■	■	■	■	■			
Décodeur TV		■								■	■	■	■
Télévision		■		■						■	■	■	■
Lampe halogène										■	■	■	■
Machine à café	■												
Chaine stéréo						■	■	■					
Four à micro-ondes	■		■										

Bruno laisse tous les appareils électriques en veille lorsqu'ils ne sont pas utilisés.

- Combien pourrait-il économiser en une année s'il éteignait les appareils après leur utilisation ?

Travailler autrement

Utilisable en AP

À chacun sa méthode !

Deux énoncés pour un exercice

Exercice 1

On considère le rectangle et le carré ci-dessous.

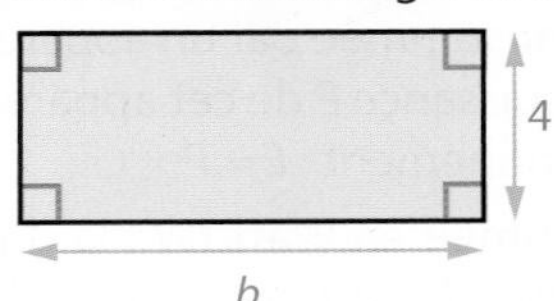

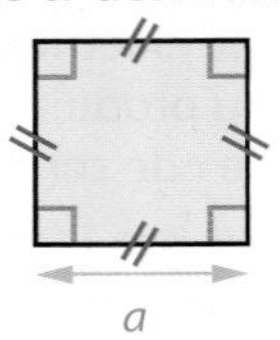

1. Écrire l'égalité que l'on obtient lorsque les périmètres des deux figures sont égaux.
2. Trouver une valeur de a et une valeur de b pour lesquelles l'égalité sera vraie.

Exercice 2

Dans la figure ci-dessous, AB = CD = FG.

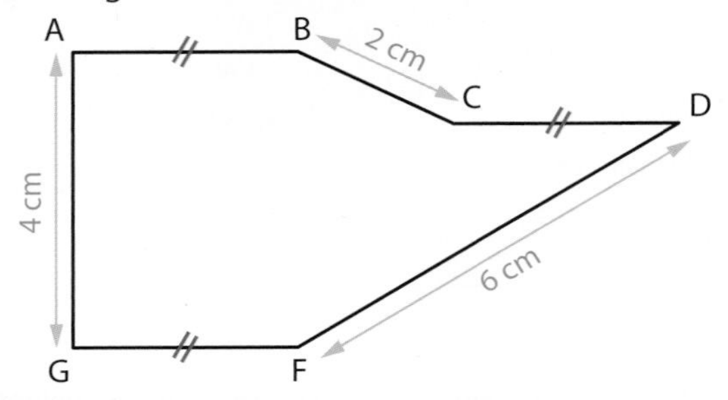

1. Dans cette question, AB = 3 cm. Calculer le périmètre de la figure.
2. Quelle doit être la longueur de [AB] pour que le périmètre soit égal à 27 cm ? Expliquer la démarche.

Exercice 3

Produire une égalité entre deux expressions littérales utilisant la lettre x qui sera vraie pour $x = 2$.

Exercice 1

On considère le rectangle et le carré ci-dessous.

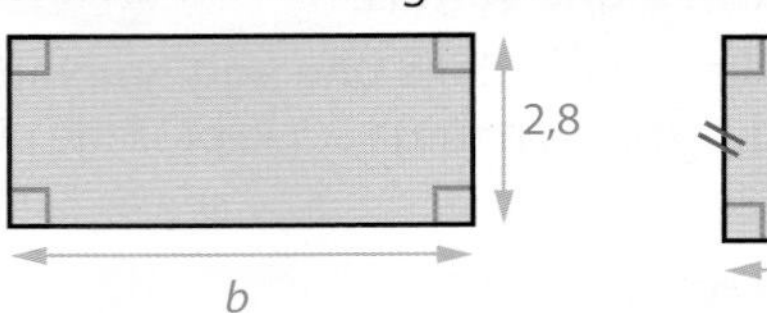

1. Écrire l'égalité que l'on obtient lorsque les périmètres des deux figures sont égaux.
2. Trouver une valeur de a et une valeur de b pour lesquelles l'égalité sera vraie.

Exercice 2

Dans la figure ci-dessous, AB = CD = FG.

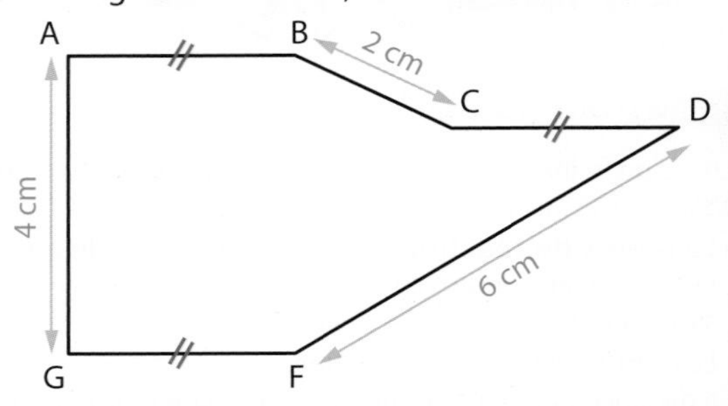

1. Dans cette question, AB = 3,5 cm. Calculer le périmètre de la figure.
2. Quelle doit être la longueur de [AB] pour que le périmètre soit égal à 63,75 cm ? Expliquer la démarche.

Exercice 3

Produire une égalité entre deux expressions littérales utilisant les lettres x et y qui sera vraie pour $x = 2$ et $y = 3$.

Analyse d'une production

Le professeur écrit l'égalité suivante au tableau :

$$6 \times x + 11 = 4 \times (x + 7)$$

1. Il demande de tester l'égalité pour $x = 5$.
   Voici la réponse de Sam :

   $6 \times 5 + 11 = 4 \times (5 + 7)$
   $30 + 11 = 4 \times 12$
   $41 = 48$
   Donc l'égalité est fausse pour $x = 5$.

   - Les calculs de Sam sont-ils corrects ? A-t-il correctement rédigé sa réponse ?

2. Le professeur demande si on peut trouver une valeur de x pour laquelle l'égalité sera vraie.

Voici la réponse d'Aïda :

J'ai calculé les deux expressions pour plusieurs valeurs à l'aide du tableur.

Je remarque que de 0 à 8, $6 \times x + 11$ est inférieur à $4 \times (x + 7)$.

Mais à partir de 9, $6 \times x + 11$ est plus grand que $4 \times (x + 7)$.

Donc on ne peut pas trouver de valeur pour que $6 \times x + 11 = 4 \times (x + 7)$.

	A	B	C
1	x	6*x+11	4*(x+7)
2	0	11	28
3	1	17	32
4	2	23	36
5	3	29	40
6	4	35	44
7	5	41	48
8	6	47	52
9	7	53	56
10	8	59	60
11	9	65	64
12	10	71	68
13	11	77	72
14	12	83	76

- Quelles critiques peut-on faire au raisonnement d'Aïda ?

Proportionnalité

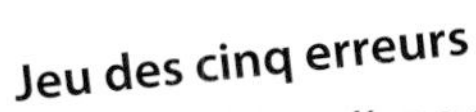

JEUX

Jeu des cinq erreurs

Voici deux photos dont l'une est la réduction de moitié de l'autre.

• Trouve les cinq erreurs qui se sont glissées à l'intérieur.

INFOS

Ariane 5, le lanceur de l'Agence spatiale européenne, permet d'envoyer des satellites en orbite. On peut en voir une maquette grandeur réelle à la Cité de l'espace à Toulouse : elle mesure 53 mètres de haut ! Mais on y trouve aussi une maquette de 5 mètres de long.

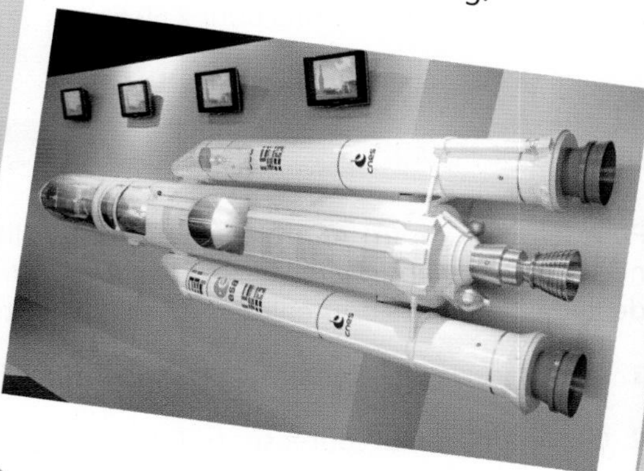

Activités

Questions flash

1. À la foire, 3 gaufres coutent 2 €.
   a. Combien coutent 6 gaufres ?
   b. Combien coutent 9 gaufres ?
   c. Combien coutent 15 gaufres ?

2. Emma achète 2,5 kg de citrouille au marché. Le prix des citrouilles est de 1,80 € par kg.
   - Combien va- t-elle payer ?

3. Pour la rentrée, Tiago achète 14 stylos qu'il paie 7 €. Clara achète 7 stylos.
   - Combien paie-t-elle ?

4. Marie et Clément vont au restaurant avec leurs quatre enfants.
   Tous commandent un menu « moules frites ». Ils paient au total 54 €.
   - Combien auraient payé Marie et Clément s'ils étaient allés au restaurant sans leurs enfants ?

5. On peut lire dans une recette de pâte à crêpes : « Délayer 1 L de lait pour 24 crêpes ».
   - Combien faudra-t-il de lait pour 8 crêpes ?

6. - Par quel nombre faut-il multiplier 3 pour obtenir 7 ?

Proportionnel ou non ? — Activité 1

Voici une liste de situations de la vie courante. Expliquer pour chacune d'entre elles si c'est ou non une situation de proportionnalité.

1. Lise mesurait 75 cm à l'âge de 1 an. Deux ans plus tard, elle mesure 1 m.
2. Clément est inquiet, il a un robinet qui fuit de 0,3 L par heure.
3. Marie achète 3,2 kg de courgettes à 2,5 € le kg.
4. Guillaume adore les avocats. Il hésite entre un avocat pour 1,35 € ou deux avocats pour 2,50 €.
5. Mathilde a un abonnement de téléphone de 5,99 € par mois en illimité sur les SMS et les appels vers les téléphones fixes et portables en métropole.
6. Hélène paie la cantine de ses enfants 3,50 € le repas plus une cotisation annuelle de 12,50 €.
7. Le musée du Louvre à Lens propose trois formules de visites accompagnées pour les groupes scolaires :
   1 h : 60 €   1 h 30 : 90 €   2 h : 120 €

Au supermarché — Activité 2

Pour faire ses yaourts, Camille a besoin de 3 litres de lait entier. Elle souhaite n'acheter que la quantité de lait nécessaire. Au supermarché, elle a le choix entre un pack de 8 bouteilles de lait à 5,84 € et un pack de 6 bouteilles de lait à 4,74 €. Les bouteilles contiennent 1 litre de lait chacune.

1. Quel pack va-t-elle entamer pour prendre le lait le plus économique ?
2. Combien vont lui couter ses trois bouteilles ?

Puzzle de Brousseau

Activité 3 Prise d'initiative

Voici un puzzle de forme carrée constitué de quatre pièces dont les longueurs sont données en centimètres.

L'objectif est de créer les pièces d'un puzzle agrandi de telle sorte qu'un segment de longueur 5 cm devienne un segment de longueur 7 cm.

- Construire chaque pièce du puzzle et reconstituer le puzzle ainsi obtenu.

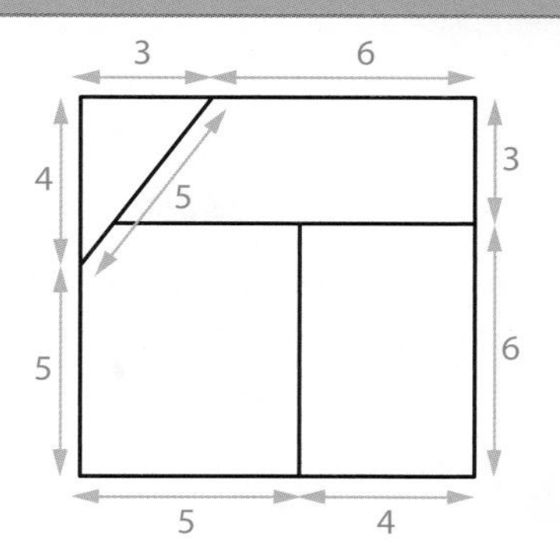

À la découverte de Bordeaux

Activité 4

L'office de tourisme de Bordeaux propose différents itinéraires de découverte de la ville aux touristes. L'un d'entre eux est représenté en violet sur le plan ci-dessous.

1. Quelle est la distance du parcours ❶ proposé sachant que 1 cm sur la carte représente 200 m en réalité ?
2. On note souvent l'échelle d'un plan sous la forme du quotient suivant, où les deux longueurs sont exprimées dans la même unité.

$$\text{échelle} = \frac{\text{longueur sur le plan}}{\text{longueur en réalité}}$$

- Quelle serait l'échelle de ce plan sous forme de quotient ?

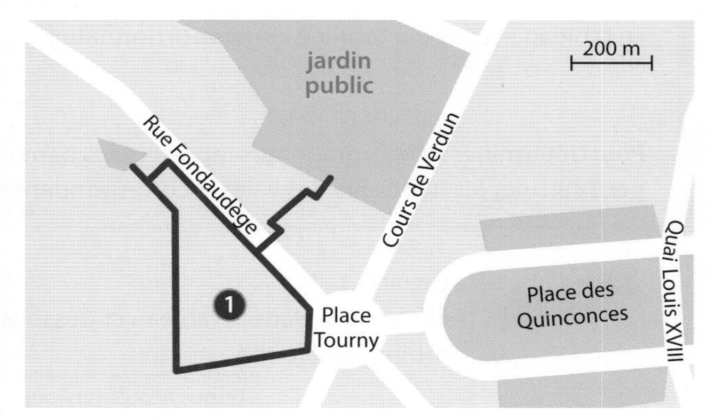

Vive les soldes ! 

Activité 5 

Tom possède un magasin de jeux vidéo. Il prépare la période des soldes. Il a répertorié toutes les quantités de jeux vidéo de son magasin ainsi que leurs prix. Il réfléchit aux deux types de réduction qu'il pourrait proposer :

① appliquer 20 % de réduction sur tous les articles du magasin ;

② appliquer en fonction des ventes, une réduction de 15 % sur les articles les plus vendus et de 25 % sur tout le reste.

Voici un tableau des ventes de chaque article l'année précédente lors de la période des soldes :

Prix (en €)	14,90	19,90	24,90	29,90	34,90	49,90	59,90
Quantité	248	163	285	241	97	42	45

- En supposant que les ventes soient les mêmes cette année, quelle serait la solution la plus rentable pour Tom ?

Cours

1 Reconnaitre une situation de proportionnalité ▶Vidéo

Définition

Deux grandeurs sont **proportionnelles** si les valeurs de l'une s'obtiennent en multipliant les valeurs de l'autre par un même nombre appelé **coefficient de proportionnalité**.

Exemple 1

Anne achète pour 1,50 € de bonbons à la boulangerie. Chaque bonbon coute 0,15 €.

*prix à payer = nombre de bonbons achetés × **0,15***

- Le prix à payer est proportionnel au nombre de bonbons achetés.
- **0,15** est le coefficient de proportionnalité.

Avec 1,50 €, Anne peut acheter 10 bonbons : 1,50 = 10 × **0,15**.

Exemple 2

À la boulangerie, Eliott lit :

« Prix d'une baguette : 0,85 € »
« Pour 3 baguettes achetées, la 4e est offerte. »

Le prix de 3 baguettes est le même que le prix de 4 baguettes.
Le prix à payer n'est pas proportionnel au nombre de baguettes achetées.

On peut représenter la situation dans un tableau en y rassemblant les grandeurs étudiées.

Vocabulaire

Si les valeurs de la première ligne sont proportionnelles aux valeurs de la seconde ligne, ce tableau est appelé **tableau de proportionnalité**.

Méthode

Pour déterminer si deux grandeurs représentées dans un tableau sont proportionnelles, on peut calculer les quotients des valeurs correspondantes de ces grandeurs.

Exemple 1

On a relevé dans le tableau ci-dessous la consommation, en fonction du temps, d'un robinet mal fermé.

Temps écoulé (en jours)	1	7	365
Quantité d'eau (en L)	0,432	3,024	157,68

× 0,432

On calcule les quotients : $\frac{0,432}{1} = 0,432$; $\frac{3,024}{7} = 0,432$; $\frac{157,68}{365} = 0,432$.

Tous les quotients sont égaux à 0,432. Donc le tableau est un tableau de proportionnalité :
- la quantité d'eau est proportionnelle au temps écoulé ;
- 0,432 est le coefficient de proportionnalité.

Exemple 2

Angélique et Claire achètent respectivement un pack de 6 litres de jus d'orange à 9,12 € et un pack de 4 litres à 6,48 €. On récapitule ces résultats dans le tableau ci-contre.

Jus d'orange (en L)	6	4
Prix à payer (en €)	9,12	6,48

On calcule les quotients : $\frac{9,12}{6} = 1,52$; $\frac{6,48}{4} = 1,62$.

Les quotients ne sont pas égaux, ce tableau n'est donc pas un tableau de proportionnalité :
- le prix à payer n'est pas proportionnel à la quantité de jus d'orange achetée ;
- il n'y a pas de coefficient de proportionnalité.

Savoir-faire

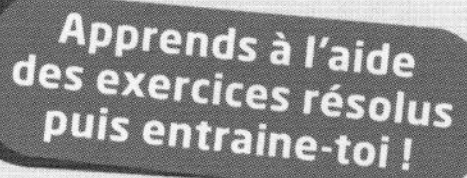

Apprends à l'aide des exercices résolus puis entraine-toi !

1 Reconnaitre une situation de proportionnalité

1 Martin va chez le primeur pour acheter un mélange de fruits secs pour son petit déjeuner. Le prix affiché est de 22,80 € pour 1 kg.
Martin en achète 0,85 kg.
- Combien va-t-il payer ?

Solution

- D'après l'énoncé, on peut écrire :
prix à payer = masse de fruits secs achetés × **22,80**

La masse de fruits secs achetés et le prix à payer sont donc deux grandeurs proportionnelles.
22,80 est le coefficient de proportionnalité.

- Martin achète 0,85 kg de fruits secs :
prix à payer = 0,85 × **22,80** = 19,38

Martin va donc payer 19,38 €.

2 Anne adore les fruits exotiques et, chez le primeur, elle se laisse tenter par des mangues. Elle peut lire :

« 2,80 € la mangue et 5 € les 2 »

- Est-ce une situation de proportionnalité ?

Solution

Une mangue coute 2,80 €.

Si le prix était proportionnel au nombre de mangues achetées, deux mangues couteraient 2 × 2,80 € soit 5,60 €.

Le prix à payer n'est donc pas proportionnel au nombre de mangues achetées.

3 1. Les deux grandeurs « Volume Internet 4G » et « Prix par mois » sont-elles proportionnelles ?

2. Les deux grandeurs « Temps d'appels » et « Prix par mois » sont-elles proportionnelles ?

APPELS SMS/MMS ILLIMITÉS	APPELS SMS/MMS ILLIMITÉS
INTERNET 4G **100 Mo**	INTERNET 4G **500 Mo**
2€/mois	**10€/mois**

4 Marion s'entraine en vue d'un semi-marathon. Voici ses derniers résultats :

Distance (en km)	9,6	12,4	16,5	21,1
Temps (en min)	54	69,75	95	124,65

- Ce tableau est-il un tableau de proportionnalité ? Si oui, donner le coefficient de proportionnalité.

Solution

On calcule les quotients :

$\frac{54}{9,6} = \mathbf{5,625}$; $\frac{69,75}{12,4} = \mathbf{5,625}$; $\frac{95}{16,5} \approx \mathbf{5,76}$

Tous les quotients ne sont pas égaux, ce n'est donc pas un tableau de proportionnalité : la distance et le temps ne sont pas des grandeurs proportionnelles.

Il n'y a pas de coefficient de proportionnalité.

5 Alix a découvert un site qui développe des photos en format polaroid et affiche les tarifs suivants.

Nombre de photos	1	10	50	250
Prix à payer (en €)	0,07	0,70	3,50	17,50

- Ce tableau est-il un tableau de proportionnalité ? Si oui, donner le coefficient de proportionnalité.

Solution

On calcule les quotients :

$\frac{0,07}{1} = 0,07$; $\frac{0,70}{10} = 0,07$; $\frac{3,50}{50} = 0,07$; $\frac{17,50}{250} = 0,07$

Tous les quotients sont égaux, c'est donc un tableau de proportionnalité : le prix à payer est proportionnel au nombre de photos.

Le coefficient de proportionnalité est égal à 0,07.

6 Un alpiniste a relevé le dénivelé (c'est-à-dire la différence d'altitude) effectué depuis le départ de son ascension en fonction du nombre d'heures de marche.

Temps de marche (en h)	0	1	2,5	4	5,5
Dénivelé (en m)	0	300	750	1 200	1 500

- Ce tableau est-il un tableau de proportionnalité ? Si oui, donner le coefficient de proportionnalité.

Cours

2 Calculer une quatrième proportionnelle

Propriété

Dans un tableau de proportionnalité à quatre cases, lorsque l'on ne connait que trois valeurs, on peut calculer la quatrième valeur, appelée **quatrième proportionnelle**.

Méthode 1

À l'aide du coefficient de proportionnalité

Pour compléter un tableau de proportionnalité, on peut utiliser le coefficient de proportionnalité pour passer d'une ligne à l'autre.

Marie fait le plein d'essence de son scooter dont le réservoir a une contenance de 5,5 L. La station-service affiche un prix de l'essence à 1,22 € le litre.

1. Combien va-t-elle payer son plein d'essence ?
2. Quelle quantité d'essence peut-elle acheter avec 5 € ?

On construit le tableau de proportionnalité suivant :

Quantité d'essence achetée (en L)	1	5,5	?
Prix à payer (en €)	1,22	?	5

(× 1,22 ; ÷ 1,22)

Le prix à payer est proportionnel à la quantité d'essence achetée et le coefficient de proportionnalité est égal à 1,22. Marie va donc payer son plein d'essence 5,5 × 1,22 € soit 6,71 €. Avec 5 €, Marie peut acheter 5 L ÷ 1,22 soit environ 4,1 L.

Méthode 2

Liens entre les colonnes

Pour obtenir les nombres d'une colonne dans un tableau de proportionnalité, on peut :
– **multiplier ou diviser** les nombres d'une autre colonne par un même nombre ;
– **ajouter ou soustraire** les nombres de deux autres colonnes.

Une recette de pâte à crêpes indique qu'il faut 300 g de farine pour cuisiner 12 crêpes.

Quelle quantité de farine faut-il pour :

a. cuisiner 4 crêpes ?

b. cuisiner 16 crêpes ?

La quantité de farine à utiliser est proportionnelle au nombre de crêpes à cuisiner, on peut donc faire un tableau de proportionnalité.

Nombre de crêpes	12	4	16
Quantité de farine (en g)	300	?	?

(÷ 3)

a. Pour faire 4 crêpes, il faut utiliser :
300 g ÷ 3 soit 100 g de farine

b. Pour faire 16 crêpes, il faut utiliser :
300 g + 100 g soit 400 g de farine

Méthode 3

Passage par l'unité

Pour traiter une situation de proportionnalité, il est parfois plus judicieux de revenir à l'unité.

Clara a acheté 3 cahiers pour 4,05 €. Emma a besoin de 7 cahiers. Combien devra-t-elle payer ?

3 cahiers coutent 4,05 €, donc 1 cahier coute $\frac{4,05}{3} = 1,35$ €.

Donc 7 cahiers coutent $\frac{4,05}{3} \times 7 = 1,35 \times 7 = 9,45$ €.

Nombre de cahiers	3	7
Prix (en €)	4,05	?

Savoir-faire

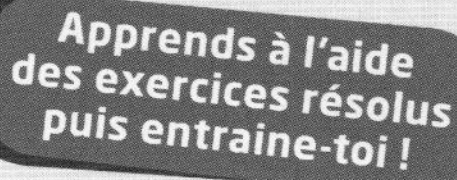

Apprends à l'aide des exercices résolus puis entraine-toi !

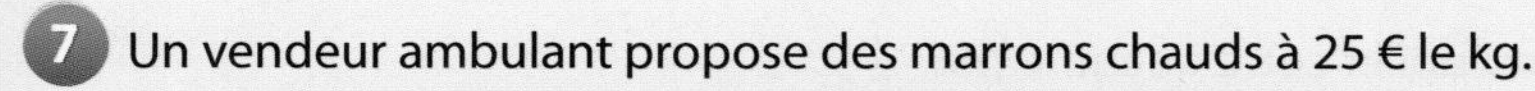

2 Calculer une quatrième proportionnelle

7 Un vendeur ambulant propose des marrons chauds à 25 € le kg.
1. Combien coute une portion de 150 g de marrons chauds ?
2. Quelle quantité de marrons chauds peut-on acheter pour 10 € ?

On peut construire un tableau de proportionnalité pour visualiser la situation.

Solution

1. Le prix à payer est proportionnel à la quantité de marrons chauds achetés. Le coefficient de proportionnalité est égal à 25.

Quantité de marrons achetés (en kg)	1	0,15	?
Prix à payer (en €)	25	?	10

(× 25 ; ÷ 25)

prix à payer pour 150 g = 0,15 × 25 = 3,75
Une portion de 150 g de marrons coute 3,75 €.

2. *quantité de marrons* = 10 ÷ 25 = 0,4 et 0,4 kg = 400 g. Avec 10 €, on peut acheter 400 g de marrons.

8 Voici les ingrédients de la recette d'un gâteau au yaourt pour 4 personnes :
2 œufs ; 1 yaourt nature ; 5 g de levure en poudre ; 500 g de farine ; 250 g de sucre ; 20 cL d'huile
- Quelle quantité de chaque ingrédient doit-on utiliser pour faire un gâteau pour 10 personnes ?

Solution

- Pour chaque ingrédient, la quantité est proportionnelle au nombre de personnes.

Pour passer de 4 à 10 personnes, il faut multiplier la quantité de chaque ingrédient par 2,5 (car 10 ÷ 4 = 2,5).
Il faut donc 2,5 × 2 œufs soit 5 œufs.

Nombre de personnes	4	10
Nombre d'œufs	2	?

(× 2,5)

- De la même façon, il faut multiplier la quantité de chaque ingrédient par 2,5, ce qui donne :
5 œufs ; 2,5 yaourts nature ; 12,5 g de levure en poudre ; 1,25 kg de farine ; 625 g de sucre ; 50 cL d'huile

9 Sur une bouteille de lessive liquide de 1,5 L, on peut lire : « 28 lavages ».
1. Combien de lavages peut-on faire avec 400 mL de lessive ?
2. Quelle quantité de lessive faut-il pour faire 50 lavages ?

Solution

1. La quantité de lessive nécessaire est proportionnelle au nombre de lavages. On construit le tableau et on calcule le coefficient de proportionnalité.

Quantité de lessive (en L)	1,5	0,4
Nombre de lavages	28	?

($\times \frac{28}{1,5}$)

? $= 0,4 \times \frac{28}{1,5} \approx 7,5$. On peut donc faire 7 lavages avec 400 mL de lessive.

2. On utilise le coefficient de proportionnalité qui permet de passer de la seconde ligne à la première ligne.

Quantité de lessive (en L)	1,5	?
Nombre de lavages	28	50

($\div \frac{28}{1,5}$)

? $= 50 \div \frac{28}{1,5} \approx 2,68$. Pour faire 50 lavages, il faut environ 2,68 L de lessive.

10 Paul a acheté une machine à café à capsules.
Pour se fournir en café, il commande sur Internet des capsules à 0,85 € l'unité.
1. Combien couteront 60 capsules ?
2. Combien de capsules peut-il acheter avec 15 € ?

11 Céline décide d'emmener sa classe au cinéma mais elle ne se rappelle plus du prix. Néanmoins elle se souvient que la dernière fois, pour 4 personnes, elle avait payé 19,60 €.
- Calculer le tarif pour 8, 12, 6 et 14 personnes.

12 Au restaurant asiatique, Victor achète 8 nems pour 7,60 € ; Mathis en veut 11 et Candice 9.
- Combien vont-ils payer chacun ?

3 Appliquer et calculer un pourcentage ▶Vidéo

Règle

Calculer ***t* % d'une quantité** revient à multiplier cette quantité par $\frac{t}{100}$.

Dans un pot de crème fraiche de 20 cL, il y a 12 % de matière grasse.

12 % **de** 20 = $\frac{12}{100} \times 20 = 2{,}4$. La quantité de matière grasse dans le pot est égale à 2,4 g.

Un pourcentage exprime une proportion par rapport à 100. Il peut s'écrire sous plusieurs formes :

15 %	=	$\frac{15}{100}$	=	0,15
pourcentage		**écriture fractionnaire**		**écriture décimale**

Méthode

Pour **calculer un pourcentage**, on peut exprimer une proportion de dénominateur 100 ou utiliser un tableau de proportionnalité.

À l'aide d'une proportion de dénominateur 100

4 personnes sur 5 trient leurs déchets. Quel pourcentage cela représente-t-il ?

On peut exprimer $\frac{4}{5}$ comme une proportion de dénominateur 100 : $\frac{4}{5} = \frac{80}{100} = 80\ \%$.

80 % des personnes trient leurs déchets.

À l'aide d'un tableau de proportionnalité

Dans une classe de 23 élèves de 3e, 15 élèves connaissent leur orientation scolaire pour l'année suivante. Quel pourcentage cela représente-t-il ?

On peut représenter cette situation par un tableau de proportionnalité :

Nombre d'élèves connaissant leur orientation	15	?
Nombre d'élèves dans la classe	23	100

$\div \frac{23}{15}$ (de la 2e ligne vers la 1re) ; $\times \frac{23}{15}$ (de la 1re ligne vers la 2e)

? = $100 \div \frac{23}{15} \approx 65{,}2$. La proportion d'élèves connaissant leur orientation est d'environ 65,2 %.

4 Utiliser une échelle ▶Vidéo

Définition

Sur un plan à l'échelle, les distances sur le plan sont proportionnelles aux distances en réalité.

L'échelle est le coefficient de proportionnalité. Elle est égale au rapport $\frac{\text{distance sur le plan}}{\text{distance en réalité}}$ où les deux distances sont exprimées dans la même unité.

Dire qu'un plan est à l'échelle $\frac{1}{1000}$ signifie que 1 cm sur la carte représente 1 000 cm en réalité.

La distance à vol d'oiseau entre Bordeaux et Pau sur une carte à l'échelle $\frac{1}{250\,000}$ est de 86 cm.

Distances sur le plan (en cm)	1	86
Distances en réalité (en cm)	250 000	?

× 86

? = 250 000 × 86 = 21 500 000.

La distance entre Bordeaux et Pau est donc de 21 500 000 cm, soit 215 km.

Savoir-faire

Apprends à l'aide des exercices résolus puis entraine-toi !

3 Appliquer et calculer un pourcentage

13 En 2003, on a utilisé en France 15 milliards de sacs plastique. En 2010, cette consommation avait diminué de 95 %.

- Combien de sacs plastique a-t-on distribué en 2010 ?

Solution

- On calcule d'abord la diminution du nombre de sacs plastique utilisés. La diminution représente 95 % de 15 milliards.

Elle est donc égale à :

$$\frac{95}{100} \times 15\,000\,000\,000 = 14\,250\,000\,000$$

- On utilise cette diminution pour calculer le nombre de sacs plastique utilisés en 2010 :

$$15\,000\,000\,000 - 14\,250\,000\,000 = 750\,000\,000$$

La France a distribué 750 millions de sacs plastique en 2010.

14 Farah a obtenu une baisse de 58 € sur un appareil photo affiché à 145 €.

- Quel pourcentage de réduction a-t-elle obtenu ?

Solution

La réduction est de 58 €. Il faut chercher quel pourcentage du prix initial cela représente.

- **Avec une proportion de dénominateur 100**

On calcule la proportion de réduction et on l'exprime avec un dénominateur égal à 100.

La proportion de réduction est de $\frac{58}{145} = 0{,}4 = \frac{40}{100}$.

La réduction est donc de 40 %.

- **Avec un tableau de proportionnalité**

On représente la situation avec un tableau de proportionnalité et on calcule le coefficient de proportionnalité : $\frac{145}{58} = 2{,}5$

Remise (en €)	58	?
Prix (en €)	145	100

(÷ 2,5 ; × 2,5)

On utilise le coefficient de proportionnalité pour calculer le pourcentage de réduction : $\frac{100}{2{,}5} = 40$.

La réduction est donc de 40 %.

15 Au restaurant, la TVA appliquée est de 10 %. Le prix du repas est de 11 € hors taxes.

- Calculer le prix de la TVA puis le prix total du repas.

16 Luc a fait des travaux d'isolation dans sa maison. Il payait 870 € de chauffage pour l'année avant les travaux. Aujourd'hui, il paie 739,50 € pour l'année.

- Quel pourcentage d'économie Luc a-t-il réalisé ?

4 Utiliser une échelle

17 Une usine souhaite que les poupons qu'elle fabrique soient des reproductions de nourrissons à l'échelle 7/10.

- Sachant qu'un nourrisson peut mesurer 54 cm à la naissance, quelle doit être la taille du poupon ?

Solution

L'échelle 7/10 indique que 7 cm sur le poupon représentent 10 cm sur le nourrisson.
Donc 1 cm sur le nourrisson représente 0,7 cm sur le poupon.
Donc 54 cm sur le nourrisson représentent $0{,}7 \times 54$ cm, soit 37,8 cm sur le poupon.
L'usine doit donc fabriquer des poupons de 37,8 cm.

18 Alice réalise son plan de maison. Elle choisit 1 cm sur le plan pour représenter 80 cm en réalité.

- Quelle sera la dimension de sa baie vitrée de 1,8 m sur son plan ?

19 En randonnée, Franck utilise une carte pour se repérer. Il voit que le prochain refuge est à 3 cm de là où il se trouve sur la carte. L'échelle est de 1/100 000.

- Quelle distance lui reste-t-il à parcourir ?

2 pages d'exercices supplémentaires dans le manuel numérique

Reconnaitre une situation de proportionnalité

Savoir-faire p. 119

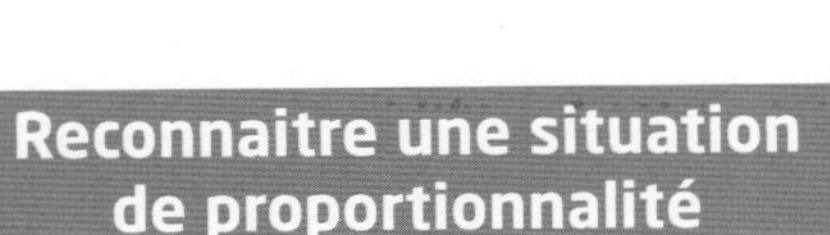

20 **Vrai ou faux ?**
Dire si les situations suivantes sont des situations de proportionnalité.

1. Au supermarché, un paquet de gâteaux coute 1,70 € l'unité et un lot de 6 paquets des mêmes gâteaux coute 9,90 €.
2. Voici la taille de Léo à 1 mois et à 3 mois :

Âge (en mois)	1	3
Taille (en cm)	52	56

3. Un morceau de musique coute 1,20 € sur un site d'achat de musique en ligne. Cinq morceaux coutent 6 €.

21 Manon va chez le coiffeur. Voici les tarifs :

- Le prix est-il proportionnel au nombre de soins ?

22 Jeanne achète du fromage râpé. Elle prend soit trois petits paquets de 70 g chacun à 1,16 €, soit un paquet de 200 g à 1,32 €.
- Le prix est-il proportionnel à la quantité de fromage ?

23 Voici la photo d'une boite de médicaments.

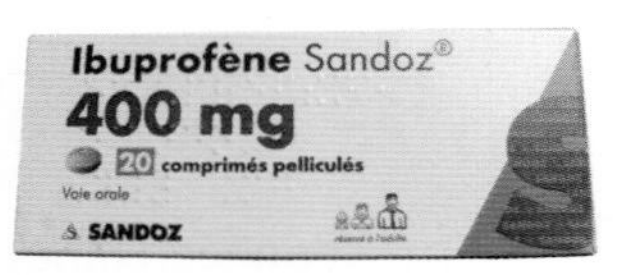

Ibuprofène Sandoz®
400 mg
20 comprimés pelliculés
SANDOZ

1. Sur celle-ci, on peut lire « 400 mg ». Qu'est-ce que cela signifie ?
2. Il est interdit de prendre plus de 1 200 mg par jour. Combien de comprimés peut-on prendre au maximum ?

24 Les dimensions du girafon sont-elles proportionnelles aux dimensions de la girafe ?

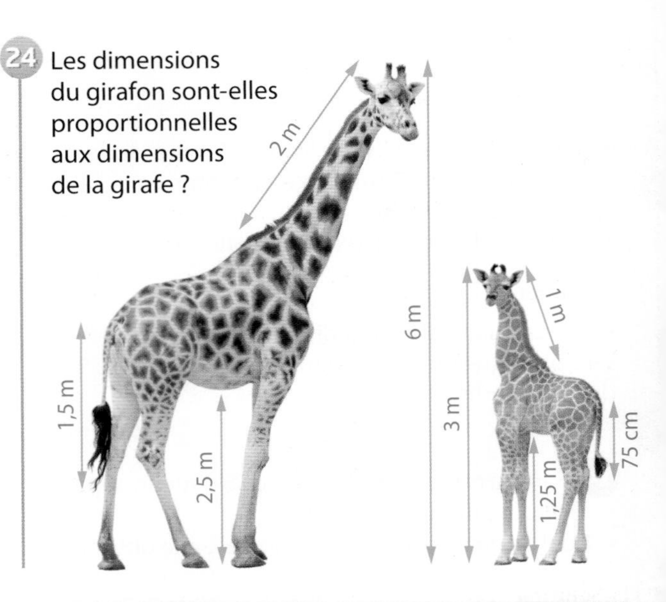

Calculer une quatrième proportionnelle

Savoir-faire p. 121

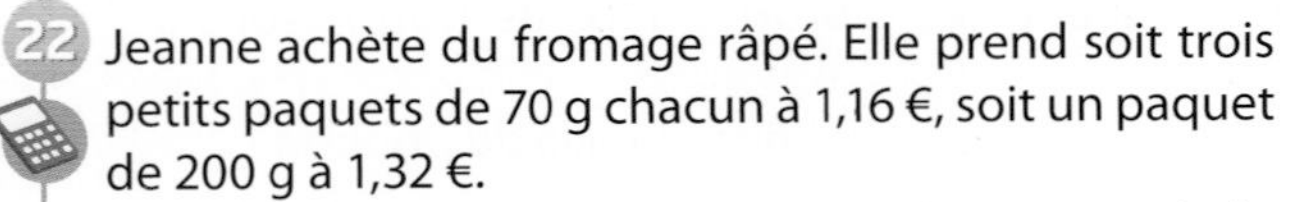

25 Manon met 60 L d'essence à 1,10 € le litre dans sa voiture.
- Combien paie-t-elle ?

26 Un bouquet de 30 roses coute 36 €.
- Combien coutent 5 roses ?

27 Une personne consomme 60 m^3 d'eau par an. Dans un immeuble comprenant trois appartements sans compteur individuel, habitent 2 familles de 3 personnes et 1 personne seule.
- Quelle quantité d'eau tous ces habitants vont-ils consommer au cours d'une année ?

28 Voici le tableau de valeurs nutritionnelles pour 100 g de pâtes.

INFORMATIONS NUTRITIONNELLES

Valeurs moyennes	Pour 100 g de pâtes crues
Énergie	1537 kJ - 363 kcal
Matières grasses	4,6 g
dont saturées	1,2 g
Glucides	64 g
dont sucres	3 g
Fibres	3 g
Protéines	15 g
Sel	0,1 g

- Calculer la valeur énergétique pour une personne qui consomme 60 g de pâtes dans un repas.

9 Lucas fait des crêpes pour la Chandeleur ! Voici sa recette pour 8 personnes.
- Quelles sont les quantités des ingrédients à utiliser si Lucas veut faire des crêpes pour 26 personnes ?

Pour 8 personnes
250 g de farine
4 œufs
1/2 litre de lait
50 g de beurre

0 Beau gazon
Loïc dispose de 1 350 m^2 de jardin. Il souhaite mettre du gazon pour l'embellir. Il trouve sur Internet que la recommandation est de 30 g de graines par m^2.
1. De quelle quantité de graines (en kg) aura-t-il besoin pour couvrir son terrain ?
2. Il se rend au supermarché du coin et ne trouve que des sacs de 15 kg. Combien devra-t-il en prendre ?

Appliquer et calculer un pourcentage

Savoir-faire p. 123

Questions flash

1 La surface des océans représente environ $\frac{3}{4}$ de la surface de la Terre.
- Quel pourcentage représente la surface des océans sur la planète ?

2 Le salaire net mensuel de Marion est de 2 000 €. Il augmente de 2 %.
- Quel est son nouveau salaire ?

3 Le corps d'un homme est composé de 60 % d'eau.
- Quelle quantité d'eau contient le corps d'un homme pesant 70 kg ?

4 Relier les proportions ci-dessous à leur pourcentage associé.

4 pour 5	•	•	70 %
$\frac{3}{4}$	•	•	62,5 %
0,70	•	•	80 %
$\frac{5}{8}$	•	•	75 %

5 En 2015, Bordeaux Métropole compte 724 224 habitants. 69 % des habitants de Bordeaux Métropole déclarent boire l'eau du robinet régulièrement.
- Combien de personnes cela représente-t-il ?

6 En 2014, pour la première fois dans l'histoire, une femme a été élue maire de la ville de Paris.
Lors de cette élection, 1 018 280 électeurs étaient inscrits sur les listes électorales. Au second tour, il y a eu 423 823 abstentions.
1. Calculer le nombre de votants.
2. Calculer le pourcentage d'abstention arrondi au dixième.
3. Parmi les votants, 2,09 % ont voté « blanc ». Combien de personnes cela représente-t-il ?
4. La nouvelle maire a eu 50,7 % des voix. Calculer le nombre de personnes qui ont voté pour elle au second tour.

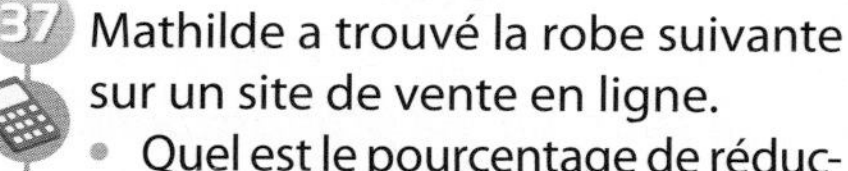

37 Mathilde a trouvé la robe suivante sur un site de vente en ligne.
- Quel est le pourcentage de réduction du prix de cette robe ?

19,90 € (~~59,90 €~~)

38 Marina commande un album photo sur Internet. Elle a une réduction de 10 €. Elle paie 26,50 € après la remise.
- Quel pourcentage représente la réduction (arrondir au dixième) ?

Utiliser une échelle

Savoir-faire p. 123

Questions flash

39 Thibault a fait un plan de sa chambre rectangulaire à l'échelle $\frac{1}{100}$. Les dimensions sur le plan sont 3 cm et 4 cm.
- Quelles sont les dimensions réelles de sa chambre ?

40 Mathis a une voiture de sport en modèle réduit 27 fois plus petite que celle de son père.
- Quelle est l'échelle du modèle de Mathis ?

41 Un magasin de jouets vend des figurines de joueurs de foot connus mesurant 15 cm chacune.
- Ces figurines sont-elles proportionnelles à la taille réelle des joueurs ?

42 On donne ci-dessous le parcours d'une course à Chantenay, près de Nantes.
- Déterminer l'échelle du plan.

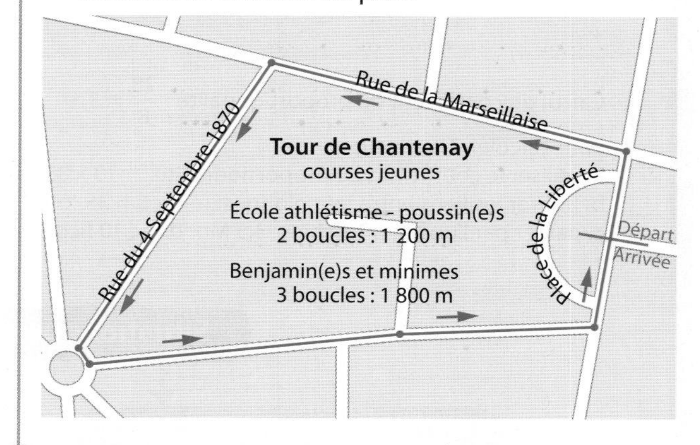

43 La tour Eiffel mesure 324 m de haut. Un modèle réduit mesure 18 cm.
- Quelle est l'échelle de ce modèle réduit ?

Faire le point

Vérifie tes connaissances.

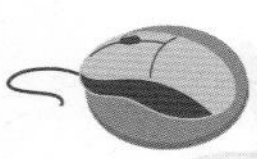

QCM

Donner la seule réponse correcte parmi les trois proposées.

1 Reconnaitre une situation de proportionnalité	Réponse A	Réponse B	Réponse C
1. Un site internet propose des films à la location à 4,99 € le film. Le prix à payer est-il proportionnel au nombre de films loués ?	oui	non	on ne peut pas savoir
2. La taille d'un être humain est-elle proportionnelle à son âge ?	oui	non	on ne peut pas savoir

2 Calculer une quatrième proportionnelle	Réponse A	Réponse B	Réponse C
1. Quel est le coefficient de proportionnalité ? (voir tableau ci-dessous)	3	6	2
2. Un restaurant propose un menu unique. Une famille de 3 personnes vient de payer 36 €. Combien va payer un groupe de 12 personnes ?	120	168	144

Nombre de morceaux de musique	30	60
Capacité de stockage (en Go)	90	180

3 Calculer et appliquer un pourcentage	Réponse A	Réponse B	Réponse C
Sabine a acheté 60 m de tissu pour faire des rideaux. Elle a obtenu 20 % de tissu gratuit en plus. Combien de mètres de tissu gratuit a-t-elle obtenus ?	1 200 m	12 m	3 m

4 Utiliser une échelle	Réponse A	Réponse B	Réponse C
Si 1 cm sur une carte représente 200 m en réalité, alors 3,5 cm sur la carte représentent en réalité :	350 m	57 m	700 m

Pour t'aider à retenir le cours.*

Carte mentale

Tableau de proportionnalité

- Calcul du coefficient de proportionnalité : $\frac{28}{8} = \mathbf{3{,}5}$
- Pour calculer **?**, on peut :
  a. utiliser le coefficient de proportionnalité : $10 \times 3{,}5 = 35$
  b. utiliser les liens entre les colonnes : $7 \times 5 = 35$ ou $28 + 7 = 35$
  c. passer par l'unité : 1 fichier : 3,5 Mo donc 10 fichiers : 35 Mo

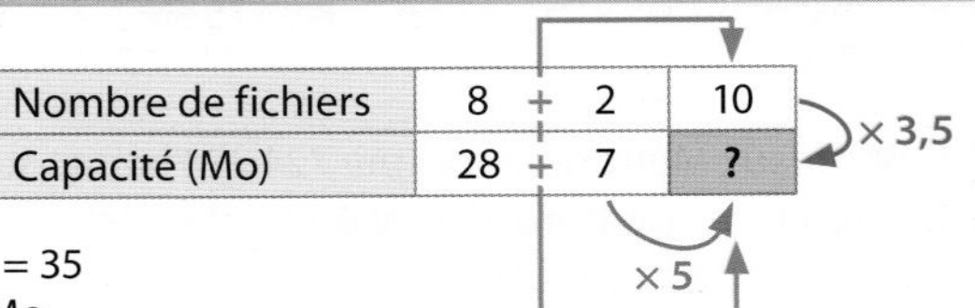

Nombre de fichiers	8	+	2	10
Capacité (Mo)	28	+	7	?

× 3,5
× 5

Situations proportionnelles

Pourcentage

$t\,\% = \frac{t}{100}$

Échelle

$\text{Échelle} = \frac{\text{Distance sur le plan}}{\text{Distance en réalité}}$

*Tu peux aussi construire ta propre carte mentale.

Algorithmique et outils numériques

Au marché

Axel vend sa production de miel au marché. Il a des pots de différentes contenances mais chaque client peut acheter la quantité exacte de miel qu'il souhaite.

Axel a écrit ce script pour savoir quel est le prix à payer en fonction du nombre de kilogrammes de miel acheté.

1. Peut-on dire que le prix à payer est proportionnel à la quantité de miel acheté ?
2. Quel est le prix de 350 g de miel ?

Tout doit disparaitre !

Un magasin qui va bientôt fermer doit liquider son stock. Il décide de vendre tous ses articles à 70 % de réduction.

- À l'aide des instructions ci-dessous, écrire un script qui affiche le montant réduit d'un article dont le prix est entré par l'utilisateur.

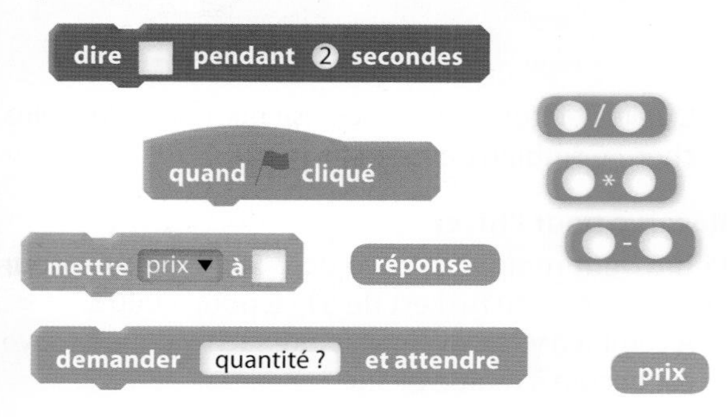

Pourcentage et tableur

Max est artisan et souhaite utiliser un tableur pour calculer les prix des prestations qu'il fournit à ses clients.

Quand Max facture une prestation, il perçoit le « prix hors taxe » et doit aussi facturer à son client la TVA (taxe sur la valeur ajoutée), qui représente un certain pourcentage du prix hors taxe. En ajoutant les deux, il obtient le prix TTC (toutes taxes comprises) :

prix TTC = prix hors taxe + TVA

Pour faciliter son travail, il a réalisé une petite feuille de calcul sur un tableur, avec un pourcentage de TVA égal à 20 %.

	A	B
1	Prix hors taxes en euros	
2	Pourcentage de TVA	20%
3	Montant de la TVA en euros	
4	Prix TTC en euros	

Max souhaite pouvoir entrer différentes valeurs dans la cellule B1 afin que le prix TTC s'affiche dans la cellule B4.

1. Quelles formules doit-il entrer dans les cellules B3 et B4 ?
2. Entrer successivement différentes valeurs dans la cellule B1 et vérifier la cohérence de l'affichage en B3.

Un tableur considère qu'un pourcentage de 20 % est une proportion égale à $\frac{20}{100}$.

47 Soldes

Justine travaille dans un magasin de chaussures et c'est bientôt les soldes. Son patron lui demande de faire un affichage avec tous les prix soldés sur une même feuille. Les prix des articles vont de 79 € à 249 € et les pourcentages de réduction vont de 10 % à 50 %.

Voici tous les prix trouvés en magasin et toutes les réductions possibles :

	A	B	C	D	E	F
1		10%	20%	30%	40%	50%
2	79					
3	89					
4	99					
5	109					
6	119					
7	129					
8	139					
9	149					
10	159					
11	169					
12	179					
13	189					
14	199					
15	209					
16	219					
17	229					
18	239					
19	249					

- À l'aide d'un tableur, reproduire la feuille de calcul ci-dessus pour répondre à la commande du patron de Justine.

Pense à vérifier la cohérence des résultats !

Pour mieux cibler les compétences			
Chercher	59 67 70	Raisonner	61 70 71
Modéliser	48 51 62	Calculer	56 69 72
Représenter	65 67	Communiquer	61 65

48 Vive l'Algarve !

L'Algarve est une région très touristique du Portugal.
Une de ses plages les plus connues nommée Praia da Falésia propose un parking avec les tarifs suivants.

TARIFS DU PARKING

Période du 1er juillet au 31 aout
- 0,70 € toutes les 15 min
- Tout quart d'heure entamé est dû.

Autre période
0,10 € l'heure

1. Claire et Pedro sont restés 5 h 50 min le 4 aout. Combien vont-ils payer ?
2. Joaquim et Cacilda sont restés de 10 h à 17 h le 1er septembre. Combien paieront-ils ?

49 Économisons l'eau !

CIT

La famille Portier fait installer une pomme de douche avec aérateur pour économiser l'eau lors des douches. Cela donne l'impression d'avoir la même quantité d'eau et pourtant on économise 40 % d'eau. La famille consommait 145 m^3 par an pour la douche.
- Quelle quantité d'eau va-t-elle économiser ?

50 Tiramisu

Thibault adore le tiramisu, alors il décide d'en faire un ! Voici la recette :

Tiramisu
- 20 cL de café
- 300 g de biscuits à la cuillère
- 4 œufs
- 50 g de sucre en poudre
- 50 g de cacao
- 400 g de mascarpone

En faisant ses courses, il ne trouve que des paquets de mascarpone de 500 g. Il n'utilise par ailleurs jamais de mascarpone en cuisine, et décide donc de tout mettre dans sa recette.
- Déterminer la quantité nécessaire de chaque ingrédient pour réaliser la recette.

51 Attention aux prix !

Une grande surface affiche les prix suivants pour de la pâte à tartiner :
– le pot de 840 g à 4,50 €
– le pot de 1 kg à 5,39 €
- Quel est le pot le plus économique ?

52 Y a-t-il plus de travail ?

AV

Tous les mois, le gouvernement indique le nombre de chômeurs en France. Au 31 aout 2015, il y avait 2,9 millions de chômeurs. Au 1er septembre 2015, le nombre de chômeurs a augmenté de 0,6 %.
- Combien y a-t-il de chômeurs au 1er septembre 2015 ?

53 Facture d'électricité

PC

Estelle a reçu sa facture d'électricité mais elle a renversé son café dessus et ne voit plus sa consommation d'électricité en KWh.
- Retrouver la consommation d'Estelle.

ÉLECTRICITÉ		Consommation du 14/11/14 au 16/11/15
Relevé ou estimation en kWh		
Prix du kWh en €		0,102 6
Montant HT en €		97,16

54 Les jolis volets

Linda veut repeindre tous les volets de sa maison. Elle doit peindre une surface de 68 m^2.
Elle se rend dans un magasin pour acheter la peinture et compare deux offres.

- Quelle peinture doit-elle choisir pour payer le moins cher ? Combien devra-t-elle payer ?

55 Réserve pour l'hiver

Pedro veut remplir sa cuve de 2 500 L de fuel pour l'hiver. Le prix du fuel est de 635 € pour 1 000 L.
- À combien va s'élever sa facture sachant que sa cuve est encore à moitié pleine ?

56 Restaurant asiatique

Anne et Philippe adorent la cuisine asiatique. Ils décident d'acheter des nems et des samoussas à emporter pour les manger à la maison. Voici leur commande :

> 4 nems poulet ; 4 samoussas au bœuf ; 2 nems crevettes ;
> 4 nems crabe et 2 samoussas au porc ;
> une part de porc au caramel de 0,420 kg avec une part de riz cantonais de 450 g

Le prix de chaque nem et samoussa est de 0,95 €.
Le prix du porc au caramel est de 1,90 €/100 g.
Le prix du riz est de 1,40 €/100 g.
Philippe possède 30 € en liquide.
- Doit-il sortir sa carte bleue pour payer ou est-ce que sa monnaie suffira ?

Livre sterling

Le cours de la livre sterling est de 1,35 €. Sophie achète sur Internet deux places pour un concert à Londres. Elle paie 102,4 livres sterling.

- Combien coute en euros une place de concert ?

Miles

Franck part en Californie en vacances. Il loue une voiture et se retrouve sur l'autoroute. Il voit le panneau ci-contre.

Il se rappelle qu'aux États-Unis, on utilise des miles et non des kilomètres et que 1 mile = 1,609 344 km.

- Quelle est la limitation de vitesse en km/h en Californie ?

Nouvelle voiture

Victor souhaite acheter une voiture qui consomme moins que celle qu'il a actuellement. Il a rassemblé dans le tableau suivant les informations qu'il a relevées pour différents modèles.

Modèle A	4,1 L pour 100 km
Modèle B	0,049 L pour 1 km
Modèle C	16,95 km pour 1 L
Modèle D	4,9 L pour 100 km
Modèle E	17,24 km pour 1 L

- Trouver la voiture qui consommera le moins.

Dollar

Céline part à New York pour une semaine. Elle souhaite partir avec des dollars en poche pour ne pas payer de frais bancaires avec sa carte bleue.

Elle commande des devises sur Internet pour changer 800 €. Elle reçoit 904 $ sans aucun frais supplémentaire.

- Quel est le cours du dollar au moment de son achat ?

Soldes flottants

Hélène a reçu comme SMS :

> **« Opération Automne dans votre magasin : une sélection d'articles démarqués jusqu'à –30 % et pour vous –10 % supplémentaires. »**

Elle décide de faire ses achats dans ce magasin en se disant qu'une réduction de 40 % est très intéressante. Voici son ticket de caisse :

Doudoune	27,96 €	~~(39,95 €)~~
Pull maille	13,96 €	~~(19,95 €)~~
Pull fantaisie	15,36 €	~~(21,95 €)~~
Parka doublée	33,56 €	~~(47,95 €)~~
Pull camionneur	16,06 €	~~(22,95 €)~~
Sous total	106,90 €	
Remise supplémentaire	10,69 €	
Total	96,21 €	

Elle est surprise, car elle pensait payer moins que la somme totale.

- Comment expliquer la surprise d'Hélène ?

62 Concert complet

Un groupe de musique organise une série de concerts à Paris. Il se produira tous les soirs du 28 mars au 3 avril inclus. Les concerts auron lieu au Bercy Arena dont la capacité est de 16 065 places. Les places sont vendues au prix de 56,50 € chacune et la salle est complète tous les soirs.

- Quelle est la recette de cette série de concerts ?

63 Cartes à collectionner

Victor a reçu de l'argent de poche pour son anniversaire. Il a reçu 5 € de sa sœur, 20 € de sa mamie et 15 € de son père. Il possède un cahier de cartes à collectionner sur le football. Il lui manque 128 cartes pour le finir. Il peut commander toutes les cartes manquantes sur un site internet.

- A-t-il assez d'argent pour finir sa collection sachant qu'une carte coute 0,30 € ?

64 Buying music

LV

Dave loves music. He wants to listen to his favorite singer's new CD. So he goes to Itunes and buys his songs. One song costs 1,29 € and the album 9,99 €. There are 8 songs on the album.

- What's the best choice?

65 Les raboteurs de parquet

PEAC

Cette toile du peintre Gustave Caillebotte mesure 1,46 m par 1,92 m. Un entrepreneur souhaite faire des reproductions de cette toile pour les distribuer à grande échelle. Il souhaite vendre chaque reproduction dans un cadre de dimensions 60 × 80 (en cm).

Les raboteurs de parquet, Gustave Caillebotte, 1875.

- Quelle réduction peut-on lui conseiller de réaliser ?

66 Tour Eiffel

PEAC

Voici un croquis à l'échelle de la tour Eiffel :

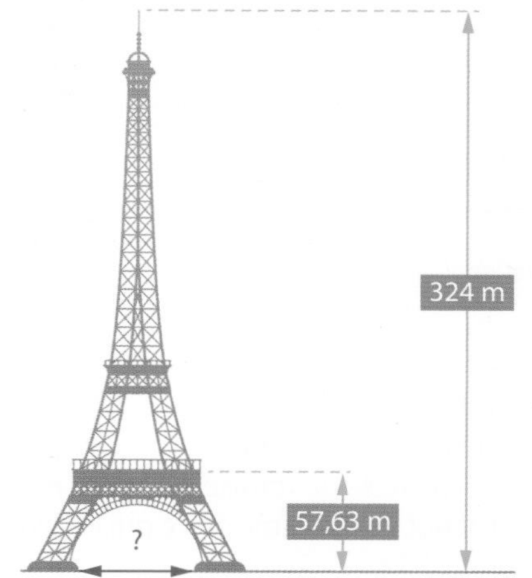

- Déterminer la distance entre deux piliers au sol.

67 Consommation d'eau

CIT

- D'après les documents ci-dessous, faire un tableau donnant la répartition de la consommation d'eau par usage pour un habitant de Marseille.

Doc. 1 Consommations régionales d'eau par habitant et par jour en 2008

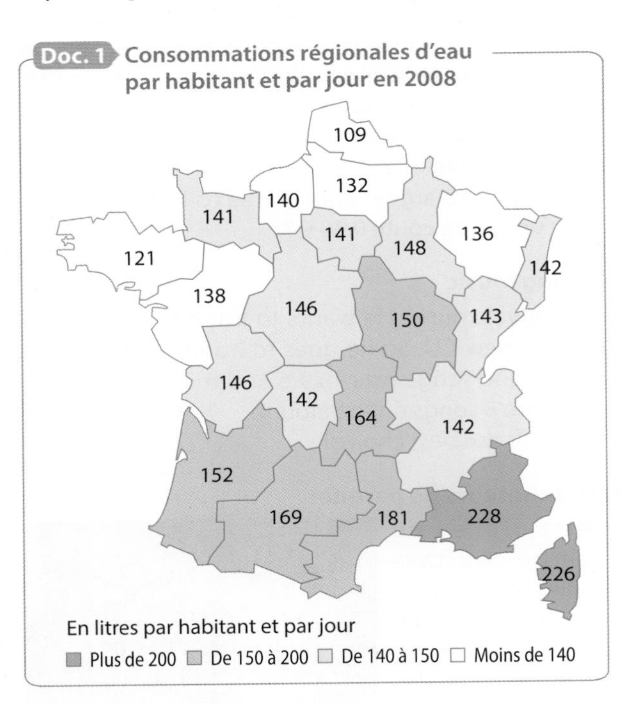

Doc. 2 Répartition de la consommation d'eau par usage en France

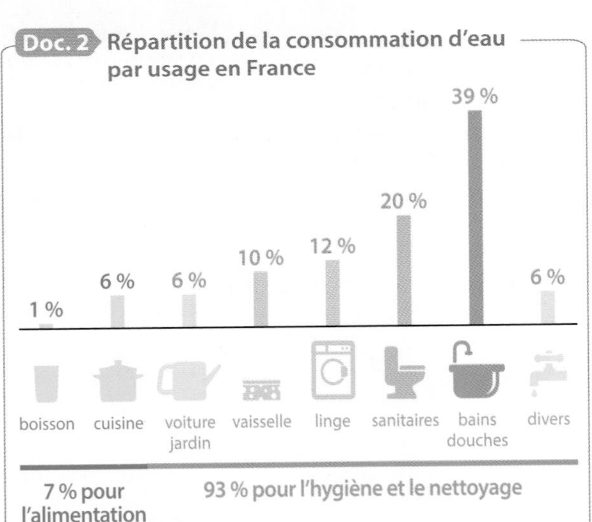

68 La fin des lunettes chères

Chez un opticien, on peut lire :

« Votre âge = votre % de remise sur votre monture. »

Madame Crochet voit une monture qui lui plait à 189 € et elle paie 107,73 €.

- Quel âge a-t-elle ?

69 Internet

HG

La plupart des télécommunications mondiales transitent par des câbles sous-marins. En 2013, 99 % des données Internet sont transmises par des câbles sous-marins. Il y en a plus de 300 et la longueur totale de ce réseau de fibres optiques dépasse les 885 000 km soit 22 fois la circonférence de la Terre. Le plus long câble relie 39 points terrestres et mesure plus de 38 000 km.

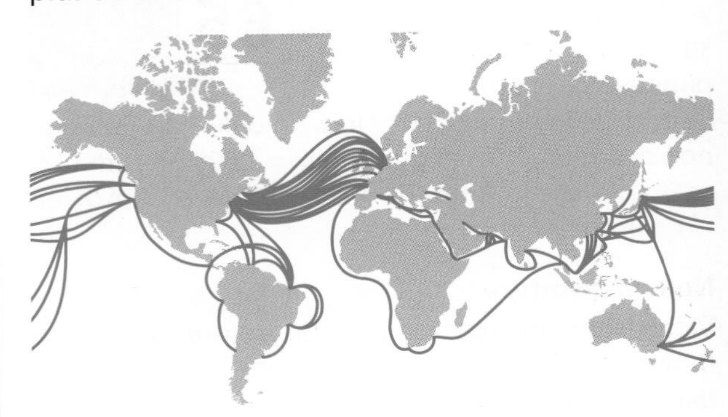

1. Calculer la circonférence de la Terre.
2. Quel pourcentage représente le plus long câble par rapport à la totalité des câbles ?

70 Calcul de l'impôt

AV

Théo et Maëlle veulent chacun estimer à combien s'élèvera leur impôt sur le revenu pour l'année en cours. Théo a un revenu imposable de 19 428 € par an et Maëlle de 25 738 € par an.

On donne le tableau des tranches sur le revenu imposable et le taux d'imposition.

Tranche	Revenu imposable	Taux
1	Jusqu'à 9 690 €	0 %
2	De 9 690 € à 26 764 €	14 %
3	De 26 764 € à 71 754 €	30 %
4	De 71 754 € à 151 956 €	41 %
5	Plus de 151 956 €	45 %

- Calculer leur impôt sur le revenu.

71 Enfant malade

Prise d'initiative

Angélique part en vacances au camping avec ses enfants : Emma, 6 ans, et Tiago, 9 ans. Emma a de la fièvre. Angélique a emporté du paracétamol dosé à 2,4 % (2,4 g de paracétamol pour 100 mL) mais elle a oublié la pipette doseuse. Elle envisage de la remplacer par une cuillère à café.

- Avec les informations des documents, aider Angélique à soigner sa fille qui pèse 24 kg.

Doc. 1

Dans tous les pays ayant adopté le système métrique, la contenance admise d'une cuillère à café est de 5 mL de liquide.

Doc. 2 Posologie

La posologie du paracétamol dépend du poids de l'enfant ; les âges sont mentionnés à titre d'information.

Si vous ne connaissez pas le poids de l'enfant, il faut le peser afin de lui donner la dose la mieux adaptée.

Le paracétamol existe sous de nombreux dosages, permettant d'adapter le traitement au poids de chaque enfant. La dose quotidienne de paracétamol recommandée dépend du poids de l'enfant ; elle est d'environ 60 mg/kg par jour.

Cette présentation est adaptée pour une administration en 4 prises par jour, soit environ 15 mg/kg toutes les 6 heures ou 10 mg/kg toutes les 4 heures.

Cantine

Un couple a deux enfants, Juliette et Evann, qui mangent parfois à la cantine. On donne ci-dessous le tableau des jours de cantine des mois de septembre et d'octobre pour chaque enfant.

Le prix varie en fonction du quotient familial. Leur revenu fiscal de référence est de 37 604 euros. Il est recalculé chaque année lors du calcul de l'impôt sur le revenu.

- Calculer les frais de cantine pour le mois de septembre, d'une part, puis pour le mois d'octobre, d'autre part, pour les deux enfants.

Doc. 1 Calcul de quotient familial

$$\text{Quotient Familial Mensuel} = \frac{\text{Revenu fiscal de référence}}{(12 \times \text{Nombre de parts fiscales})}$$

Doc. 2 Relevé des jours de cantine

Jours de cantine en septembre

Juliette : 2/9 ; 3/9 ; 6/9 ; 9/9 ; 10/9 ; 17/9 ; 20/9 ; 22/9

Evann : 2/9 ; 3/9 ; 6/9 ; 9/9 ; 10/9 ; 17/9 ; 20/9 ; 22/9 ; 25/9

Jours de cantine en octobre

Juliette : 1/10 ; 2/10 ; 5/10 ; 16/10

Evann : 1/10 ; 2/10 ; 5/10 ; 16/10

Doc. 3 Prix de la cantine en fonction du quotient familial

Dans un foyer fiscal, chaque adulte compte pour une part et un enfant pour une demi-part.

Tranche quotient	Restauration scolaire
1 - 548	0,63 €
549 - 600	1,31 €
601 - 688	2,08 €
689 - 912	2,49 €
913 - 1 087	3,06 €
1 088 - 1 462	3,50 €
1 463 - 1 645	3,76 €
1 646 - 1 857	4,10 €
1 858 - 9 999	4,40 €

73 Résidence paysagée

Prise d'initiative

La mairie d'une ville souhaite réhabiliter une résidence comprenant plusieurs bâtiments. Deux phases de travaux sont prévues : une première concerne la réfection des façades, la seconde l'aménagement du parc. Toutes les façades seront repeintes et le parc sera complètement gazonné.

- À partir des documents ci-dessous, établir un devis pour acheter la peinture nécessaire à la première phase de travaux puis un devis concernant l'achat du gazon nécessaire à la seconde phase des travaux.

Doc. 1 Plan de la résidence

Le plan de la résidence est à l'échelle $\frac{1}{900}$.

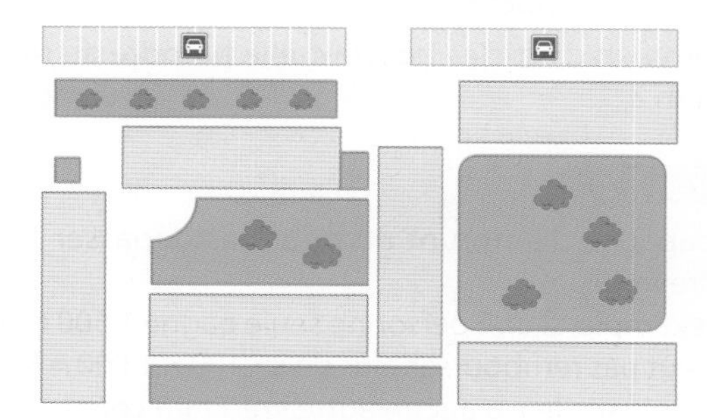

Les six bâtiments sont identiques.

Doc. 2 Façades des bâtiments

Façade avant

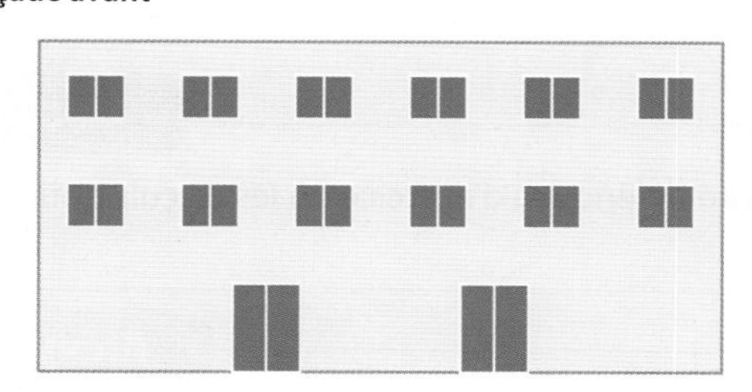

- Le plan du bâtiment est à l'échelle $\frac{1}{300}$.
- Il n'y a aucune fenêtre sur les faces latérales, et les faces arrières sont identiques mais sans porte.
- Toutes les fenêtres sont identiques et elles mesurent 150 cm par 120 cm.
- Les doubles portes d'entrée font 180 cm sur 240 cm.

Doc. 3 Matériaux

À chacun sa méthode !

Deux énoncés pour un exercice

Exercice 1

Emma fait les soldes dans son magasin de vêtements préféré. Tous les articles du magasin sont soldés à 40 %.
Voici la liste des articles qui lui plaisent avec leurs prix d'origine :

Tee-shirt noir	15 €	Robe	45 €
Tee-shirt blanc	10 €	Pull	35 €
Jupe	30 €	Pantalon	20 €

Elle a 90 € en poche.

- Combien d'articles pourra-t-elle prendre au maximum ?

Exercice 2

La capacité d'emprunt ne peut pas dépasser 35 % des revenus.
Par exemple, si une personne seule gagne 1 500 €, elle ne peut pas rembourser plus de 35/100 × 1 500 = 525 € par mois si elle n'a aucun autre crédit en cours.
Marie et Clément gagnent 2 500 € par mois chacun.

- Quelle est leur capacité d'emprunt sachant qu'ils n'ont aucun crédit en cours ?

Exercice 1

Emma fait les soldes dans son magasin de vêtements préféré.
Voici la liste des articles qui lui plaisent avec leurs prix d'origine :

Tee-shirt noir	12,90 €	à –20 %	Robe	44,90 €	à –60 %
Tee-shirt blanc	9,90 €	à –10 %	Pull	35 €	à –30 %
Jupe	29,90 €	à –30 %	Pantalon	19,90 €	à –20 %

Elle a 90 € en poche.

- Combien d'articles pourra-t-elle prendre au maximum ?

Exercice 2

La capacité d'emprunt ne peut pas dépasser 35 % des revenus.
Par exemple, si une personne seule gagne 1 500 €, elle ne peut pas rembourser plus de 35/100 × 1 500 = 525 € par mois si elle n'a aucun autre crédit en cours.
Marie et Clément gagnent respectivement 2 500 € et 3 000 € par mois chacun.

- Quelle est leur capacité d'emprunt sachant qu'ils remboursent déjà un crédit à hauteur de 300 € par mois pour l'achat d'une voiture et de 50 € pour un lave-linge ?

Écriture d'un énoncé

- Écrire un énoncé d'exercice où les calculs pourraient être les suivants.

$$50 - 15/100 \times 50$$

Analyse d'une production

Virginie doit se rendre à Paris pour le travail.
Elle doit faire 600 km et elle ne prend que l'autoroute.

- Combien de temps va-t-elle mettre ?

Trois élèves résolvent le problème ci-dessus.

- Analyser leurs réponses et corriger leurs erreurs s'il y en a.

1re copie

La vitesse sur autoroute est de 130 km/h.
Donc elle fera 130 × 2 = 260 km en 2 h.
Soit 260 × 2 = 520 km en 4 h d'où
520 + 130 = 650 km en 5 h.
Elle mettra donc entre 4 et 5 h pour faire 600 km.

2e copie

Elle parcourt 130 km en 1 h.
Donc 1 km en 1/130 h.
D'où 600 km en 1/130 × 600 ≈ 4,615.
Or 4,615 h = 4 h et 37 min.
Elle passera 4 h et 37 min dans sa voiture pour faire le trajet.

3e copie

1	?
130	600

$\frac{1}{130} = 130$ et $600/130 = 4,6$.
Elle mettra 4 h et 6 min pour faire 600 km.

Calcul et représentation de grandeurs

Jeux

• Aide Malik à rejoindre Aika le plus vite possible !

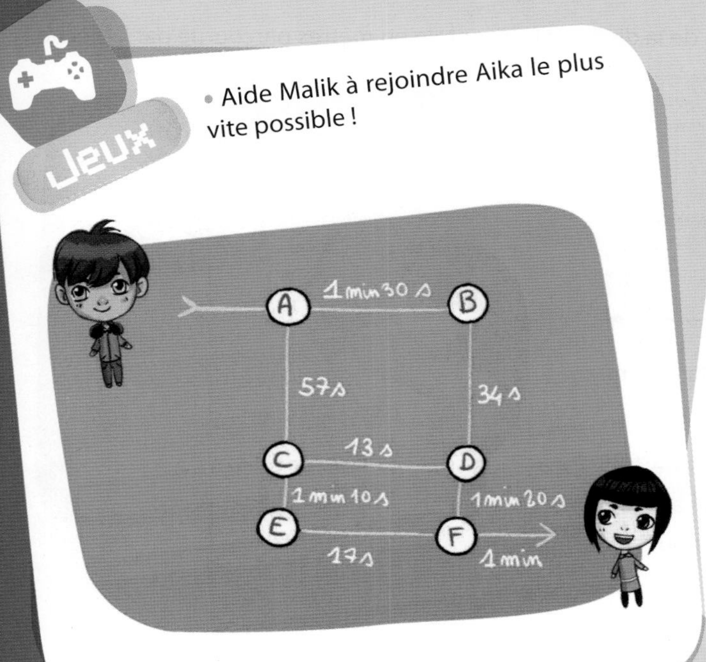

INFOS

La Terre fait un tour complet autour du Soleil en 365 jours et 6 heures environ. Une année comptant 365 jours, au bout de quatre ans, le calendrier a donc 24 heures d'avance (1 jour) sur le Soleil. On ajoute alors le 29 février pour rester en phase avec le Soleil : c'est une année bissextile.

Activités

Questions flash

1. Il y a 6 h de décalage horaire entre Paris et New York : quand il est midi à Paris, il est 6 h à New York. Johanna est en voyage à New York et appelle à 13 h 40 (heure locale) ses parents à Paris.
   - Quelle heure est-il alors à Paris ?
2. Marina se procure ses kiwis au prix de 3 € le kilo. Elle en a acheté 2,5 kg cette semaine.
   - Combien a-t-elle payé ?
3. Un homme est né le 3 juin 1736 et est mort le 3 juin 1803.
   - Combien d'années a-t-il vécu ?
4. Marius a utilisé un site internet pour convertir les miles (unité de distance anglaise) en kilomètres.

   Entrez une valeur
   20
   20 miles = 32,18688 kilomètres

   - Combien de kilomètres, à 100 mètres près, 1 mile représente-t-il ?
5. L'ordre de grandeur de 3 705 secondes est :
   a. 1 min b. 1 h c. 1 jour
6. Pierre roule en voiture sur l'autoroute. Il a parcouru 50 km en 30 minutes. S'il maintient la même allure, il lui reste 2 heures de route.
   - Combien de kilomètres lui reste-t-il à parcourir ?
7. Luce a fait un premier tour de sa maison en 32 secondes et un second en 43 secondes.
   - Combien de temps a-t-elle mis pour faire les deux tours ?
8. La première horloge indique l'heure en France.
   - Quel est le décalage horaire avec Athènes ?

Paris

mercredi 21 : 37 : 51

Athènes

mercredi 22 : 37

Tir à l'arc

Activité 1

Pour son anniversaire, Julie a reçu un coffret de tir à l'arc. Elle tire une flèche. La trajectoire de la pointe de cette flèche est représentée ci-dessous.
La courbe donne la hauteur en mètres en fonction de la distance horizontale en mètres parcourue par la flèche.

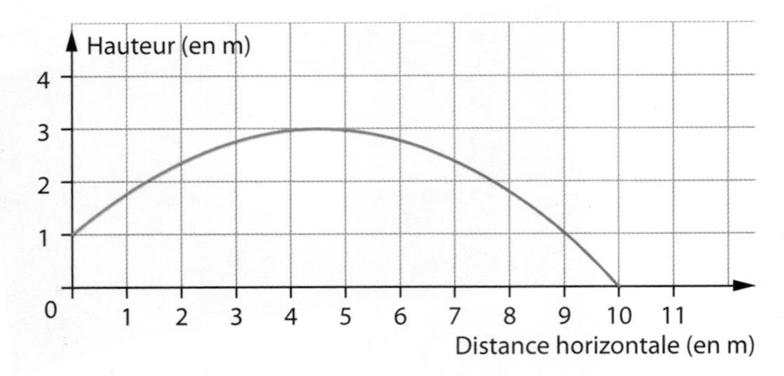

1. De quelle hauteur la flèche est-elle tirée ?
2. Quelle est la hauteur maximale atteinte par la flèche ?
3. À quelle distance de Julie la flèche retombe-t-elle au sol ?
4. À quelle distance de Julie la flèche atteint-elle à nouveau la hauteur de départ ?

Vacances sur la côte… Activité 2

Deux amies décident de se rejoindre sur la Côte d'Azur le même jour, près de Nice, pour une semaine dans un village vacances.

1. Gaëlle partira en voiture de son domicile, à Montpellier, à 14 h 45. Elle a regardé sur un site internet le trajet jusqu'au village vacances. À quelle heure arrivera-t-elle à destination ?

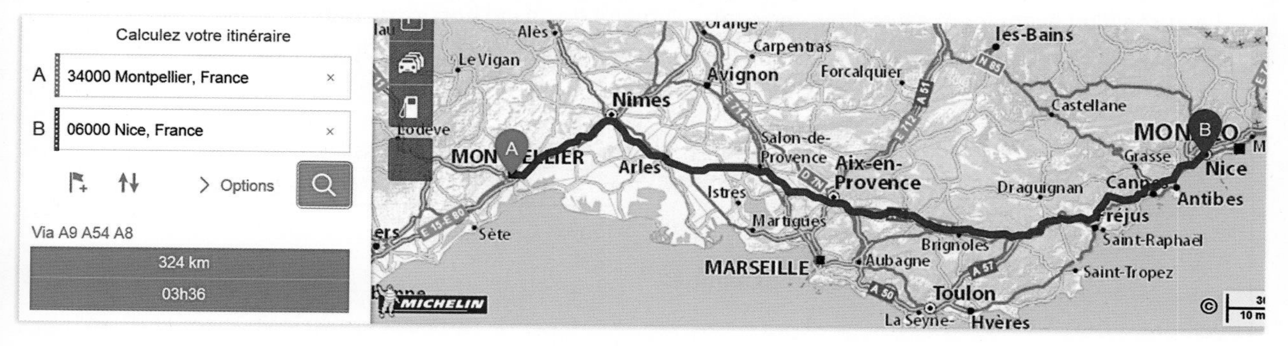

2. Maria habite près de Bordeaux et fera le voyage en train. Voici ses horaires :

07:31 13:42	Bordeaux St-Jean Marseille St-Charles	SNCF Train 22130
	Correspondance à Marseille :	
14:30 17:02	Marseille St-Charles Nice Ville	SNCF Train 17487

a. Quelle est la durée de la correspondance à Marseille ?

b. Entre la descente du train et l'arrivée au village vacances, il faut compter trois quarts d'heure. À quelle heure arrivera-t-elle ?

c. Au départ, Maria doit prendre le taxi pour se rendre à la gare de Bordeaux. Pour être à l'heure sans trop se presser, il faut prévoir 50 minutes. À quelle heure le taxi doit-il arriver chez elle pour l'emmener à la gare ?

3. Entre Maria et Gaëlle, laquelle arrivera la première ?

Aller-retour Activité 3 Prise d'initiative

À 14 h, Axel est parti à vélo de chez lui pour aller chez son copain Lucas. Sur son téléphone, il a une application permettant de savoir à quelle distance il est de chez lui. L'application a réalisé le graphique ci-contre.

1. À quelle distance du domicile d'Axel habite Lucas ?
2. Combien de temps Axel et Lucas ont-ils joué ensemble ?
3. À quelle heure Axel est-il revenu chez lui ?
4. Le collège de Lucas et Axel se situe sur le chemin d'Axel à 2 km de son domicile. À quelle(s) heure(s) approximativement Axel est-il passé devant son collège ?
5. Axel est-il allé plus vite à l'aller ou au retour ?

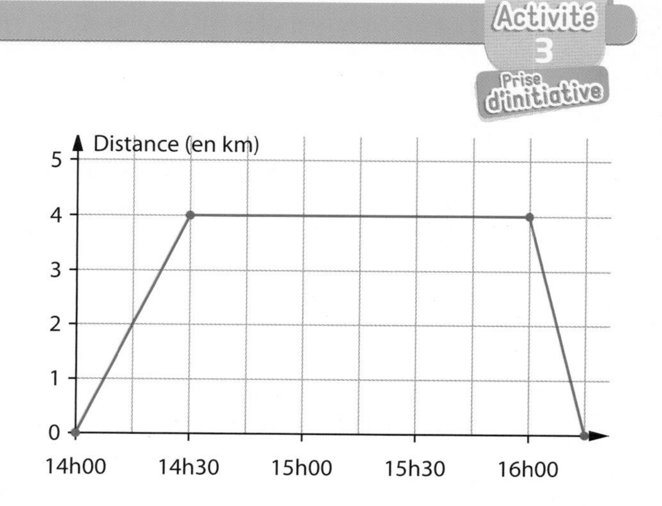

1 Calculer des durées, des horaires 

Définition

La **durée** d'un évènement est la différence entre l'horaire de fin et l'horaire de début.

Exemple 1

Martin part du collège à 17 h 35 et arrive chez lui à 18 h 03.

18 h 03 – 17 h 35 = 28 min

Son trajet a donc duré 28 minutes.

Tu peux t'aider d'un schéma pour visualiser la situation.

Exemple 2

Le bus scolaire de Célia part à 7 h 53 et son trajet dure un quart d'heure.

7 h 53 min + 15 min = 8 h 08 min

Célia arrive donc à l'école à 8 h 08.

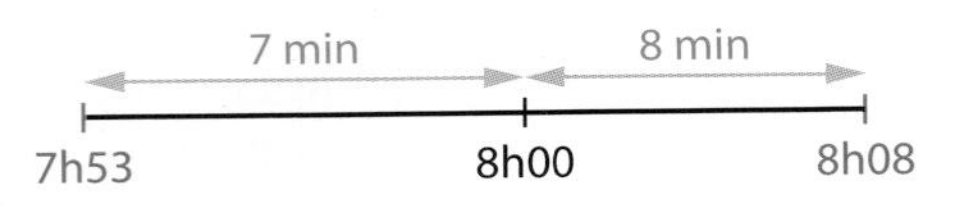

Règle 

Pour exprimer une durée, on peut utiliser plusieurs unités :

1 minute = 60 secondes

1 heure = 60 minutes = 3 600 secondes

1 journée = 24 heures

Exemple 1

On souhaite convertir 2 h 36 min en minutes.

2 h = 2 × 60 min = 120 min

Donc 2 h 36 min = 120 min + 36 min

= 156 min

Exemple 2

On souhaite convertir 2 h 36 min en heures.

36 min = (36 ÷ 60) h = 0,6 h

Donc 2 h 36 min = 2 h + 0,6 h

= 2,6 h 

Exemple 3

On souhaite convertir 642 minutes en heures et minutes.

Pour cela, on effectue la division euclidienne de 642 par 60 :

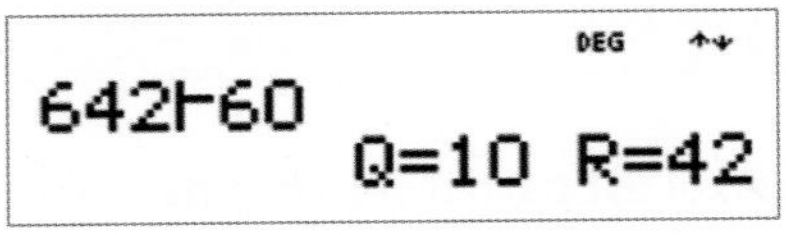

```
                DEG
642⊢60
        Q=10  R=42
```

On a donc 642 = 10 × 60 + 42

donc 642 min = 10 × 60 min + 42 min

= 10 h 42 min

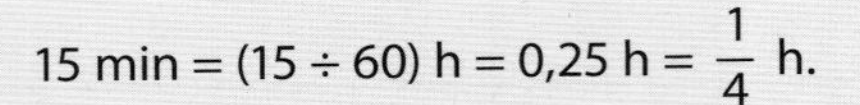

15 min = (15 ÷ 60) h = 0,25 h = $\frac{1}{4}$ h.

- Un quart d'heure, c'est : 0,25 h ou 15 min
- Une demi-heure, c'est : 0,5 h ou 30 min
- Trois quarts d'heure, c'est : 0,75 h ou 45 min

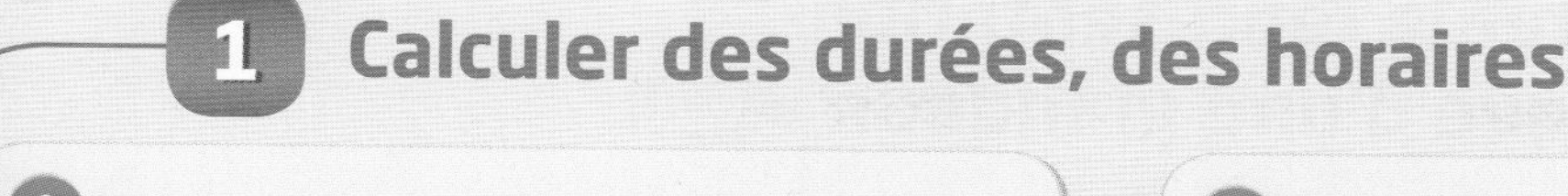

Apprends à l'aide des exercices résolus puis entraine-toi !

1 Calculer des durées, des horaires

1 Convertir 7 h 22 min 53 s en secondes.

Solution

- On convertit 7 heures en secondes :
  7 h = 7 × 3 600 s = 25 200 s
- On convertit 22 minutes en secondes :
  22 min = 22 × 60 s = 1 320 s
- On peut ensuite additionner les secondes entre elles :
  7 h 22 min 53 s = 25 200 s + 1 320 s + 53 s
  7 h 22 min 53 s = 26 573 s

7 h 22 min 53 s représentent donc 26 573 secondes.

2 Convertir 7 640 secondes en heures, minutes et secondes.

Solution

- On convertit d'abord 7 640 secondes en minutes et secondes.
  Pour cela, on effectue la division euclidienne de 7 640 par 60 :
  7 640 = 127 × 60 + 20
  7 640 s = 127 × 60 s + 20 s
  = 127 min 20 s
- On convertit ensuite 127 minutes en heures et minutes.
  Pour cela, on effectue la division euclidienne de 127 par 60 :
  127 = 2 × 60 + 7
  127 min = 2 × 60 min + 7 min
  = 2 h 7 min
- On conclut :
  7 640 s = 127 min 20 s = 2 h 7 min 20 s

3 Martial est parti en promenade à 8 h 35 et a marché pendant 2 h 58.

- À quelle heure a-t-il terminé sa promenade ?

Solution

On place sur le schéma l'horaire de départ que l'on connait.

On ajoute d'abord 25 minutes pour arriver à 9 h (heure « entière »), puis on ajoute les 2 h 33 min restantes (2 h 58 min – 25 min).

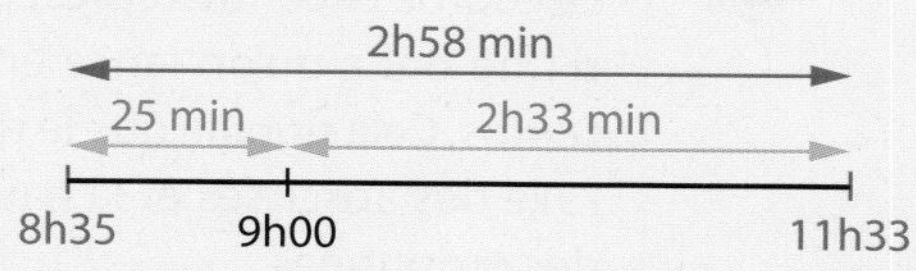

Martial a donc terminé sa promenade à 11 h 33.

4 Sophie doit rejoindre son amie Léa au cinéma pour 18 h 15. Elle sait qu'à vélo, elle met 27 minutes pour y aller.

- À quelle heure doit-elle partir au plus tard pour être à l'heure ?

Solution

On place sur un schéma l'horaire de fin que l'on connait.

On enlève d'abord 15 minutes pour arriver à 18 h (heure « entière »), puis on enlève les 12 minutes restantes (27 min – 15 min).

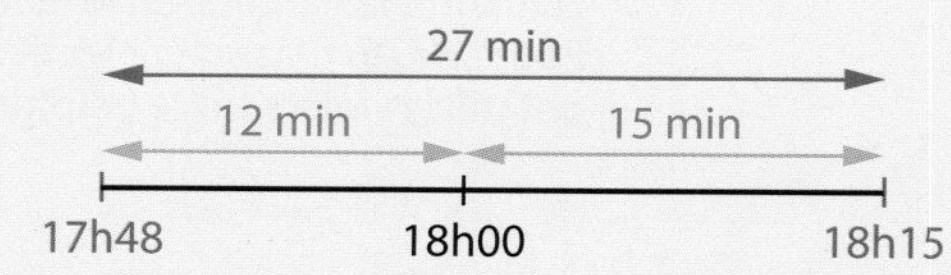

Sophie doit donc partir au plus tard à 17 h 48 pour être à l'heure.

5 Convertir 5 h 35 min 18 s en secondes.

6 Convertir 5 347 s en heures, minutes et secondes.

7 Sur la nouvelle ligne de TGV Paris-Bordeaux, un trajet Poitiers-Bordeaux est prévu en 55 minutes au lieu de 1 heure 32 minutes sur l'ancienne ligne.

- Quel est le temps gagné sur ce trajet ?

8 Lila prend le bus de 17 h 57 pour rentrer chez elle. Le trajet dure 1 heure 43 minutes.

- À quelle heure descendra-t-elle du bus ?

2 Exploiter la représentation graphique d'une grandeur ▶Vidéo

Méthode

Lorsqu'on représente une **grandeur B** en fonction d'une **grandeur A**, la grandeur **A** se lit sur l'axe des **abscisses** et la grandeur **B** sur l'axe des **ordonnées**.

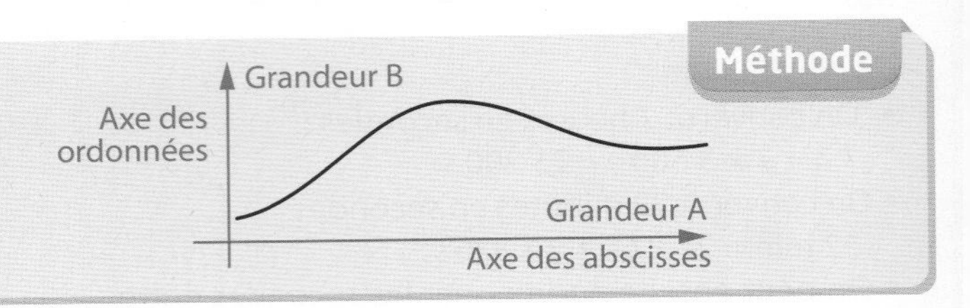

Lecture des légendes

La courbe ci-contre représente la **hauteur d'une balle** qu'on lance en fonction du **temps**. Cela signifie que le temps se lit sur l'axe des abscisses et la hauteur sur l'axe des ordonnées.

On repère les légendes sur les axes du graphique.

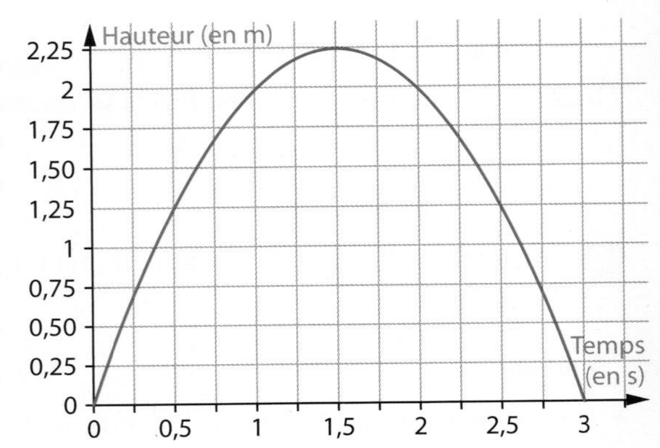

Lecture d'une ordonnée

On souhaite connaitre la hauteur de la balle au bout de 2,5 secondes : on place **2,5 sur l'axe des abscisses** et on lit l'ordonnée du point correspondant C : **1,25**.

Au bout de 2,5 secondes, la balle est à une hauteur de 1,25 mètre.

À partir d'un temps connu, tu peux connaitre la hauteur correspondante. Pour cela, tu dois suivre les flèches en pointillés violets sur le graphique.

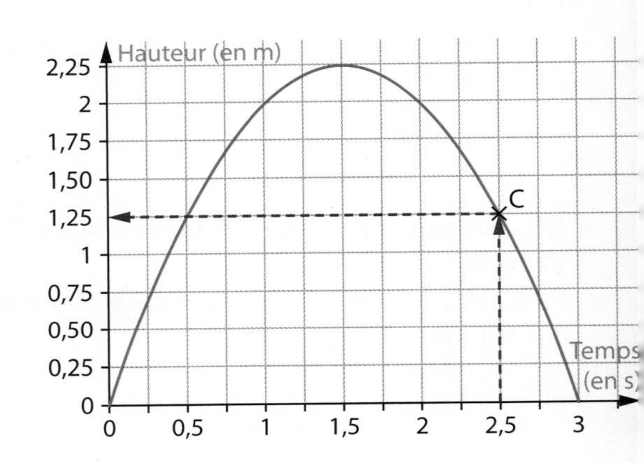

Lecture d'une abscisse

On souhaite savoir à quel(s) moment(s) la balle est à une hauteur de 2 mètres : on place 2 sur l'axe des ordonnées et on lit l'abscisse du ou des points correspondants : D a pour abscisse 1 et E a pour abscisse 2.

La balle est donc à une hauteur de 2 mètres au bout de 1 seconde et au bout de 2 secondes.

À partir d'une hauteur connue, tu peux trouver le temps correspondant. Pour cela, tu dois suivre les flèches en pointillés violets sur le graphique.

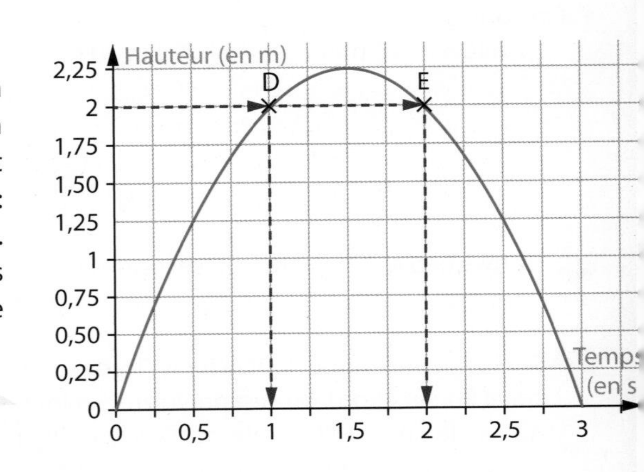

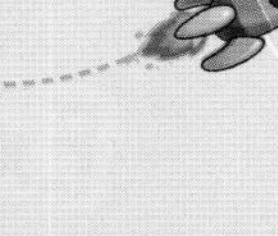

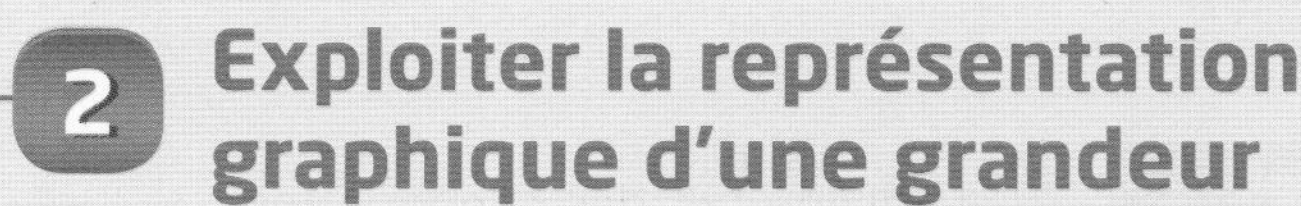

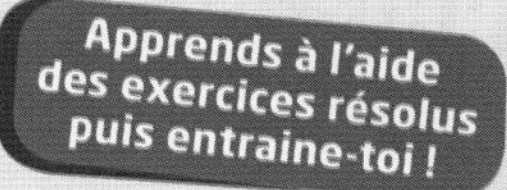

2 Exploiter la représentation graphique d'une grandeur

9 La courbe suivante représente l'altitude d'un randonneur en fonction du temps de marche au cours de sa randonnée.

1. Quelle est la durée de cette randonnée ?
2. À quelle altitude le randonneur se trouvait-il au bout de 4 heures ?
3. À quel(s) moment(s) le randonneur s'est-il trouvé à une altitude de 1 200 m ?

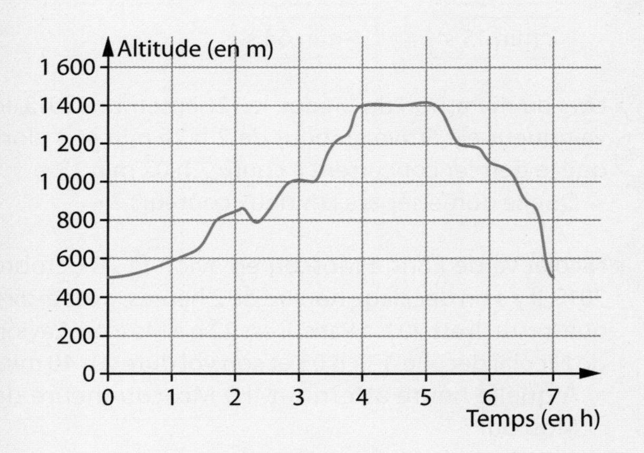

Trace des pointillés pour mieux te repérer sur le graphique.

Solution

1. La courbe s'arrête en un point A d'abscisse 7. Cette randonnée a donc duré 7 heures.
2. On place 4 sur l'axe des abscisses. Le point B correspondant sur la courbe a pour ordonnée 1 400. Donc au bout de 4 heures, le randonneur se trouvait à 1 400 mètres d'altitude.
3. On place 1 200 sur l'axe des ordonnées. Deux points de la courbe ont pour ordonnée 1 200 : C, qui a pour abscisse 3,5, et D, qui a pour abscisse 5,5.
Le randonneur s'est trouvé à 1 200 m d'altitude à deux moments : au bout de 3 h 30 min et au bout de 5 h 30 min.

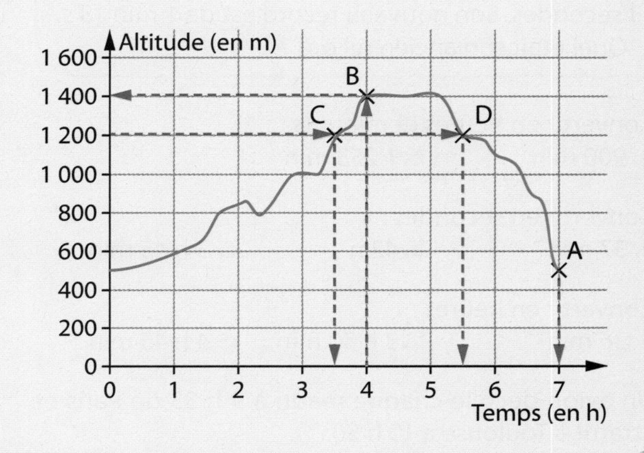

10 Un laboratoire étudie l'évolution du principe actif d'un médicament dans l'organisme. Pour cela, il analyse le sang d'un patient dès la prise du médicament et mesure la quantité de principe actif présent par litre de sang.
La courbe ci-contre représente la quantité de principe actif (en mg) par litre de sang en fonction du temps écoulé (en heures) depuis la prise d'un médicament.

1. Au bout de combien de temps cette quantité est-elle à son maximum ? Combien vaut-elle alors ?
2. À combien est égale cette quantité 3 heures après l'administration ?
3. À quel(s) moment(s) cette quantité est-elle égale à 10 mg ?

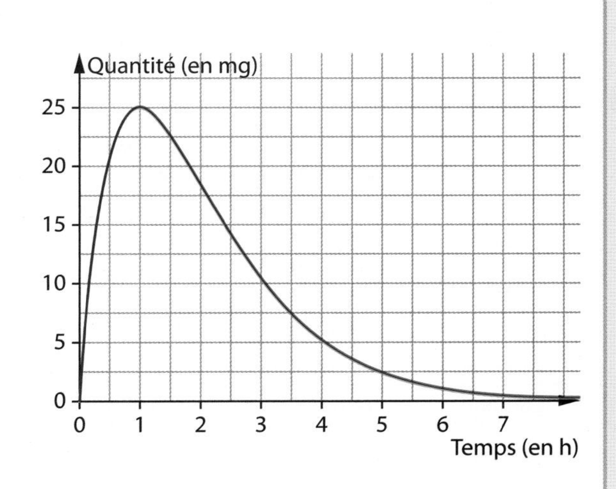

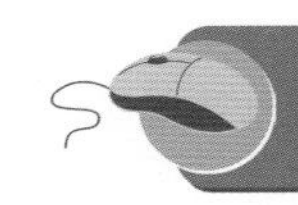

2 pages d'exercices supplémentaires dans le manuel numérique

Calculer des durées, des horaires

Savoir-faire p. 137

Questions flash

11 Calculer :
a. 2 min 15 s + 1 h 03 min
b. 3 min 54 s + 10 s
c. 5 min 37 s – 38 s

12 (EPS) Pendant son cours de sport, Alicia a couru 2 tours de piste. Elle a mis 1 min 17 s pour faire son premier tour, et 1 min 28 s pour faire son second tour.
- Quel temps a-t-elle mis pour faire les deux tours ?

13 (EPS) Lucas a battu son dernier record de course de 13 secondes. Son nouveau record est de 1 min 18 s.
- Quel était son ancien record ?

14 Convertir en heures et minutes :
a. 900 min b. 1 253 min

15 Convertir en secondes :
a. 37 min b. 42 h c. 3 h 45 min

16 Convertir en heures :
a. 36 min b. 3 h 30 min c. 4 h 45 min

17 Un avion décolle chaque matin à 9 h 35 de Paris et atterrit à Toulouse à 10 h 50.
- Calculer la durée du vol.

18 Un avion décolle deux fois par semaine à 11 h 50 de Bordeaux pour atterrir à Athènes 3 heures 10 minutes plus tard.
- Si je ne change pas l'heure de ma montre, qu'indiquera-t-elle à l'atterrissage ?

19 Léo a chargé une liste de chansons sur son lecteur MP3.

Titre de la chanson	Nom de l'interprète	Durée de la chanson
Il y a	Fréro Delavega	3 min 03 s
Andalouse	Kendji Girac	2 min 49 s
Sur la route	Fréro Delavega	2 min 45 s
Color Gitano	Kendji Girac	3 min 33 s
Mi Amor	Kendji Girac	3 min 50 s
Caroline	Fréro Delavega	3 min 12 s

- Quelle est la durée totale de cette liste ?

20 Mon train arrive à 14 h 22 et le trajet a duré 1 h 45 min.
- À quelle heure le train est-il parti ?

21 Ludivine fait des chouquettes. Elle a commencé à 10 h 20 et a mis 23 minutes pour la préparation. Le temps de cuisson est de 15 minutes et il faut 30 minutes pour qu'elles refroidissent.
- À quelle heure pourra-t-elle commencer à les déguster ?

22 Classer ces durées dans l'ordre croissant :

1 min 03 s	64 s	117 s
2 min 15 s	1 min 64 s	

23 (EPS) Lors du marathon du Médoc le 12 septembre 2015, le vainqueur est arrivé au bout de 2 h 26 min 41 s alors que le dernier concurrent a couru 7 h 02 min 13 s.
- Quelle durée sépare ces deux coureurs ?

24 Nicolaï va de Paris à Moscou en avion le 28 octobre 2015. Il y a un décalage horaire de 2 heures, c'est-à-dire que lorsqu'il est 20 h à Paris, il est 22 h à Moscou. L'avion de Nicolaï décolle à 12 h 05 et son vol dure 2 h 40 min.
- À quelle heure atterrira-t-il à Moscou (heure de Moscou) ?

Exploiter la représentation graphique d'une grandeur

Savoir-faire p. 139

Questions flash

25 Le graphique ci-dessous représente le nombre d'abonnés à une revue, celui-ci dépendant du prix de la revue.
1. Combien de personnes s'abonneront à la revue si on fixe un prix de 9 € pour cette revue ?
2. À quel prix peut-on vendre cette revue si on espère attirer au moins 1 000 abonnés ?

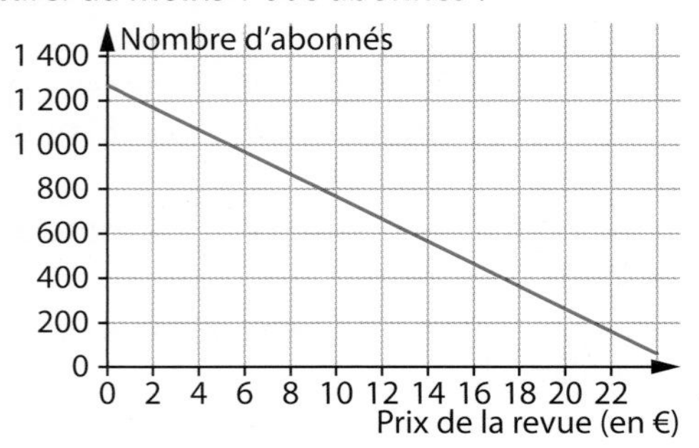

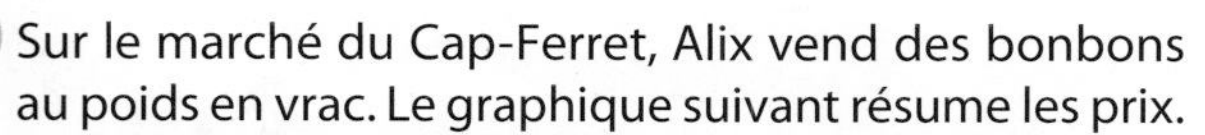

Sur le marché du Cap-Ferret, Alix vend des bonbons au poids en vrac. Le graphique suivant résume les prix.

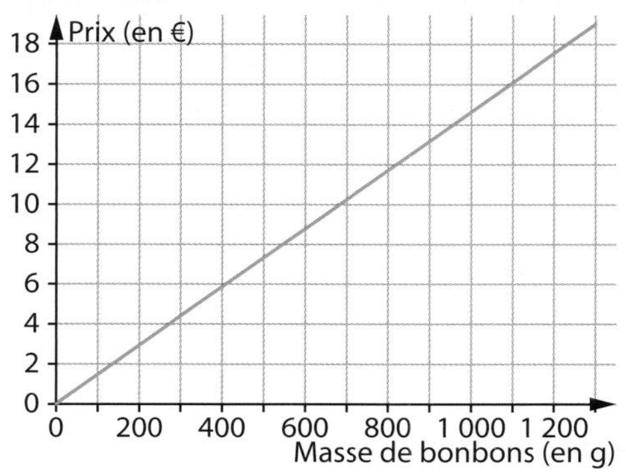

1. Kim achète 400 grammes de bonbons pour ses enfants. Combien paie-t-elle ?
2. Jean-Louis a offert 10,50 € de bonbons à ses petits-enfants. Quelle quantité de bonbons a-t-il achetée ?

Voici un extrait d'article trouvé dans une revue scientifique : « Si l'Homme ne change pas son comportement de pollueur, il n'y aura plus aucun poisson à l'état sauvage dans les océans. »
Le graphique ci-dessous représente les prévisions concernant l'évolution des espèces restantes de poissons trouvées en mer.

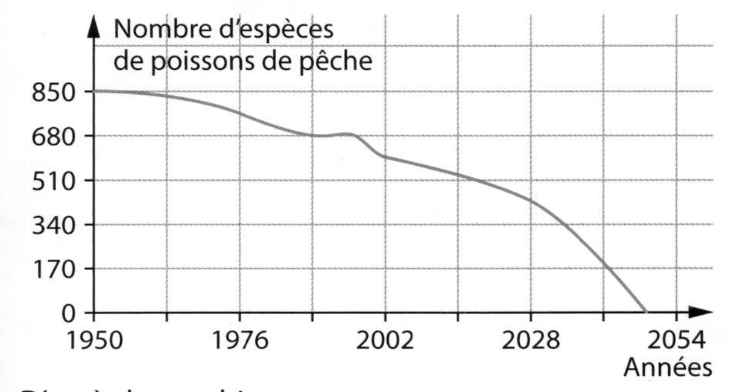

D'après le graphique :

1. Déterminer le nombre d'espèces restantes de poissons en 2028.
2. En quelle année restait-il 510 espèces de poissons ?
3. Donner une estimation de l'année de disparition prévue de toutes les espèces de poissons de pêche.

Le graphique suivant représente la hauteur, par rapport au sol, à laquelle se trouve une cabine du London Eye (Grande roue de Londres) en fonction du temps écoulé depuis que cette cabine a quitté le sol. La hauteur est mesurée en mètres et le temps est mesuré en minutes.

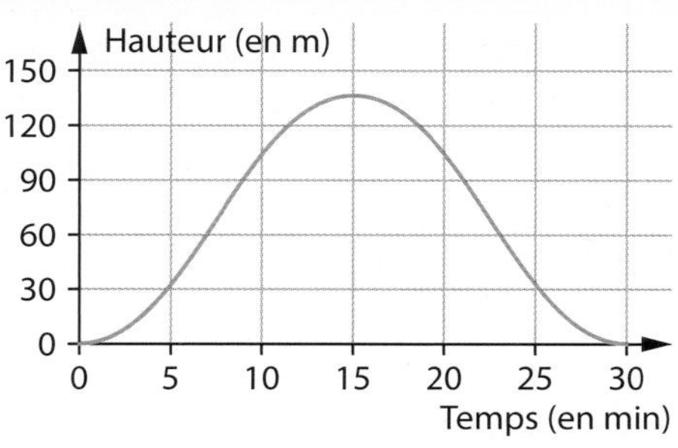

1. Une cabine du London Eye quitte le sol à 14 h 40. À quelle heure y reviendra-t-elle après avoir fait un tour ?
2. a. Donner une valeur approchée de la hauteur à laquelle se trouve la cabine 5 minutes après son départ du sol.
   b. Donner une valeur approchée de la hauteur à laquelle se trouve la cabine 10 minutes après son départ du sol.
   c. Donner une estimation de la durée pendant laquelle la cabine sera à plus de 100 mètres de hauteur par rapport au sol au cours d'un tour.

29 Une usine fabrique des canapés. Le cout moyen de fabrication d'un canapé varie en fonction du nombre de canapés fabriqués. On parle d'un cout de fabrication unitaire qui varie.
On a représenté ci-dessous le cout de fabrication unitaire (en euros) de ces canapés en fonction du nombre de canapés fabriqués, pour une quantité comprise entre 0 et 130.

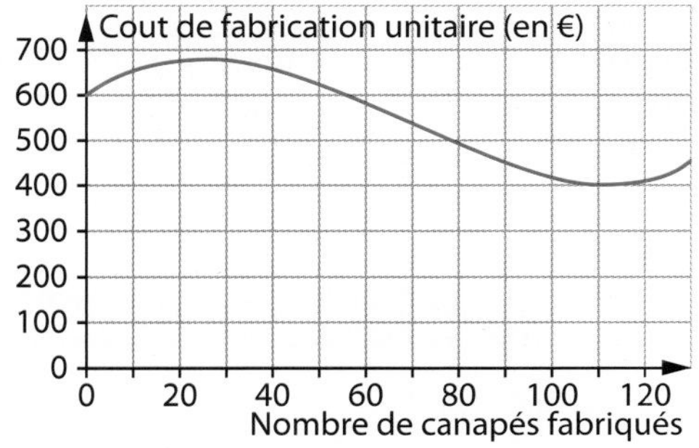

D'après le graphique :

1. Donner le cout de fabrication unitaire de 100 canapés.
2. Pour combien de canapés le cout de fabrication unitaire est-il inférieur à 550 € ?

Faire le point

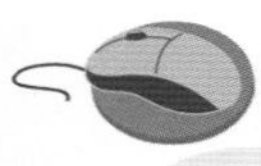

Donner la seule réponse correcte parmi les trois proposées.

1 Calculer des durées, des horaires	Réponse A	Réponse B	Réponse C
1. Si je prends le train à 10 h 54 à Marseille et que j'arrive à 14 h 38 à Paris, la durée du trajet est :	4 h 16 min	3 h 44 min	4 h 44 min
2. Si on admet que Pythagore est né aux environs de 580 av. J.-C. et qu'il a vécu 84 ans, il est mort en :	504 av. J.-C.	496 av. J.-C.	664 av. J.-C.
3. Il est 16 h 39. Huguette vient d'arriver dans sa maison de campagne après 351 minutes de voyage. Huguette est partie à :	10 h 28	10 h 48	10 h 50
2 Exploiter la représentation graphique d'une grandeur			
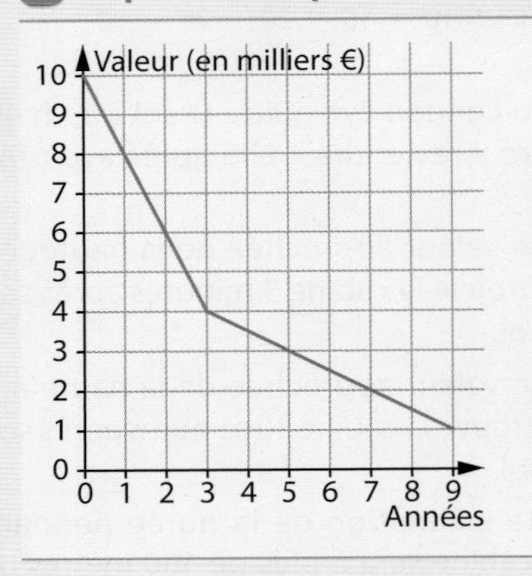 On a représenté ci-contre la valeur d'une voiture en milliers d'euros selon son âge en années. Cette voiture :	vaut 1 500 € au bout de 7 ans	vaut 2 000 € au bout de 6 ans	vaut 2 000 € au bout de 7 ans

Pour t'aider à retenir le cours.*

Carte mentale

Grandeurs

Calcul de durées, horaires

horaire de début — + durée → horaire de fin

horaire de fin — – durée → horaire de début

durée (entre horaire de début et horaire de fin)

Représentation d'une grandeur

Grandeur B / Grandeur A : grandeur B en fonction d'une grandeur A (point de coordonnées a et b)

Conversion des unités de temps

mesure en heures — × 60 → mesure en minutes — × 60 → mesure en secondes

mesure en secondes — ÷ 60 → mesure en minutes — ÷ 60 → mesure en heures

mesure en heures — × 3 600 → mesure en secondes

mesure en secondes — ÷ 3 600 → mesure en heures

*Tu peux aussi construire ta propre carte mentale.

Algorithmique et outils numériques

30 Convertisseur

Amélie a commencé à écrire le script suivant.

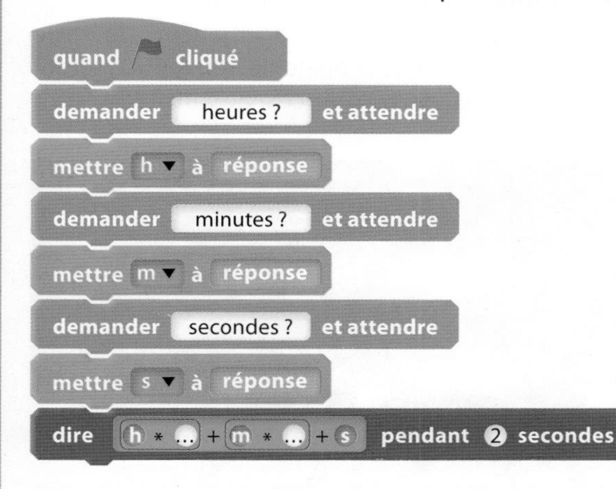

1. Quelles sont les variables utilisées dans ce script ?
2. À quoi peut servir le script d'Amélie ?
3. Amélie ne sait pas par quelles valeurs remplacer les pointillés. Compléter le script d'Amélie.
4. Proposer quelques valeurs simples avec lesquelles on peut facilement tester le bon fonctionnement de ce script.

31 Bagage à main

L'IATA (International Air Transport Association), qui regroupe quelque 250 compagnies aériennes, a émis une recommandation quant à la taille maximum du bagage à main emporté dans la cabine d'un avion : la somme de sa hauteur, de sa longueur et de sa largeur ne doit pas dépasser 115 cm.

1. Programmer une feuille de calcul dans un tableur afin que l'on puisse entrer les trois dimensions d'un bagage et qu'elle en calcule la somme.

	A	B	C	D	E
1	Longueur	Largeur	Hauteur		Somme
2	23	34	59		116

2. a. En cellule F2, entrer la formule :
   =SI(E2<=115; « Accepté »; « Non accepté »).
   b. Tester cette formule avec différentes dimensions et expliquer ce qu'elle renvoie.

32 Poids idéal

La formule de Lorentz donne le « poids idéal » p (en kg) d'une femme en fonction de sa taille t (en cm) :

$$p = \frac{3 \times t - 200}{5}$$

1. Gabrielle mesure 1,64 m. Quel « poids idéal » devrait-elle peser selon cette formule ?
2. Avec un logiciel, représenter le « poids idéal » d'une femme en fonction de sa taille. Pour cela, on entre dans la ligne de saisie y=(3*x–200)/5 (x représentant l'âge, en abscisse et y le poids « idéal », en ordonnée).
3. Régler la fenêtre afin de pouvoir visualiser la courbe : *clic droit* sur les axes et choisir « **graphique** », puis indiquer les valeurs minimum et maximum pour les abscisses (x) et les ordonnées (y).

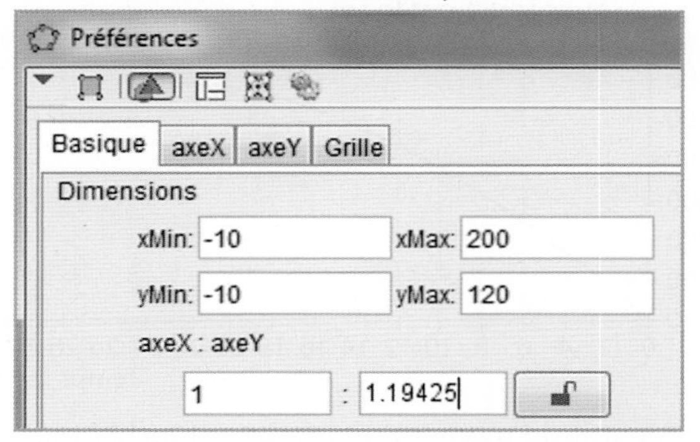

4. Placer ensuite un point variable sur la courbe : dans les menus, choisir « **Point sur Objet** » et sélectionner ensuite la courbe.

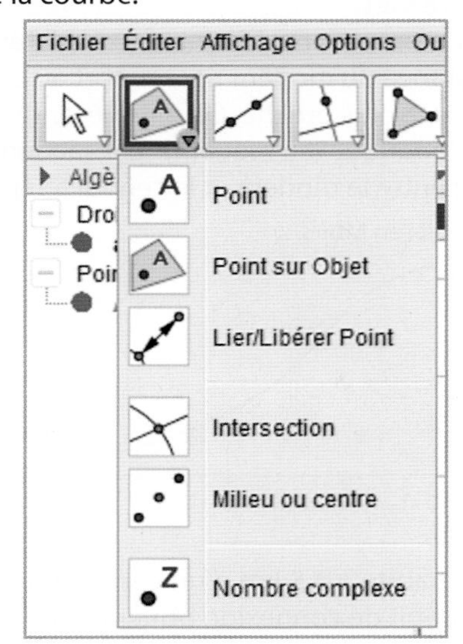

On peut ensuite déplacer le point sur la courbe et voir ses coordonnées dans la fenêtre « **Algèbre** » sur la gauche de l'écran.

5. Vérifier le résultat obtenu à la première question.
6. Déterminer, à l'aide du graphique, la taille pour laquelle le poids « idéal » d'une femme est de 68 kg.

Pour mieux cibler les compétences			
Chercher	53 54	Raisonner	37 40
Modéliser	41 45	Calculer	36 48
Représenter	39 50	Communiquer	46 49

33 Chargement

Un camion pesant 3 tonnes prend un chargement de 103 sacs de ciment de 25 kg et 2 caisses de 155 kg chacune.

- Pourra-t-il passer sur un pont où le poids est limité à 6 tonnes ?

34 Atterrissage

En phase d'atterrissage, à partir du moment où les roues touchent le sol, un avion utilise ses freins jusqu'à l'arrêt complet. Le graphique ci-dessous représente la distance parcourue par l'avion sur la piste (en mètres) au cours du temps (en secondes) à partir du moment où ses roues touchent le sol.

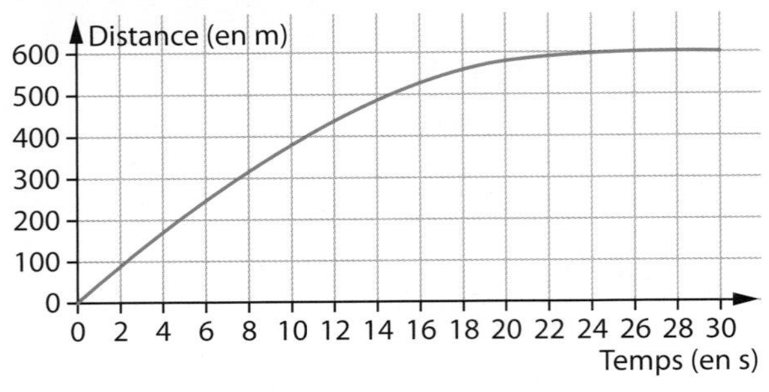

- À partir du moment où les roues touchent le sol, combien de temps met l'avion pour s'arrêter ?

35 Débit Internet

Le débit d'une connexion Internet varie en fonction de la distance du modem par rapport au central téléphonique le plus proche. On a représenté ci-dessous le débit théorique (en mégabits par seconde) selon la distance entre le modem et le central téléphonique.

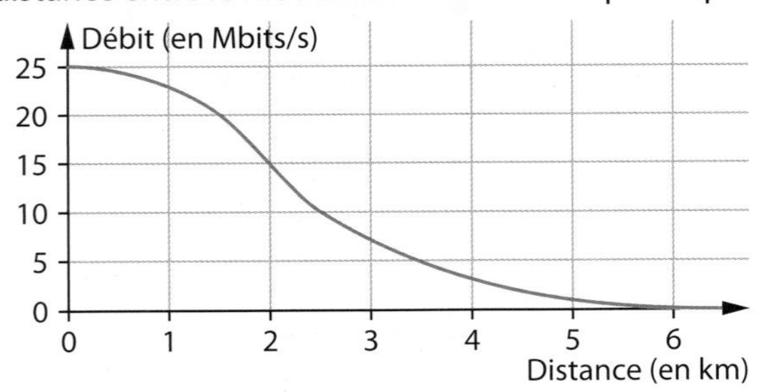

1. Lucie habite à 1,5 km d'un central téléphonique. Quel débit de connexion obtient-elle ?
2. Laurent obtient un débit de 10 Mbits/s. À quelle distance du central téléphonique habite-t-il ?
3. Pour pouvoir recevoir la télévision par Internet, le débit doit être au moins de 15 Mbits/s.
   À quelle distance maximum du central doit-on habiter pour pouvoir recevoir la télévision par Internet ?

36 Championnat du monde d'athlétisme

EPS

Aux championnats du monde d'athlétisme de Pékin en 2015, les résultats de la finale du 100 mètres furent les suivants (les performances des athlètes sont en secondes).

Place	Pays	Athlète	Performance
1	JAM	Usain Bolt	9″79
2	USA	Justin Gatlin	9″80
3	CAN	Andre De Grasse	9″92
4	USA	Trayvon Bromell	9″92
5	USA	Mike Rodgers	9″94
6	USA	Tyson Gay	10″00
7	JAM	Asafa Powell	10″00
8	**FRA**	**Jimmy Vicaut**	**10″00**
9	CHN	Su Bingtian	10″06

1. Combien de temps sépare le vainqueur du dernier arrivé ?
2. Combien de temps sépare le meilleur Américain du dernier Américain ?

37 Couts des déchets

CIT

1. Une ville de 70 000 habitants dépense 11 € par mois et par habitant pour traiter les déchets ménagers. Quel est le budget annuel de cette ville pour traiter les déchets ménagers ?
2. En 2015, la France comptait environ 66 millions d'habitants qui ont produit 25 millions de tonnes de déchets. Est-il vrai qu'en 2015, un habitant en France produisait un peu plus de 1 kg de déchets par jour ?

38 Fuite

En 3 heures, il s'est écoulé 900 cL d'eau d'un robinet qui fuit de façon régulière.

- Si l'on place un seau de 5 L sous la fuite, de combien de temps dispose-t-on avant que le seau ne déborde ?

Climbing

Rebecca climbs up a vertical cliff face using karabiners*. She has to fix a karabiner onto the cliff at each stage.

- Which of the graphs below could represent Rebecca's progress as a timeline?

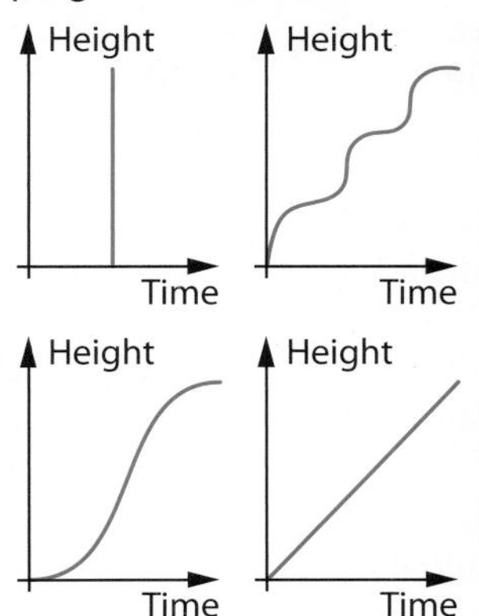

* a karabiner = un mousqueton

Changement d'heure

Le dimanche 25/10/2015, un passage à l'heure d'hiver a eu lieu : à 3 h du matin, on a reculé toutes les horloges d'une heure afin qu'elles indiquent 2 h.

1. Benjamin va au marché à 10 h le dimanche 25/10/2015. À quelle heure cela correspond-il dans l'ancienne heure ?
2. Le samedi 24/10/2015, Corinne s'est couchée à 22 h 50 et a dormi 7 h 30. À quelle heure s'est-elle réveillée le 25/10/2015 ?
3. Le 25/10/2015, Kévin s'est levé à 8 h 05 après avoir dormi 9 h 30. À quelle heure s'était-il couché la veille ?
4. Rechercher et expliquer les raisons qui sont à l'origine du passage à l'heure d'hiver.

Cinéma

L'an prochain, Johan veut s'abonner au club cinéma du collège et le prix qu'il paiera est représenté ci-dessous selon le nombre de films qu'il aura vus.

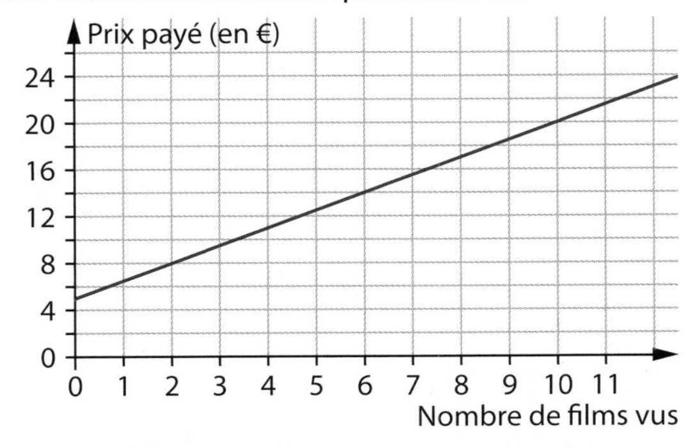

1. S'il voit 4 films dans l'année scolaire, combien paiera-t-il ?
2. Il ne veut pas dépenser plus de 20 €. Combien pourra-t-il voir de films ?
3. Le prix payé est-il proportionnel au nombre de films vus ? Justifier.

42 Triathlon

EPS

Un triathlon consiste à effectuer : 1,5 km de natation, puis 40 km de cyclisme, puis 10 km de course à pied. À la fin de chaque épreuve, les organisateurs relèvent, à l'aide d'un chronomètre, l'heure de passage de chaque participant.

Le graphique ci-dessous a été envoyé à Jules après sa course. Les points marqués sur le graphique correspondent aux temps relevés par les organisateurs.

- Point A : fin de l'épreuve de natation
- Point B : fin de l'épreuve de cyclisme
- Point C : fin de la course à pied (et du triathlon)

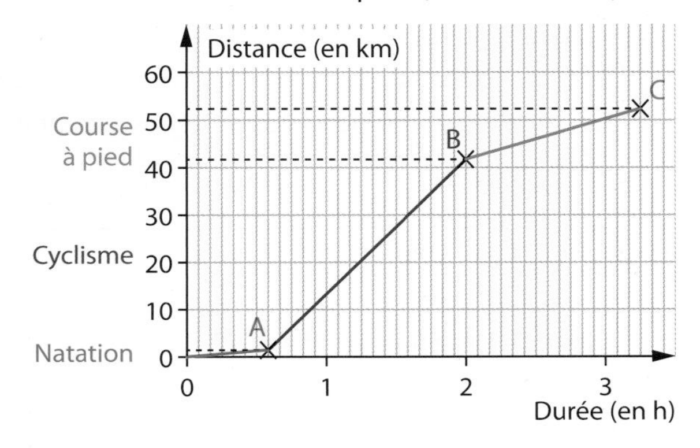

1. Combien de temps a duré chaque épreuve pour Jules ?
2. Jules a débuté son triathlon à 14 h 15. À quelle heure a-t-il terminé le triathlon ?

43 Sauts de puce

SVT

La sauterelle saute plus de 30 fois sa taille. La puce mesure 0,5 mm et saute 340 fois sa taille.

1. Sachant qu'une sauterelle mesure environ 8 cm, à quelle hauteur peut-elle sauter ?
2. À l'échelle humaine, à quelle hauteur correspond un saut de puce ?

44 Beaucoup de monde !

HG

Dans le monde, on compte 2,4 personnes de plus chaque seconde. Au 1er janvier 2015, la population mondiale était d'environ 7 380 000 000 habitants.

- À ce rythme, combien y aura-t-il de personnes sur la planète au 1er janvier 2025 ?

Problèmes

45 Des formules et des courbes

1. Voici trois situations liées à une formule. Reproduire et compléter les tableaux associés.

a. La distance d, en km, parcourue par un cycliste en fonction du temps en heures est donnée par $d = 15 \times t$.

t	1	2	2,5	3
d				

b. Le prix p, en euros, de k kilos de cèpes est donné par $p = 20 \times k$.

k	1	2	2,5	3
p				

c. Le volume d'eau v, en cm^3, dans un vase, en fonction de la hauteur d'eau h, en cm, est donné par $v = 25 \times h$.

h	1	2	2,5	3
v				

2. Associer chaque situation à une des courbes suivantes.

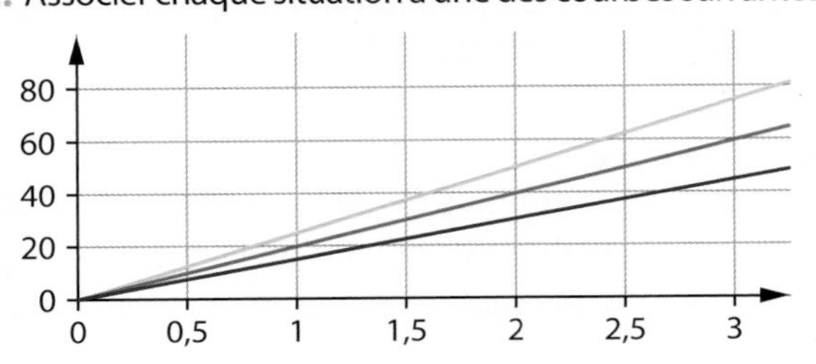

46 Taille moyenne des enfants

Les courbes ci-dessous donnent les tailles moyennes des enfants selon leur âge (en vert pour les filles et en violet pour les garçons).

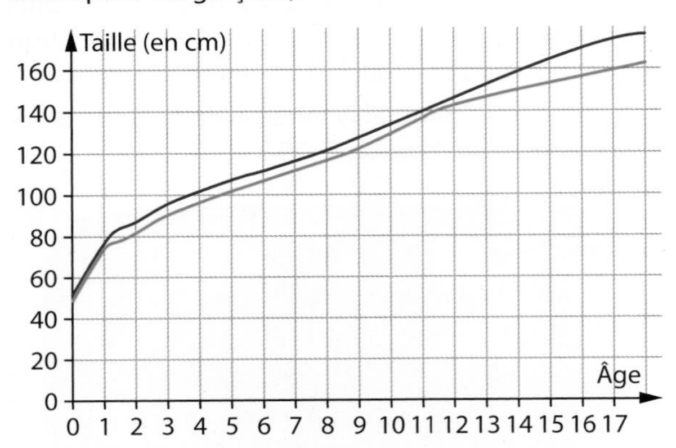

1. Tom a 7 ans et mesure 1,20 m. Est-il plus grand ou plus petit que la moyenne ?
2. Rédiger un texte de quelques lignes commentant ce graphique.

47 Débordement

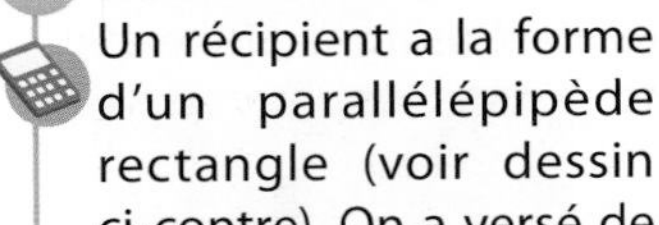

Un récipient a la forme d'un parallélépipède rectangle (voir dessin ci-contre). On a versé de l'eau jusqu'à une hauteur de 20 cm.

• Peut-on y mettre 5 litres de plus sans le faire déborder ?

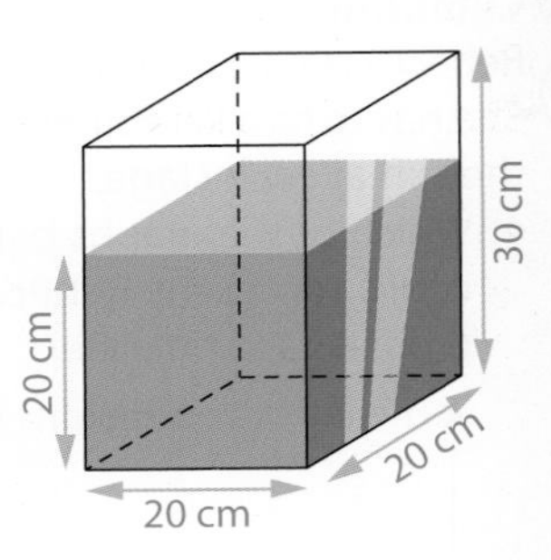

48 Dans la Lune

SVT

La Lune tourne autour de la Terre. Elle fait un tour en 29,5 jours.

• En comptant à partir du 1er novembre 2015, à quelle date la Lune aura-t-elle fait 10 tours autour de la Terre ?

49 Évolution des espèces

• Rédiger un texte de quelques lignes commentant le document ci-dessous.

Évolution de la vitesse de course au cours du temps

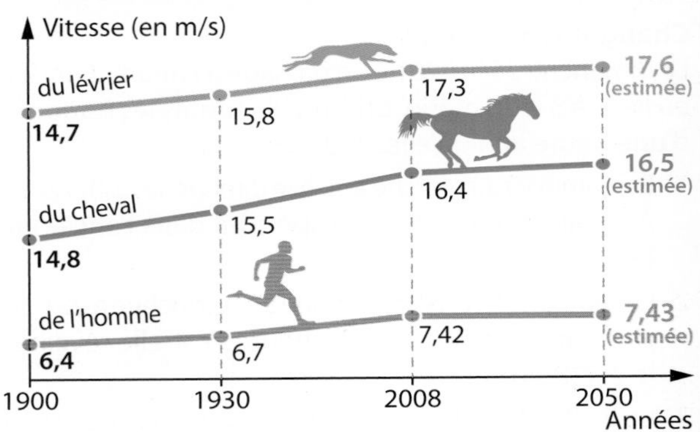

50 Taille moyenne des pieds

Les courbes ci-dessous représentent les courbes de croissance du pied chez l'enfant de 1 à 10 ans.

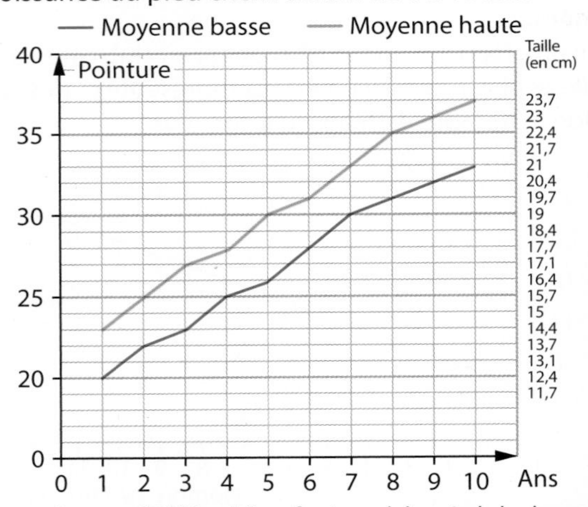

Source : CTC (Comité professionnel du cuir de la chaussure et de la maroquinerie).

1. À quelle pointure correspond un pied de 18,4 cm ?
2. Angélique a 2 ans et chausse du 24. Peut-on dire qu'elle a de petits pieds ?
3. Pour un enfant de 6 ans combien de pointures y a-t-il entre la moyenne basse et la moyenne haute ?

51 Taux d'un médicament dans le sang

À l'hôpital, un patient reçoit une injection d'antibiotique : la pénicilline. Celle-ci se décompose progressivement : une heure après l'injection, 60 % seulement de la pénicilline est toujours active. Ce processus se poursuit : à la fin de chaque heure, 60 % de la pénicilline présente à la fin de l'heure précédente est toujours active.

1. On suppose que l'on a injecté une dose de 300 mg de pénicilline à ce patient à 8 h du matin. Reproduire et compléter le tableau ci-dessous.

Heure	8 h 00	9 h 00	10 h 00	11 h 00
Pénicilline (en mg)	300			

2. Pierre doit prendre 80 mg d'un médicament pour réguler sa pression artérielle. Le graphique ci-contre montre la quantité qui reste active dans le sang de Pierre au début du traitement et après un, deux, trois et quatre jours.

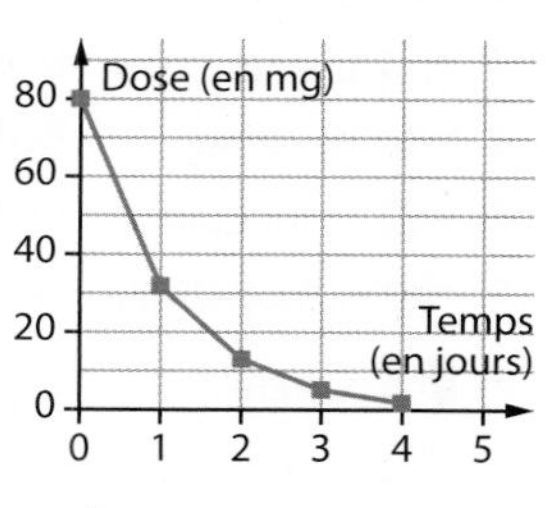

Quelle quantité de médicament reste active à la fin du premier jour ?

3. Le graphique de la question précédente permet de constater que la proportion de médicament restée active dans le sang de Pierre par rapport au jour précédent est à peu près la même chaque jour. Parmi les pourcentages suivants, lequel correspond à peu près au pourcentage de médicament qui reste actif à la fin de chaque jour, par rapport à la quantité du jour précédent ?

a. 20 % b. 30 % c. 40 % d. 80 %

D'après PISA.

52 Fumer tue

Le tabac est la deuxième cause de mortalité dans le monde : une personne meurt toutes les 8 secondes des suites du tabagisme. En France, le tabagisme est même la première cause de mortalité prématurée évitable. Une étude de l'université de Bristol, au Royaume-Uni, a établi qu'une cigarette fumée faisait perdre à la personne environ 11 minutes de vie.

Une cigarette pèse environ 0,85 g. Le tabac représente 85 % de sa composition, le papier à cigarette et le filtre en représentent 6 %. Le reste de sa composition comprend les agents de texture, de saveur et de conservation, souvent nocifs pour la santé.

Madame Leplot a 40 ans et elle fume un paquet de 20 cigarettes par jour depuis l'âge de 16 ans.

1. Combien de kilogrammes de tabac madame Leplot a-t-elle consommés depuis qu'elle fume ?
2. a. Combien de minutes de vie madame Leplot a-t-elle potentiellement perdues depuis qu'elle fume ?
   b. Exprimer cette durée en années, jours et heures.
3. Combien de personnes meurent en moyenne des suites de la consommation régulière de tabac en une année dans le monde ?

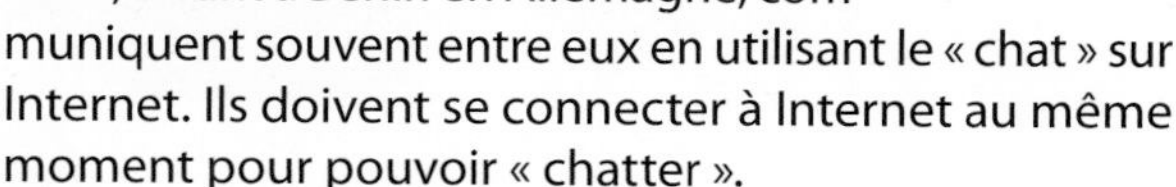

53 Conversation par Internet

Prise d'initiative

Mark, habitant à Sydney en Australie, et Hans, vivant à Berlin en Allemagne, communiquent souvent entre eux en utilisant le « chat » sur Internet. Ils doivent se connecter à Internet au même moment pour pouvoir « chatter ».

Pour trouver une heure qui leur convienne pour « chatter », Mark a consulté un tableau des fuseaux horaires et a trouvé ceci :

Greenwich
24 h 00
(minuit)

Berlin
1 h 00
(du matin)

Sydney
10 h 00
(du matin)

Mark et Hans ne peuvent pas « chatter » entre 9 h 00 et 16 h 30 de leur heure locale respective, parce qu'ils doivent aller à l'école. Ils ne pourront pas non plus « chatter » entre 23 h 00 et 7 h 00 parce qu'ils seront en train de dormir.

• Quel moment conviendrait à Mark et Hans pour « chatter » ?

D'après PISA.

54 Arbres

Un agriculteur souhaite planter des pommiers. Afin de les protéger contre le vent, il prévoit également de planter des conifères tout autour du verger. Il imagine le schéma suivant présentant cette situation, avec la position des pommiers et des conifères pour un nombre *n* de rangées de pommiers.

× conifères
• pommiers

1. Reproduire et compléter le tableau.

n	Nombre de conifères	Nombre de pommiers
1		
2		
3		
4		
5		

2. Pour quelle(s) valeur(s) de *n* y a-t-il autant de conifères que de pommiers ?
3. On suppose que l'agriculteur veut faire un verger plus grand. Lorsque le fermier agrandit le verger, qu'est-ce qui va augmenter le plus vite : le nombre de pommiers ou le nombre de conifères ? Expliquer.

D'après PISA.

À chacun sa méthode !

Deux énoncés pour un exercice

Exercice 1

Voici les résultats du Grand Prix de Monaco de Formule 1 en 2015 :

	Pilote	Écurie/Moteur	Temps/Écarts
1	N. ROSBERG	Mercedes-Pirelli	1h49′18″420 Moy. 143 km/h
2	S. VETTEL	Ferrari-Pirelli	à 4″488
3	L. HAMILTON	Mercedes-Pirelli	à 6″053
4	D. KVYAT	Red Bull-Renault-Pirelli	à 11″965
5	D. RICCIARDO	Red Bull-Renault-Pirelli	à 13″608
6	K. RÄIKKÖNEN	Ferrari-Pirelli	à 14″345
7	S. PEREZ	Force India Mercedes-Pirelli	à 15″013
8	J. BUTTON	McLaren-Honda-Pirelli	à 16″063
9	F. NASR	Sauber-Ferrari-Pirelli	à 23″626
10	C. SAINZ JR.	Toro Rosso-Renault-Pirelli	à 25″056

1. Quel est le temps du vainqueur ?
2. Quel est l'écart de temps entre le premier et le deuxième ?
3. Quel est le temps réalisé par S. Vettel ?
4. Quel est l'écart de temps entre S. Vettel et L. Hamilton ?

Exercice 1

Voici les résultats du Grand Prix de Monaco de Formule 1 en 2015 :

	Pilote	Écurie/Moteur	Temps/Écarts
1	N. ROSBERG	Mercedes-Pirelli	1h49′18″420 Moy. 143 km/h
2	S. VETTEL	Ferrari-Pirelli	à 4″488
3	L. HAMILTON	Mercedes-Pirelli	à 6″053
4	D. KVYAT	Red Bull-Renault-Pirelli	à 11″965
5	D. RICCIARDO	Red Bull-Renault-Pirelli	à 13″608
6	K. RÄIKKÖNEN	Ferrari-Pirelli	à 14″345
7	S. PEREZ	Force India Mercedes-Pirelli	à 15″013
8	J. BUTTON	McLaren-Honda-Pirelli	à 16″063
9	F. NASR	Sauber-Ferrari-Pirelli	à 23″626
10	C. SAINZ JR.	Toro Rosso-Renault-Pirelli	à 25″056

1. Quel est le temps réalisé par C. Sainz Jr. ?
2. Quel est l'écart de temps entre S. Vettel et L. Hamilton ?
3. Expliquer ce que représente la valeur de la vitesse affichée sous le temps de N. Rosberg et comment elle a été calculée.

Travail en groupe

Dans des pays comme le Royaume-Uni ou les États-Unis, certaines unités utilisées sont différentes des unités utilisées en France.

• Constituer quatre groupes qui travailleront chacun sur les unités anglo-saxonnes suivantes :
① « inch » – ② « pound » – ③ « gallon » – ④ « Fahrenheit »

Chaque groupe doit effectuer les tâches suivantes.

1. a. Rechercher quelle est la grandeur mesurée dans l'unité étudiée.
   b. Dans quelle unité cette grandeur est-elle exprimée en France ?
2. Expliquer comment passer de l'unité anglo-saxonne à l'unité française et inversement.
3. Donner un exemple concret à l'aide d'un objet ou d'une situation qui permet d'illustrer le changement d'unité.
4. Compléter un tableau de conversions avec plusieurs valeurs souvent utilisées.
5. Préparer une présentation orale en groupe du travail réalisé au reste de la classe.

Analyse d'une production

Bastien a résolu l'exercice suivant :

Énoncé : La station météo du collège enregistre la température extérieure en continu. Pierre-Yves a demandé un relevé des températures pour la journée du 14 mars 2015. Il a obtenu le graphique ci-contre. Déterminer, en justifiant, à quelle(s) heure(s) la température était de : **1.** 10°C **2.** 14°C

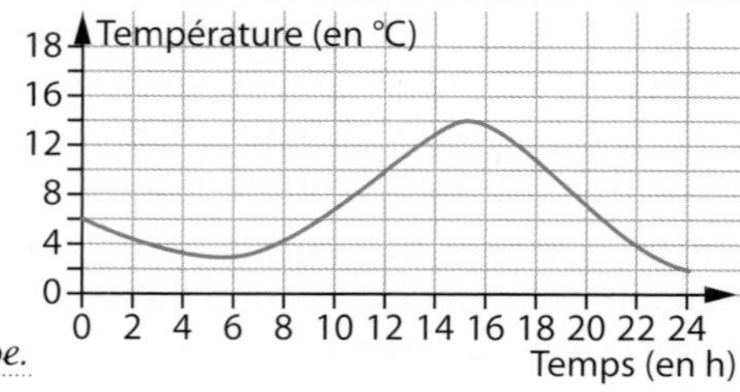

Réponses :

1. *Il a fait 10°C à midi car c'est le point (12 ; 10) qui est sur la courbe.*
2. *Il a fait 14°C à 15 h 50 car le point (15,5 ; 14) est sur la courbe.*

• Analyser les réponses de Bastien et corriger ses erreurs, s'il y en a.

Représentation et traitement de données

Jeux

Que la force soit avec toi !

Sur les épées, les « 6 » représentent la « force » et les « 1 » les « blessures ». Pour vaincre le dragon, il faut choisir une épée avec un nombre de « 6 » supérieur à celui du dragon et dont la proportion de « 1 » est inférieure à 25 % de l'ensemble des chiffres sur l'épée. Laquelle choisir ?

INFOS

L'artiste contemporain Arthur Buxton restitue sous forme de diagrammes circulaires les principaux tons de couleurs des plus grandes œuvres du peintre Vincent Van Gogh (1853-1890).

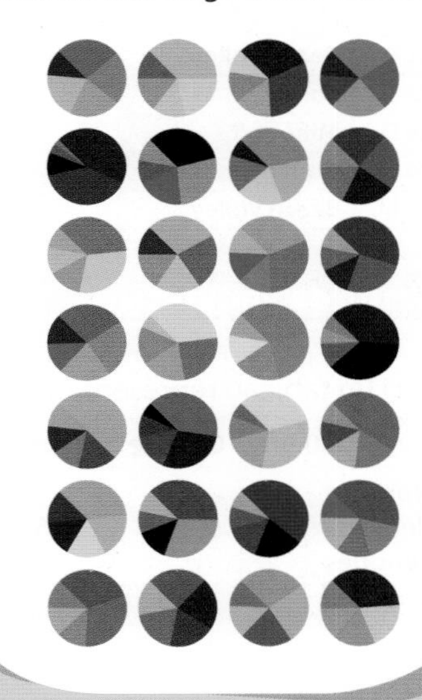

Activités

1. Voici la répartition des élèves d'une classe de 5e :

	Demi-pensionnaires	Externes	**Total**
Garçons	10	5	15
Filles	8	4	12
Total	18	9	27

a. Quel est le nombre d'élèves de cette classe ?
b. Combien de filles de cette classe mangent à la cantine ?
c. Dans cette classe, combien de garçons sont externes ?

2. Voici les résultats d'une élection municipale :

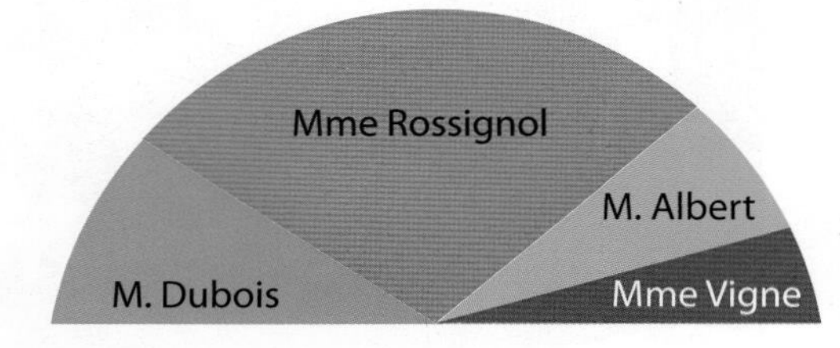

• Qui a été élu ?

Le planning des vacances — Activité 1

01 S	Aquagym
02 D	Surf
03 L	Beach Volley
04 M	Mini-golf
05 M	Ping-pong
06 J	Aquagym
07 V	Randonnée
08 S	Beach Volley
09 D	Mini-golf
10 L	Beach Volley
11 M	Aquagym
12 M	Surf
13 J	Beach Volley
14 V	Mini-golf
15 S	Aquagym
16 D	Ping-pong
17 L	Surf
18 M	Beach Volley
19 M	Aquagym
20 J	Mini-golf
21 V	Beach Volley
22 S	Surf
23 D	Mini-golf
24 L	Aquagym
25 M	Beach Volley

Un club de vacances propose six activités sportives. Il affiche un calendrier indiquant le nom de l'activité proposée chaque jour lors des 25 premiers jours du mois d'aout.

On veut étudier la part consacrée à chaque sport sur ce planning.

1. Recopier le tableau suivant.

Activité	Aquagym	Surf	Ping-pong	Mini-golf	Beach volley	Randonnée
Effectif	…	…	…	…	…	…
Fréquence de l'activité (en fraction puis en %)	…	…	…	…	…	…

2. Compléter la ligne « Effectif » du tableau en relevant, pour chaque activité, le nombre de jours correspondant. À quoi correspond la somme de tous les effectifs ?

3. Compléter la dernière ligne du tableau sachant que, par exemple, l'activité « Aquagym » est proposée lors de 6 journées sur 25.

4. Sans faire aucun calcul, Mattéo affirme que la somme de toutes les fréquences est égale à 1. A-t-il raison ?

Vente de voitures — Activité 2

Voici un tableau représentant les ventes de voitures dans huit départements lors du 1er trimestre 2015.

Département	Corrèze	Creuse	Dordogne	Gironde	Haute-Vienne	Landes	Lot-et-Garonne	Pyrénées-Atlantiques
Nombre de voitures vendues	1 763	555	2 346	9 412	2 355	2 796	2 016	4 949

Source : Comité des constructeurs français d'automobiles.

1. Quel est le nombre total de voitures vendues sur l'ensemble des huit départements ? Pourquoi y a-t-il un tel écart entre les départements ?
2. a. On considère le nombre total de voitures vendues déterminé à la question précédente. Si tous les départements avaient réalisé le même nombre de ventes, quel aurait été ce nombre ?
   b. Le résultat obtenu est la moyenne des ventes de voitures pour ces 8 départements lors du 1er trimestre 2015. Cette moyenne fait-elle partie de la série de données ?
3. Que penser des affirmations suivantes ?
   - Kadija : « Sans calculer la moyenne de cette série de données, je suis sûre que le nombre moyen de ventes pour ces 8 départements est compris entre 555 et 9 412. »
   - Alexandre : « Je peux calculer cette moyenne en additionnant le nombre maximal de ventes et le nombre minimal de ventes, puis en divisant par 2. »
   - Mia : « C'est logique, il y a autant de départements au-dessus de la moyenne qu'en dessous. »

Temps de trajet

Activité 3

Le directeur des ressources humaines d'une entreprise a réalisé auprès des salariés une enquête sur le temps qu'ils mettent pour se rendre à leur travail. Voici, en minutes, les résultats de cette enquête :
5 – 10 – 12 – 7 – 15 – 2 – 5 – 11 – 15 – 3 – 10 – 12 – 12 – 2 – 8 – 7 – 9 – 10 – 4 – 5 – 16 – 10 – 17 – 11 – 12 – 7 – 12
Il se demande comment faire pour rendre ces données plus lisibles.

1. Max propose de réaliser un tableau à deux lignes.
   a. Quelles données peut-on écrire sur chaque ligne ?
   b. Construire ce tableau et le compléter.
2. Flora commence à réaliser un diagramme en bâtons. Reproduire et compléter le diagramme de Flora.
3. Mathys trouve que le diagramme de Flora permet de bien visualiser le résultat de l'enquête mais qu'il est long à réaliser. Il propose donc de regrouper les données par intervalles de 5 minutes (appelés « classes ») et il commence à réaliser un histogramme.
   a. Quelles valeurs Mathys a-t-il regroupées dans la première classe ?
   b. Reproduire et compléter l'histogramme de Mathys.

Diagramme de Flora

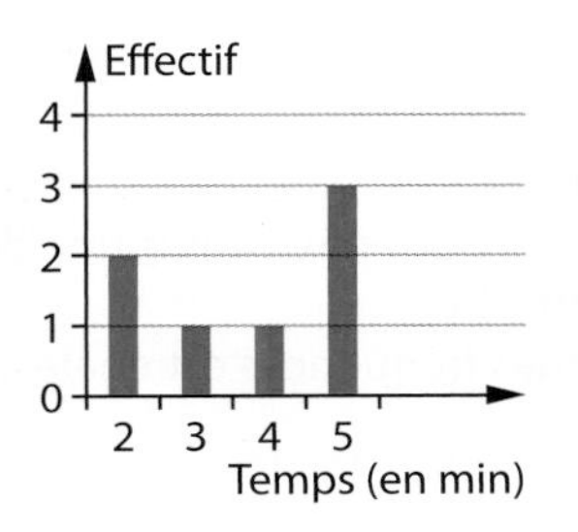

Histogramme de Mathys

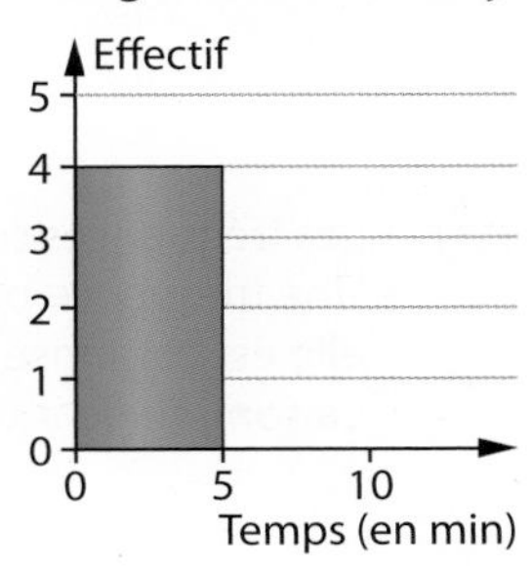

Classes d'un collège

Activité 4

Voici la répartition des élèves selon leur niveau de classe dans un collège :

6e : 120 élèves – 5e : 110 élèves – 4e : 115 élèves – 3e : 155 élèves

1. Parmi les diagrammes circulaires ci-dessous, un seul représente cette répartition. Lequel ? Pourquoi ?
2. a. Compléter la deuxième et la troisième lignes du tableau ci-dessous.

Niveau	6^e	5^e	4^e	3^e	Total
Effectif					
Fréquence (en %)					
Mesure de l'angle (en °)					

Répartition des élèves d'un collège

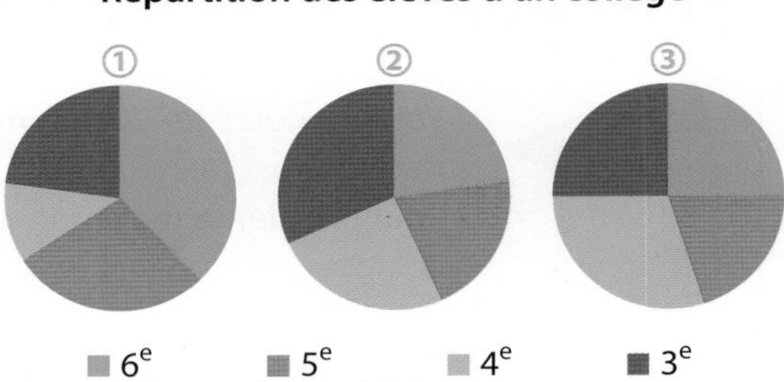

   b. Compléter la dernière ligne du tableau avec deux méthodes de calcul différentes.

Dans un diagramme circulaire, la somme des mesures des angles est égale à 360 degrés.

1 Calculer des effectifs et des fréquences

Définitions

Dans une série de données :
- L'**effectif** d'une donnée est le nombre de fois où cette donnée apparait.
- L'**effectif total** est la somme de tous les effectifs.
- La **fréquence** d'une donnée est le quotient de son effectif par l'effectif total :

$$\text{fréquence d'une donnée} = \frac{\text{effectif de la donnée}}{\text{effectif total}}$$

Voici les réponses d'un groupe d'élèves à la question « Quelle est votre couleur préférée ? » :
bleu – rouge – bleu – vert – violet – bleu – vert – rouge – vert – vert – violet – violet – rose – vert – orange – bleu – rouge – bleu – orange – vert

On peut regrouper cette série de données dans un tableau.

Couleur	bleu	rouge	vert	orange	violet	rose	**Total**
Effectif	5	3	6	2	3	1	20
Fréquence	0,25	0,15	0,3	0,1	0,15	0,05	1

Effectif de la donnée « vert »

Effectif total

Fréquence de la donnée « orange » : $\frac{2}{20} = 0,1$

- Les fréquences sont proportionnelles aux effectifs.
- Une fréquence peut être donnée sous forme de fraction, de nombre décimal ou de pourcentage ; elle est comprise entre 0 et 1.
- La somme de toutes les fréquences est égale à 1.

2 Calculer une moyenne

Définition

La **moyenne** d'une série de données est égale au quotient de la somme de ces données par l'effectif total :

$$\text{moyenne} = \frac{\text{somme des données}}{\text{effectif total}}$$

- La moyenne n'est pas nécessairement égale à l'une des données.
- La moyenne est toujours comprise entre la plus petite et la plus grande valeur de la série.

Voici les notes sur 20 obtenues par Alice en mathématiques au premier trimestre :

11 – 12,5 – 14 – 9,5 – 13

Pour calculer sa moyenne, on calcule la somme de ses notes, que l'on divise par le nombre de notes :

$$\frac{11 + 12,5 + 14 + 9,5 + 13}{5} = \frac{60}{5} = 12$$

La moyenne des notes d'Alice est égale à **12/20**.

Dans cet exemple :

$$9,5 < 12 < 14$$

valeur minimale — **moyenne** — **valeur maximale**

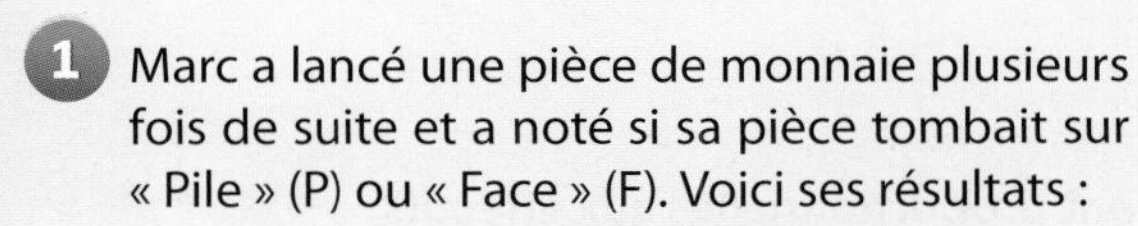

Apprends à l'aide des exercices résolus puis entraine-toi !

1 Calculer des effectifs et des fréquences

1 Marc a lancé une pièce de monnaie plusieurs fois de suite et a noté si sa pièce tombait sur « Pile » (P) ou « Face » (F). Voici ses résultats :

P – F – F – P – F – P – F – F – F – P – F – P – F – F – P

1. Donner l'effectif de la donnée « Pile ».
2. Calculer la fréquence de la donnée « Pile ».

Solution

On résume les données dans un tableau :

	Pile	Face	Total
Effectif	6	9	15

1. On compte dans la série de données le nombre de fois ou « Pile » apparait.
L'effectif de la donnée « Pile » est 6.
2. On calcule d'abord l'effectif total puis on applique la formule du cours.
La fréquence de la donnée « Pile » est $\frac{6}{15}$ ou 0,4 ou 40 %.

2 Une enquête a été menée auprès de collégiens pour connaitre leur style de musique préféré. Voici les résultats :

Rap	R'n'B	Rock	Funk	Classique
78	47	84	21	10

1. Donner l'effectif de la donnée « Funk ».
2. Donner l'effectif total.
3. Donner la fréquence de la donnée « R'n'B ».

Solution

1. On lit dans le tableau que l'effectif de la donnée « Funk » est 21.
2. On fait la somme de tous les effectifs :
$$78 + 47 + 84 + 21 + 10 = 240$$
On trouve que l'effectif total est de 240 élèves.
3. On peut alors utiliser la formule du cours, sachant que l'effectif de la donnée « R'n'B » est 47.
La fréquence de la donnée « R'n'B » est $\frac{47}{240}$ ou environ 0,196 ou 19,6 %.

3 On a relevé les différentes couleurs des voitures garées sur le parking d'une résidence :
blanc – gris – rouge – blanc – noir – gris – gris – bleu – rouge – vert – blanc – gris – noir – blanc

1. Donner l'effectif de la donnée « gris ».
2. Donner la fréquence de la donnée « blanc ».

4 Dans une classe de 30 élèves de 5e, on a demandé à chaque élève le nombre de ses frères et sœurs. Voici leurs réponses :
1 – 0 – 2 – 3 – 1 – 2 – 3 – 0 – 1 – 2 – 1 – 2 – 0 – 1 – 0 – 1 – 2 – 3 – 2 – 1 – 3 – 2 – 3 – 1 – 0 – 3 – 1 – 2 – 0 – 1

1. Donner l'effectif de la donnée « 1 ».
2. Donner la fréquence de la donnée « 0 ».

2 Calculer une moyenne

5 On a relevé à Bordeaux les températures des huit premiers jours du mois de juillet.

Jour	1	2	3	4	5	6	7	8
T (en °C)	24	25	28	26	27	23	23	24

- Calculer la moyenne de ces températures.

Solution

On calcule la somme de ces températures que l'on divise par le nombre de jours :
$$\frac{24 + 25 + 28 + 26 + 27 + 23 + 23 + 24}{8} = 25$$
La température moyenne durant les 8 premiers jours du mois de juillet est de 25 °C.

6 Marie a relevé le temps passé (en minutes) tous les jours de la semaine pour faire ses devoirs :

35 – 40 – 90 – 35 – 45 – 60 – 80

- Calculer la durée moyenne du temps passé par Marie à faire ses devoirs chaque jour de cette semaine.

7 Dans une entreprise qui emploie six personnes, deux salariés gagnent 1 240 €, trois salariés gagnent 1 350 € et le sixième gagne 2 010 €.

- Quel est le salaire moyen des employés de cette entreprise ?

3 Représenter graphiquement des données numériques ▶Vidéo

a. Diagramme en bâtons

Règle

Dans un diagramme en bâtons, **les hauteurs des bâtons sont proportionnelles aux effectifs** de chaque catégorie.

Le professeur de mathématiques a relevé les notes de ses élèves au dernier contrôle :

Note	7	8	9	10	11	12	13	14	15	16
Effectif	2	3	1	4	5	3	3	6	2	1

Chaque note est représentée par un bâton ; la hauteur du bâton correspond à l'effectif de la note.

On lit l'effectif sur l'axe vertical.

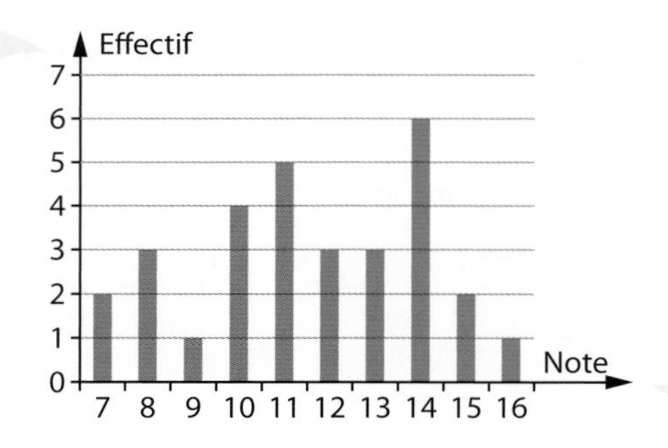

On place la donnée étudiée sur l'axe horizontal.

b. Histogramme et regroupement en classes

Règle

Quand les données sont nombreuses, on peut les regrouper en **classes** et les représenter par un **histogramme**.

Lors d'une visite médicale, on a mesuré la taille en centimètres des élèves d'une classe de 5e.
Comme les données sont nombreuses, elles ont été regroupées en **classes d'amplitude 5 cm.**

Taille (en cm) comprise entre	130 et 135 (135 exclu)	135 et 140 (140 exclu)	140 et 145 (145 exclu)	145 et 150 (150 exclu)	150 et 155 (155 exclu)	155 et 160 (160 exclu)
Effectif	2	10	6	4	2	6

On lit l'effectif sur l'axe vertical.

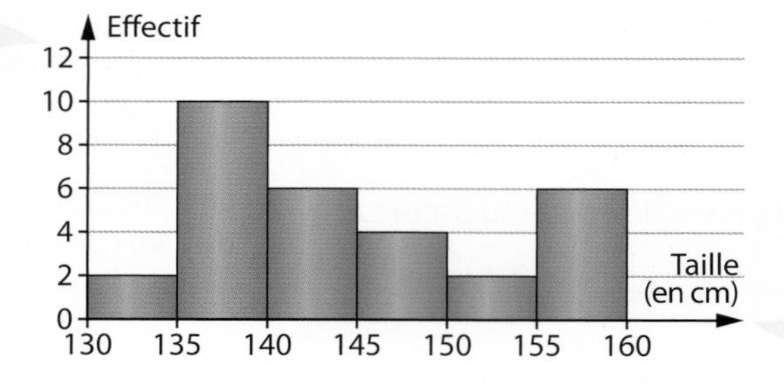

On reporte la classe étudiée sur l'axe horizontal.

Propriété

Quand les classes ont la même amplitude, **la hauteur** d'un rectangle **est proportionnelle à l'effectif** de la classe représentée.

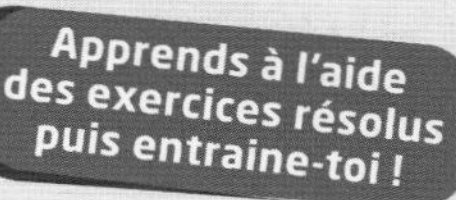

3 Représenter graphiquement des données numériques

8 Une enquête a été réalisée auprès des élèves d'une classe de 5e pour connaitre le nombre d'animaux familiers que chacun possédait. Les résultats de l'enquête sont présentés dans le tableau ci-contre.

Nombre d'animaux	0	1	2	3
Nombre d'élèves	10	8	6	2

- Construire un diagramme en bâtons représentant les résultats de cette enquête.

Solution

- Le nombre d'animaux familiers est la donnée que l'on étudie ; on le place sur l'axe horizontal.
- Le nombre d'élèves est l'effectif mesuré ; on le lit sur l'axe vertical.
- On choisit des graduations régulières sur chaque axe de façon à ce que toutes les données puissent apparaitre et on pense à écrire une légende pour chaque axe.

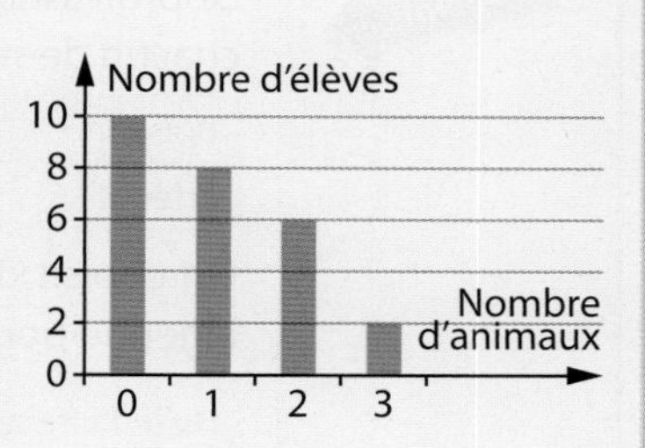

9 On donne, ci-contre, les âges des membres d'un club de judo.

- Construire un diagramme en bâtons représentant cette répartition.

Âge (en année)	6	7	8	9	10	11
Effectif	5	9	7	4	8	5

10 Un bus gratuit a été mis en place au mois de juillet dans une station balnéaire pour emmener les vacanciers à la plage. Le chauffeur de bus a noté tous les jours le nombre de passagers.

Nombre de passagers	entre 0 et 10 (10 exclu)	entre 10 et 20 (20 exclu)	entre 20 et 30 (30 exclu)	entre 30 et 40 (40 exclu)	entre 40 et 50 (50 exclu)
Nombre de jours	2	8	10	6	5

- Construire un histogramme représentant cette répartition.

Solution

- L'amplitude de chaque classe est 10.
- On place les classes sur l'axe horizontal et les effectifs sur l'axe vertical.

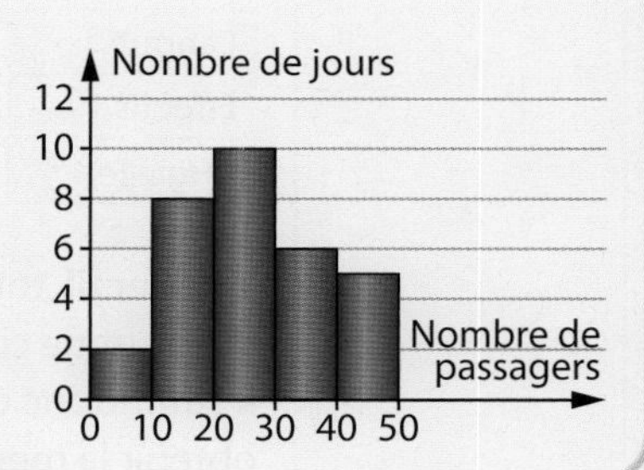

11 Les concurrents d'un cross courent tous pendant 35 minutes. Les distances parcourues en kilomètres sont données dans le tableau ci-dessous.

8,43	4,5	5,18	4,65	7,12	8,75	8,46	7,3	4,89	5
6,24	8,75	8,56	6,53	7,68	8,23	7,61	6,55	5,05	5,12

- Réaliser un histogramme représentant ces distances ; on choisira des classes d'amplitude 1.

4 Représenter graphiquement des données non numériques

a. Diagramme en barres

Règle

Dans un diagramme en barres, **les hauteurs des barres sont proportionnelles aux effectifs** de chaque catégorie.

Le professeur de SVT de la classe d'Antoine a recensé la boisson consommée par chacun de ses élèves au petit déjeuner.

Boisson	chocolat	lait	thé	jus de fruits	**Total**
Effectif	8	4	3	7	22

On choisit des graduations régulières sur chaque axe et on pense à écrire une légende pour chaque axe.

On lit l'effectif sur l'axe vertical.

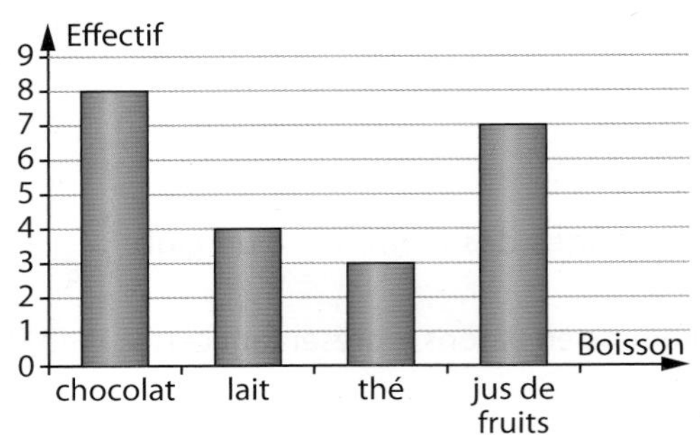

On place la donnée étudiée sur l'axe horizontal.

b. Diagramme circulaire

Règle

Dans un diagramme circulaire, **les mesures des angles sont proportionnelles aux effectifs** de chaque catégorie.

Voici la répartition des 100 élèves de 5e d'un collège selon leur seconde langue vivante :

Langue	allemand	espagnol	italien	anglais	**Total**
Effectif	15	50	10	25	100
Angle (en °)	54	180	36	90	360

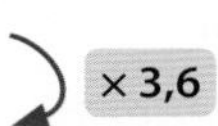

- L'effectif total est 100 ; il correspond à 360° sur le diagramme circulaire.
Il suffit donc de multiplier chaque effectif par 3,6 pour obtenir la mesure de l'angle correspondant.
- On reporte les résultats obtenus dans le tableau, puis on construit le diagramme.

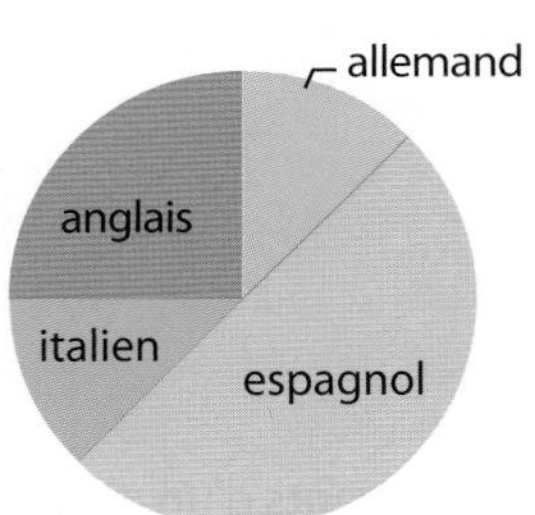

- On peut également construire un diagramme semi-circulaire. La somme des mesures des angles est alors égale à 180°.
- On peut aussi utiliser un diagramme circulaire pour représenter des données numériques.

Savoir-faire

4 Représenter graphiquement des données non numériques

12 On donne les résultats de l'orientation des élèves d'un collège à l'issue de la classe de 3e : 80 % ont obtenu un passsage en 2de générale ou technologique, 15 % en 2de professionnelle, 3 % en apprentissage et les autres redoublent.

- Construire un diagramme en barres représentant ces taux d'orientation.

Solution

On place sur l'axe horizontal chaque catégorie étudiée. On place sur l'axe vertical la valeur du pourcentage correspondant.

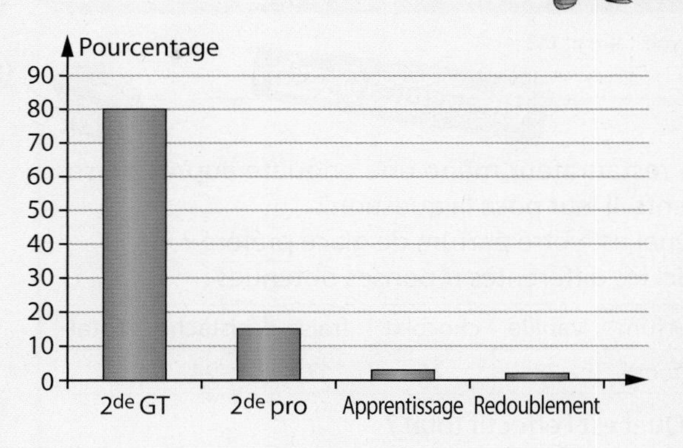

13 Une enquête a été réalisée auprès d'une classe de CP pour connaitre le dessert préféré des élèves. Voici leurs réponses, en pourcentage :

gâteau : 20 % – fruit : 5 % – yaourt : 15 % – glace et sorbet : 60 %

- Représenter les résultats de cette enquête par un diagramme en barres.

14 On a réalisé un sondage auprès d'un groupe d'adultes pour savoir combien de fois ils allaient au cinéma chaque mois. Voici leurs réponses, en pourcentage :

jamais : 50 % – une fois : 15 % – deux fois : 20 % – trois fois : 10 % – plus de trois fois : 5 %

- Construire un diagramme circulaire représentant les résultats de ce sondage.

Solution

Dans un premier temps, on regroupe les données de l'exercice dans un tableau.
On calcule ensuite la mesure de l'angle correspondant à chaque pourcentage sachant que ces deux grandeurs sont proportionnelles et que l'angle qui correspond à 100 % mesure 360°.

Nombre de fois	0	1	2	3	plus de 3	**Total**
Pourcentage	50	15	20	10	5	100
Angle (en °)	180	54	72	36	18	360

× 3,6

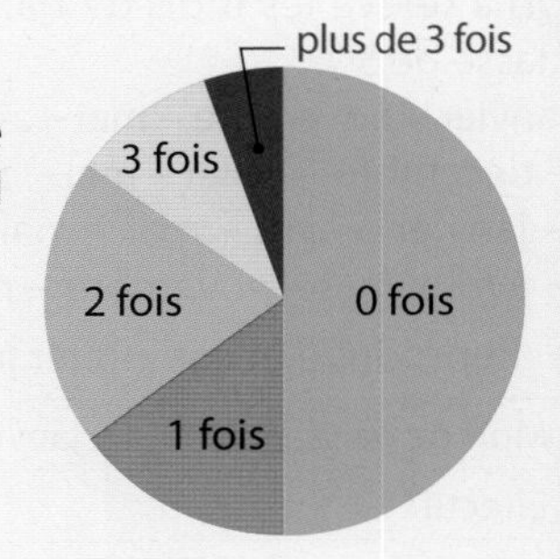

15 Construire un diagramme circulaire des moyens de transport utilisés par les employés d'une entreprise pour se rendre au travail.

Transport	(bus)	(marche)	(moto)	(voiture)	(vélo)
Fréquence (en %)	30	5	5	45	15

Exercices

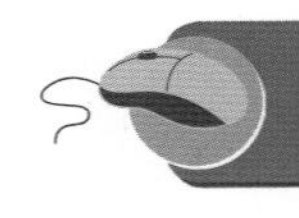

2 pages d'exercices supplémentaires dans le manuel numérique

Calculer des effectifs et des fréquences

Savoir-faire p. 153

Questions flash

diapo

16 Un restaurateur mène une enquête auprès de ses clients. Il leur pose la question :
« Quel est votre parfum de glace préféré ? »
Voici les différentes réponses obtenues :

Parfum	vanille	chocolat	fraise	pistache	Total
Effectif	33	26	17	24	

1. Quel est l'effectif total ?
2. Quelle est la fréquence du parfum « fraise » ?

17 Voici la répartition des différentes essences d'arbres dans une forêt.

SVT

Arbre	châtaignier	chêne	charme	autres
Fréquence	0,45	0,35	...	0,08

1. Quelle expression permet de calculer la fréquence des « charmes » ?
   a. (0,45 + 0,35 + 0,08) ÷ 3
   b. 1 – 0,45 + 0,35 + 0,08
   c. 1 – (0,45 + 0,35 + 0,08)
2. Quelle est la fréquence des « charmes » ?

18 On a relevé les mois de naissance des élèves d'une classe de 5e :
janvier – novembre – mai – avril – novembre – octobre – décembre – juillet – mai – octobre – décembre – mai – janvier – avril – mai – mai – aout – juillet – février – avril – mai – novembre – novembre – juin – mai

- Reproduire et compléter le tableau suivant.

Mois de naissance	janvier	février	mars	...
Effectif				
Fréquence en fraction				
Fréquence décimale				

19 Voici les médailles remportées par le Canada aux Jeux olympiques de 2010 :

EPS

Médaille	or	argent	bronze	Total
Effectif	14	7		26

1. Combien de médailles de bronze le Canada a-t-il remportées ?
2. Quelle est la fréquence des médailles d'or en pourcentage arrondi au dixième ?

20 Calculer la fréquence, arrondie au centième, de chaque catégorie de vertébrés par rapport à l'ensemble des espèces protégées.

SVT

Vertébrés	Nombre d'espèces protégées
mammifères	68
oiseaux	364
reptiles	39
amphibiens	33
poissons	17

Source : www.statistiques.developpement-durable.gouv.fr.

21 Calculer la fréquence d'apparition de chacune des lettres écrites dans la célèbre phrase du tableau de Magritte ci-dessous.

PEAC

Calculer une moyenne

Savoir-faire p. 153

Questions flash

diapo

22 Calculer la moyenne de chaque série de données.
a. 10–12–14 b. 8–12–10–11–14 c. 7–13–16–4

23 **Vrai ou faux ?**
Dans une maternité, on a relevé que la taille moyenne des nouveau-nés est de 49,5 cm.
Répondre par vrai ou par faux aux affirmations suivantes.
1. On peut affirmer qu'il y a autant de nouveau-nés mesurant plus de 49,5 cm que de nouveau-nés mesurant moins de 49,5 cm.
2. On peut affirmer que la majorité des nouveau-nés mesurent 49,5 cm.

24 La moyenne d'une série de 70 valeurs est 30.
- Quelle est la somme de ces 70 valeurs ?

Voici les notes obtenues au premier trimestre par Matthieu et Pierre en SVT :

- Matthieu : 11 – 8 – 11,5 – 9,5
- Pierre : 12,5 – 11,5 – 8 – 8,5 – 9,5

1. Lequel des deux a la meilleure moyenne ?
2. Comment expliquer qu'ils n'ont pas le même nombre de notes ?

On donne les tailles des basketteurs de l'équipe de France de basket 2015 : 

2,14 m – 2,03 m – 1,95 m – 2,03 m – 1,90 m – 1,99 m – 2,17 m – 2 m – 1,99 m – 2,11 m – 1,85 m – 2,01 m

- Calculer la taille moyenne d'un basketteur de l'équipe de France.

Représenter graphiquement des données numériques

Savoir-faire p. 155

Questions flash

diapo

Vrai ou faux ?

On donne les tailles d'élèves d'une classe de 5e dans le tableau ci-dessous. Dire si les affirmations suivantes sont vraies ou fausses.

Taille (en cm)	de 140 à 150 (150 exclu)	de 150 à 160 (160 exclu)	de 160 à 170 (170 exclu)
Effectif	10	14	3

1. 17 élèves mesurent au moins 150 cm.
2. 10 élèves mesurent moins de 150 cm.
3. 3 élèves mesurent 165 cm.

Jules et Aymeric lancent un dé à tour de rôle et notent les faces qui apparaissent dans un tableau.

Chiffre	1	2	3	4	5	6
Nombre d'apparitions	卌	|||	卌||	||||	卌|		

- Construire un diagramme en bâtons représentant le nombre d'apparitions de chaque chiffre lors de ces lancers de dé.

On donne la répartition des cas de grippe A/H1N1 en Europe selon l'âge.

Classe d'âges (en années)	0-9	10-19	20-29	30-39	40-49	50-59	60-69
Fréquence (en %)	22	34	22	9	7	4	2

Source : chiffres de l'ECDC en 2009.

1. Représenter ces données à l'aide d'un histogramme. Choisir comme unité 1 cm pour 5 ans sur l'axe horizontal et 1 mm pour 1 % sur l'axe vertical.
2. Interpréter cet histogramme.

Représenter graphiquement des données non numériques

Savoir-faire p. 157

Questions flash

30 Relier chaque angle du diagramme au pourcentage correspondant.

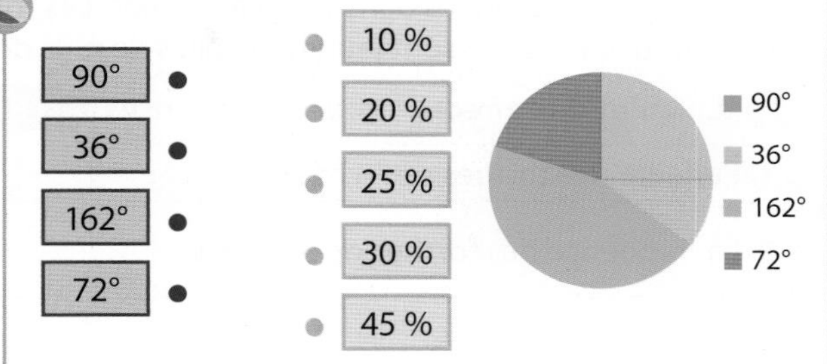

31 On construit un diagramme en barres avec une échelle de 2 cm pour 5 %. À quelle hauteur de barre correspondent les pourcentages suivants ?

a. 10 % b. 20 % c. 40 % d. 60 %

32 Reproduire et compléter le diagramme en barres correspondant aux ingrédients de ce crumble.

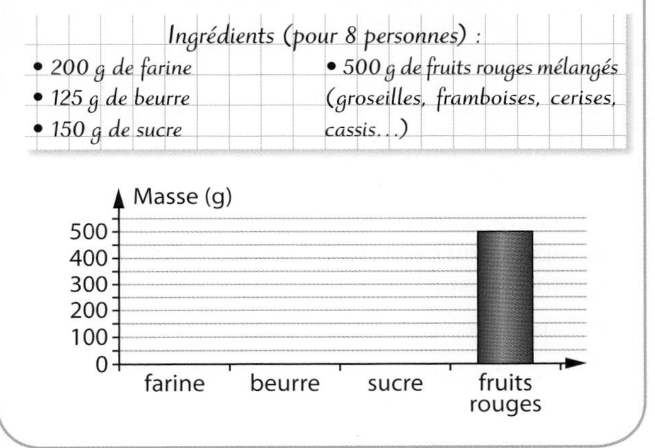

Ingrédients (pour 8 personnes) :
• 200 g de farine
• 125 g de beurre
• 150 g de sucre
• 500 g de fruits rouges mélangés (groseilles, framboises, cerises, cassis...)
Masse (g)
500
400
300
200
100
0
farine
beurre
sucre
fruits rouges

33 Un sondage a été réalisé en 2007 sur un site internet auprès de 1 000 jeunes âgés de 12 à 25 ans. Voici les réponses de ce sondage :

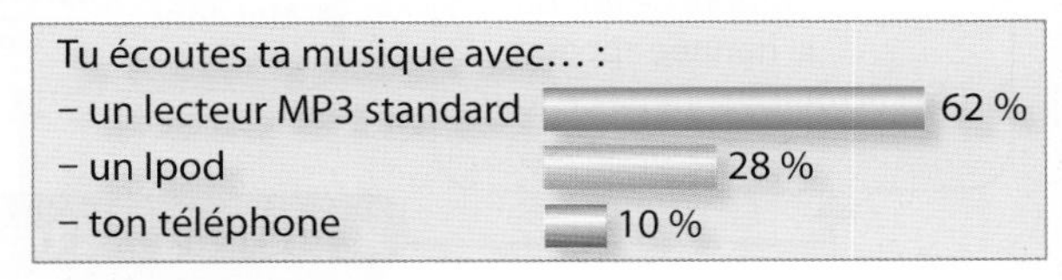

Tu écoutes ta musique avec... :
– un lecteur MP3 standard 62 %
– un Ipod 28 %
– ton téléphone 10 %

1. Reproduire et compléter le tableau suivant.

	Lecteur MP3 standard	Ipod	Téléphone	**Total**
Pourcentage				
Angle (en °)				

2. Construire un diagramme circulaire représentant cette enquête.

Faire le point

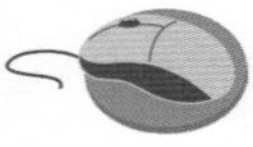

Donner la seule réponse correcte parmi les trois proposées.

On mesure la taille (en cm) de différentes tortues, on trouve : 3 – 10 – 4 – 3 – 4 – 4 – 10 – 16 – 3 – 3.
Ces tortues sont rangées dans trois catégories. Les tortues de moins de 6 cm sont des bébés, celles entre 6 et 12 cm sont jeunes et celles de plus de 12 cm sont des adultes.

1 Calculer des effectifs et des fréquences	Réponse A	Réponse B	Réponse C
1. L'effectif des tortues de 4 cm est :	4	3	16
2. La fréquence des tortues de 3 cm est :	1,4	$\frac{40}{10}$	0,4
2 Calculer une moyenne			
1. La taille moyenne des tortues est :	8,25	6	5
2. L'expression qui permet de calculer la taille moyenne des bébés tortues est :	$\frac{3+4}{2}$	$(3+3+3+3+4+4+4) \div 7$	$\frac{3+4}{7}$

3 Représenter graphiquement des données numériques

L'histogramme qui représente la répartition de ces différentes tortues est :

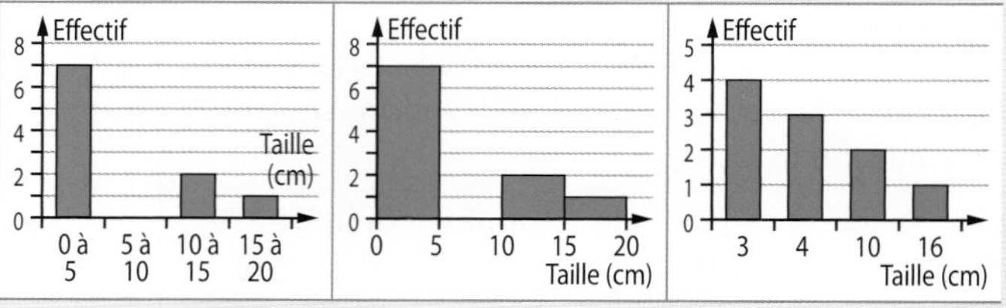

4 Représenter graphiquement des données non numériques

Le diagramme circulaire qui représente la répartition des tortues selon leur catégorie est :

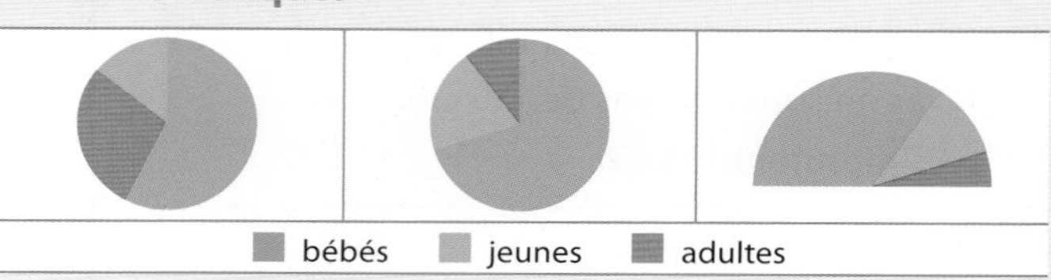

bébés · jeunes · adultes

Carte mentale

Représenter et traiter des données

- **Effectif** = nombre de fois où la donnée apparait
- **Effectif total** = somme de tous les effectifs

Moyenne = $\frac{\text{somme des données}}{\text{effectif total}}$

- **Fréquence** = $\frac{\text{effectif d'une donnée}}{\text{effectif total}}$
- *Ex.* $\frac{3}{5}$ ou 0,6 ou 60 %

Données numériques

Diagramme en bâtons — *Histogramme*

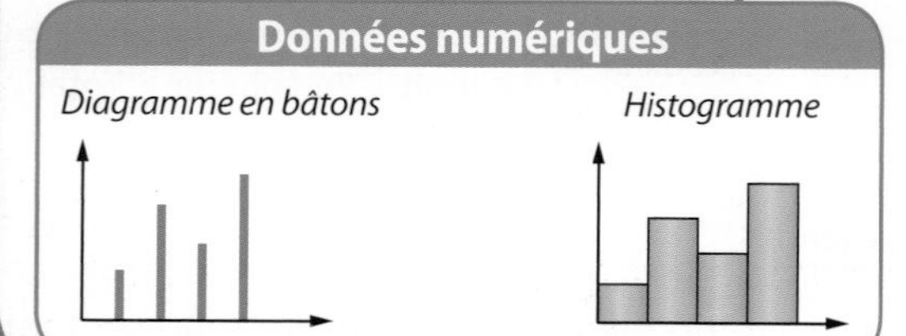

Données non numériques

Diagramme en barres — *Diagramme circulaire* — *Diagramme semi-circulaire*

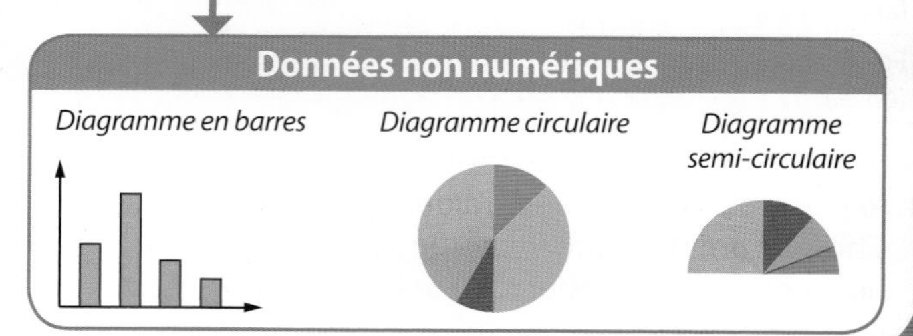

*Tu peux aussi construire ta propre carte mentale.

Algorithmique et outils numériques

34 Méli-mélo

Lola a réalisé un script pour calculer la moyenne de trois nombres mais elle a mélangé les instructions.

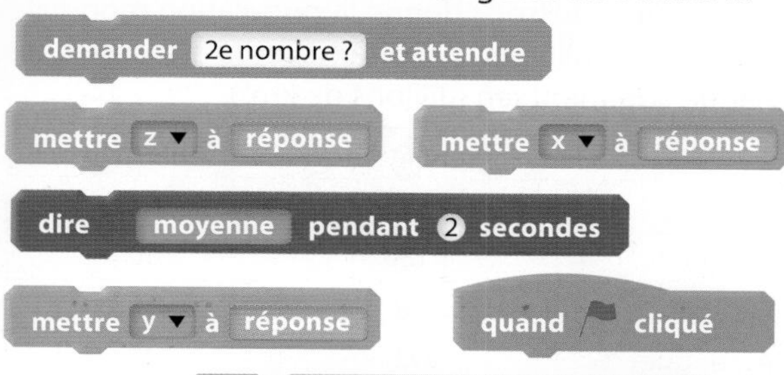

1. Quelles sont les variables utilisées dans ce script ?
2. Aider Lola à refaire son script puis tester son bon fonctionnement avec quelques valeurs.

35 Évolution du prix moyen

Le tableau ci-dessous, extrait d'un tableur, représente les prix de dix livres et DVD commandés auprès d'un centre d'achats par correspondance.

	A	B	C
1	Références	Prix	Prix + 1 €
2	DVD R1	12,5	
3	Livre R1	10	
4	DVD R2	14	
5	DVD R3	11	
6	Livre R2	5,5	
7	Livre R3	15,5	
8	DVD R4	13	
9	Livre R5	21,5	
10	DVD R5	16	
11	DVD R6	13,5	
12			
13	Moyenne		

1. Reproduire cette feuille de calcul puis entrer dans la cellule B13 la formule permettant de calculer le prix moyen de ces dix articles.
2. Quelle formule faut-il entrer dans la cellule C2 et recopier vers le bas pour augmenter chaque prix de 1 € ?
3. Recopier la formule entrée en B13 pour calculer le nouveau prix moyen. Que devient ce nouveau prix moyen ?
4. Quelle modification faut-il faire sur la série de prix affichée dans la colonne B pour que le prix moyen soit de 13 € ?

36 Objectif atteint ?

EPS

Leïla est partie faire un trek dans les Pyrénées. Son objectif consiste à marcher en moyenne 17,5 km par jour. Elle a déjà parcouru 6 étapes dont les distances sont répertoriées dans la feuille de calcul ci-dessous.

	A	B
1	Etapes	Distance en km
2	Jour 1	20,5
3	Jour 2	11
4	Jour 3	15
5	Jour 4	22
6	Jour 5	18
7	Jour 6	12,5
8	Jour 7	
9		
10	Moyenne des six premières étapes	
11	Moyenne sur la semaine	

1. Recopier cette feuille de calcul puis insérer dans la cellule B10 une formule permettant de calculer la distance moyenne parcourue par jour en 6 jours.
2. Compléter la cellule B11, puis à l'aide d'essais successifs, déterminer la distance qu'elle doit parcourir le dernier jour pour atteindre son objectif.
3. À l'aide de l'assistant graphique du tableur, représenter les distances parcourues par Leïla chaque jour de la semaine.

37 Groupes sanguins

SVT

Voici la répartition des groupes sanguins en France :

Rhésus	Groupe sanguin				Total
	O	A	B	AB	
Rh+	37 %	39 %	7 %	2 %	85 %
Rh−	6 %	6 %	2 %	1 %	15 %
Total	43 %	45 %	9 %	3 %	100 %

1. Recopier ces résultats dans un tableur.
2. À l'aide de l'assistant graphique du tableur, construire un graphique représentant :
   a. la répartition des groupes sanguins parmi les individus de rhésus positif (Rh+) ;
   b. la répartition des groupes sanguins parmi les individus de rhésus négatif (Rh-) ;
   c. la répartition des groupes sanguins dans la population totale.
3. La répartition des groupes sanguins est-elle différente selon le rhésus ?

Pour mieux cibler les compétences

Chercher	56 58	Raisonner	42 55
Modéliser	38 50	Calculer	46 48
Représenter	40 44	Communiquer	46 52

38 Orchestre

PEAC

Les musiciens de l'orchestre de Paris sont répartis en quatre catégories :

– les cordes (74)
– les bois (20)
– les cuivres (18)
– les percussions (5)

- Représenter cette répartition par un diagramme circulaire.

39 Jeux vidéo

Il existe beaucoup de sites qui notent les jeux vidéo en fonction de plusieurs critères. Sur un site, voici les jeux testés (chaque critère est sur 5 points) :

Critères \ Jeux	Zenia	Golf	Empire	War
Scénario	5	2	5	3
Graphisme	5	3	4	3
Technique	2	5	4	4
Prise en main	2	5	2	2
Temps de jeu	2	3	3	3
Son	3	2	2	3

1. Calculer la note moyenne de chaque jeu.
2. Classer ces jeux du moins bien noté au mieux noté.
3. Est-ce que la note moyenne est un bon critère de classement ?

40 Baromètre

M. Météo a relevé les informations données par son baromètre au mois de septembre.

- Construire un diagramme circulaire correspondant à ce relevé.

41 Densité de population

HG

Le tableau ci-dessous donne la population mondiale en 2015 (en millions d'habitants) et la superficie de chaque continent (en millions de km^2).

	Population	Superficie
Asie	4 393	44
Afrique	1 186	30
Europe	738	10
Amérique	992	42
Océanie	39	9
Antarctique	1,5	14

- Représenter ces données par deux diagrammes circulaires, puis interpréter ces diagrammes.

42 Salaire moyen

Pour chaque entreprise, voici les salaires des six personnes qui les composent :

Entreprise A : 4 ouvriers, 1 secrétaire et 1 cadre dirigeant.
Salaires annuels : 13 970 € – 13 970 € – 13 970 € – 13 970 € – 14 200 € – 41 280 €

Entreprise B : 3 ouvriers, 2 employés et 1 cadre.
Salaires annuels : 14 300 € – 14 300 € – 14 300 € – 18 600 € – 18 600 € – 31 260 €

1. Quel est le salaire moyen annuel dans chaque entreprise ?
2. Pour chaque entreprise, combien y a-t-il de personnes ayant un salaire supérieur au salaire moyen ?
3. Que peut-on conclure concernant le calcul de la moyenne ?

43 Consommation d'eau

Répartition de la consommation d'eau par usage en France

boisson	cuisine	voiture jardin	vaisselle	linge	sanitaires	bains douches	divers
1 %	6 %	6 %	10 %	12 %	20 %	39 %	6 %

- Représenter par un diagramme circulaire la répartition de la consommation d'eau pour un usage domestique en France.

Habitation

Voici un tableau, fourni par l'Insee, indiquant le nombre de résidences principales selon le type de logement en Gironde en 2012 :

Nombre de pièces	1	2	3	4	5	6
Effectif (en milliers)	40	80	130	180	130	100

1. Construire un diagramme en bâtons qui représente cette situation.
2. Les logements de 4 pièces représentent-ils plus du quart de l'effectif total ?

Rugby

The chart below gives the teams that won the six nations tournament and those which were second.

	First	Second
2000	England	France
2001	England	Ireland
2002	France	England
2003	England	Ireland
2004	France	Ireland
2005	Wales	France
2006	France	Ireland
2007	France	Ireland
2008	Wales	England
2009	Ireland	England
2010	France	Ireland
2011	England	France
2012	Wales	England
2013	Wales	England
2014	Ireland	England
2015	Ireland	England

1. Draw a bar chart* showing the teams that won the tournament. Which one was the most victorious team?
2. Mike, who supports the English team, says that England most often finished first or second. Is he right?
3. What countries among** the six nations were never first or second?

**a bar chart = diagramme en barres/bâtons*

***among = parmi*

Pollution

Voici les taux de pollution en particules de l'air relevés sur le périphérique parisien lors d'une journée en 2010 :

Heure de la journée	Taux de pollution (en µg/m^3)	Heure de la journée (suite)	Taux de pollution (en µg/m^3)
à 1 h	48	à 13 h	62
à 3 h	38	à 15 h	59
à 5 h	35	à 17 h	56
à 7 h	54	à 19 h	50
à 9 h	61	à 21 h	53
à 11 h	62	à 23 h	53

Source : association Airparif.

1. Quel est le taux moyen de pollution (arrondi au centième) pour cette journée sur le périphérique parisien ? Ce taux moyen de pollution en particules est-il une valeur de la série de données ?
2. Comment peut-on expliquer les variations du taux de pollution en fonction de l'heure ?

47 Badminton

EPS

Le diagramme en bâtons ci-dessous illustre une enquête faite sur l'âge des 30 adhérents d'un club de badminton, mais le rectangle correspondant aux adhérents de 16 ans a été effacé.

1. Calculer le nombre d'adhérents ayant 16 ans.

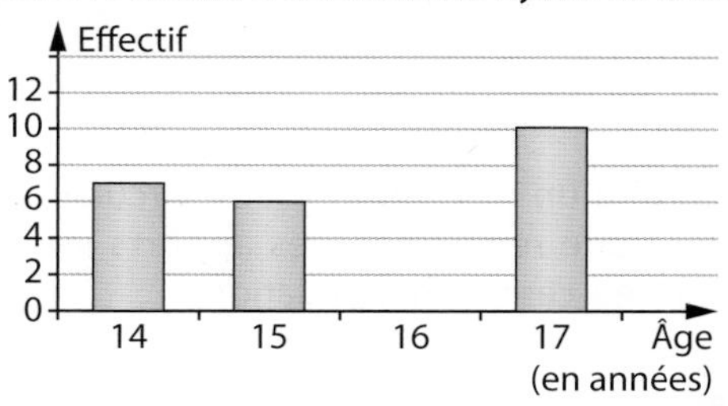

2. Quel est le pourcentage du nombre d'adhérents ayant 15 ans ?
3. Reproduire et compléter le tableau ci-dessous, puis réaliser un diagramme semi-circulaire représentant la répartition des adhérents selon leur âge. On prendra un rayon de 4 cm.

Âge	14 ans	15 ans	16 ans	17 ans	**Total**
Nombre d'adhérents	7	6		10	30
Mesure de l'angle (en °)					180

Source : DNB Asie Madagascar, juillet 2006.

48 La course des vendanges

Voici, en minutes et secondes, les temps réalisés par les neuf meilleurs coureurs lors des 10 km de la course des vendanges :

1. 33:00 **4.** 33:43 **7.** 35:32
2. 33:32 **5.** 34:02 **8.** 35:37
3. 33:36 **6.** 35:27 **9.** 35:52

- Calculer le temps moyen, en minutes et secondes, de ces participants.

49 Moyennes

Voici les notes sur 20 obtenues par Victor en SVT, durant son année de 5e :

1er trimestre : 7 – 15 – 7 – 11
2e trimestre : 10 – 16 – 13 – 11
3e trimestre : 19 – 11

1. Calculer la moyenne de Victor à chaque trimestre.
2. Calculer la moyenne des moyennes des trois trimestres.
3. Le professeur de SVT annonce à Victor que sa moyenne annuelle est exactement de 12/20. Comment a-t-il calculé la moyenne annuelle ?

50 Apports journaliers recommandés

SVT

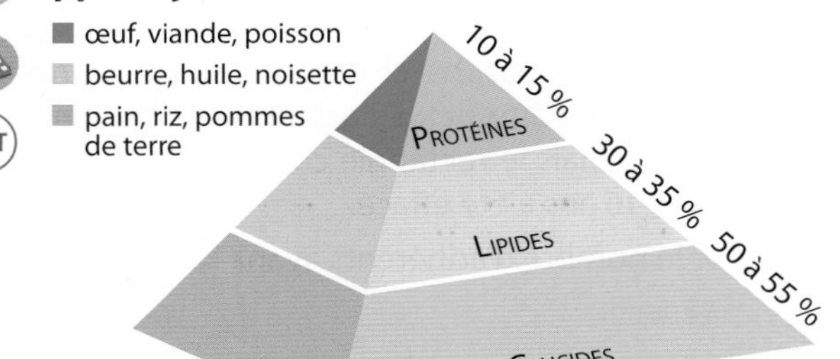

- Construire un diagramme semi-circulaire représentant une répartition des apports journaliers conforme à ces recommandations.

51 Solides

Voici un échantillon de solides :

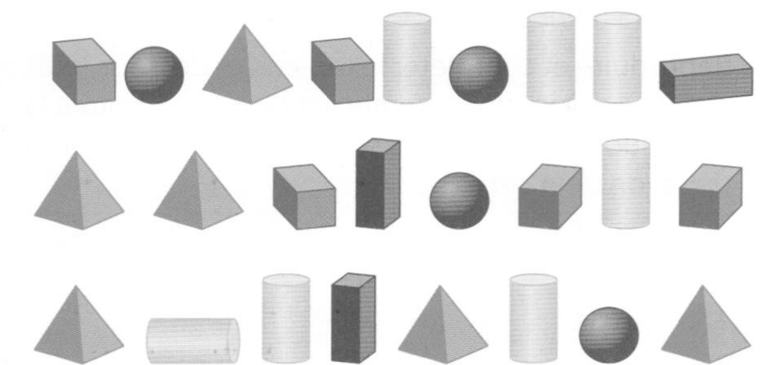

- Compléter le tableau suivant.

Solide	pavé droit	cylindre	pyramide	sphère	**Total**
Effectif	...	...	...	...	...
Fréquence (en %)	...	...	...	...	...

52 Truffe

Cours de la truffe à Carpentras, saison 2013-2014

13 décembre 2013 Quantité : 370 kg Cours moyen : 400 € le kg Marché actif Offre en augmentation Qualité hétérogène	**10 janvier 2014** Quantité : 300 kg Cours moyen : 300 € le kg Offre en légère augmentation Nette amélioration de la qualité
20 décembre 2013 Quantité : 350 kg Cours moyen : 460 € le kg Qualité en légère amélioration	**17 janvier 2014** Quantité : 320 kg Cours moyen : 400 € le kg Marché et qualité corrects
3 janvier 2014 Quantité : 200 kg Cours moyen : 240 € le kg Marché très lent Quelques invendus	

1. Construire un diagramme en barres illustrant le cours moyen de la truffe suivant la date.
2. Comment peut-on expliquer les variations de prix ? Écrire un court paragraphe présentant les arguments.

53 Athlétisme

EPS

Le tableau ci-dessous donne les meilleurs temps des séries du 100 m lors des championnats du monde d'athlétisme de Pékin en 2015.

Rang	Athlète	Pays	Temps
1	**Justin Gatlin**	États-Unis	9″83
2	**Trayvon Bromell**	États-Unis	9″91
3	**Jimmy Vicaut**	France	9″92
4	**Asafa Powell**	Jamaïque	9″95
5	**Usain Bolt**	Jamaïque	9″96
6	**Mike Rodgers**	États-Unis	9″97
7	**Andre De Grasse**	Canada	9″99
8	**Femi Ogunode**	Qatar	9″99
9	**Ramon Gittens**	Barbade	10″02
10	**Bingtian Su**	Chine	10″03

- Le temps d'Usain Bolt est-il meilleur que le temps moyen de ces dix coureurs ?

54 Production d'huile d'olive

HG

Le tableau ci-dessous donne la production d'huile d'olive, en tonnes, en 2012 en Europe.

	Effectif	Fréquence (en %)
Espagne	1 347 400	
France	5 200	
Grèce	310 000	
Italie	440 000	
Autres pays européens	102 400	

Source : Food and Agriculture Organization.

- Compléter le tableau ci-dessus. Comment interpréter ces résultats ?

55 Top secret

On a codé une citation de Georg Cantor, mathématicien allemand (1845-1918). Chaque lettre de l'alphabet est remplacée par un signe.

- Décoder cette phrase à l'aide du diagramme en barres qui donne le nombre d'apparitions de chaque lettre.

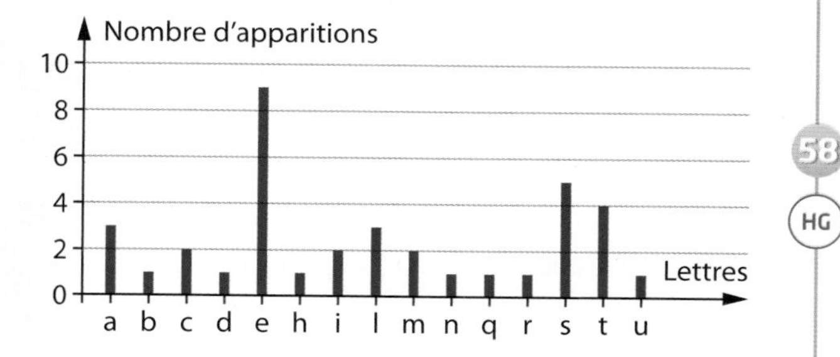

56 Sécurité routière

L'organisme national de sécurité routière a recherché qui étaient les victimes de tous les accidents mortels en France en 2011 et 2012. Pour cela, il les a classées selon leur tranche d'âge.

- Comparer la part de chaque tranche d'âge parmi les décès sur la route et dans la population. Que peut-on en conclure ?

Doc. 1 Répartition des décès selon la tranche d'âge

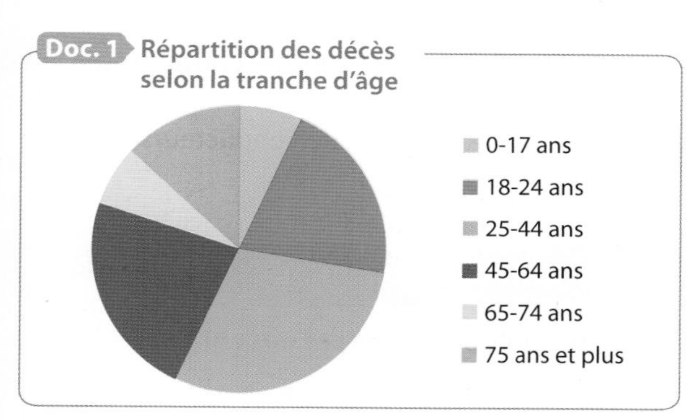

Doc. 2 Répartition de la population française selon la tranche d'âge

Tranche d'âge	Effectif
0-17 ans	14 449 600
18-24 ans	5 911 200
25-44 ans	17 076 800
45-64 ans	17 076 800
65-74 ans	5 254 400
75 ans et +	5 911 200

Source : ONISR, janvier 2013.

57 Médecins généralistes

D'après le document suivant, que peut-on conclure concernant la densité des médecins généralistes selon le département ? Construire une représentation graphique pour illustrer la réponse.

Départements	Guyane	Mayenne	Alpes-Maritimes	Hautes-Alpes
Nombre d'habitants	239 450	311 367	1 084 296	137 678
Nombre de médecins généralistes	113	236	1 538	192

Source : ministère des Affaires sociales et de la Santé, janvier 2013.

58 Les terres d'une seigneurie

À partir des documents suivants, réaliser une représentation graphique adaptée permettant de visualiser la répartition des terres d'une seigneurie.

Doc. 1 La seigneurie au Moyen Âge

Au Moyen Âge, le seigneur dirige un vaste domaine : la seigneurie. Elle est constituée de terres cultivables et de forêts. Dans chaque seigneurie, les terres cultivables sont divisées en deux parties :

- la réserve, qui correspond aux terres dont le seigneur se réserve la totalité de la production ; les paysans y font des corvées.
- les tenures, qui sont des terres louées par le seigneur aux paysans en échange de redevances.

Doc. 2 Répartition des terres d'une seigneurie

Le dessin n'est pas réalisé à l'échelle.

- **Forêt** : 0,3 km^2
- **Tenures** : 50 parcelles ayant une surface moyenne de 1 arpent chacune.
- **Réserve** : surface de 10 arpents

Doc. 3

La superficie des terres cultivables est mesurée en arpents.
1 arpent = 0,5 ha

Utilisable en AP

À chacun sa méthode !

Deux énoncés pour un exercice

Exercice 1

Lors d'une étude du trafic autoroutier, 54 poids lourds et 306 voitures ont été comptabilisés à un péage.

- Représenter cette répartition à l'aide d'un diagramme circulaire.

Exercice 2

Le tableau ci-dessous représente les émissions de dioxyde de carbone (CO_2) en millions de tonnes, par pays, pour les plus grands émetteurs en 2014.

Pays	Chine	USA	Inde	Russie	Japon	…	Total
CO_2	9 761	5 995	2 088	1 657	1 343	…	35 499
%							

1. Compléter la dernière ligne du tableau ci-dessus à l'aide des fréquences exprimées en pourcentage et arrondies à l'unité.
2. Construire un diagramme en bâtons représentant la fréquence pour chacun des cinq pays. Prendre sur l'axe vertical 1 cm pour 5 %.

Exercice 3

Lors d'un contrôle routier d'alcoolémie, on mesure, en g/L, les taux suivants :
0,4 – 0,32 – 0,41 – 0,1 – 0,58 – 0,45 – 0,00 – 0,12 – 0,09 – 2

1. Quelle est la moyenne de ces 10 taux d'alcoolémie ?
2. Quel est le pourcentage de conducteurs en infraction (taux $\geqslant 0{,}50$ g/L) ?
3. Quel est le pourcentage de conducteurs ayant un taux d'alcoolémie délictuel (taux $\geqslant 0{,}80$ g/L) ?

Exercice 1

En 2010, les poids lourds représentaient 14 % du trafic autoroutier français.

- Illustrer cette répartition à l'aide d'un diagramme circulaire.

Exercice 2

Le tableau ci-dessous représente les émissions de dioxyde de carbone (CO_2) en millions de tonnes, par pays, pour les plus grands émetteurs en 2011.

Pays	Chine	USA	Inde	Russie	Japon	Autres
CO_2	8 000	5 287	1 745	1 653	1 186	9 928
Fréquence						

- Compléter le tableau ci-dessus et représenter cette répartition des fréquences de CO_2 dans un diagramme circulaire.

Exercice 3

Lors d'un contrôle routier d'alcoolémie entre 2 h et 5 h du matin, 850 personnes ont été contrôlées. La somme de tous les taux d'alcoolémie mesurés est égale à 178,5 g/L.
51 conducteurs ont été contrôlés positifs (taux $\geqslant 0{,}5$ g/L) dont 8 avaient un taux délictuel (taux $\geqslant 0{,}8$ g/L).

1. Quel est le taux moyen lors de ce contrôle ?
2. Quel est le pourcentage de conducteurs en infraction ?
3. Quel est le pourcentage de conducteurs ayant un taux délictuel ?

Écriture d'un énoncé

1. Inventer une série de sept valeurs toutes différentes dont la moyenne est 10.
2. Inventer une série de six valeurs toutes différentes dont la moyenne est 12.
3. Donner les deux séries de valeurs à son voisin et lui demander de calculer les moyennes. S'il ne trouve pas les moyennes demandées, vérifier ses calculs et trouver lequel des deux a fait une erreur.

Rédaction d'un document

Taux d'erreurs de multiplications par des enfants

- Rédiger un texte en français qui explique ce que représente l'image ci-contre. Préciser en particulier quelques exemples d'informations que l'on peut tirer de ce document.

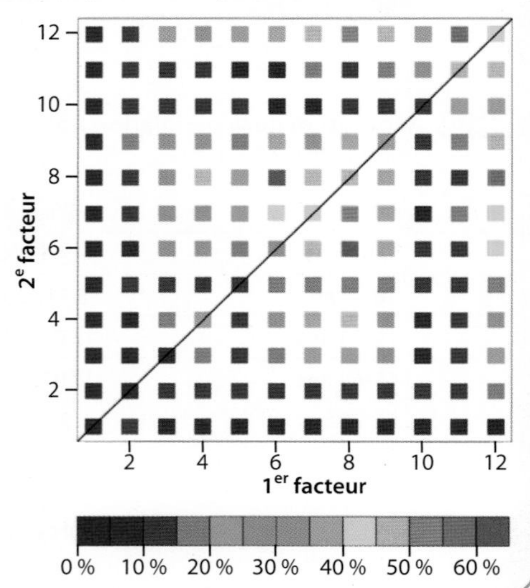

CHAPITRE 10

Probabilités

Jeux

Au jeu du démineur, un drapeau indique l'emplacement d'une mine et un chiffre indique combien de mines touchent la case. Quand on clique sur une case bleue, on fait apparaitre soit une mine, soit un chiffre. On gagne si on ne clique sur aucune mine durant la partie. Il reste une mine dans une des cases bleues.

- Peut-on être sûr de gagner ? Si oui, comment ?

Le jeu de l'oie est un jeu de société où l'on déplace des pions en fonction des résultats du lancer de deux dés. Inventé il y a plusieurs siècles, ce jeu comporte 63 cases disposées en spirale et comprenant un certain nombre de pièges. Le but est d'arriver le premier à la dernière case. C'est un jeu de hasard pur.

Activités

Questions flash

1. Sur cette photo, quelle est la proportion de lapins roses ?

2. Dans le collège de Justine, il y a 340 élèves dont 10 % viennent à pied.
   - Combien d'élèves viennent à pied ?
3. Dans la classe de Lucie, il y a 30 élèves dont 15 filles. Un professeur s'exclame « fifty-fifty ! »
   - Expliquer pourquoi.
4. Dans ce magasin, Paul achète un pantalon dont le prix avant les soldes était de 44 €.

   - Quel prix va-t-il payer ?
5. Dans le club d'équitation de Lucien, il y a deux tiers de filles.
   - Y a-t-il plus de filles ou de garçons dans ce club ?
6. Que signifie « 12 % des gens sont gauchers » ?

La poisse ! — Activité 1

Maxence s'exclame : « J'ai la poisse ! Quand je joue avec un dé, je n'obtiens quasiment jamais le 6 ! »

Sa petite sœur, Amy, lui répond : « Tu n'as qu'à le lancer 6 fois, tu seras sûr d'en obtenir un ! »

- Commenter cette discussion.

La mémoire du dé — Activité 2

Lila et ses copains jouent au « Trivial Pursuit ». Lila vient d'obtenir quatre fois de suite le 1 avec le dé. Elle se plaint de ne pas avoir de chance. Ses amis lui répondent :

« Comme tu as déjà obtenu quatre fois le 1, tu es quasiment sûre que la prochaine fois, ce ne sera pas le cas. »

- Ont-ils raison ?

Ça roule ! — Activité 3

Jérémy et Solène veulent jouer à la roulette. Celle-ci comporte 37 cases : 18 rouges, 18 noires et 1 verte. Lorsqu'on lance une bille en faisant tourner la roulette, elle peut s'arrêter sur une case de couleur rouge, noire ou verte. Jérémy dit à Solène : « Comme il y a 3 couleurs possibles, tu as une chance sur trois de tomber sur la case verte. »
Solène n'est pas d'accord.

- Qui a raison ?

Que d'adverbes ! — Activité 4

Pour chaque phrase, choisir l'adverbe qui semble le plus adapté.

	Jamais	Rarement	Souvent	Toujours
1. À la plage, on se baigne.				
2. Une personne pèse plus de 1 000 kg.				
3. Des rollers ont des roues.				
4. On trouve un billet de 50 € dans la rue.				
5. On obtient 7 en lançant un dé.				
6. On obtient une consonne en tirant au hasard une lettre de l'alphabet.				
7. On obtient un double 6 en lançant deux dés.				
8. En France, à minuit, il fait nuit.				

Corvée — Activité 5

Simon a deux frères, Evan et Loris, et une sœur, Émeline. Ils vivent avec leurs deux parents : Gaëlle et Charles. Pour savoir qui vide le lave-vaisselle, ils organisent à chaque fois un tirage au sort : ils écrivent chaque prénom sur un papier qu'ils mettent dans un chapeau. Un papier est ensuite tiré du chapeau.

1. Que peut-on obtenir comme résultat ?
2. Peut-on prévoir qui videra le lave-vaisselle ?
3. Inventer une expérience du même type.

Que la chance soit avec toi ! — Activité 6

Traduire chacune des phrases suivantes en utilisant le mot « probabilité ».

1. « En France, neuf personnes sur dix ont un téléphone portable. »
2. « À cette tombola, il y a une chance sur trois de gagner un lot. »
3. « Deux fois sur trois, ma voiture ne démarre pas. »
4. « On a 85 % de chances d'obtenir son diplôme national du brevet. »
5. « Il y a de fortes chances qu'il pleuve demain. »
6. « Il est peu probable que je vienne te voir cette semaine. »
7. « Ce dé est truqué. »

1 Décrire une expérience aléatoire 

Définitions

- Une **expérience aléatoire** est une expérience dans laquelle intervient le hasard : on ne peut pas en prévoir le résultat à l'avance.
- Les différents résultats possibles d'une expérience aléatoire sont appelés des **issues**.

On lance une pièce de monnaie et on observe la face du dessus.
Il y a deux issues possibles : « Pile » et « Face ».
On ne peut pas savoir à l'avance laquelle des deux on va obtenir.

On lance un dé à 6 faces et on observe le numéro inscrit sur la face du dessus.
Il y a 6 issues possibles : 1, 2, 3, 4, 5 et 6.
On ne peut pas savoir à l'avance laquelle de ces 6 issues on va obtenir.

Vocabulaire

Selon le résultat d'une expérience aléatoire, on dit qu'un **évènement** est **réalisé** ou non.

Lancer de dé

Lors d'un lancer de dé, on s'intéresse à la question suivante : « le résultat obtenu est-il pair ? »
On parle alors de l'évènement « Obtenir un résultat pair », c'est-à-dire « Obtenir 2, 4 ou 6 ».

- Si on obtient l'une des issues 2, 4 ou 6, on dit que **l'évènement** « Obtenir un résultat pair » **est réalisé**.
- Si on obtient l'une des issues 1, 3 ou 5, on dit que **l'évènement** « Obtenir un résultat pair » **n'est pas réalisé**.

Lancer de fléchettes

On tire une fléchette les yeux bandés vers la cible ci-contre et on observe le nombre de points obtenus. Si la fléchette ne se plante pas sur la cible, on n'obtient aucun point. On s'intéresse à la question suivante : « le nombre de points obtenus est-il supérieur à 60 ? »
On parle alors de l'évènement « Obtenir un nombre de points supérieur à 60 », c'est-à-dire « Obtenir 80 ou 100 ».

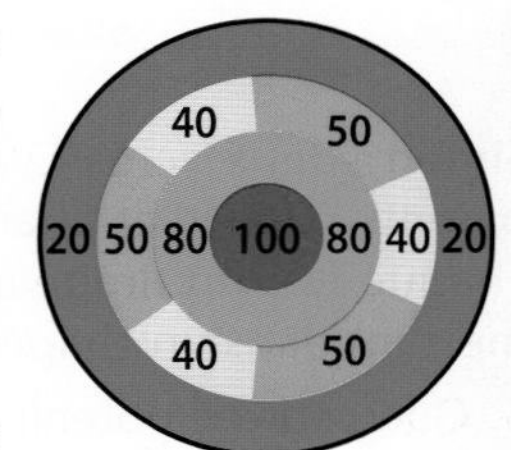

- Si on obtient l'une des issues 80 ou 100, on dit que **l'évènement** « Obtenir un nombre de points supérieur à 60 » **est réalisé**.
- Si on obtient l'une des issues 0, 20, 40 ou 50, on dit que **l'évènement** « Obtenir un nombre de points supérieur à 60 » **n'est pas réalisé**.

- Une issue peut également être considérée comme un évènement.
- Quand un évènement n'est réalisé que par une seule issue, on dit que c'est un **évènement élémentaire**.

On reprend l'exemple de la cible précédente. On lance une fléchette sur la cible. Les issues de cette expérience aléatoire sont : 0, 20, 40, 50, 80 et 100.
On peut s'intéresser à l'évènement « Obtenir 40 points ».
Si on obtient l'issue 40 lors de cette expérience, cet évènement sera réalisé. Si on obtient une autre issue, cet évènement ne sera pas réalisé.
Cet évènement correspond à une seule issue, c'est donc un évènement élémentaire.

Savoir-faire

Apprends à l'aide des exercices résolus puis entraine-toi !

1 Décrire une expérience aléatoire

1 On lance une fléchette au hasard sur la cible ci-dessous et on regarde le nombre de points obtenus.

On n'obtient aucun point si la fléchette ne touche pas la cible.

- Quelles sont les issues de cette expérience aléatoire ?

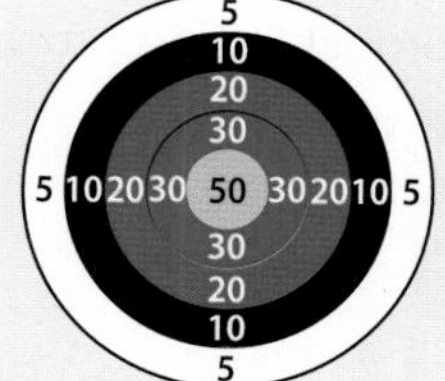

Solution

Les différents résultats possibles de cette expérience aléatoire sont les scores inscrits sur la cible ainsi que 0.

Les issues sont : 0, 5, 10, 20, 30 et 50.

2 Décrire une expérience aléatoire utilisant un jeu de cartes et en donner les issues.

Solution

Par exemple, on tire une carte dans un jeu de 32 cartes et on regarde sa valeur. Les issues sont : 7, 8, 9, 10, Valet, Dame, Roi et As.

On pourrait inventer une autre expérience si on s'intéressait à la couleur de la carte obtenue.

3 Décrire une expérience aléatoire liée à ce schéma et en donner les issues.

Solution

On met dans une urne 7 boules rouges et 3 boules blanches. On tire, par exemple, une boule de cette urne et on regarde sa couleur. Il y a deux issues possibles : blanc et rouge.

4 Un ordinateur choisit au hasard un nombre parmi les nombres entiers de 1 à 40.

- Quelles issues réalisent l'évènement « Obtenir un multiple de 5 » ?

Solution

Il faut tout d'abord déterminer les issues de l'expérience.

- Les issues possibles sont tous les nombres entiers de 1 à 40.
- Parmi eux, il faut lister les multiples de 5 compris entre 1 et 40 : 5, 10, 15, 20, 25, 30, 35, 40.

Ce sont les issues qui réalisent l'évènement « Obtenir un multiple de 5 ».

5 On met dans un sac des cartons sur lesquels on a écrit les lettres du mot « espagnol ».

On tire un carton au hasard et on regarde la lettre écrite dessus.

- Quelles issues ne réalisent pas l'évènement « Obtenir une voyelle » ?

Solution

- Les issues possibles sont les lettres : e, s, p, a, g, n, o et ℓ.
- Parmi elles, il faut lister les voyelles : e, a, o. Ce sont les issues qui réalisent l'évènement « Obtenir une voyelle ». Donc les issues ne réalisant pas l'évènement « Obtenir une voyelle » sont les issues restantes : s, p, g, n et ℓ, c'est-à-dire les consonnes.

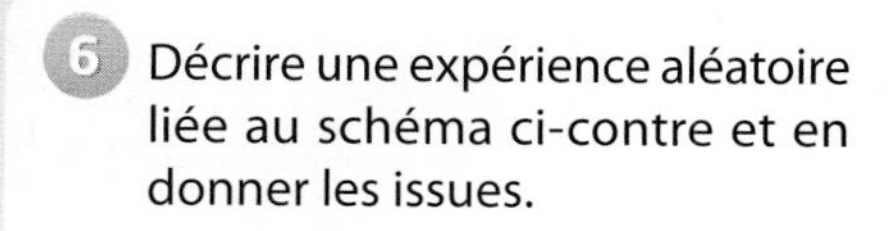

6 Décrire une expérience aléatoire liée au schéma ci-contre et en donner les issues.

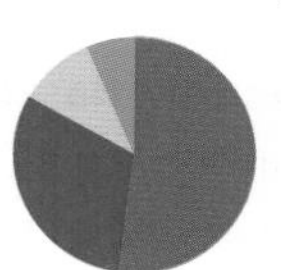

7 Décrire une expérience aléatoire liée au schéma ci-contre et en donner les issues.

8 On lance un dé à 12 faces numérotées de 1 à 12 et on regarde le numéro de la face du dessus.

- Quelles sont les issues qui réalisent l'évènement « Obtenir un nombre inférieur ou égal à 7 » ?

« On doit lire ici 5. »

9 Dans un magasin, tous les vêtements sont soldés, certains à « moins 50 % », certains à « moins 20 % » et les autres à « moins 70 % ». On prend un vêtement au hasard et on s'intéresse au pourcentage de réduction affiché.

- Quelles sont les issues qui ne réalisent pas l'évènement « Le vêtement est soldé à plus de 50 % » ?

2 Exprimer la probabilité d'un évènement ▶Vidéo

La **probabilité** d'un évènement peut s'interpréter comme la « proportion de chances » que cet évènement se réalise. C'est un nombre compris entre 0 et 1.

- Plus un évènement a de chances de se réaliser, plus sa probabilité est proche de 1.
- Moins il a de chances de se réaliser, plus sa probabilité est proche de 0.

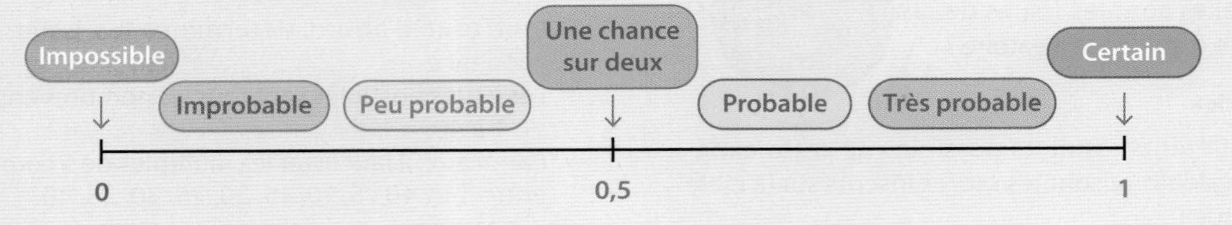

On peut exprimer une probabilité sous plusieurs formes : un nombre décimal, une fraction, un pourcentage…

Lancer de dé

Lorsqu'on lance un dé à 6 faces qui n'est pas truqué, il a autant de chances de tomber sur une face que sur une autre. On a donc 1 chance sur 6 d'obtenir le 1 (on a également 1 chance sur 6 d'obtenir le 2, 1 chance sur 6 d'obtenir le 3, etc.).

Toutes les issues ont les mêmes chances d'être obtenues. On dit aussi que les issues ont la même probabilité. Cette probabilité est égale à $\frac{1}{6}$.

Ici, la probabilité est écrite sous la forme d'une fraction.

Lancer de pièces

Lorsqu'on lance une pièce de monnaie qui n'est pas truquée, elle a autant de chances de tomber sur une face que sur l'autre. On a donc 50 % de chances d'obtenir « Face » et 50 % de chances d'obtenir « Pile ».

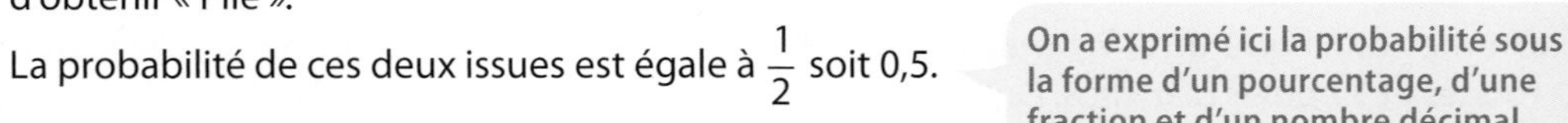

La probabilité de ces deux issues est égale à $\frac{1}{2}$ soit 0,5.

On a exprimé ici la probabilité sous la forme d'un pourcentage, d'une fraction et d'un nombre décimal.

Œuf surprise

Dans un œuf de Pâques, il y a 10 petits œufs emballés de manière identique : 3 sont au chocolat blanc et 7 sont au chocolat noir. Mélissa prend un œuf au hasard. Elle a 3 chances sur 10 de manger un œuf au chocolat blanc et 7 chances sur 10 de manger un œuf au chocolat noir.

Dans cette expérience aléatoire, les deux issues, « Prendre un chocolat blanc » et « Prendre un chocolat noir », n'ont pas les mêmes chances de se produire.

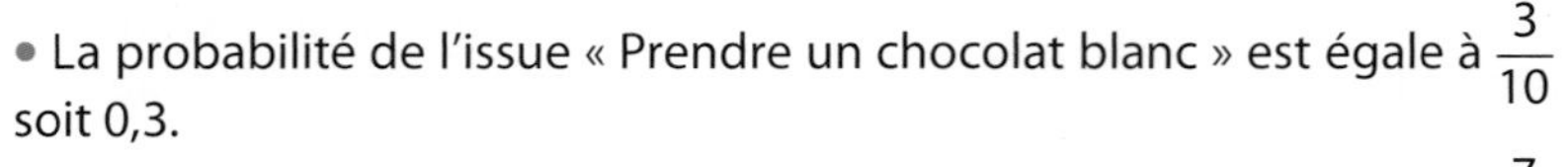

- La probabilité de l'issue « Prendre un chocolat blanc » est égale à $\frac{3}{10}$ soit 0,3.
- La probabilité de l'issue « Prendre un chocolat noir » est égale à $\frac{7}{10}$ soit 0,7.

On dit que l'issue « Prendre un chocolat noir » est la plus probable.

Savoir-faire

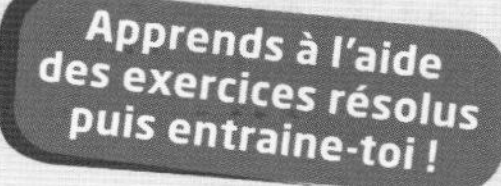
Apprends à l'aide
des exercices résolus
puis entraine-toi !

2 Exprimer la probabilité d'un évènement

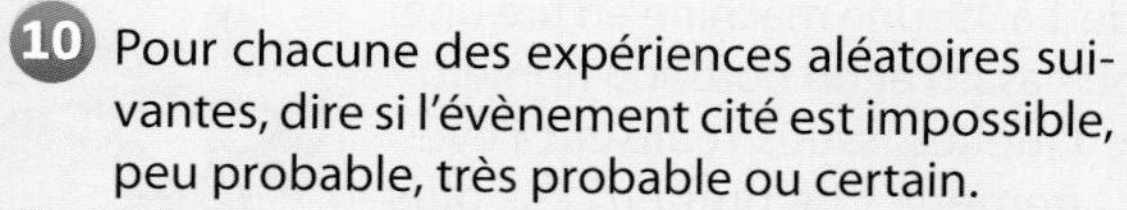

10 Pour chacune des expériences aléatoires suivantes, dire si l'évènement cité est impossible, peu probable, très probable ou certain.

① On lance un dé cubique et on regarde le numéro du dessus.
Évènement : « On obtient un nombre inférieur à 7. »

② On joue une grille de loto.
Évènement : « On gagne le gros lot. »

③ On choisit une maison au hasard.
Évènement : « Elle comporte un jardin. »

④ On choisit un mois au hasard.
Évènement : « Son nom comporte 26 lettres. »

Solution

1. Les issues sont 1, 2, 3, 4, 5 et 6. Donc on obtient forcément un nombre inférieur à 7. Cet évènement est certain.

2. Il est très rare de gagner le « gros lot » au loto, mais cela arrive. Cet évènement est peu probable.

3. Beaucoup de maisons ont un jardin mais pas toutes. Cet évènement est donc très probable.

4. Aucun nom de mois ne comporte 26 lettres. Cet évènement est impossible.

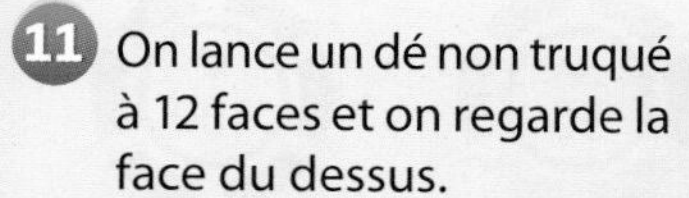

11 On lance un dé non truqué à 12 faces et on regarde la face du dessus.

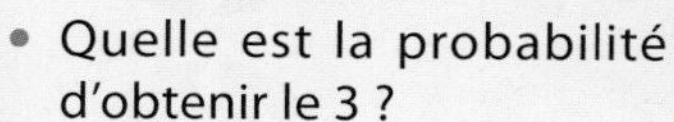

- Quelle est la probabilité d'obtenir le 3 ?

« Ici, le résultat est 11. »

Solution

Il y a 12 faces et il y a autant de chances de tomber sur une face que sur une autre. On a donc 1 chance sur 12 d'obtenir le 3 soit une probabilité de $\frac{1}{12}$.

12 Parmi toutes les lettres de l'alphabet, on tire une lettre au hasard.

- Quelle est la probabilité d'obtenir la lettre E ?

Solution

Il y a 26 lettres en tout et il y a autant de chances de tirer chacune d'entre elles. On a donc 1 chance sur 26 d'obtenir la lettre E soit une probabilité de $\frac{1}{26}$.

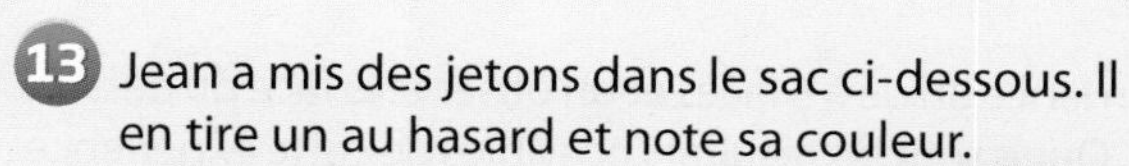

13 Jean a mis des jetons dans le sac ci-dessous. Il en tire un au hasard et note sa couleur.

a. Quelles sont les issues de cette expérience ?

b. Quelle est la probabilité d'obtenir un jeton rouge ?

Solution

Les issues possibles sont : bleu, vert, jaune et rouge. Il y a 2 jetons rouges parmi les 7 jetons. Il y a donc 2 chances sur 7 d'obtenir un jeton rouge soit une probabilité de $\frac{2}{7}$.

14 À un mariage, il y a 100 invités dont 27 enfants. Lors d'un jeu, on tire le nom d'un invité au hasard dans un chapeau.

- Déterminer la probabilité que ce soit celui d'un enfant.

Solution

Sur 100 invités, 27 sont des enfants. Il y a donc 27 chances sur 100 de tirer le nom d'un enfant ou encore 27 % de chances. On peut aussi dire que la probabilité que ce soit le nom d'un enfant vaut $\frac{27}{100}$.

15 Pour chacune des expériences aléatoires suivantes, dire si l'évènement cité est impossible, peu probable, très probable ou certain.

1. On lance un dé cubique et on regarde le nombre du dessus. *Évènement :* « On obtient un nombre entre 2,3 et 2,4. »
2. On choisit au hasard un enfant de 12 ans. *Évènement :* « Il suit une scolarité en collège. »

16 Béatrix place ces petits chevaux dans sa poche et en sort un au hasard.

- Quelle est la probabilité qu'il soit bleu ?

17 Dans une classe de 27 élèves, il y a 19 demi-pensionnaires. On pioche un nom au hasard dans un sac contenant les 27 noms.

- Quelle est la probabilité que ce soit le nom d'un demi-pensionnaire ?

2 pages d'exercices supplémentaires dans le manuel numérique

Décrire une expérience aléatoire

Savoir-faire p. 171

Questions flash

18 Parmi les expériences suivantes, quelles sont celles qui sont aléatoires ?

1. On lance une pièce de monnaie et on regarde la face du dessus.
2. On appuie sur le chiffre 1 sur une calculatrice et on regarde ce qui s'affiche à l'écran.

19 On lance un dé à 6 faces et on observe la face du dessus.

- Quels sont les résultats possibles de cette expérience aléatoire ?

20 **Vrai ou faux ?**
Les expériences suivantes sont des expériences aléatoires. Vrai ou faux ?

1. On achète trois timbres « tarif rapide » à la poste et on regarde le prix à payer.
2. On remplit une grille de loto et on regarde si on a un numéro gagnant.
3. On demande à une personne dans la rue si elle a acheté du pain aujourd'hui.

21 Caroline écrit les lettres de son prénom sur des papiers identiques qu'elle plie en quatre. Elle en prend un au hasard et regarde la lettre inscrite dessus.

- Donner les résultats possibles de cette expérience aléatoire.

22 On bande les yeux d'un élève et on lui demande de poser le doigt sur un drapeau français, puis on s'intéresse à la couleur de la zone touchée.

- Lister les issues de cette expérience aléatoire.

23 Agnès est tombée en panne d'essence. Son ami Karim va à la station-service mais ne se rappelle plus quel carburant il doit prendre. Il décroche une des trois pompes et met 5 litres de carburant dans un bidon. Il note le prix payé.

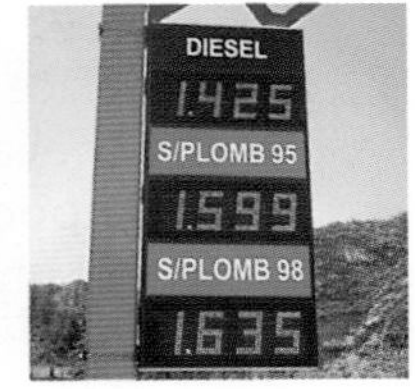

- Est-ce une expérience aléatoire ?

24 Monsieur ABBAD écrit toutes les lettres de son nom de famille sur des morceaux de papier identiques. Il plie chaque morceau en quatre. Il en prend un au hasard et regarde la lettre inscrite dessus.

- Donner la liste des issues de cette expérience aléatoire.

25 Les boules du loto sont numérotées de 1 à 49. Une machine en tire une au hasard et on note son numéro.

- Quelles issues réalisent l'évènement « Le numéro est plus grand que 40 » ?

26 Emma va au fast-food. Elle commande un hamburger, une petite frite et un expresso. Elle note le prix payé.

- Est-ce une expérience aléatoire ?

27 On met les jetons ci-dessous dans un sac et on en tire un au hasard.

1. On note la couleur du jeton.
   a. Quelles sont les issues de cette expérience aléatoire ?
   b. Donner un évènement qui peut se réaliser lors de cette expérience.
2. On note la valeur du jeton.
   a. Quelles sont les issues de cette expérience aléatoire ?
   b. Donner un évènement qui peut se réaliser lors de cette expérience.

28 Dire si chacune des expériences aléatoires suivantes comporte 2, 3 ou 4 issues.

① On note les chiffres de l'année 2016 sur des cartons et on en tire un au hasard.

② On note les lettres du mot ANANAS sur des cartons et on en tire un au hasard.

③ On note les chiffres du nombre 121 sur des cartons et on en tire un au hasard.

Exprimer la probabilité d'un évènement

➡ Savoir-faire p. 173

diapo

9 On lance un dé non truqué à 6 faces.
- A-t-on plus de chances d'obtenir le 2 ou le 6 ?

0 Dans la poche d'Antoine, il y a 5 bonbons dont 3 à la fraise. Il sort de sa poche un bonbon au hasard.
- Quelle est la probabilité qu'il soit à la fraise ?

1 Dans le collège de Nadir, 12,4 % des élèves sont inscrits à l'UNSS (Union Nationale du Sport Scolaire). On prend le nom d'un élève au hasard.
- Quelle est la probabilité que ce soit celui d'un élève inscrit à l'UNSS ?

2 Reformuler les phrases suivantes à l'aide du mot « probabilité ».
1. « À ce jeu, j'ai 23 chances sur 50 de gagner. »
2. « 87 % des Français sont droitiers. »
3. « 4 Américains sur 10 ne parlent pas anglais en famille. »
4. « 3 étudiants sur 5 ont des difficultés à trouver un logement. »
5. « Dans la classe de mon cousin, il y a 1 garçon pour 2 filles. »

3 Dans la galette des rois se trouve une fève. Jean partage la galette en 6 parts identiques et prend une part au hasard.
- Quelle est la probabilité qu'il doive porter la couronne ?

4 Léa a un téléphone portable. Parmi les SMS qu'elle envoie, deux sur cinq sont destinés à ses parents. On prend un SMS au hasard sur sa facture.
- Quelle est la probabilité qu'il ait été envoyé à ses parents ?

35 Un sachet opaque contient trois beignets à la pomme et deux beignets au chocolat. On tire un beignet au hasard.
- Quelle est la probabilité qu'il soit au chocolat ?

36 Dans un cours de hip-hop, il y a huit danseurs portant un tee-shirt jaune et douze danseurs portant un tee-shirt rouge. L'un des danseurs fait une chute.
- Quelle est la probabilité qu'il porte un tee-shirt jaune ?

37 Lors de la Coupe du monde de football de 2014 au Brésil, l'entraineur de l'équipe de France, Didier Deschamps, a sélectionné 23 joueurs français parmi lesquels figurent 3 gardiens de buts. On choisit au hasard un nom parmi tous ces joueurs.
- Quelle est la probabilité que ce soit le nom d'un gardien de but ?

38 Pour chacune des expériences aléatoires suivantes, cocher la réponse la plus adaptée.

Expérience	Peu probable	Probable	Très probable
① On teste une voiture neuve et celle-ci ne démarre pas.			
② On mesure une femme et sa taille est inférieure à 2 m.			
③ On arrive à un feu tricolore et celui-ci est vert.			
④ On fait tomber sa tartine et elle tombe du côté de la confiture.			
⑤ On fait un numéro de téléphone au hasard et la personne qui répond est une fille.			
⑥ On achète du lait dans un supermarché et la date limite de consommation est dépassée.			

39 Dans le collège de Florian, 48 des 300 élèves viennent à vélo. On croise un élève dans le collège.
- Quelle est la probabilité qu'il soit venu à vélo ? Exprimer ce résultat à l'aide d'un pourcentage.

40 Dans la classe de Gabrielle, on compte 11 garçons et 14 filles. On choisit un élève au hasard dans la classe.
- Quelle est la probabilité que ce soit une fille ?

Faire le point

Vérifie tes connaissances.

QCM

Donner la seule réponse correcte parmi les trois proposées.

1 Décrire une expérience aléatoire	Réponse A	Réponse B	Réponse C
1. Parmi les trois expériences, laquelle est aléatoire ?	On appuie sur la touche 5 du clavier d'un téléphone et on regarde le nombre affiché à l'écran.	On interroge une femme dans la rue et on lui demande si elle a des enfants.	On refroidit de l'eau à -30 °C et on regarde si elle gèle.
2. Voici le patron d'un dé particulier : Une fois ce dé construit, on le lance et on observe la face du dessus. Combien y a-t-il d'issues à cette expérience aléatoire ?	4	3	6
3. On lance un dé dont les faces sont numérotées de 1 à 6 et on regarde si le résultat est pair ou impair. Quelles sont les issues de cette expérience aléatoire ?	2, 4, 6	1, 2, 3, 4, 5, 6	pair, impair
2 Exprimer la probabilité d'un évènement			
1. On sort un soir d'hiver à Paris et il fait 20 °C. Cet évènement est :	peu probable	probable	très probable
2. On tire au hasard une boule de cette urne. Quelle est la probabilité de tirer une boule rouge ?	$\frac{2}{5}$	$\frac{2}{7}$	$\frac{5}{7}$

Pour t'aider à retenir le cours.*

Carte mentale

Probabilités

Expérience aléatoire

Exemple : On lance un dé et on observe la face du dessus

Issues

Exemple : Tous les résultats possibles sont :

Évènement

Exemple : « Obtenir un numéro strictement plus grand que 2 »

Probabilité d'un évènement

Exemple : Cet évènement a 4 chances sur 6 d'être réalisé.

Sa probabilité est $\frac{4}{6}$ soit $\frac{2}{3}$.

**Tu peux aussi construire ta propre carte mentale.*

1 Simulation

Lola a écrit le script suivant afin de simuler le lancer d'un dé à 6 faces. Elle voudrait savoir, en répétant l'expérience un grand nombre de fois, quelle est la proportion de 6 obtenus.

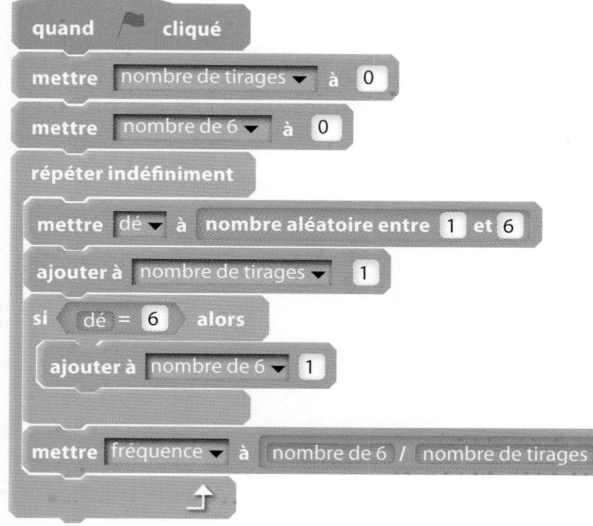

1. Expliquer le rôle joué par chacune des quatre variables de ce script.
2. a. Quand on lance un dé à 6 faces bien équilibré, quelle est la probabilité d'obtenir 6 ?
   b. Exécuter ce script et comparer cette probabilité à la variable fréquence.
3. Comment faut-il modifier ce script pour afficher la proportion de 4 obtenue ?
4. Comment pourrait-on modifier ce script pour simuler le lancer d'une pièce équilibrée et pour afficher la proportion de « Pile » obtenue ?

2 Lancers de dés

On a lancé 100 fois un dé et on a noté les résultats dans les 10 premières colonnes de la feuille de calcul ci-dessous.

	A	B	C	D	E	F	G	H	I	J	K	L	M	N
1	1	6	5	6	3	2	2	3	5	1	Nombre de 1		Fréquence de 1	
2	3	6	5	4	4	4	3	4	3	5	Nombre de 2		Fréquence de 2	
3	3	6	1	3	4	6	2	4	5	1	Nombre de 3		Fréquence de 3	
4	1	3	1	2	2	3	3	2	1	1	Nombre de 4		Fréquence de 4	
5	5	1	3	4	4	5	4	2	4	6	Nombre de 5		Fréquence de 5	
6	1	1	4	1	3	2	5	5	6	2	Nombre de 6		Fréquence de 6	
7	4	6	3	2	6	5	3	4	6	5	Total		Total	
8	6	5	5	3	1	3	3	5	4	4				
9	1	1	3	6	3	2	5	6	4	5				
10	5	3	6	2	4	6	1	3	6	4				

Dans un tableur, la fonction « NB.SI » permet de compter combien de fois une valeur apparait dans une plage de cellules donnée. Par exemple, la formule =NB.SI(A1:A10;1) compte le nombre de 1 dans la 1re colonne. Elle renverra donc la valeur « 4 ».

1. Que compte la formule =NB.SI(A1:J1;5) ? Que renverra-t-elle alors ?
2. a. Quelle formule doit-on entrer dans la cellule L1 pour afficher le nombre de 1 obtenus lors de ces 100 lancers ?
   b. Saisir les formules appropriées dans les cellules L1 à L7.
3. a. Comment peut-on calculer la fréquence d'apparition du chiffre 1 ?
   b. Saisir les formules appropriées dans les cellules N1 à N7.
4. a. En lançant une fois le dé, quelle est la probabilité d'obtenir 1 ? d'obtenir 2 ? d'obtenir 6 ?
   b. Comparer ces probabilités aux fréquences obtenues à la question 3.

43 Des pièces

Un tableur possède un dispositif qui peut fournir un nombre entier au hasard. Par exemple, la formule =ALEA.ENTRE.BORNES(1;6) donne un nombre entier au hasard parmi les nombres 1, 2, 3, 4, 5, 6. Chaque nombre a autant de chances d'être obtenu.
On utilise cette formule pour simuler le lancer d'un dé, c'est-à-dire remplacer l'expérience d'un lancer réel d'un dé équilibré par une expérience de tirage d'un nombre au hasard.

On a simulé ici sur tableur 300 lancers d'une pièce de monnaie équilibrée. Le 0 représente l'obtention de « Pile » et le 1 l'obtention de « Face ».

	A	B	C	D	E	F	G	H	I	J	K	L	M	N	O	P	Q	R	S	T	U	V	W	X	Y	Z	AA	AB	AC	AD
1	1	1	1	1	0	1	0	1	0	1	0	1	0	0	0	1	1	1	0	0	1	0	1	1	0	0	0	0	1	0
2	0	1	1	1	1	0	0	1	0	1	0	0	0	1	1	0	0	1	1	1	0	1	1	0	0	0	0	0	0	1
3	1	1	1	1	1	0	1	0	0	0	1	1	0	1	1	1	1	1	1	0	1	1	1	1	1	1	1	1	0	1
4	0	0	0	1	0	0	0	1	1	1	1	1	0	0	1	0	1	1	1	0	0	1	0	1	1	0	0	0	0	0
5	1	1	1	0	1	1	0	1	1	1	0	0	0	0	0	1	0	1	1	0	0	1	1	1	1	0	0	0	0	0
6	1	0	1	1	0	0	1	1	0	0	0	1	0	0	1	1	0	1	1	0	0	1	1	1	0	0	0	1	1	1
7	1	1	0	0	0	1	1	0	0	0	1	1	1	0	0	0	0	0	1	1	1	1	1	1	0	1	0	1	1	0
8	0	0	1	1	1	1	0	1	0	1	0	1	1	1	0	0	0	0	1	1	0	1	0	1	1	1	0	1	0	0
9	1	1	0	0	0	0	1	0	0	1	0	1	0	0	0	1	0	0	0	0	0	1	1	0	0	1	1	0	1	1
10	1	1	0	1	1	0	1	0	0	1	1	0	1	0	1	0	0	0	0	0	1	1	0	0	1	1	0	0	0	0

1. À l'aide de la formule ALEA.ENTRE.BORNES, simuler 300 lancers de pièces comme dans la feuille de calcul ci-dessus.
2. Calculer la fréquence d'apparition de « Pile ».
3. Tous les élèves de la classe obtiennent-ils la même fréquence d'apparition de « Pile » ?
4. Comparer ce résultat avec la probabilité d'obtenir « Pile » lors du lancer d'une pièce de monnaie équilibrée.
5. Recommencer l'exercice avec 3 000 lancers. Que constate-t-on ?

Pour mieux cibler les compétences			
Chercher	77 78	Raisonner	72 75
Modéliser	52 56 59	Calculer	49 60
Représenter	73 80	Communiquer	61 67

44 Sans trucage

On lance une pièce non truquée 15 fois et on obtient 15 fois « Pile ».

• Que va-t-il se passer au prochain lancer ?

45 Histoire d'urnes (1)

Dans une urne, il y a 5 boules rouges et 8 boules noires.

• Combien faut-il rajouter de boules rouges pour avoir 50 % de chances de tirer une boule noire ?

46 Loto

Dans les années 1990, l'un des slogans de la Française des jeux pour le loto a été « 100 % des gagnants ont tenté leur chance. »

• Que peut-on penser de ce slogan ?

47 Bleu, blanc, rose !

On fait tourner une fois la roue de loterie présentée ci-contre.

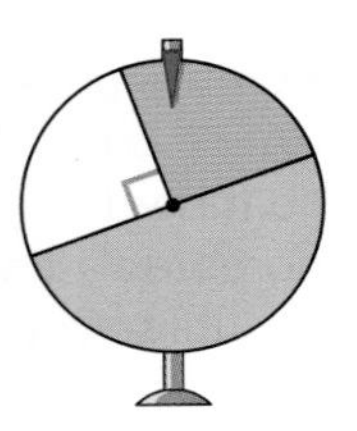

1. Quelle couleur faut-il choisir pour avoir le plus de chances de gagner ?
2. Quelle est alors la probabilité de gagner à ce jeu ?

48 Histoire d'urnes (2)

On a placé dans une urne 25 boules de la même taille, les unes sont blanches, les autres noires. Il y a 32 % de chances de tirer une boule blanche.

• Quelles sont les boules les plus nombreuses dans l'urne : les blanches ou les noires ? Expliquer.

49 Alphabet

Dans un sac, on place 26 boules identiques au toucher portant les lettres de l'alphabet. On tire au hasard une boule dans ce sac et on regarde la lettre obtenue.

1. Quelle est la probabilité que ce soit le K ?
2. Quelle est la probabilité que ce soit une voyelle ?
3. Quelle est la probabilité que ce soit une consonne ?

50 Prise de risque

Simon et Ophélie jouent à un jeu : ils lancent chacun leur tour un dé. Chacun relève les points qu'il a obtenus et les additionne. Le gagnant est celui qui se rapproche le plus de 23 sans dépasser ce nombre.

• Simon a obtenu 21 points. Doit-il rejouer ?

51 Histoire d'urnes (3)

On souhaite mettre dans une urne des boules rouges et des boules noires de telle manière qu'on ait une chance sur deux de tirer une boule rouge.

• Proposer une urne qui pourrait convenir. Y a-t-il plusieurs possibilités ?

52 Invention (1)

Inventer et décrire un jeu pour lequel on a deux chances sur trois de gagner.

53 Au feu !

CIT AV Voici un document indiquant, pour l'année 2014, comment se sont réparties les sorties des pompiers dans le Var.

Répartition des sorties par nature

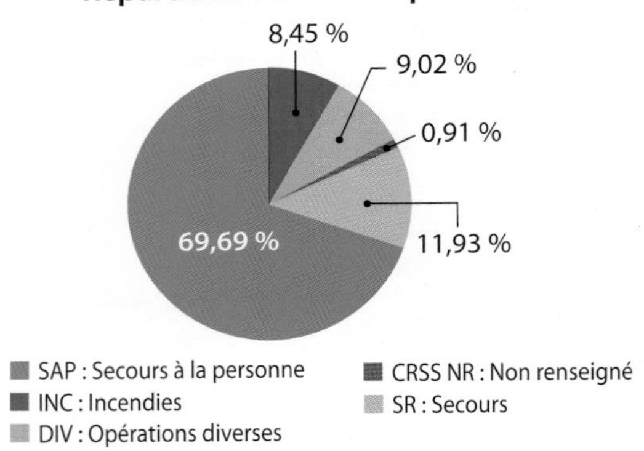

On consulte un compte-rendu de sortie de 2014 pris au hasard dans les archives.

1. Quelle est la probabilité que cette sortie soit liée à un incendie ?
2. Un journaliste prétend qu'en 2014, 7 sorties sur 10 concernaient des secours à la personne. Que peut-on en penser ?

54 T'as d'beaux yeux !

Dans une classe de 30 élèves, on choisit un élève au hasard. La probabilité qu'il ait les yeux bleus vaut $\frac{1}{5}$.

• Combien d'élèves ont les yeux bleus dans cette classe ?

55 Déboule !

Inventer une expérience aléatoire liée à la photo ci-dessous et en donner les issues.

56 Invention (2)

Décrire une expérience aléatoire comportant 3 issues ayant la même probabilité.

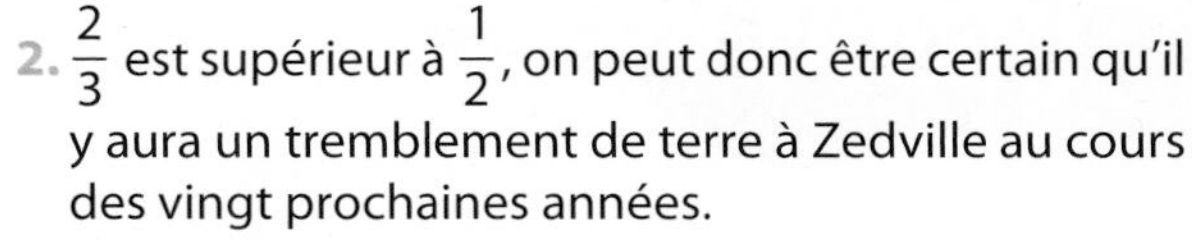

Bleu, blanc, rouge

Une roue est partagée en trois zones : une zone bleue, une zone blanche et une zone rouge. On fait tourner une fois cette roue et on note la couleur du secteur qui s'arrête sous la flèche. On a 20 % de chances de tomber sur la zone rouge et 30 % de chances de tomber sur la zone blanche.

- Quelle est la probabilité de tomber sur la zone bleue ?

The spinner

Margaret spins this spinner.

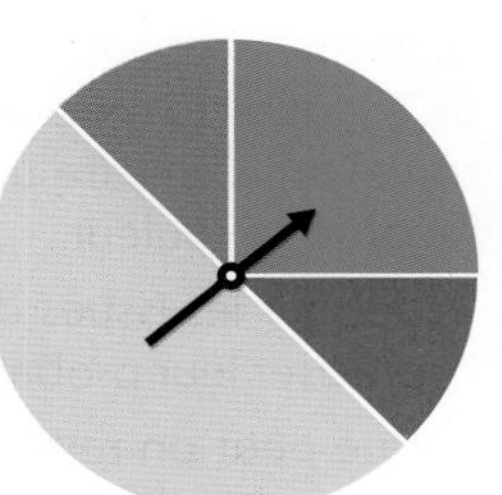

1. What colour is she most likely to get?
2. Margaret says: "I've got the same chance to get PINK or GREEN." Right or Wrong?
3. Margaret says: "I've got about one chance out of two of getting YELLOW." Right or Wrong?

Invention (3)

Décrire une expérience aléatoire comportant 3 issues qui n'ont pas la même probabilité.

Roi de cœur

Dans un jeu de 32 cartes, il y a 4 catégories : cœur, carreau, pique et trèfle. Dans chaque catégorie, il y a 8 cartes : 7, 8, 9, 10, valet, dame, roi et as. On tire une carte au hasard dans ce jeu.

1. Quelle est la probabilité d'obtenir un roi ?
2. Quelle est la probabilité d'obtenir un cœur ?
3. Quelle est la probabilité d'obtenir le roi de cœur ?
4. Quelle est la probabilité d'obtenir une carte rouge (cœur ou carreau) ?

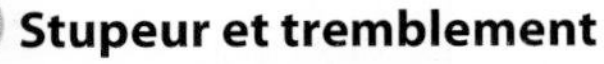

Stupeur et tremblement

Une chaine de télévision a diffusé un documentaire sur les tremblements de terre et la fréquence à laquelle ils se produisent. Ce reportage comprenait un débat sur la prévisibilité des tremblements de terre. Un géologue a affirmé : « Au cours des vingt prochaines années, la probabilité qu'un tremblement de terre se produise à Zedville est de deux sur trois. »

Parmi les propositions suivantes, laquelle exprime le mieux ce que veut dire ce géologue ?

1. Puisque $\frac{2}{3} \times 20 \approx 13{,}3$, il y aura donc un tremblement de terre à Zedville dans 13 à 14 ans à partir de maintenant.
2. $\frac{2}{3}$ est supérieur à $\frac{1}{2}$, on peut donc être certain qu'il y aura un tremblement de terre à Zedville au cours des vingt prochaines années.
3. La probabilité d'avoir un tremblement de terre à Zedville dans les vingt prochaines années est plus forte que la probabilité de ne pas en avoir.
4. On ne peut pas dire ce qui se passera, car personne ne peut être certain du moment où un tremblement de terre se produit.

D'après Pisa.

62 Des jeux

On s'intéresse à trois jeux de hasard différents.

- Au jeu A, on a une chance sur quatre de gagner.
- Au jeu B, on a 28 % de chances de gagner.
- Au jeu C, on gagne 3 fois sur 10.

À quel jeu vaut-il mieux jouer ?

63 Roues

Voici 3 roues A, B et C. On gagne si la flèche pointe sur le rouge.

- Avec quelle roue a-t-on le plus de chances de gagner ?

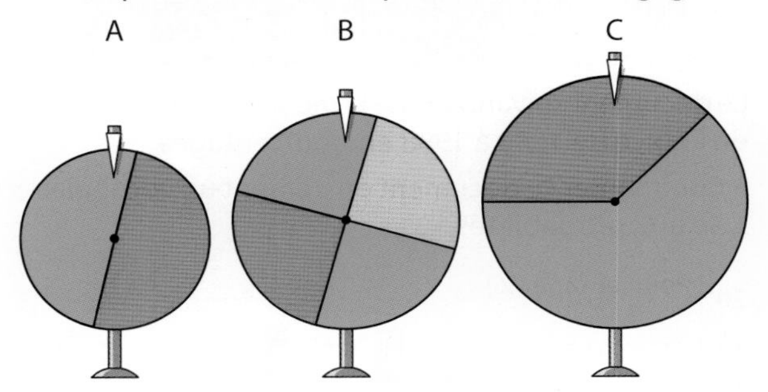

64 Bonbons

Un paquet de bonbons contient 14 bonbons au chocolat, 2 bonbons au caramel et 4 bonbons gout cola. On prend au hasard un bonbon dans ce paquet.

1. Classer les évènements suivants du moins probable au plus probable :
   a. « Obtenir un bonbon au chocolat. »
   b. « Obtenir un bonbon au caramel. »
   c. « Obtenir un bonbon au citron. »
   d. « Obtenir un bonbon au gout cola. »
2. Placer la probabilité de chacun de ces évènements sur une droite graduée.

65 Puissance 4

Au jeu « puissance 4 », il faut aligner 4 pions de la même couleur pour gagner. On est en cours de partie et c'est au joueur qui a les pions jaunes de jouer.

Si le joueur met son pion au hasard dans une des colonnes, quelle est la probabilité qu'il gagne ?

Problèmes

66 Des dés

1. Inventer une expérience aléatoire liée à la photo ci-contre et en donner les issues.
2. Donner un évènement qui pourrait être réalisé au cours de cette expérience.

67 Chasseurs de tornades

Le document suivant donne la répartition des tornades en France de 1680 à 1988 en pourcentages.

- Commenter ce document en utilisant un vocabulaire lié aux probabilités.

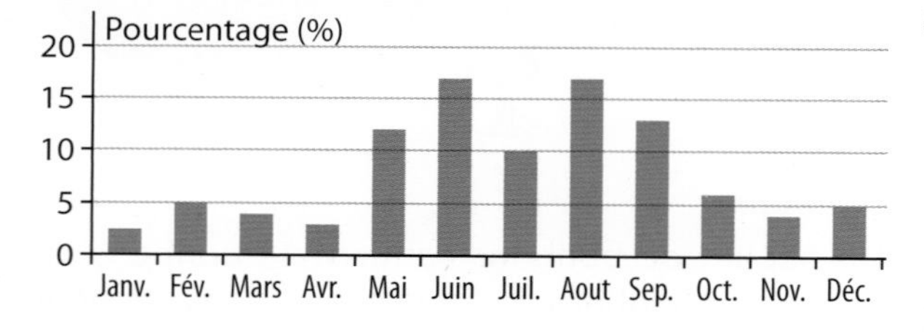

68 Simulation

On a simulé sur un tableur 250 lancers d'une pièce de monnaie.

	A	B	C	D	E	F	G	H	I	J	K	L	M	N	O	P	Q	R	S	T	U	V	W	X	Y	Z
1		F	F	F	P	F	P	P	P	P	P	P	P	P	P	P	F	P	P	P	F	P	P	P	P	P
2		P	F	F	P	P	F	P	P	P	P	F	F	P	P	F	P	P	F	P	P	P	P	P	P	P
3		P	P	P	F	P	P	P	F	P	P	P	F	P	P	P	P	P	F	P	P	P	P	P	P	F
4		F	P	P	P	P	P	P	P	P	P	P	P	P	P	P	F	F	P	P	F	P	F	F	P	P
5		P	P	F	P	P	F	F	P	P	P	P	P	F	F	P	P	P	P	P	P	P	P	P	F	P
6		P	P	P	P	P	P	P	F	P	P	P	P	F	P	P	F	P	P	F	P	P	P	P	P	P
7		P	P	P	P	P	P	P	P	P	P	P	P	P	P	P	P	P	P	P	P	P	F	P	P	P
8		P	P	P	P	P	P	P	F	P	P	P	P	F	P	P	P	F	P	P	F	F	P	P	P	P
9		P	P	P	P	F	P	P	P	F	P	P	P	P	P	P	P	F	P	F	P	P	P	P	P	P
10		F	P	P	P	P	P	P	F	P	P	P	P	P	P	P	F	P	P	P	F	P	P	P	F	P
11																										
12	Nombre de "FACE"	3	2	3	1	2	2	1	4	1	0	1	2	3	1	1	4	3	2	2	4	1	2	1	2	1

1. Calculer la fréquence d'apparition de « Face » dans cette simulation.
2. Que peut-on penser de ce résultat ?

69 Cibles

On lance une fléchette sur une cible et on gagne si on atteint la zone verte.

- Avec quelle cible est-il préférable de jouer ?

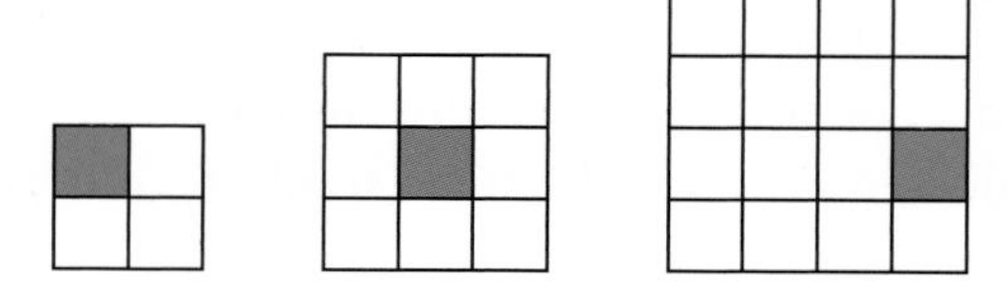

70 Jetons

Dans un sac opaque se trouvent 3 jetons bleus, 8 noirs et 7 jaunes. On ne peut pas les reconnaitre en les touchant. Cyril tire un jeton au hasard de ce sac et regarde sa couleur.

1. Donner les issues de cette expérience aléatoire et préciser leur probabilité.
2. Que peut-on remarquer concernant la somme de ces probabilités ?

71 Bissextile

Une année est bissextile si :
– elle est divisible par 4 mais pas par 100
ou
– elle est divisible par 400

On choisit une année au hasard entre 2010 et 2020 (inclus).

- Quelle est la probabilité qu'elle soit bissextile ?

72 Céréales

Une marque de céréales offre des cadeaux dans certains paquets. La publicité annonce qu'il y a une chance sur trois de trouver une surprise. Julie demande à sa mère d'acheter trois paquets pour être sûre d'avoir un cadeau.

- Que peut-on penser du raisonnement de Julie ?

73 Salaires

AV

Voici la répartition des salaires nets mensuels, en euros, dans l'entreprise Mario :

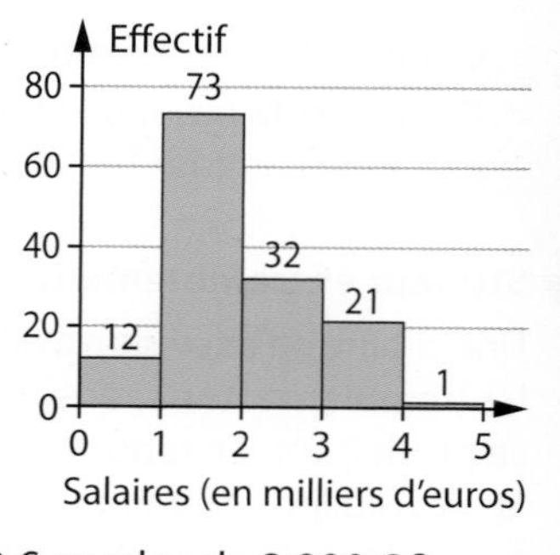

1. Combien d'employés y a-t-il dans l'entreprise Mario ?
2. On croise un employé. Y a-t-il plus de chances qu'il gagne moins de 2 000 € ou plus de 2 000 € ?

74 Cartes à jouer

Clémentine possède un jeu de 6 cartes un peu spécial.

2	4	9	3	7	5
●	■	●	●	■	●

Elle les mélange et les pose sur la table à l'envers puis retourne la première carte.

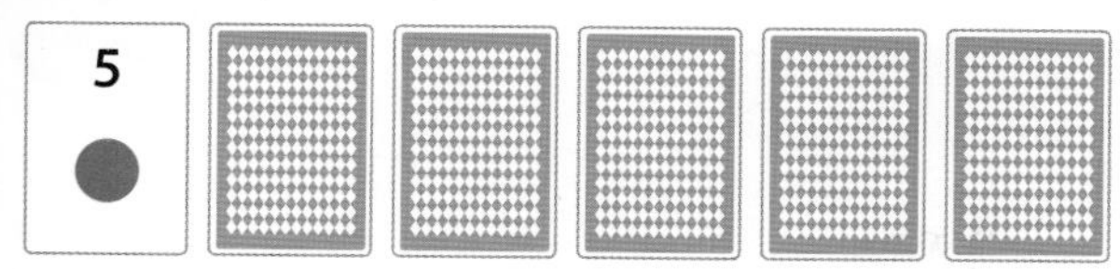

- En retournant la deuxième carte, a-t-elle plus de chances d'obtenir un nombre strictement supérieur à 3 ou un rond ?

Fumer tue !

La fédération de cardiologie affiche l'information ci-contre dans une campagne de presse.

- Pourquoi l'information donnée permet-elle de penser que fumer augmente le risque d'infarctus ?

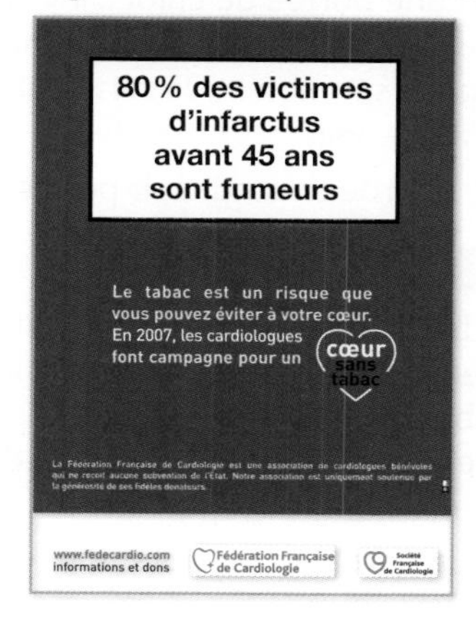

Œuvre aléatoire

Sur la photo ci-dessous, François Morellet, artiste, est devant son œuvre *Répartition aléatoire de 40 000 carrés suivant les chiffres pairs et impairs d'un annuaire téléphonique, 50 % bleu 50 % rouge*, réalisée en 1963.

- Si on réalisait le même type de travail avec les années de naissance des élèves d'une classe de 5e à la place des numéros de téléphone, obtiendrait-on le même résultat (c'est-à-dire 50 % de carrés bleus et 50 % de carrés rouges) ?

77 Pièce ou dé

Thierry et Amandine jouent l'un contre l'autre à un jeu.

L'un lance une pièce équilibrée et marque 3 points s'il obtient « Face » et 6 points s'il obtient « Pile ».

L'autre lance un dé équilibré à 6 faces et marque le nombre de points correspondant à son tirage.

Thierry laisse le choix à Amandine.

- Vaut-il mieux qu'elle choisisse la pièce ou le dé ?

78 Sans pièce

On souhaite tirer à « Pile » ou « Face » mais on n'a pas de pièce à disposition.

- Comment pourrait-on faire autrement ?

79 Égalité !

Dans le sac de billes d'Antoine, il y a 20 billes loupes et 5 billes perles. Dans celui de Léa, il y a 34 billes loupes et 16 billes perles.

Léa souhaite que la probabilité de tirer une bille perle dans son sac et dans celui d'Antoine soient les mêmes.

- Quel(s) échange(s) de billes peuvent-ils faire ?

80 Météo

Chaque élève se met à la place d'un présentateur de la météo d'une chaine nationale française.

- À l'aide du document fourni, écrire un texte de quelques lignes au sujet des orages en Europe en cette journée du 26 aout.

Probabilité d'orages [%]

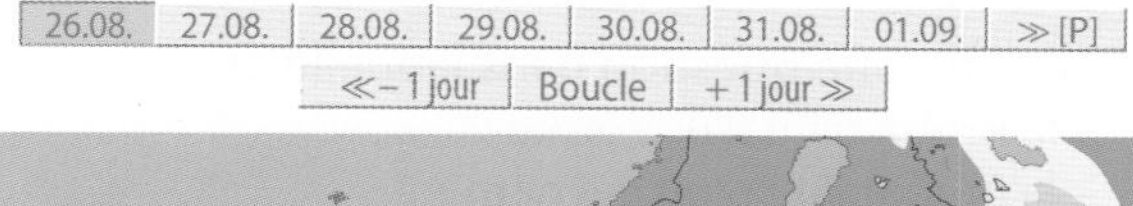

Probabilité d'orages [%] 26.08.2015 CEST

5 15 25 35 45 55 65 75 85 95

dernière mise à jour : mer. 26.08. 11:08 CEST

Travailler autrement

Utilisable en AP

Deux énoncés pour un exercice

Exercice 1

On tire une boule au hasard dans le sac ci-contre.

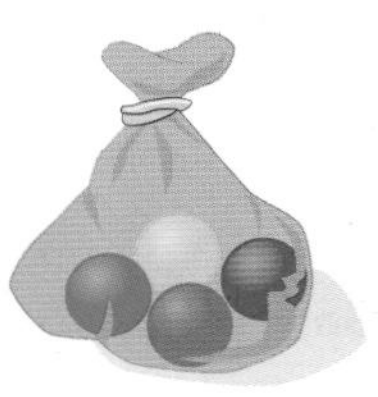

1. Donner les issues de cette expérience aléatoire.
2. Donner la probabilité de chaque issue.

Exercice 2

Bambie a eu une portée de chiots. Il y en a de deux couleurs : 3 blancs et des noirs. Pendant la nuit, l'un des chiots saute sur mon lit. Je sais qu'il y a 4 chances sur 7 qu'il soit noir.

- Combien y a-t-il de chiots dans la portée de Bambie ?

Exercice 3 Un sac de billes

Dans le sac de billes de Thibault, il y a 12 billes agates et 8 billes arc-en-ciel. Dans celui de Lucille, il y a 24 billes agates et 5 billes arc-en-ciel.
Si on tire une bille au hasard, quelle est la probabilité d'obtenir une bille arc-en-ciel :
– si on tire dans le sac de Thibault ?
– si on tire dans le sac de Lucille ?

Exercice 1

On tire une boule au hasard dans le sac ci-contre.

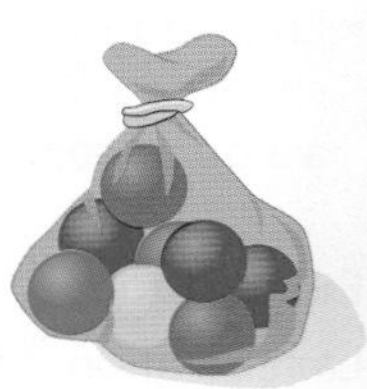

1. Donner les issues de cette expérience aléatoire.
2. Donner la probabilité de chaque issue.

Exercice 2

Bambie a eu une portée de chiots. Il y en a de deux couleurs : 3 blancs et des noirs. Pendant la nuit, l'un des chiots saute sur mon lit. Je sais qu'il y a 70 % de chances qu'il soit noir.

- Combien y a-t-il de chiots dans la portée de Bambie ?

Exercice 3 Un sac de billes

Dans le sac de billes de Thibault, il y a 12 billes agates et 8 billes arc-en-ciel. Dans celui de Lucille, il y a 24 billes agates et 5 billes arc-en-ciel.
On mélange le contenu des deux sacs dans un seul sac et on tire une bille au hasard.

- Quelle est la probabilité d'obtenir une bille arc-en-ciel ?

Écriture d'un énoncé

1. Inventer une expérience aléatoire utilisant cette roue.
2. Inventer une question dans laquelle on demande de calculer :
   – la probabilité d'une issue ;
   – la probabilité d'un évènement.
3. Donner cet énoncé à son voisin et lui demander de résoudre le problème.

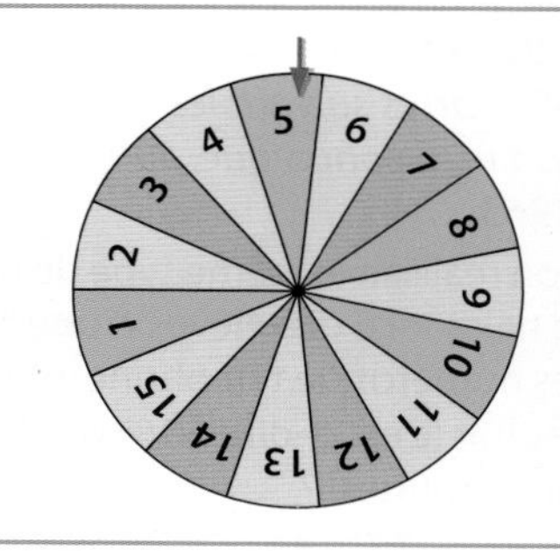

Analyse d'une production

Voici un énoncé et la réponse de deux élèves : « Dans un sac, il y a 1 jeton jaune pour 3 jetons verts. On prend un jeton au hasard dans ce sac.

- Quelle est la probabilité que ce soit un jeton jaune ? »

Alicia
On a une chance sur trois d'avoir un jeton jaune.

Will
On a trois fois moins de chances d'avoir un jeton jaune qu'un jeton vert.

- Analyser ces réponses et corriger les erreurs, s'il y en a.

CHAPITRE
11
Ta mission
Découvrir
un nouveau type
de symétrie.

Construction et transformation de figures

Jeux

- À quelle heure Leïla a-t-elle pris ce selfie ?

INFOS

Des jeux de symétrie dans l'art !

L'artiste néerlandais Maurits Cornelis Escher (1898-1972) a été fortement inspiré par les mathématiques.
Jour et Nuit (1938) est une gravure où deux villages symétriques s'opposent, l'un représentant le jour et l'autre la nuit.

Activités

Questions flash

1. Dans chaque cas, dire si les personnages sont symétriques par rapport à la droite (d).

① 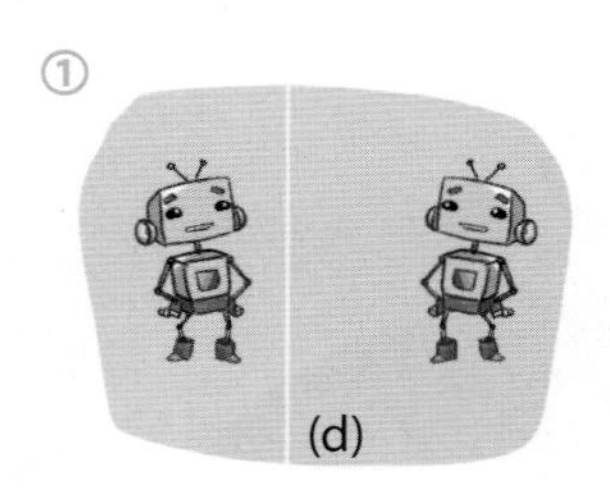

② 

③ 

④ 

2. Les panneaux de signalisation suivants ont-ils des axes de symétrie ?

Sens interdit à tous les véhicules

Circulation dans les deux sens

Arrêt à l'intersection

Interdiction de dépasser la vitesse indiquée sur le panneau

Route prioritaire

Intersection où le conducteur doit céder le passage au(x) véhicule(s) débouchant de sa droite

La disparition

Activité 1 – Prise d'initiative

Carla veut construire le symétrique de la droite (AB) par rapport à une droite (d). Malheureusement, la droite (d) a été effacée. Il reste quand même le point A′ symétrique de A par rapport à (d).

- Comment doit-elle faire ?

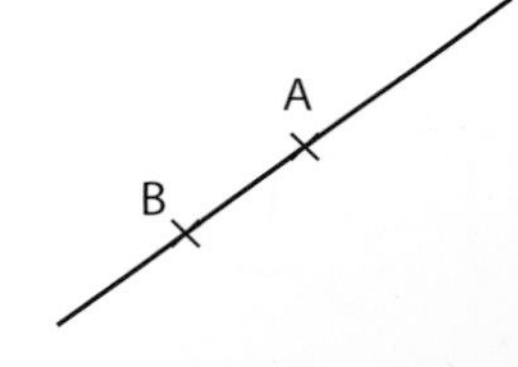

Que fait cocotte ?

Activité 2

Cocotte la petite poulette se promène dans la cour de la ferme. On a schématisé ci-contre ses positions à différents moments de sa promenade.

- Décrire le déplacement qu'elle a effectué pour passer de chaque position à la suivante.

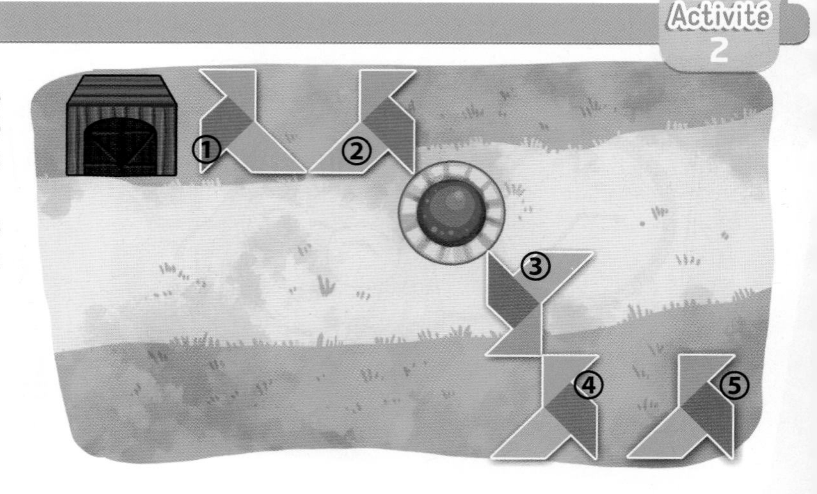

Où est le centre ?

Activité 3

1. Ouvrir le fichier logiciel. Les deux cocottes sont symétriques par rapport à un point O. Le but de l'exercice est de trouver la position de ce point O.
2. À l'aide de l'outil « **segment** », construire les segments [AA′], [BB′] et [CC′].
3. À l'aide de l'outil « **déplacer** », sélectionner la cocotte C_1 et la faire bouger.
4. Que peut-on remarquer ? Décrire une méthode générale pour déterminer la position du centre de symétrie d'une figure.

Des propriétés de la symétrie centrale

Activité 4

1. On crée une nouvelle figure à l'aide d'un logiciel de géométrie dynamique.
   a. À l'aide de l'outil « **point** »,  placer trois points A, B et O non alignés, puis avec l'outil « **droite** » tracer la droite (AB).
   b. À l'aide de l'outil « **symétrie centrale** », tracer le symétrique de la droite (AB) par rapport à O.
   c. Avec l'outil « **déplacer** », sélectionner la droite (AB) et la faire bouger.
   d. Quelle conjecture peut-on faire sur le symétrique d'une droite par rapport à un point ?
   Vérifier cette conjecture avec l'outil « **relation** »

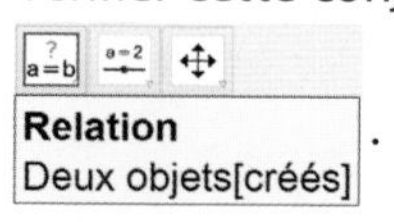

2. Placer un point C sur la droite (AB), puis construire les symétriques de A, B et C par rapport à O.
   Quelle conjecture peut-on faire concernant le symétrique de C ? Vérifier cette conjecture avec l'outil « **relation** ».

Le lotissement

Activité 5

La société Locabat a demandé à Pierre de lui faire le plan de l'implantation de maisons pour un lotissement. Tous les jardins sont des carrés de 12 m de côté. On représente ci-contre le plan d'implantation de la première maison.

1. Sur le plan, 1 cm correspond à 1 m dans la réalité. Reproduire ce plan.
2. Compléter le plan sachant que la deuxième maison est symétrique de la première par rapport à O.
3. Mesurer les angles et les longueurs de la deuxième maison.
4. Que peut-on conclure ?

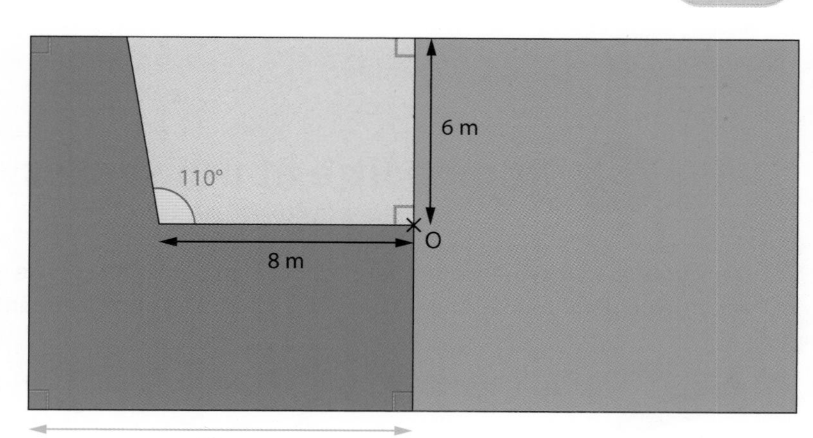

Qui est l'intrus ?

Activité 6

Prise d'initiative

- Trouver l'intrus parmi les quatre cartes ci-dessous.

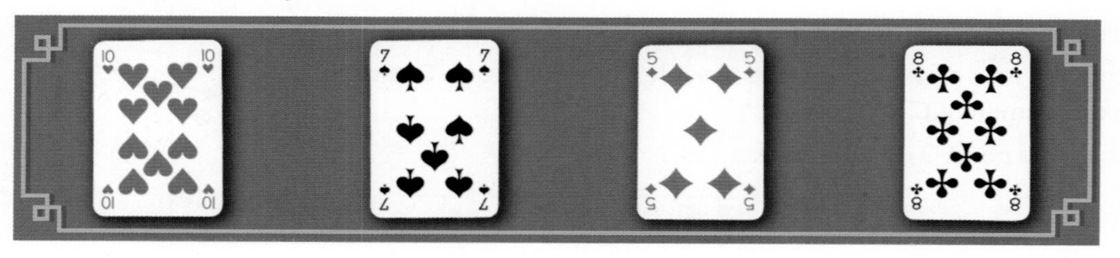

1 Reconnaitre et utiliser la symétrie axiale

Définition

Deux figures sont **symétriques par rapport à une droite (d)** si elles se superposent quand on plie le long de cette droite. La droite (d) est appelée l'**axe de symétrie**.

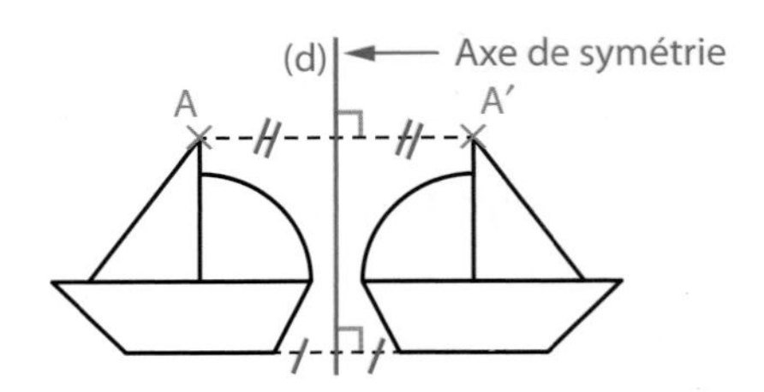

Définition

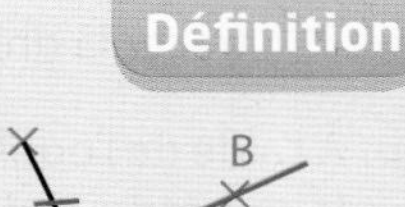

Soit (d) une droite.

- **Si un point A n'appartient pas à la droite (d)**, alors son symétrique par rapport à la droite (d) est le point A′ tel que **(d) est la médiatrice du segment [AA′]**.
- **Si un point B appartient à la droite (d)**, alors son symétrique par rapport à la droite (d) est lui-même.

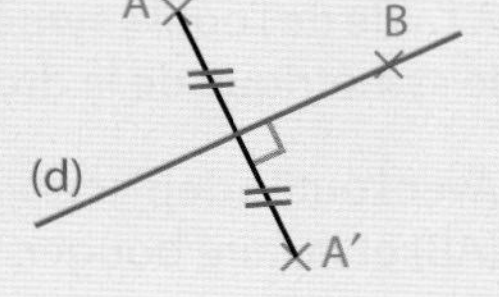

Si A et A′ sont deux points distincts, la médiatrice du segment [AA′] est la droite qui coupe le segment [AA′] perpendiculairement en son milieu. C'est aussi l'ensemble des points équidistants de A et de A′.

2 Reconnaitre et utiliser la symétrie centrale

Définition

Deux figures sont **symétriques par rapport à un point O** si elles se superposent lorsqu'on effectue un demi-tour autour du point O. Le point O s'appelle le **centre de symétrie**.

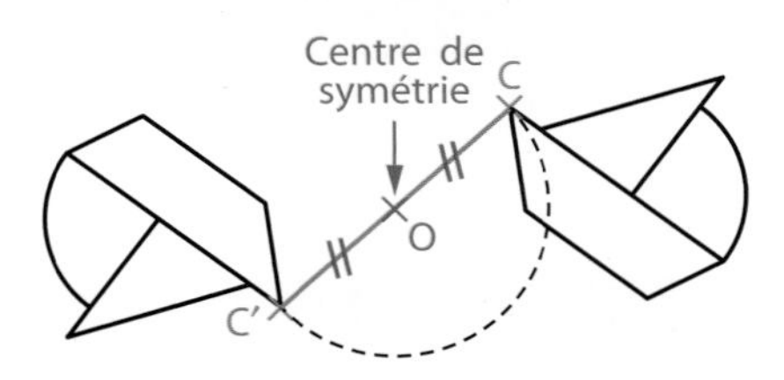

Définition

Soit O un point. Par la **symétrie de centre O** :

- le symétrique d'**un point C distinct de O** est le point C′ tel que **O est le milieu du segment [CC′]** ;
- le symétrique du **point O** est lui-même.

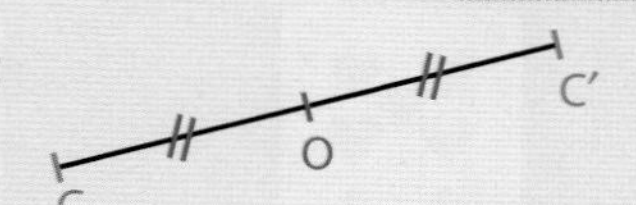

Savoir-faire

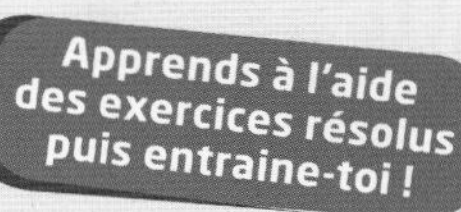

Apprends à l'aide des exercices résolus puis entraine-toi !

1 Reconnaitre et utiliser la symétrie axiale

1 Construire le symétrique A′ du point A par rapport à la droite (d_1).

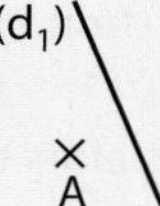

Solution

① On commence par tracer la droite perpendiculaire à (d_1) qui passe par A.
② Puis on place le point A′ sur cette droite tel que MA′ = AM.

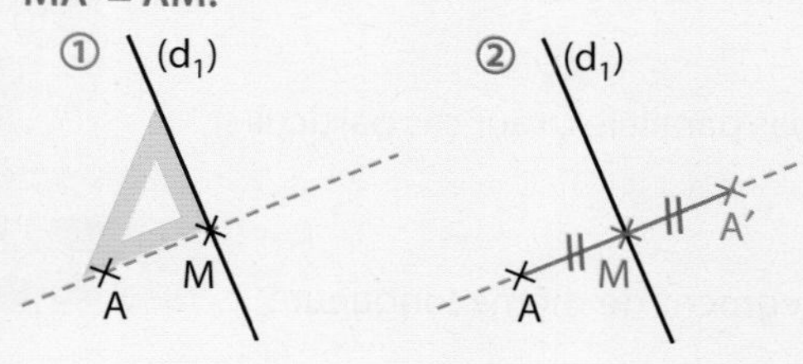

2 Construire le symétrique du triangle IJK par rapport à la droite (d_2).

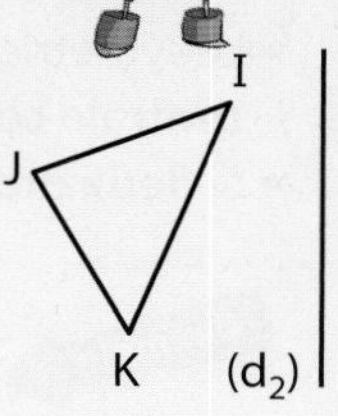

Solution

On trace le symétrique de chaque sommet : I′ symétrique de I, puis J′ symétrique de J et enfin K′ symétrique de K.

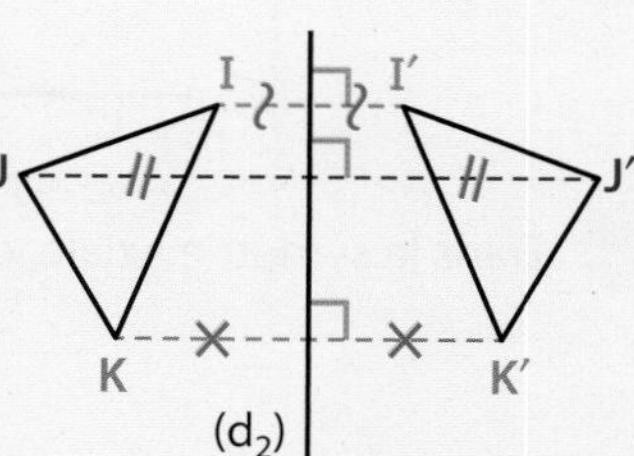

3 1. Tracer un triangle TOM quelconque.
2. Constuire le symétrique du triangle TOM par rapport à la droite (TO).

2 Reconnaitre et utiliser la symétrie centrale

4 Construire le symétrique B′ du point B par rapport au point O_1.

B
O_1

Solution

① On commence par tracer la demi-droite $[BO_1)$.
② À l'aide du compas, on reporte la longueur BO_1 à partir du point O_1, puis on place le point B′.

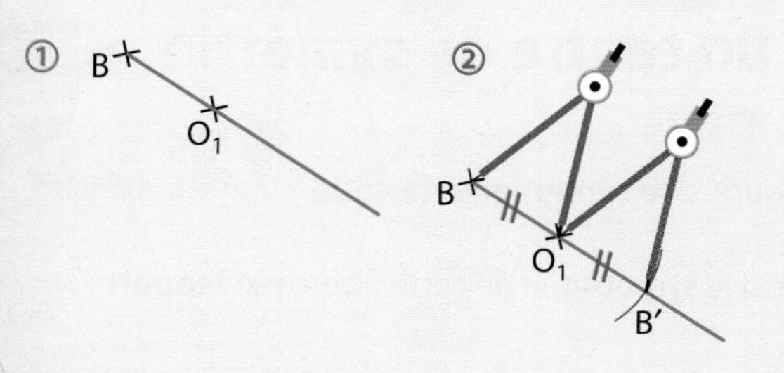

5 Construire le symétrique du triangle EFG par rapport au point O_2.

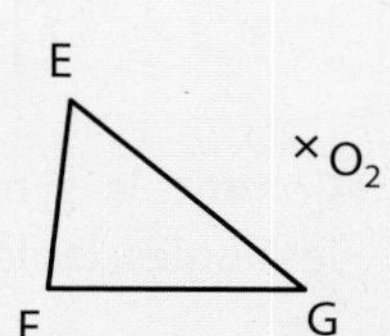

Solution

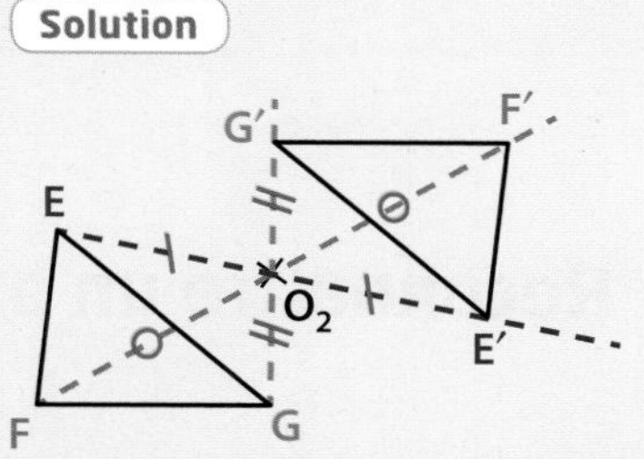

On construit le symétrique de chaque sommet par rapport au point O_2.
E′ est le symétrique de **E**, **F′** est le symétrique de **F** et **G′** est le symétrique de **G**.

6 1. Construire un triangle SAM quelconque.
2. Construire le symétrique du triangle SAM par rapport au point A.

3 Utiliser les propriétés de la symétrie centrale ▶Vidéo

Propriétés

- Le symétrique d'une droite par rapport à un point est une droite : on dit que **la symétrie centrale conserve les alignements.**
- Si **deux droites** sont **symétriques** par rapport à un point, alors elles **sont parallèles.**

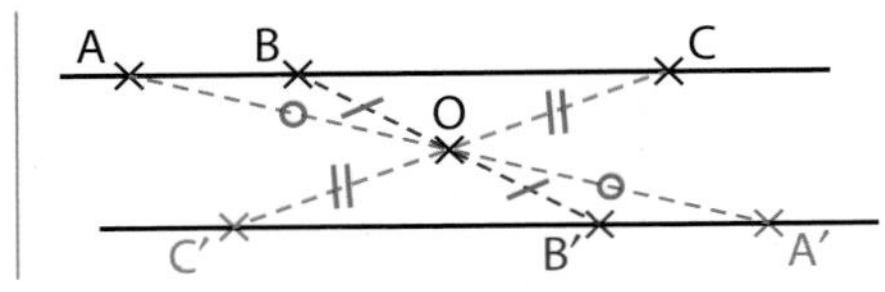

- Les points A, B et C sont alignés, donc leurs symétriques A′, B′ et C′ sont aussi alignés.
- La droite (AB) est parallèle à la droite (A′B′).

Dans la symétrie axiale, deux droites symétriques ne sont pas parallèles, sauf cas particulier.

Propriété

Le symétrique d'un segment par rapport à un point est un segment de même longueur : on dit que **la symétrie conserve les longueurs.**

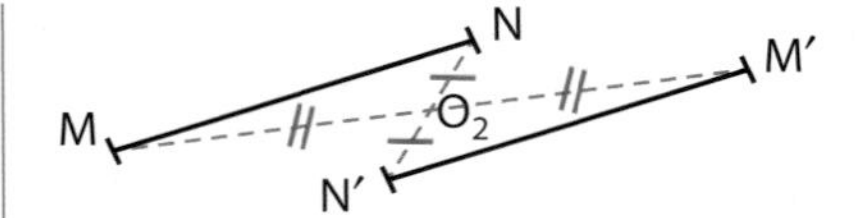

[MN] et [M′N′] sont symétriques par rapport à O_2.
Donc MN = M′N′.

Propriété

Deux figures symétriques par rapport à un point ont la même forme. On dit que **la symétrie centrale conserve les angles, les périmètres et les aires.**

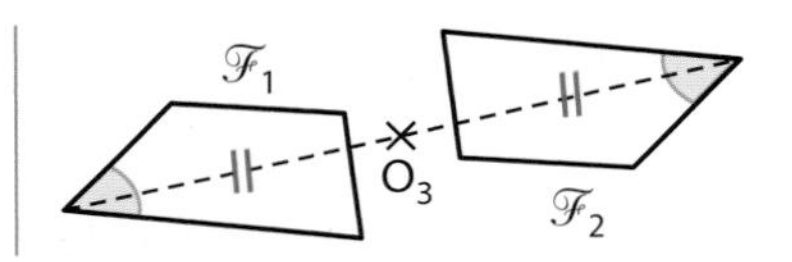

Les figures $\mathscr{F}_1$ et $\mathscr{F}_2$ sont symétriques par rapport à O_3.
Donc $\mathscr{F}_1$ et $\mathscr{F}_2$ ont le même périmètre, la même aire et leurs angles ont même mesure.

Propriété

Comme la symétrie centrale, la symétrie axiale conserve également les alignements, les angles, les longueurs et les aires.

4 Reconnaitre un axe ou un centre de symétrie 

Définitions

- On dit qu'une droite (d) est un axe de symétrie d'une figure si le symétrique de cette figure par rapport à la droite (d) est la figure elle-même.
- On dit qu'un point O est le centre de symétrie d'une figure si le symétrique de cette figure par rapport au point O est la figure elle-même.

1 axe de symétrie
0 centre de symétrie

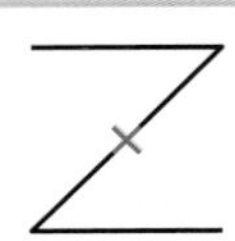

0 axe de symétrie
1 centre de symétrie

4 axes de symétrie
1 centre de symétrie

Savoir-faire

Apprends à l'aide des exercices résolus puis entraine-toi !

3 Utiliser les propriétés de la symétrie centrale

7 Construire la droite (d′) symétrique de la droite (d) par rapport au point O_1.

- Que peut-on dire des droites (d) et (d′) ?

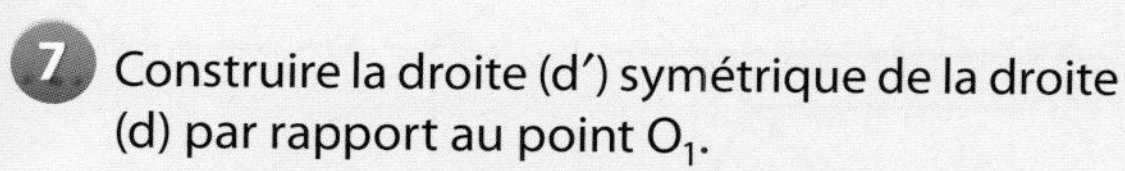

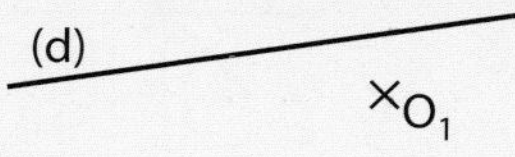

Solution

① On place un point A sur la droite (d).
② On construit le symétrique A′ de A par rapport à O_1.
③ Puis on recommence avec un autre point B.
④ On finit par tracer la droite (d′) qui passe par les points A′ et B′.

Les droites (d) et (d′) sont symétriques par rapport à O_1, donc elles sont parallèles.

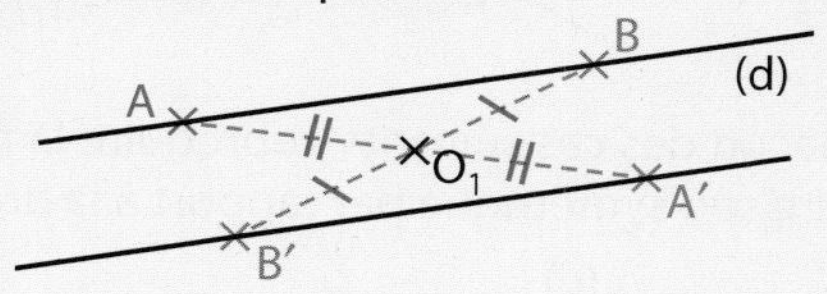

8 Construire le symétrique du cercle $\mathscr{C}$ de rayon 2 cm et de centre I par rapport au point O_2.

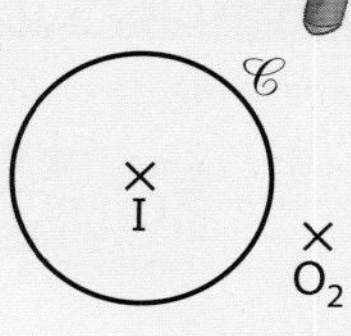

Solution

① On commence par construire le symétrique I′ de I par rapport à O.

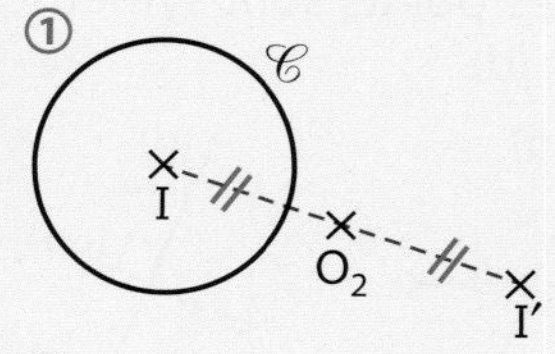

② On trace ensuite le cercle de centre I′ et de rayon 2 cm.

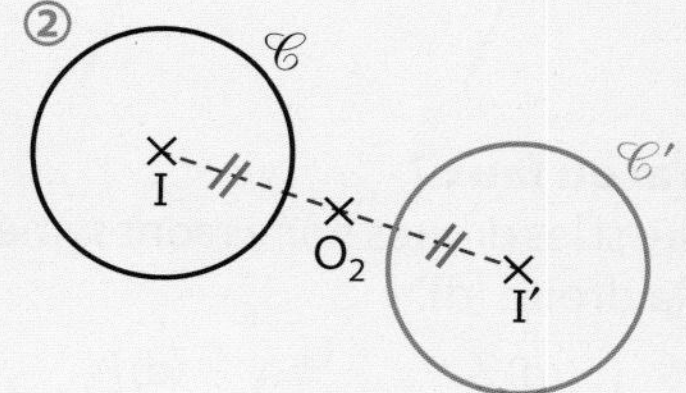

9 Construire un cercle $\mathscr{C}$ de centre A et de rayon 3,5 cm. Placer un point B sur le cercle $\mathscr{C}$. Construire le symétrique de $\mathscr{C}$ par rapport à B.

4 Reconnaitre un axe ou un centre de symétrie

10 Le parallélogramme ci-contre a-t-il un centre de symétrie ?

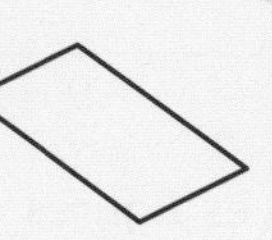

Solution

On cherche le centre de symétrie éventuel dans la partie centrale de la figure. On peut essayer avec le point O. On fait tourner la figure d'un demi-tour autour de O : elle se superpose à elle-même. Donc O est le centre de symétrie.

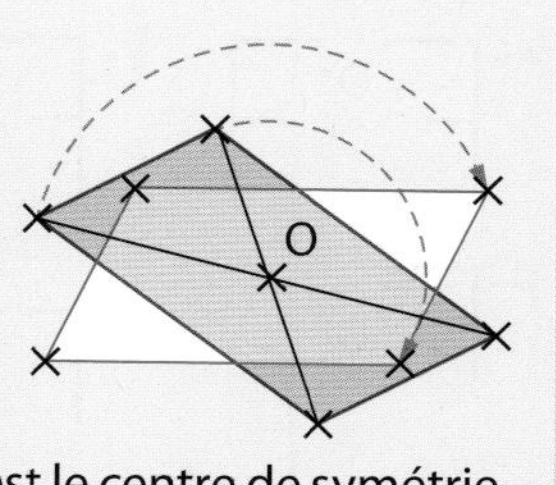

11 Le triangle ci-contre a-t-il un centre de symétrie ?

Solution

En faisant tourner d'un demi-tour ce triangle autour de n'importe quel point O, il ne se superpose pas à lui-même. Il n'a pas de centre de symétrie.

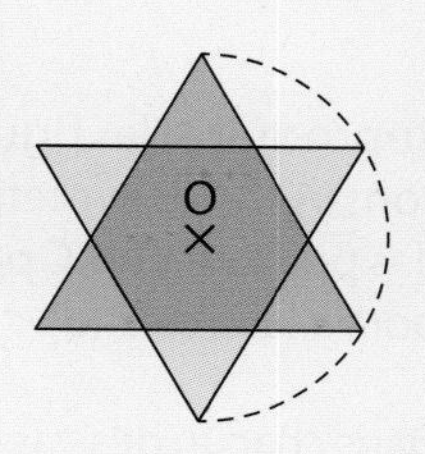

12 Reproduire les figures suivantes et tracer en rouge les axes de symétries et en vert le centre de symétrie s'il y en a.

0 1 2 3 4 5 6 7 8 9

Exercices

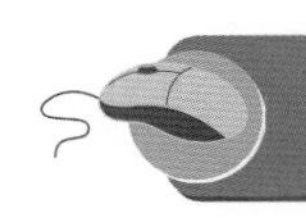

2 pages d'exercices supplémentaires dans le manuel numérique

Reconnaitre et utiliser la symétrie axiale

Savoir-faire p. 187

Questions flash

diapo

13 **Vrai ou faux ?**
Dire si les points sont symétriques par rapport à la droite (d).

a. (d)

b. (d)

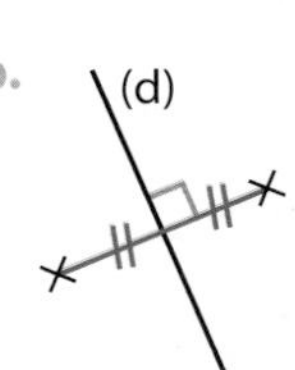

c. (d)

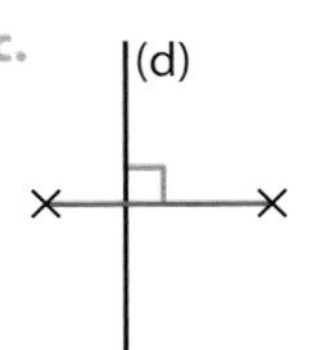

14 **Vrai ou faux ?**
Dire si les droites noires sont symétriques par rapport à la droite (d).

a. (d)

b. (d)

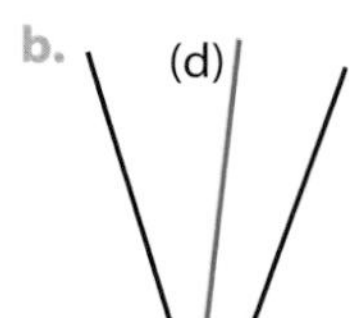

c. (d)

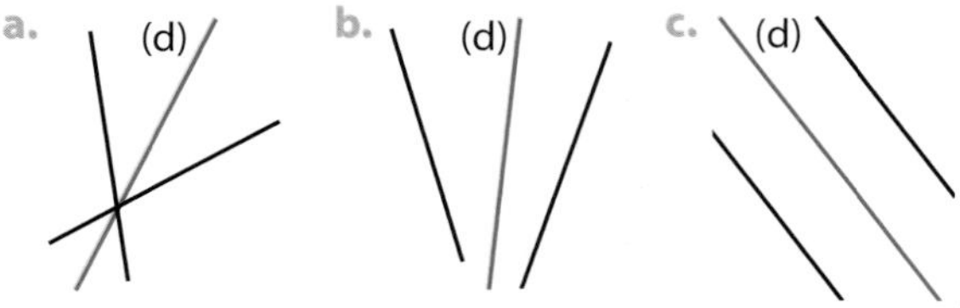

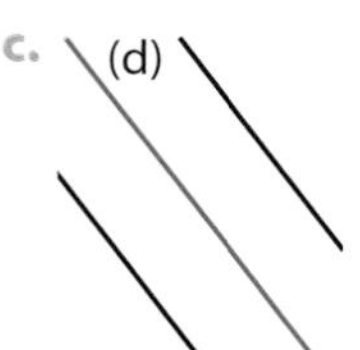

15 Construire le symétrique du point A par rapport aux droites (d_1), (d_2), (d_3) et (d_4).

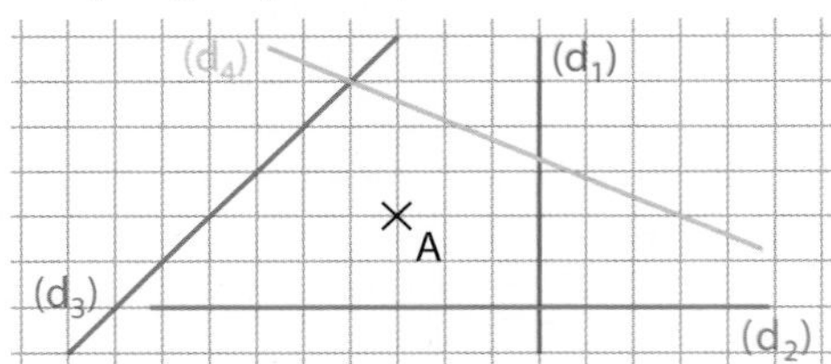

16 Reproduire la figure et construire les symétriques des points A, B et C par rapport à la droite (d).

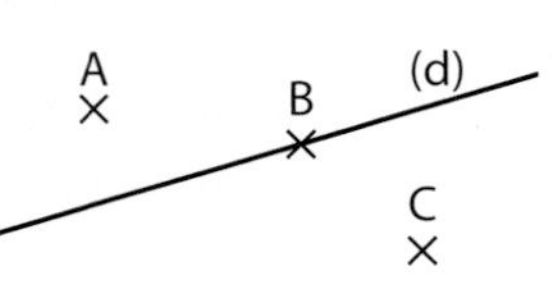

17 Dans chacun des cas suivants, reproduire la figure bleue et construire son symétrique par rapport à la droite (d_1) puis par rapport à la droite (d_2).

①

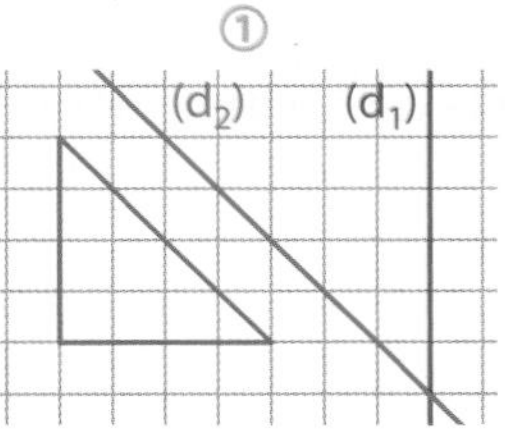

②

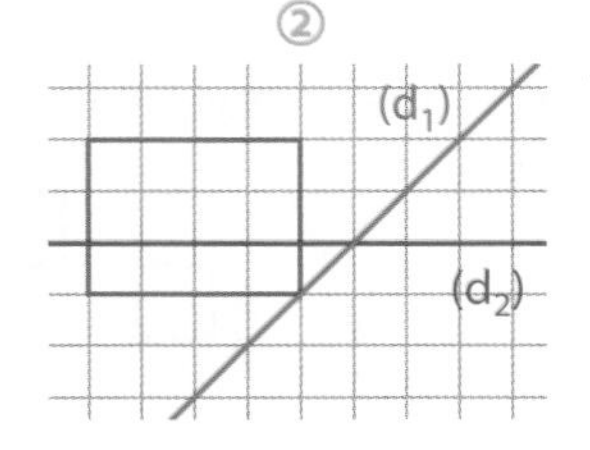

③ ④

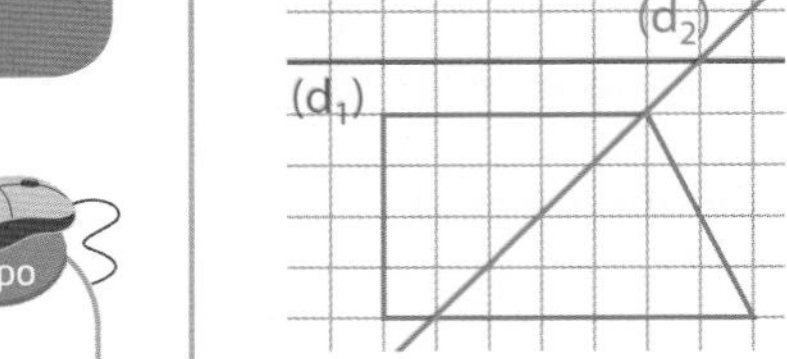

18 Dans chacun des cas suivants, reproduire la figure et construire le symétrique de la droite (d_1) par rapport à la droite (d).

a. (d) (d_1)

b. (d_1) (d)

c. (d_1) (d) (d_1) // (d)

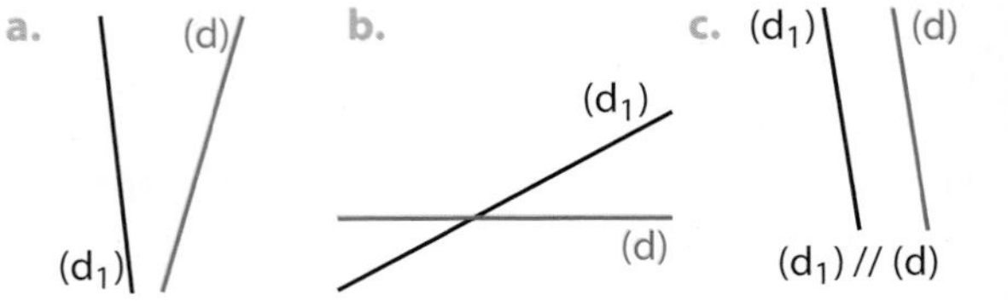

19 Dans chacun des cas suivants, reproduire la figure et construire son symétrique par rapport à la droite (d).

a.

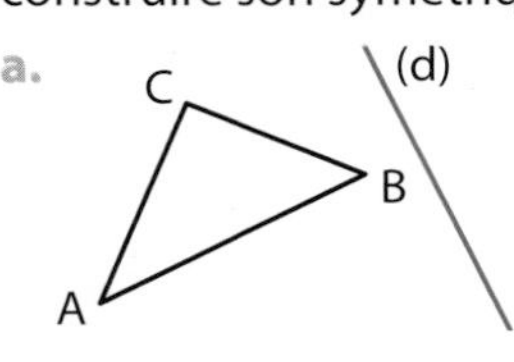

b.

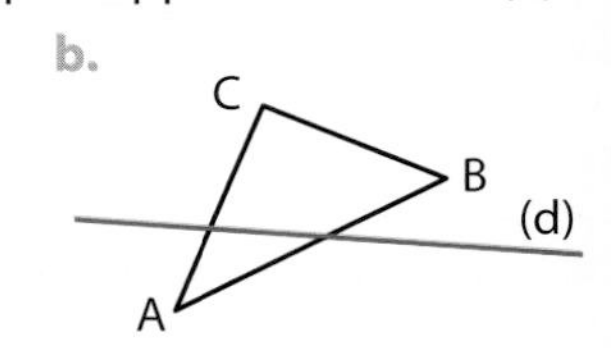

Reconnaitre et utiliser la symétrie centrale

Savoir-faire p. 187

Questions flash

diapo

20 Les figures suivantes sont-elles symétriques par rapport à O ?

a.

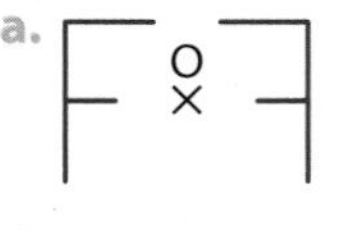

b.

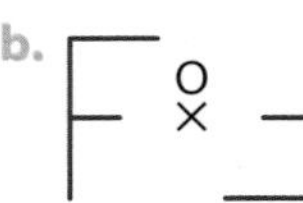

c.

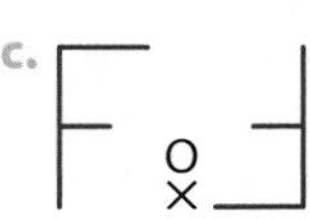

d.

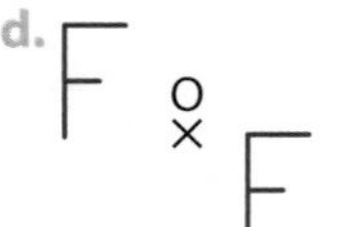

e.

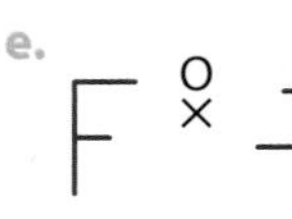

f.

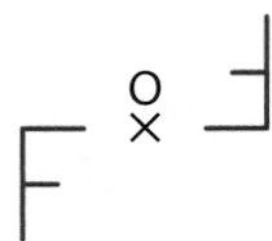

21 Les figures suivantes sont symétriques par rapport à un point. Quel est ce point ?

a.

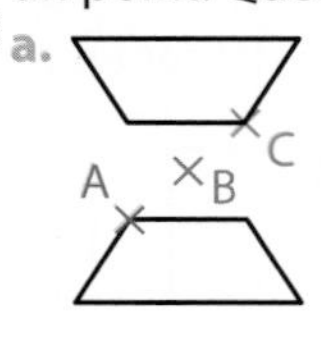

b.

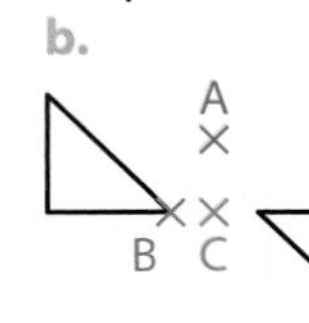

c.

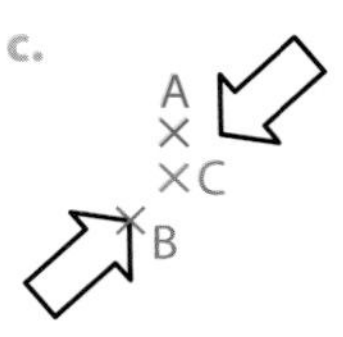

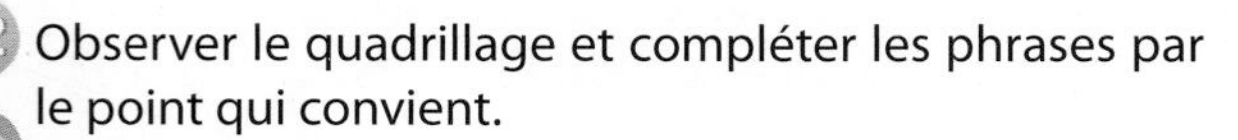

Observer le quadrillage et compléter les phrases par le point qui convient.

a. Le symétrique du point A par rapport à H est …

b. … est le symétrique de J par rapport à G

c. E et F sont symétriques par rapport à …

d. Le symétrique de H par rapport à C est …

e. … est le milieu du segment [BG].

Dans chacun des cas suivants, reproduire la figure et construire à main levée le symétrique de la lettre T par rapport au point O.

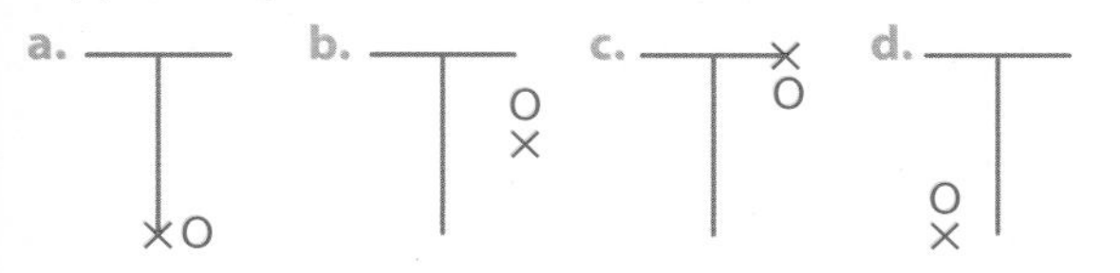

Tracer un segment [MN] de longueur 7,4 cm. Les points M et N sont symétriques par rapport à un point O.

- Placer ce point O.

Reproduire cette figure et construire les symétriques de ces quatres points par rapport à D, puis par rapport à C.

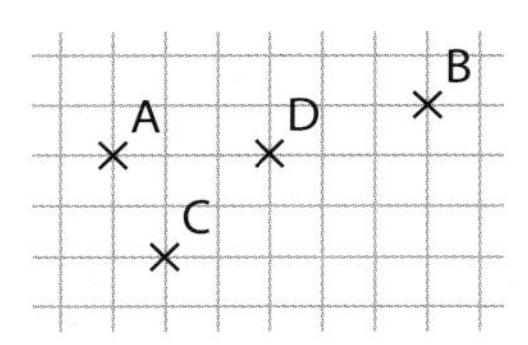

Reproduire cette figure et construire les symétriques de ces quatres points par rapport à D, puis par rapport à B.

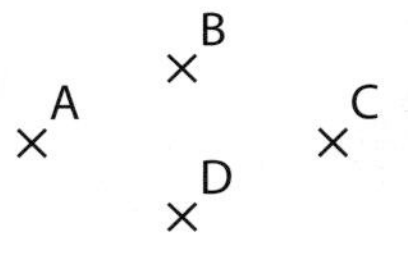

Utiliser les propriétés de la symétrie centrale

Savoir-faire p. 189

Dans quel cas les droites semblent-elles symétriques par rapport au point O ?

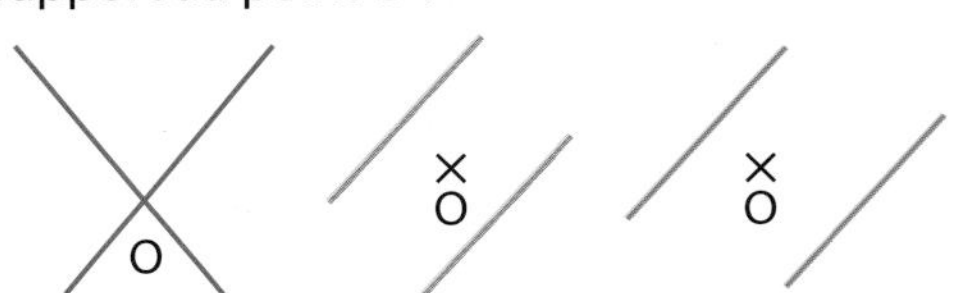

$\mathscr{C}$ est un cercle de rayon 3 cm.

- Quel est le diamètre du cercle $\mathscr{C}'$ symétrique de $\mathscr{C}$ par rapport à un point ?

29 Dans chacun des cas suivants, reproduire la figure et construire la figure symétrique par rapport à O_1 puis par rapport à O_2.

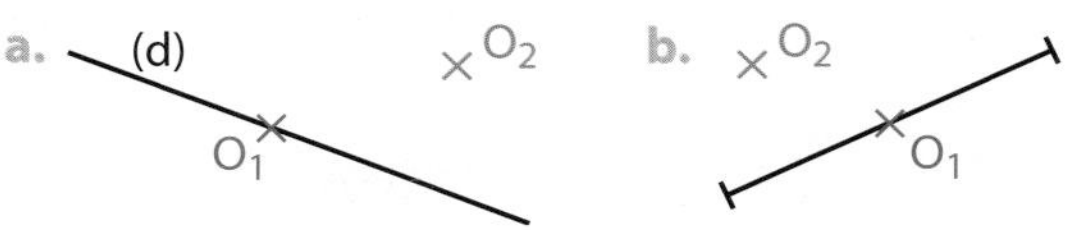

30 Reproduire la figure où $\mathscr{C}$ est un cercle de centre O et de rayon 3 cm. Construire le symétrique de $\mathscr{C}$ par rapport à A, B et O.

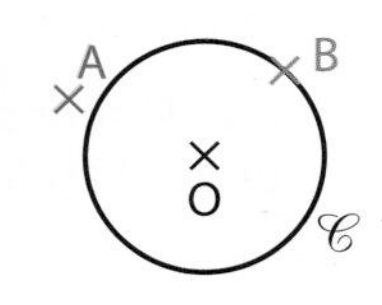

31 Tracer un segment [EF] de longueur 4 cm. Placer un point I qui n'appartient pas à [EF]. Construire le symétrique [E′F′] par rapport à I.

- Quelle est la longueur du segment [E′F′] ?

32 Les triangles ABC et A′B′C′ sont symétriques par rapport à O. Observer les indications sur la figure. Recopier et compléter les phrases suivantes.

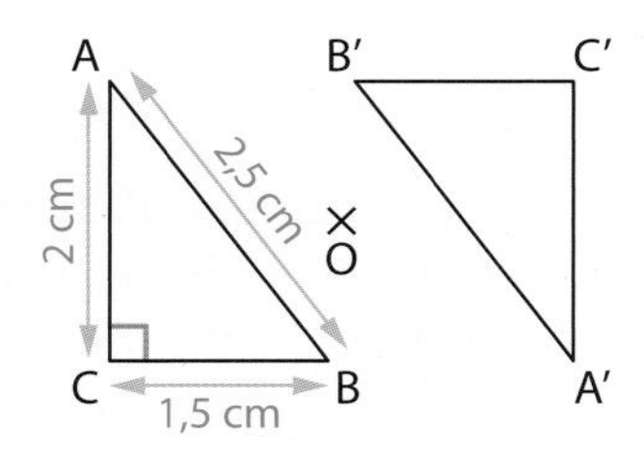

a. Le côté [A′B′] mesure … cm.

b. La mesure de l'angle $\widehat{A'B'C'}$ est égale à la mesure de l'angle …

c. Le périmètre du triangle A′B′C′ est égal à … cm.

d. Le triangle A′B′C′ est un triangle …

Reconnaitre un axe ou un centre de symétrie

Savoir-faire p. 189

Questions flash

33 Les drapeaux suivants ont-ils des axes ou un centre de symétrie ?

34 Reproduire les figures suivantes et tracer, quand c'est possible, leurs axes de symétrie et leur centre de symétrie.

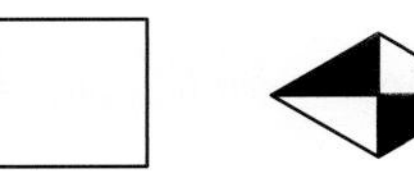

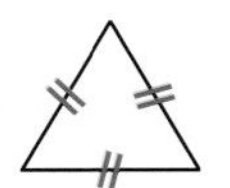

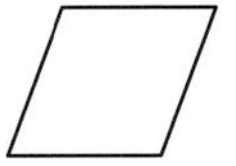

Faire le point

QCM

Donner la seule réponse correcte parmi les trois proposées.

	Réponse A	Réponse B	Réponse C
1 Reconnaitre et utiliser la symétrie axiale			
A et A′ sont symétriques par rapport à une droite. Laquelle ?	(d_1) qui passe par le milieu de [AA′]	(d_2) qui est perpendiculaire à [AA′]	(d_3), la médiatrice de [AA′]
2 Reconnaitre et utiliser la symétrie centrale			
1. Les figures symétriques par rapport à O sont :			
2. O est le milieu du segment [AB], alors :	A et O sont symétriques par rapport à B	O est le symétrique de A par rapport à B	B est le symétrique de A par rapport à O
3 Utiliser les propriétés de la symétrie centrale			
1. Le symétrique d'une droite (d) par rapport à un point est une droite :	sécante à la droite (d)	parallèle à la droite (d)	perpendiculaire à la droite (d)
2. Si A′B′C′D′ est le symétrique du rectangle ABCD par rapport à un point O, alors :	ils ont la même aire	on ne peut rien dire	A′B′C′D′ n'est pas un rectangle
4 Reconnaitre un axe ou un centre de symétrie			
1. Quelle figure a le plus d'axes de symétrie ?			
2. Quelle figure a un centre de symétrie ?			

Pour t'aider à retenir le cours.*

Carte mentale

Deux symétries

Symétrie axiale

Symétrie axiale par rapport à une droite

- A et A′ sont symétriques par rapport à la droite (d).
- (d) est la médiatrice de [AA′].

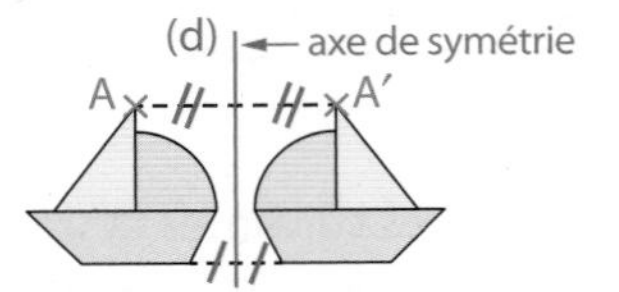

Symétrie centrale

Symétrie centrale par rapport à un point

- C et C′ sont symétriques par rapport au point O.
- O est le milieu de [CC′].

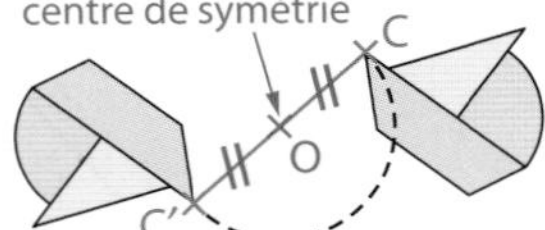

Les symétries conservent les alignements, les angles, les longueurs et les aires.

Tu peux aussi construire ta propre carte mentale.

Algorithmique et outils numériques

35 Symétrique (1)

Boris a écrit le script suivant.

quand cliqué
effacer tout
stylo en position d'écriture
avancer de 100
tourner de 120 degrés
avancer de 100
tourner de 120 degrés
avancer de 100
tourner de 120 degrés

1. Quelle figure a-t-on dessinée ?
2. Compléter le script pour dessiner ensuite le symétrique de cette première figure par rapport à l'un de ses côtés.
3. La nouvelle figure obtenue a-t-elle d'autres axes et/ou un centre de symétrie ?

36 Symétrique (2)

Bouchra a écrit la script suivant.

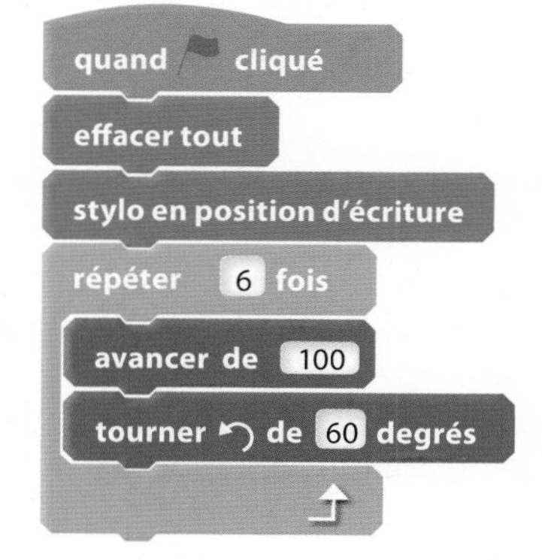

quand cliqué
effacer tout
stylo en position d'écriture
répéter 6 fois
avancer de 100
tourner de 60 degrés

1. Quelle figure a-t-on dessinée ?
2. Compléter le script pour dessiner ensuite le symétrique de cette première figure par rapport à l'un de ses côtés.
3. La nouvelle figure obtenue a-t-elle d'autres axes et/ou un centre de symétrie ?

37 La fleur

Prise d'initiative

Reproduire la figure ci-dessous à l'aide d'un logiciel de géométrie dynamique.

38 Reproduction

On souhaite reproduire la figure ci-dessous sur un logiciel de géométrie dynamique.

① On construit d'abord au centre le triangle équilatéral rose .

② On le reproduit ensuite en utilisant les outils « **symétrie axiale** » et « **symétrie centrale** ».

Voici les outils à utiliser : 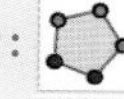 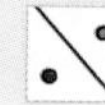 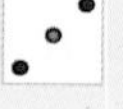

39 Étoile

Prise d'initiative

Reproduire la figure ci-dessous à l'aide d'un logiciel de géométrie dynamique.

40 La frise

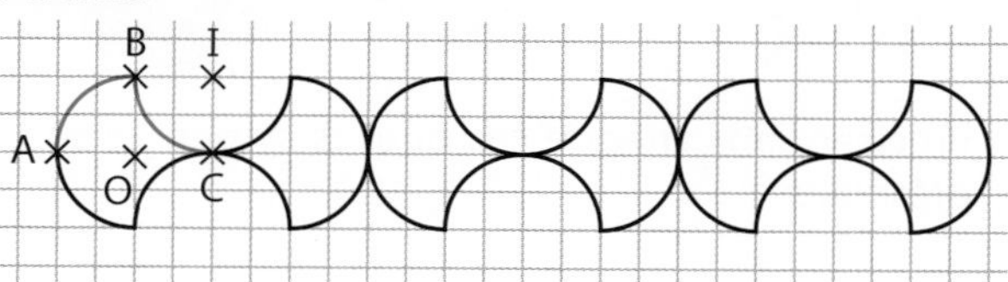

B
I
A
O
C

1. À l'aide d'un logiciel de géométrie dynamique, construire le motif rose de base.

   Voici les outils à utiliser :  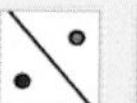 

   a. Afficher le quadrillage puis placer les points A, B, C, O et I comme sur le modèle.
   b. Tracer l'arc de cercle de centre O passant par A et B.
   c. Tracer l'arc de cercle de centre I passant par B et C.
2. Avec les outils « **symétrie axiale** » et « **symétrie centrale** », poursuivre la construction de la frise.

41 À toi de créer

Prise d'initiative

1. À l'aide de différents outils d'un logiciel de géométrie dynamique (polygones, arcs de cercle…), créer un motif de base.
2. Créer une frise en utilisant les outils de symétrie.

Problèmes

Pour mieux cibler les compétences			
Chercher	53 63 65	Raisonner	54 59
Modéliser	64 65	Calculer	56 66
Représenter	50 51 52	Communiquer	54

42 Quelle heure est-il ?

L'heure du réveil de Youssouf se reflète dans un miroir.
Voilà ce qu'il peut lire :

• Quelle heure est-il ?

43 Le gâteau

C'est l'anniversaire d'Élise. Elle partage son gâteau en 12 parts égales.

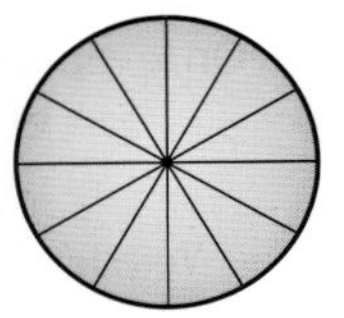

– Louis en prend $\frac{1}{12}$ et son symétrique par rapport au centre du gâteau.

– Fanny en prend $\frac{1}{6}$ et son symétrique par rapport au centre.

– Guillaume et Élise se partagent le reste équitablement.

• Quelle fraction du gâteau auront-ils ?

44 Les symétries dans la nature

• Préciser dans chaque cas quelles symétries sont présentes.

45 Quelle voiture ?

Kim cherche la voiture de son amie Carla. Elle sait que le logo de la marque a un centre de symétrie et deux axes de symétrie.

• Quel est le logo de la voiture de Carla ?

46 Sur une demi-droite graduée

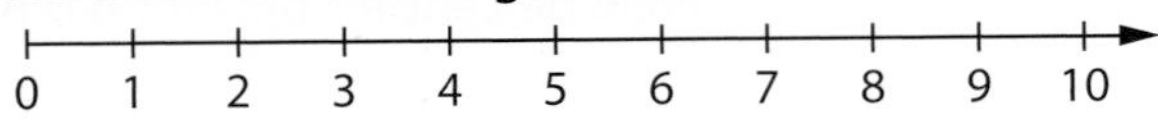

1. Reproduire la demi-droite graduée ci-dessus.
2. Placer le point F d'abscisse O et le point C d'abscisse 3.
3. Quelle est l'abscisse du point L, symétrique de F par rapport à C ? Placer le point L.
4. Les points C et L sont symétriques par rapport à I. Quelle est l'abscisse du point I ? Placer I.
5. Placer le point A symétrique de I par rapport à C, puis le point E symétrique de I par rapport à L.

47 Les pavages d'Escher

PEAC

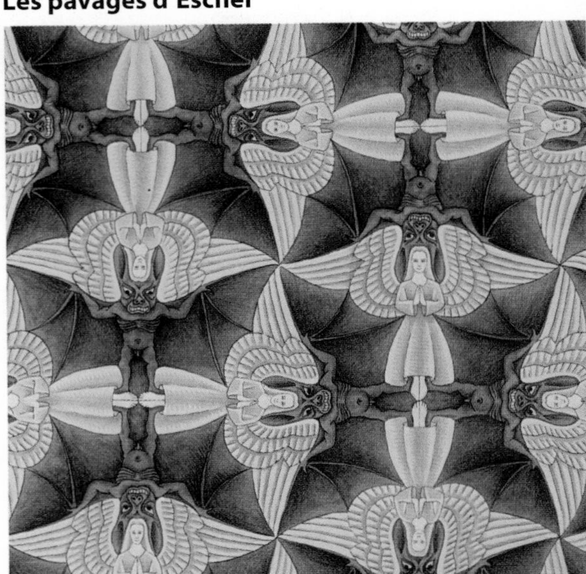

Sur la gravure *Symmetry Drawing E45* de M. C. Escher, mettre en évidence :

a. deux symétries axiales ;

b. deux symétries centrales.

48 Chasse au trésor

Paulo a trouvé une carte au trésor avec les indications ci-dessous.

« Pour creuser, tu trouveras la pelle au point P, symétrique du point D (débarcadère) par rapport à la rivière (d).
Pour trouver la clé du coffre, place le point C, symétrique du point P par rapport au flamboyant F.
Le trésor se trouve à l'intersection de la rivière et de la droite (DC). »

• Quelles sont ses coordonnées ?

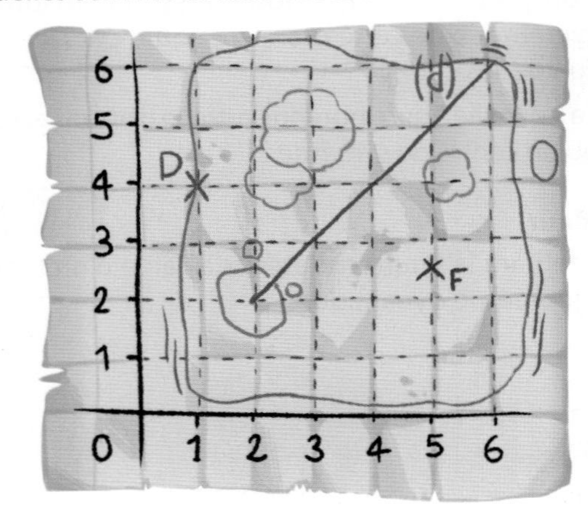

La disparition

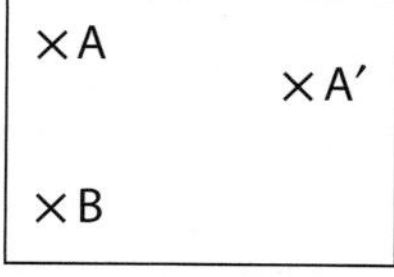

Julia et Arthur cherchent l'exercice suivant. « A et A′ sont symétriques par rapport à O. Construire la droite (A′B′) symétrique de la droite (AB) par rapport à O ». La figure est donnée avec l'énoncé mais le point O a été effacé.

Moi, je sais comment faire uniquement avec une règle non graduée et une équerre.
Moi, j'avais une autre idée.

- Trouver les méthodes des deux enfants.

Un peu d'histoire

Le jardinier de Louis XIV, André Le Nôtre, est l'auteur de célèbres jardins à la française, comme ceux du château de Versailles et du château des Tuileries aujourd'hui détruit. Voici un plan schématique d'une partie du jardin des Tuileries dessiné par Le Nôtre. La droite en pointillés est un axe de symétrie du jardin.

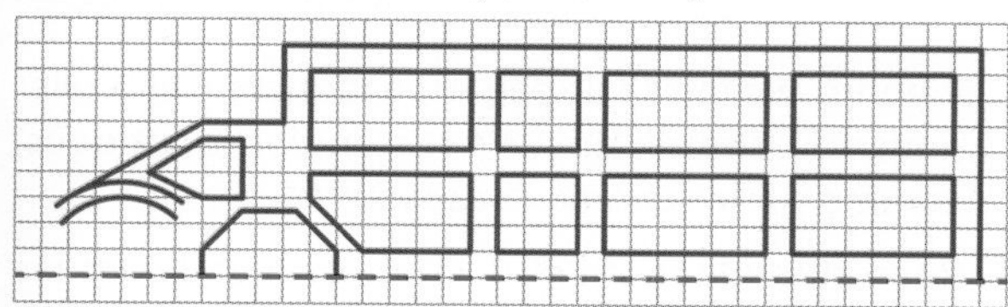

- Sur du papier quadrillé, reproduire le plan du jardin et le compléter.

Le moulin

Samuel veut construire un moulin à vent en papier. Il a positionné les deux premières pales. Sur son modèle, le moulin doit avoir un centre de symétrie.

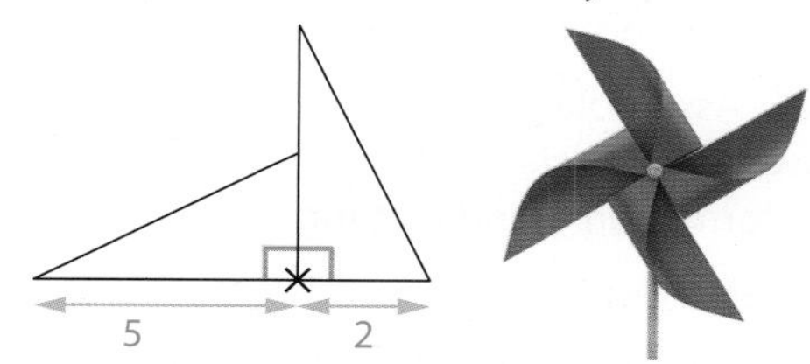

1. Recopier et compléter son dessin.
2. Quelle est la nature des pales qui manquent ?

52 La croix basque

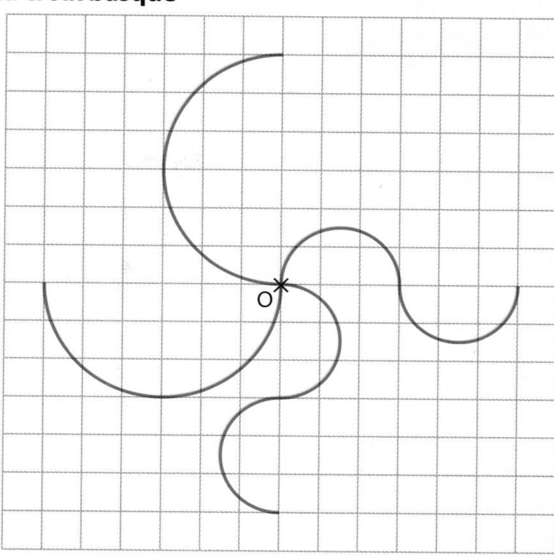

1. Reproduire sur un papier quadrillé la figure ci-dessus.
2. Compléter la figure pour que O soit son centre de symétrie.

53 Spectacle

Pour le spectacle de fin d'année, la maitresse a placé 7 élèves de sa classe de CE2 comme sur le schéma ci-dessous.

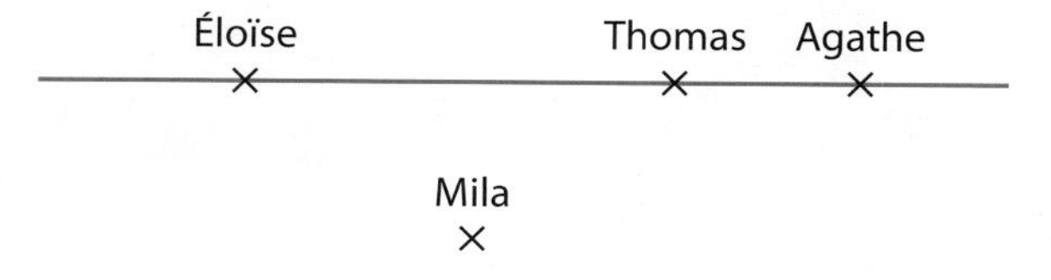

Elle veut que la position des élèves soit symétrique par rapport à Mila.

- En utilisant uniquement une règle non graduée, déterminer la position d'Eneko, le dernier élève à ne pas être encore placé.

54 Démonstration d'une propriété connue

1. Tracer un segment [AB] de 5 cm.
2. Construire la médiatrice (d) de [AB].
   Placer un point C sur (d) mais pas sur [AB].
3. Quelle est la nature du triangle ABC ? Justifier.
4. Quelle propriété de la médiatrice a-t-on démontrée ?

55 Avec trois droites

1. Tracer une droite (d) et placer deux points A et B de part et d'autre de la droite (d).
2. Construire le symétrique (d_1) de (d) par rapport à A puis le symétrique (d_2) de (d) par rapport à B.
3. Que peut-on dire des droites (d_1) et (d_2) ?

Problèmes

56 Périmètre

1. Construire un triangle LEO tel que OE = 4,3 cm, OL = 3,1 cm et EL = 5,8 cm.
2. Placer un point A à l'extérieur du triangle LEO.
3. Construire le symétrique L'E'O' de LEO par rapport à A.
4. Calculer le périmètre du triangle L'E'O'.

57 Union Flag (Union Jack)

LV How many axes and centers of symmetry are there in the flags?

Scottish flag
St Andrew's Cross

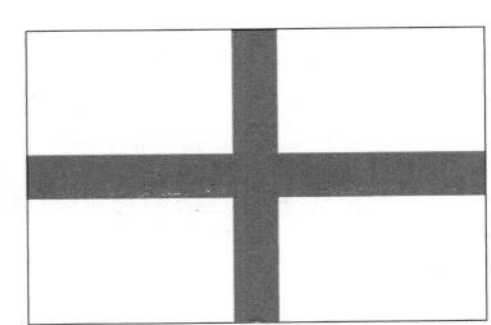
English Flag
St George's Cross

Irish flag before 1922
St Patrick's Cross

The three flags gathered in 1801. The Union Flag

58 Où est le milieu ?

Dans la figure ci-dessous, le segment [MN] n'est pas complètement représenté. Les segments [IJ] et [MN] sont symétriques par rapport à O.

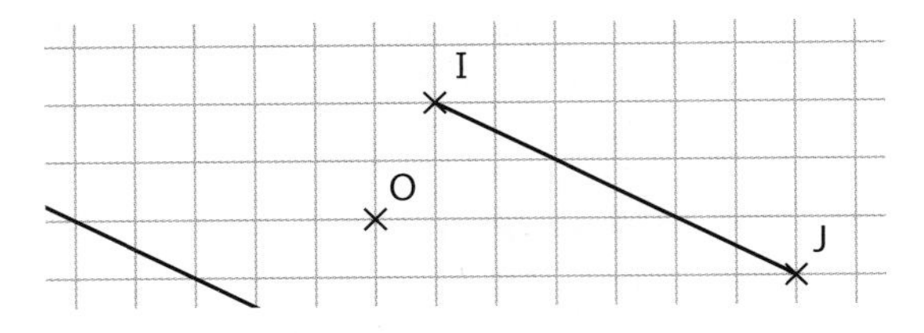

1. Reproduire la figure.
2. Sans construire M et N, retrouver le milieu du segment [MN].

59 Le tabouret

Guillaume a déplié son tabouret. L'assise (en bleu) mesure 52 cm.

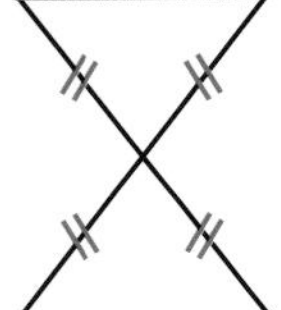

1. Quel est l'écartement entre les pieds ?
2. L'assise est-elle parallèle au sol ?

60 Caténaires

Les caténaires d'une ligne de tram sont fixées à un câble central par deux barres métalliques, comme sur le schéma ci-dessous.

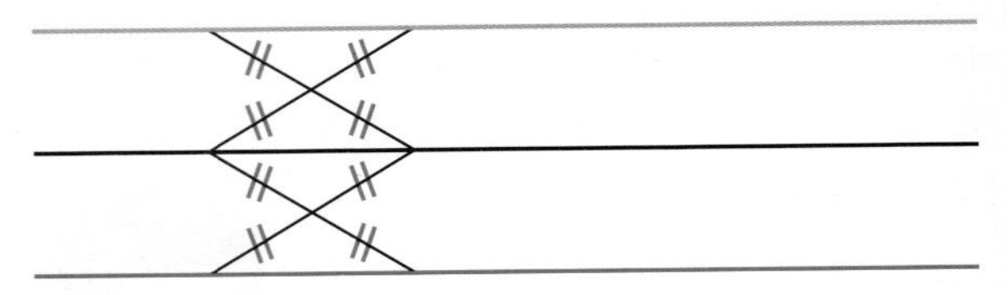

- Expliquer pourquoi les deux caténaires (verte et rouge) ne se couperont pas.

61 Pavage

Un pavage est une méthode de remplissage du plan à l'aide d'un motif répétitif qui permet de remplir le plan sans laisser de « trous ».

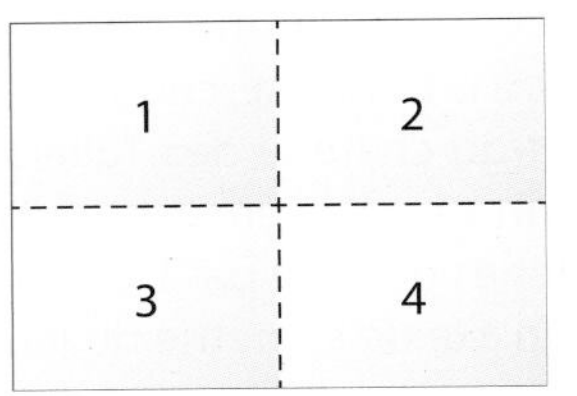

1. Prendre une feuille de papier au format A4 et la plier deux fois afin d'obtenir 4 rectangles identiques, comme sur le schéma ci-dessous.
2. Reproduire le motif ci-dessous où I et J sont les milieux respectifs de [OB] et [OC].

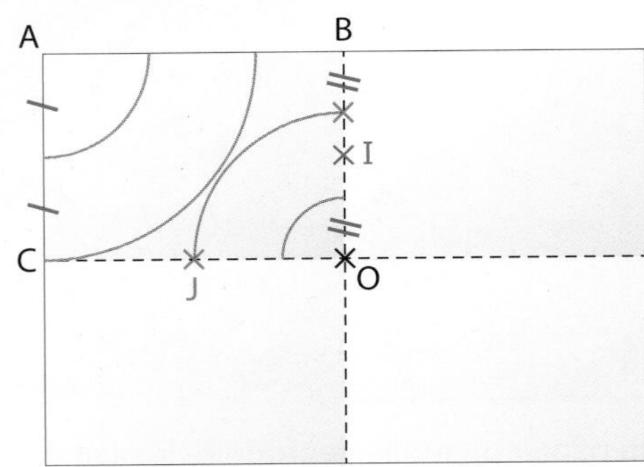

3. Compléter le motif selon les étapes suivantes.
   a. Construire le symétrique du motif du rectangle 1 par rapport au point I.
   b. Construire le symétrique du tout par rapport à la droite (OC).
4. Colorier les motifs de manière identique.
5. Assemblage : rassembler toutes les feuilles réalisées dans la classe afin de les mettre côte à côte et de former un grand rectangle.
6. Admirer le résultat.
7. Créer un nouveau motif de base et recommencer chaque étape. Tout le monde doit avoir le même pour pouvoir assembler les feuilles.

62 Cordes égales

1. Construire un cercle $\mathscr{C}$ de centre O et de rayon 3 cm.
2. Tracer deux diamètres [AI] et [BJ] du cercle $\mathscr{C}$.
3. Que peut-on dire des droites (AB) et (IJ) ?
4. Que peut-on dire des segments [AB] et [IJ] ? Justifier la réponse.

63 Vitrail cassé

Nina est maitre verrier. Elle doit réparer un vitrail cassé en conservant la partie restée intacte. Le vitrail initial avait la forme d'un disque de 2 mètres de diamètre et avait un centre de symétrie.

- Tout comme Nina, reproduire la partie intacte du vitrail puis construire la partie cassée.

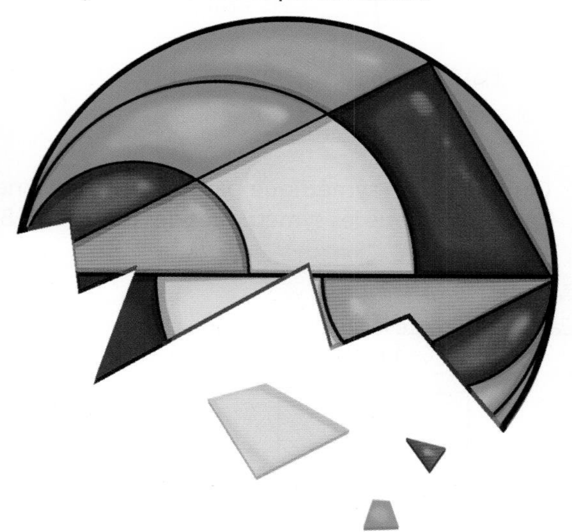

64 Le napperon

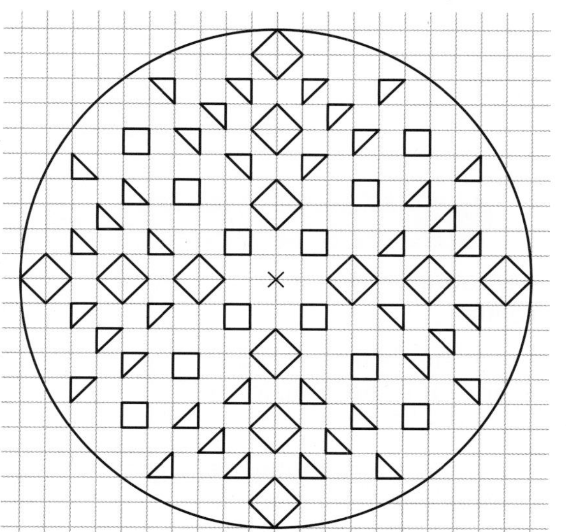

Pour réaliser ce napperon, Leïla a plié un disque de rayon 10 cm plusieurs fois afin de faire le moins de découpages possible.

- Sur une feuille, reproduire le motif qui a servi à la réalisation du napperon.

65 Le patchwork

Prise d'initiative

Suzanne veut décorer une couverture avec une étoile en patchwork. Voici le modèle qu'elle a choisi :

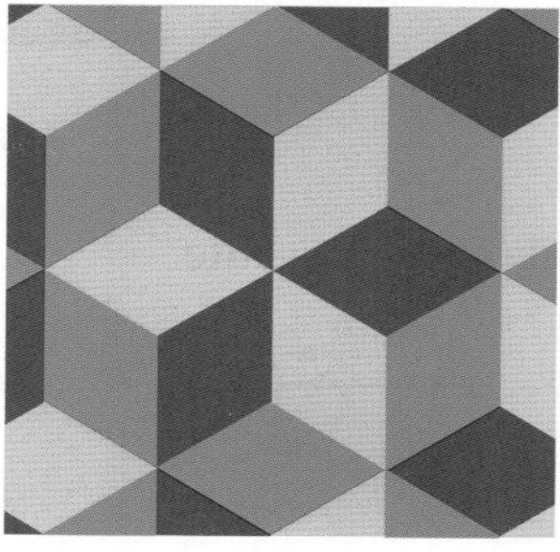

Elle dispose des gabarits suivants.

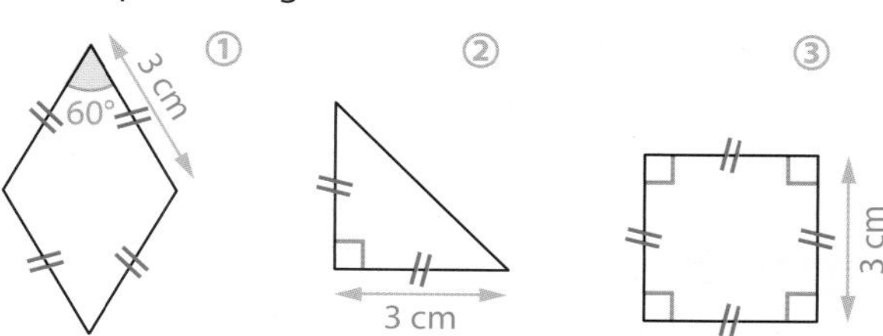

- Reproduire en grandeur réelle le motif choisi par Suzanne.

66 Peinture

M. Pierre veut repeindre la façade de sa maison. Il s'informe auprès de son voisin qui vient de repeindre la sienne. Ce dernier lui précise qu'il a utilisé 5 pots de crépi et lui donne les informations suivantes.

- Combien M. Pierre va-t-il payer pour acheter le crépi de sa façade ?

Doc. 1 Plan des façades

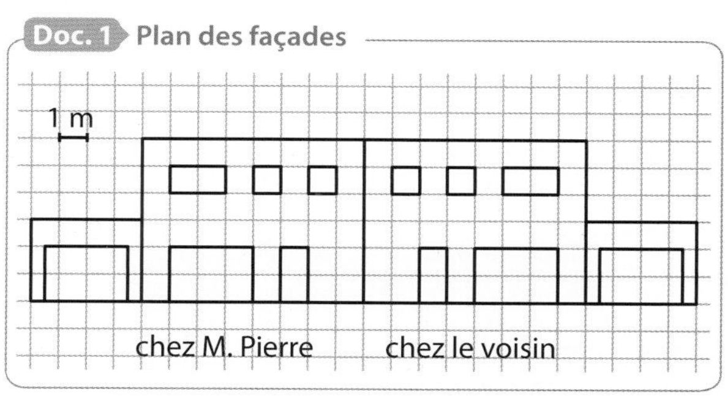

Doc. 2

Travailler autrement

Utilisable en AP

À chacun sa méthode !

Deux énoncés pour un exercice

Exercice 1

1. Reproduire la figure suivante.

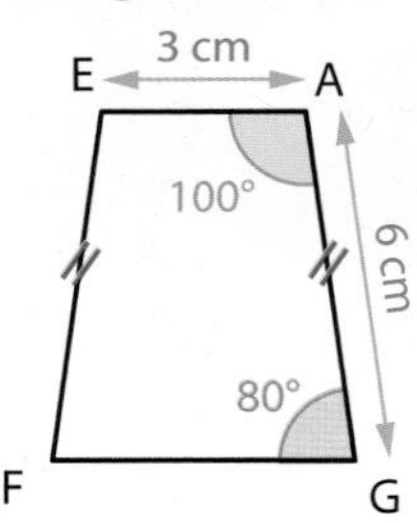

2. Construire son symétrique par rapport à O.

Exercice 2

Calculer l'aire de la surface coloriée.

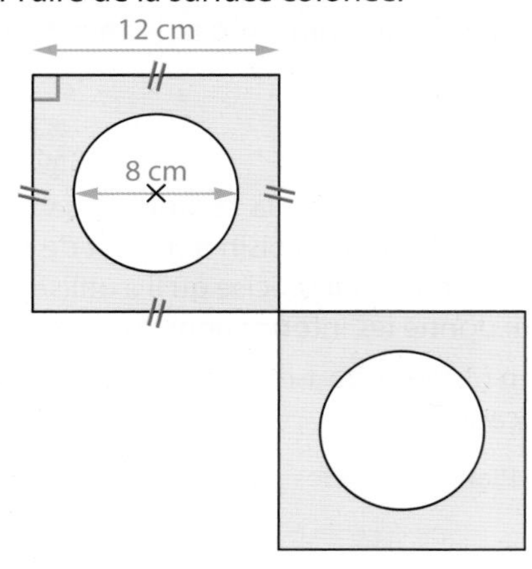

Exercice 1

1. Reproduire la figure suivante.

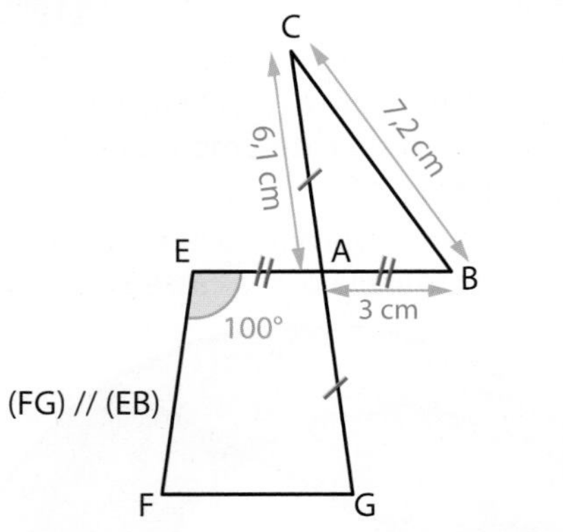

2. Construire son symétrique par rapport à O en ne construisant que les symétriques des points A et B.

Exercice 2

Calculer l'aire de la surface coloriée.

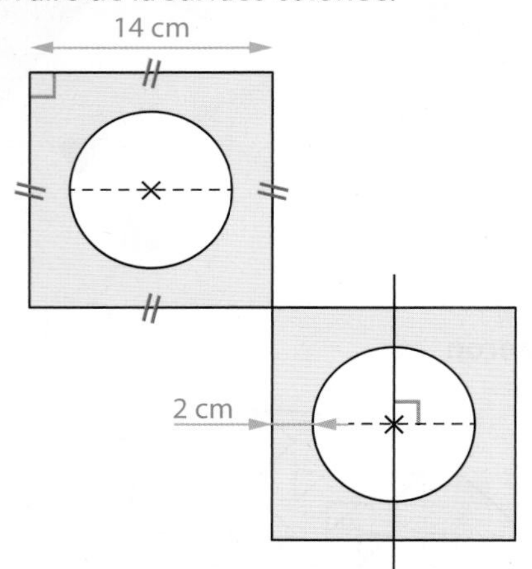

Analyse d'une production

Le professeur a demandé à des élèves de construire le symétrique du bonhomme par rapport à O.

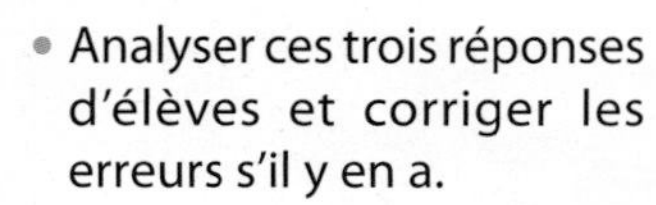

- Analyser ces trois réponses d'élèves et corriger les erreurs s'il y en a.

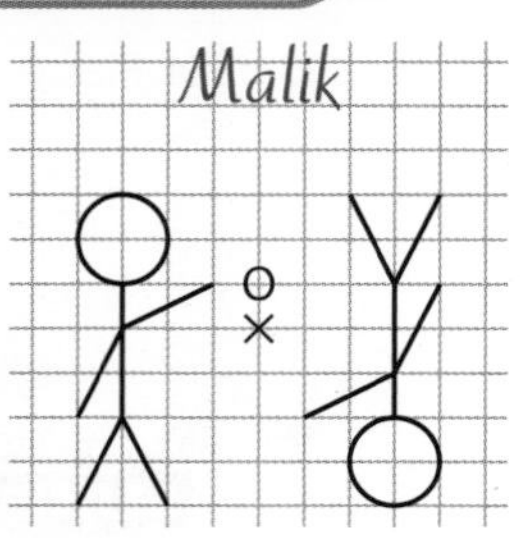

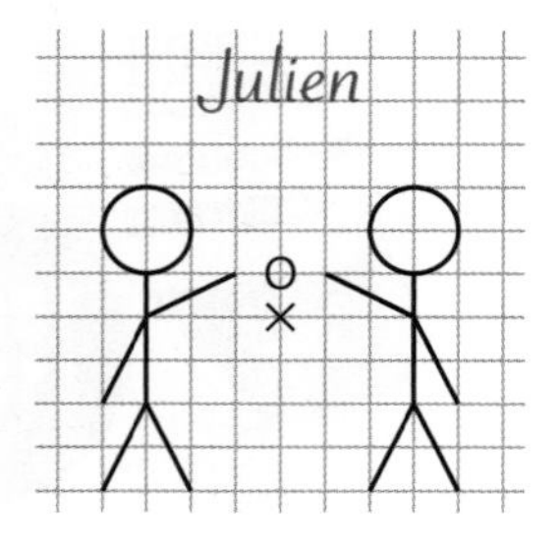

Écriture d'un énoncé

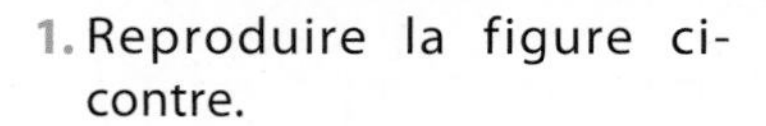

1. Reproduire la figure ci-contre.

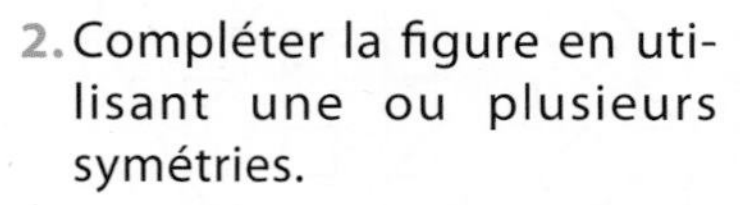

2. Compléter la figure en utilisant une ou plusieurs symétries.

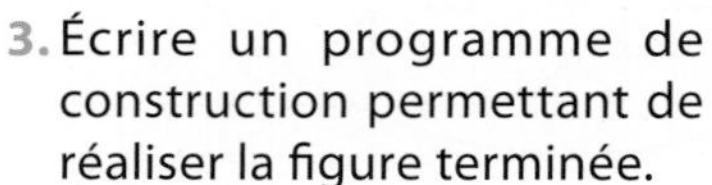

3. Écrire un programme de construction permettant de réaliser la figure terminée.

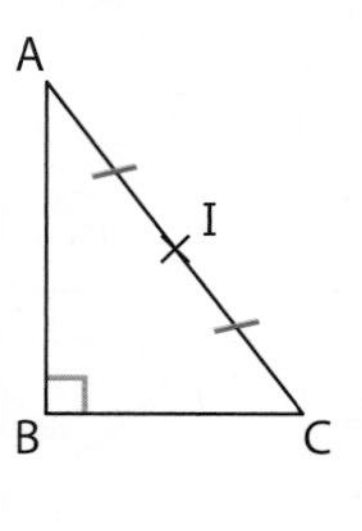

4. Donner l'énoncé à son camarade et lui demander de construire la figure.

CHAPITRE
12
Ta mission
Découvrir et utiliser de nouvelles propriétés sur les angles.

Angles

Jeux

Le Palais des glaces

Lorsqu'il rencontre un miroir, le robot fait un quart de tour vers la droite ou vers la gauche, puis avance.

• Va-t-il réussir à sortir de ce labyrinthe ?

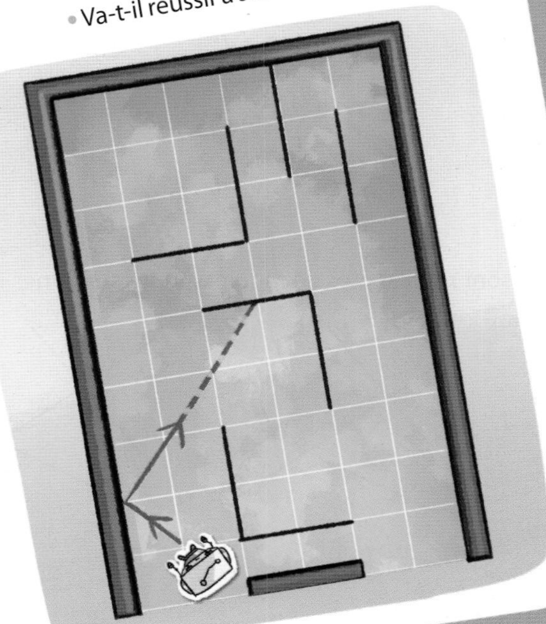

INFO

Un théodolite est un instrument permettant de mesurer des angles dans les deux plans, horizontal et vertical. Lors de fouilles archéologiques, il permet de relever des points spécifiques du relief puis de reconstituer le site en trois dimensions.

Activités

Questions flash

1. Nommer les angles ci-dessous.

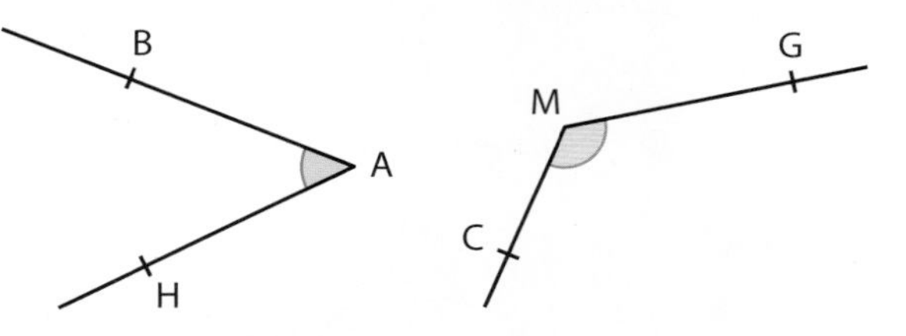

2. L'angle $\widehat{DEF}$ est-il aigu ou obtus ?

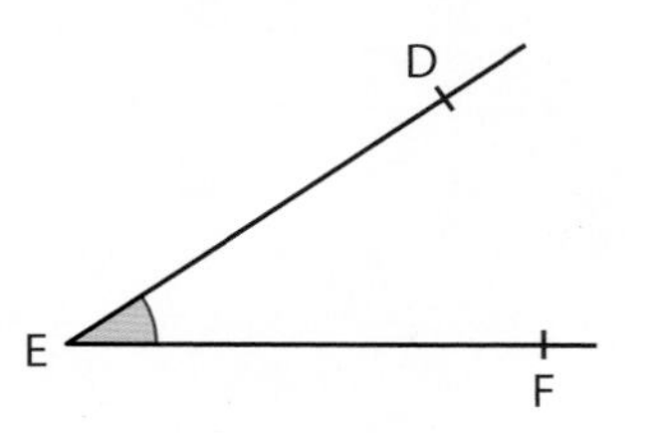

3. Déterminer l'angle $\widehat{zOy}$.

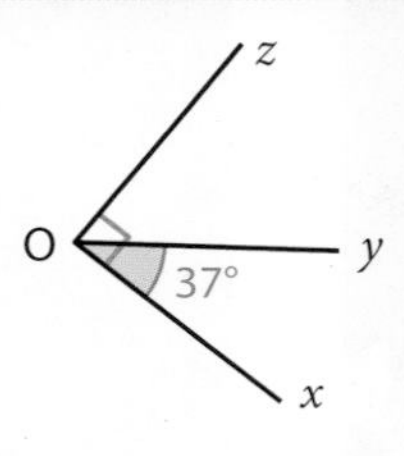

4. Les points J, O et L sont alignés.

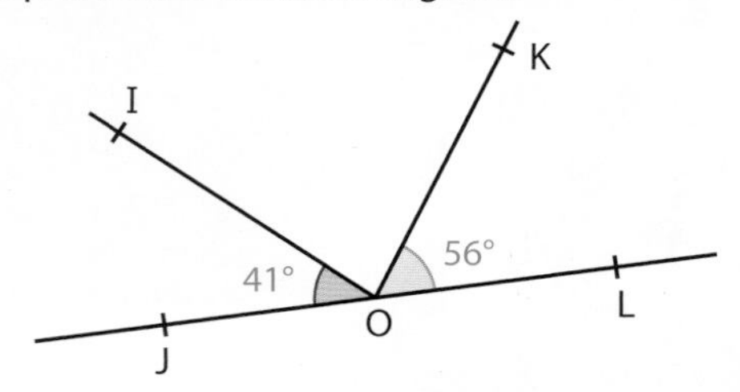

a. Combien mesure l'angle $\widehat{JOL}$? Comment appelle-t-on cet angle particulier ?

b. Déterminer l'angle $\widehat{IOK}$.

Des couples d'angles

Activité 1

1. Construire une figure similaire à la figure ci-contre, représentant deux droites (d_1) et (d_2) coupées par une droite (d).

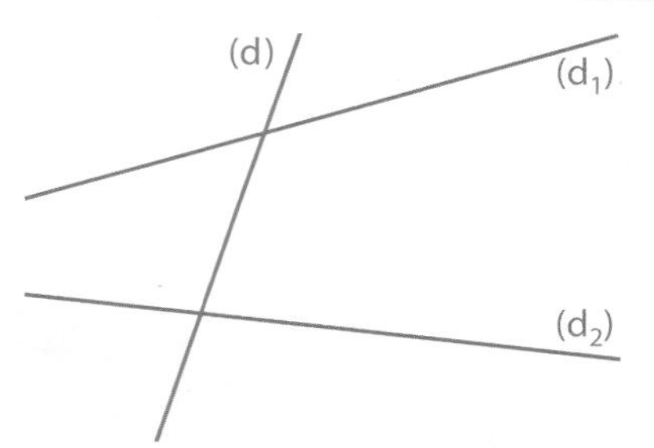

2. Marquer d'une même couleur deux angles qui n'ont pas le même sommet et situés :
- à l'intérieur des droites (d_1) et (d_2) ;
- et de part et d'autre de la droite (d).

> Les deux angles coloriés sont appelés des angles « alternes-internes ».

3. Parmi les figures suivantes, sur laquelle (ou lesquelles) sont représentés des angles alternes-internes ?

ⓐ 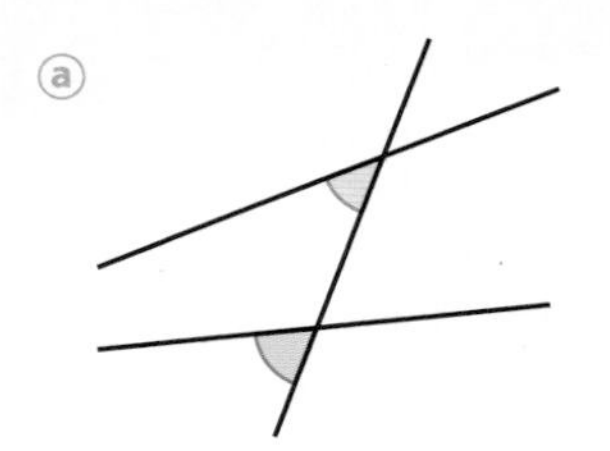

ⓑ 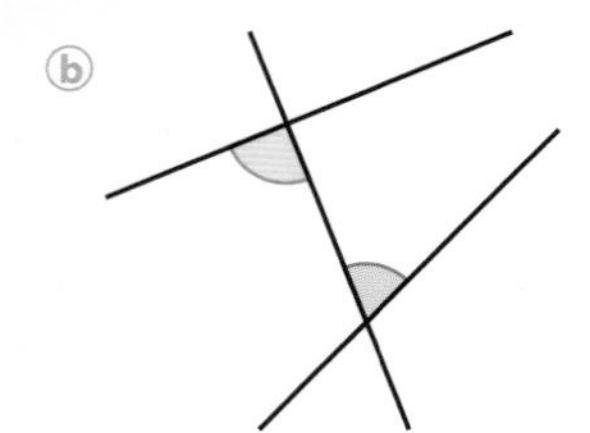

ⓒ 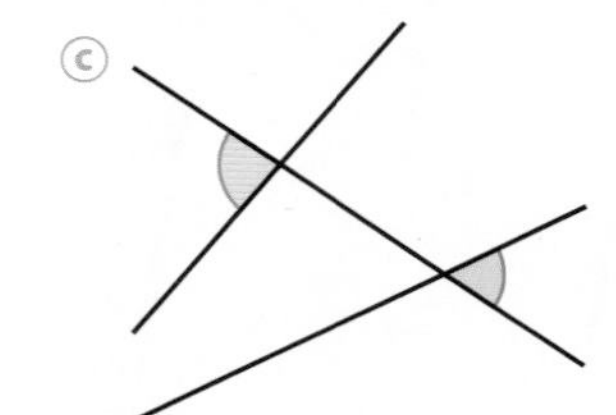

ⓓ 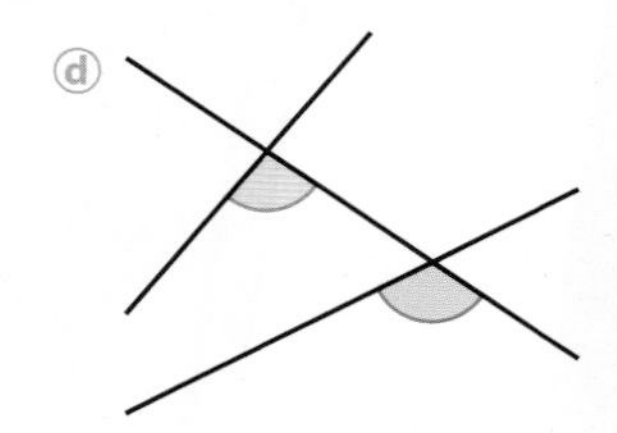

Avec deux droites parallèles 

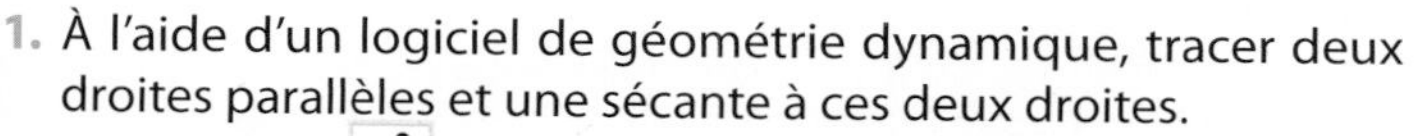

1. À l'aide d'un logiciel de géométrie dynamique, tracer deux droites parallèles et une sécante à ces deux droites.
2. Avec l'outil , mesurer deux angles alternes-internes. Que remarque-t-on ?
3. Déplacer ces droites et proposer une conjecture.
4. On souhaite démontrer cette conjecture. Sur la figure ci-contre, les droites (xy) et $(x'y')$ sont parallèles.
   a. Quel est le symétrique du point A par rapport au point I ?
   b. Que peut-on en déduire pour les angles alternes-internes $\widehat{IAx}$ et $\widehat{IBx'}$? Expliquer.

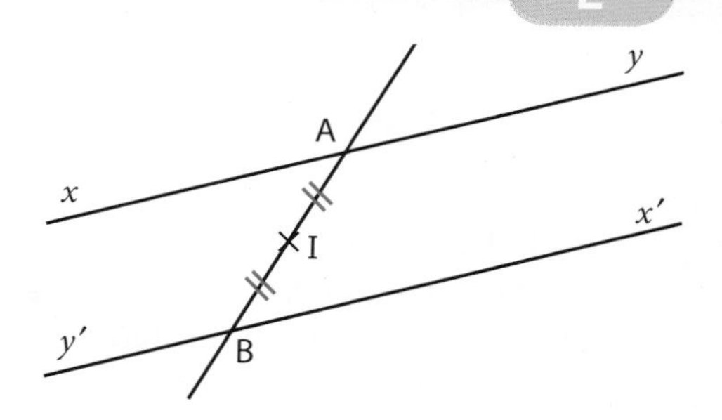

Somme des angles d'un triangle

Activité 3

1. a. Tracer un triangle ABC et mesurer ses trois angles.
   b. Calculer la somme de ces trois mesures. Que remarque-t-on ? Cette conjecture semble-t-elle vraie pour n'importe quel triangle ?
2. a. Construire un triangle sur une feuille et le découper.
   b. En réalisant des pliages comme dans la figure ci-dessous, ramener les trois sommets du triangle pour former un rectangle.
   c. Que peut-on en déduire sur la somme des mesures des trois angles d'un triangle ?

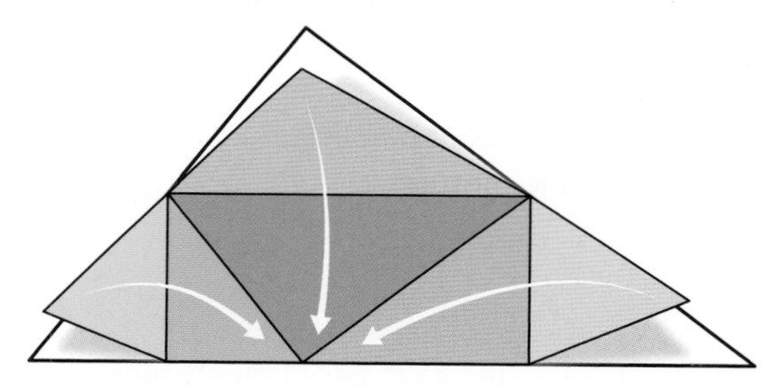

Avec des angles de même mesure 

Activité 4

1. À l'aide d'un logiciel de géométrie dynamique, tracer une droite (AB), puis un point C $\notin$ (AB).
2. Tracer la droite (CB).
3. Avec l'outil « **Angle** » , mesurer l'angle $\widehat{CBA}$.
   Cette mesure est notée α (alpha) par le logiciel de géométrie dynamique. Elle s'affiche :
   - sur la figure
   - dans la fenêtre « Algèbre » à gauche

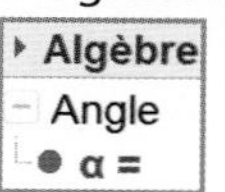

4. Avec l'outil « **Angle de mesure donnée** » , tracer l'angle $\widehat{BCB'}$ de mesure α (cliquer sur α) de telle sorte qu'il soit alterne-interne avec l'angle $\widehat{CBA}$.

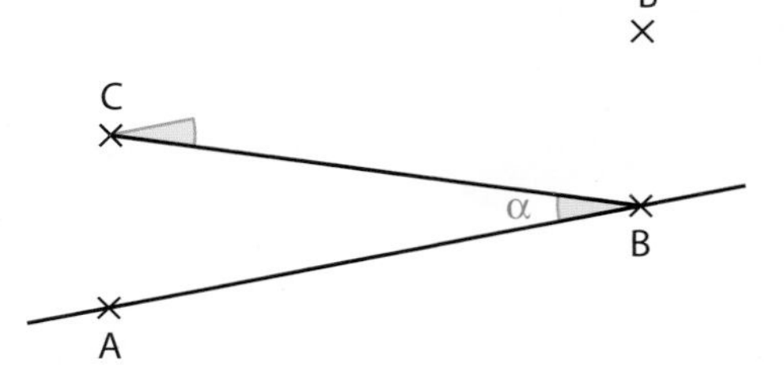

5. Tracer la droite (CB′).
6. Vérifier la position des droites (AB) et (CB′) à l'aide de l'outil « **Relation entre deux objets** » $a \overset{?}{=} b$.
7. Déplacer les points. Quelle propriété peut-on conjecturer ?

Cours

1 Reconnaitre des angles alternes-internes ▶Vidéo

Définition

Soient deux droites (d) et (d′) et une sécante (s) qui coupe (d) et (d′) en deux points A et B.
Deux angles sont **alternes-internes** lorsque :
- ils ont pour sommet A et B.
- ils sont situés de part et d'autre de la droite (s).
- ils sont entre les droites (d) et (d′).

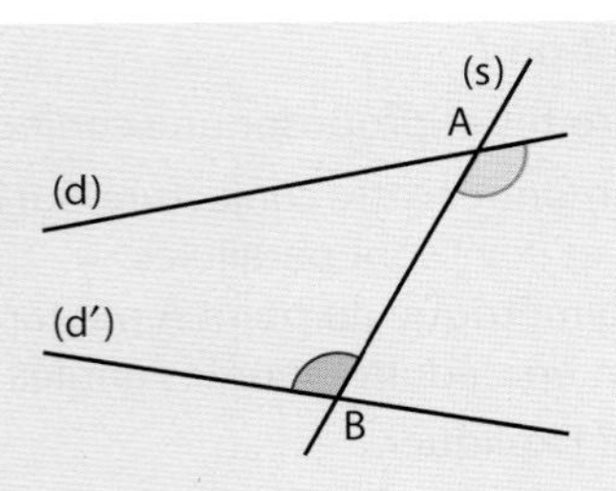

2 Déterminer un angle à l'aide de deux droites parallèles ▶Vidéo

Propriété

Si deux droites parallèles sont coupées par une sécante, alors les angles alternes-internes qu'elles forment ont même mesure.

Les droites (d) et (d′) sont coupées par la droite (s). Elles forment donc des angles alternes-internes, représentés en vert sur la figure.
De plus, les droites (d) et (d′) sont parallèles.
Donc ces angles ont même mesure.

(d) // (d′) (s)
(d)
(d′)

- Comme dans l'exemple précédent, les angles ❶ et ❷ ont même mesure.
- Les angles ❷ et ❸ sont symétriques par rapport au point A. Ils ont donc également la même mesure.

> - Les angles ❷ et ❸ sont appelés **angles opposés par le sommet.**
> - Les angles ❶ et ❸ sont appelés **angles correspondants.**

- Ainsi, dans cette figure, les angles ❶, ❷ et ❸ ont même mesure.

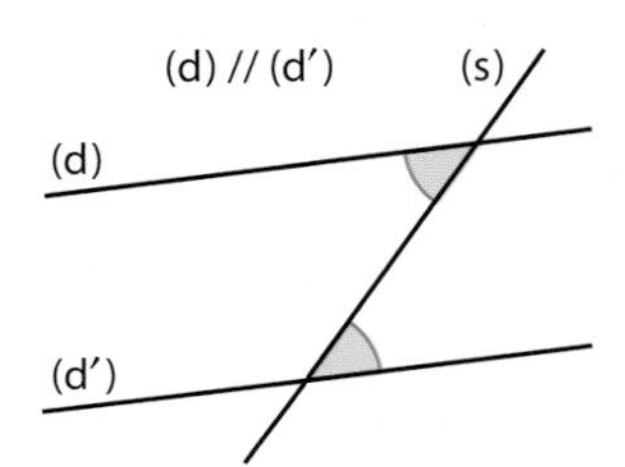

Propriété

Cas particulier
Si deux droites sont parallèles et si une droite est perpendiculaire à l'une d'elles, alors elle est perpendiculaire à l'autre.

Les droites (d) et (d′) sont parallèles et la droite (s) est perpendiculaire à (d). Donc elle est aussi perpendiculaire à (d′).

> Coupées par la droite (s), les droites parallèles (d) et (d′) forment deux angles alternes-internes de même mesure.
> Comme le premier angle mesure 90°, le second aussi.

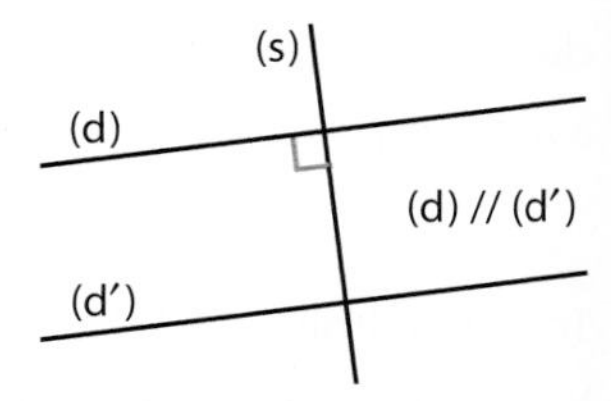

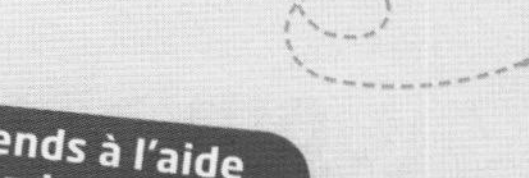

Savoir-faire

Apprends à l'aide des exercices résolus puis entraine-toi !

1 Reconnaitre des angles alternes-internes

1 Dans la figure ci-dessous, marquer de deux couleurs différentes les deux paires d'angles alternes-internes.

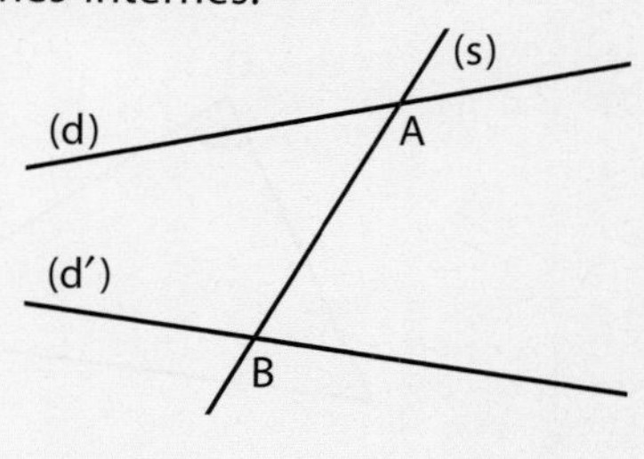

Solution

Les angles rouges ont pour sommets respectifs A et B. Ils sont entre les droites (d) et (d′) et ils sont bien de chaque côté de la droite (s).

On peut dire la même chose pour les angles verts.

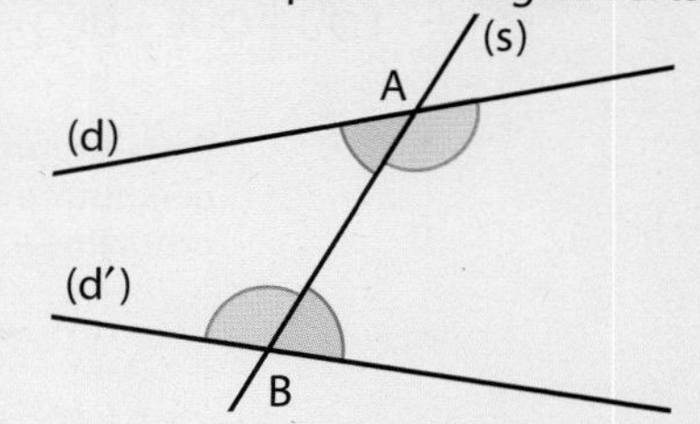

Alternes : de part et d'autre de (s).

Internes : entre les deux droites (d) et (d′).

2 Dans les figures ci-dessous, citer les deux paires d'angles alternes-internes.

ⓐ

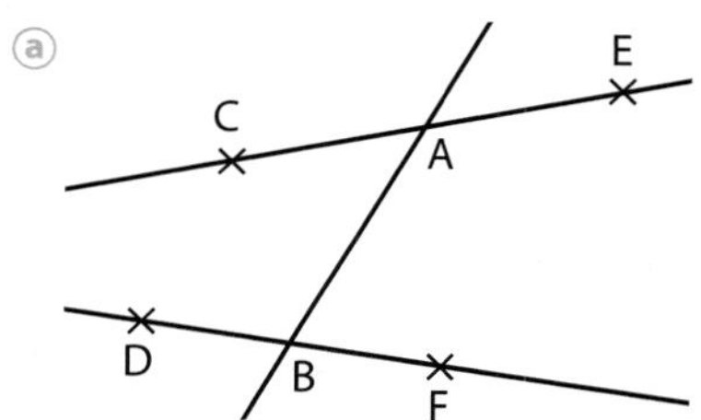

ⓑ

M N J I K L

2 Déterminer un angle à l'aide de deux droites parallèles

3 Déterminer l'angle $\widehat{UVP}$.

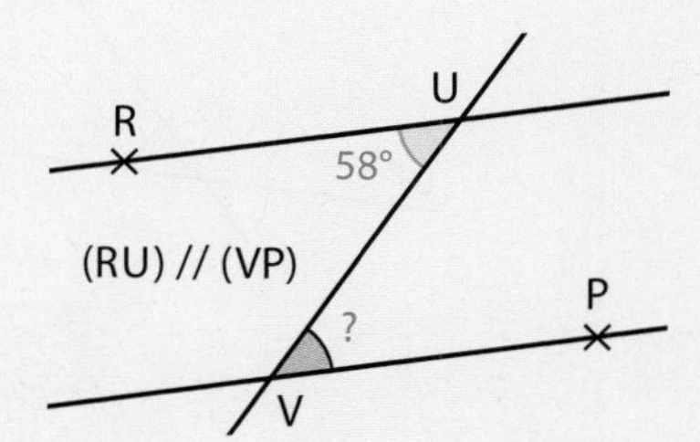

Solution

On repère les droites parallèles et les deux angles, puis on énonce la propriété utilisée :

« Les droites (RU) et (VP) sont parallèles et les angles $\widehat{RUV}$ et $\widehat{UVP}$ sont alternes-internes. »

Or, si deux droites parallèles sont coupées par une sécante, alors les angles alternes-internes qu'elles forment ont même mesure.

Donc $\widehat{UVP} = \widehat{RUV} = 58°$.

Ainsi $\widehat{UVP} = 58°$.

4 Dans chacun des cas suivants, déterminer l'angle marqué d'un point d'interrogation.

ⓐ (AB) // (CD)

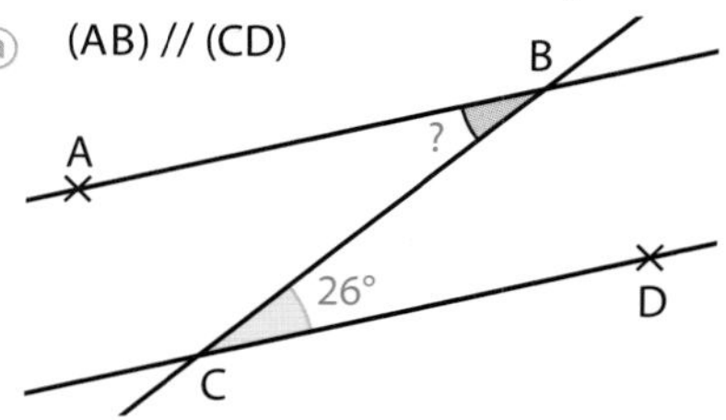

ⓑ

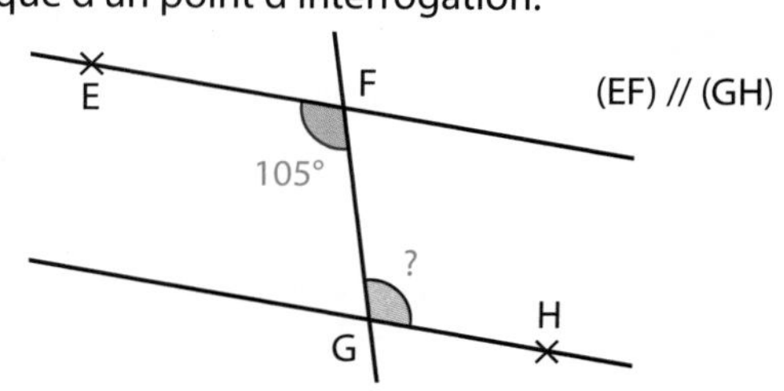

(EF) // (GH)

Cours

3 Déterminer un angle dans un triangle ▶Vidéo

Propriété

La somme des mesures des angles d'un triangle est égale à 180°.

Exemple

Dans le triangle LOU ci-contre, on a :
$\widehat{LOU} + \widehat{OUL} + \widehat{ULO} = 180°$

Cette propriété est démontrée dans le problème 41.

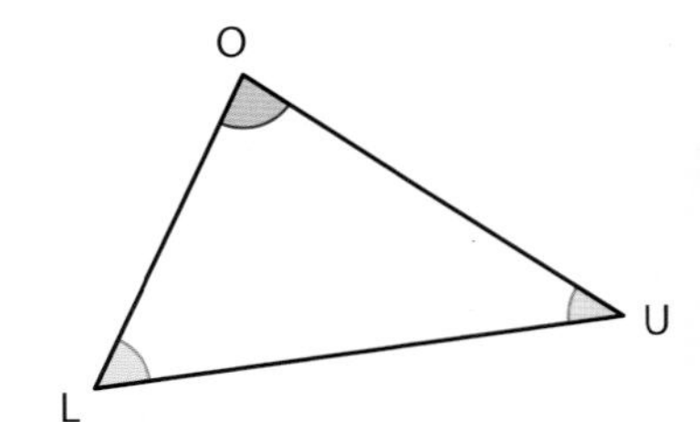

Quand on connait les mesures de deux angles d'un triangle, cette propriété permet de déterminer le troisième angle.

4 Reconnaitre des droites parallèles ▶Vidéo

Propriété

Si deux droites sont coupées par une sécante en formant des angles alternes-internes de même mesure, alors ces deux droites sont parallèles.

Exemple

Les droites (d) et (d′) sont coupées par la droite (s). Elles forment des angles alternes-internes représentés en rose sur la figure.
Ces angles roses ont la même mesure : 48°.
Donc les droites (d) et (d′) sont parallèles.

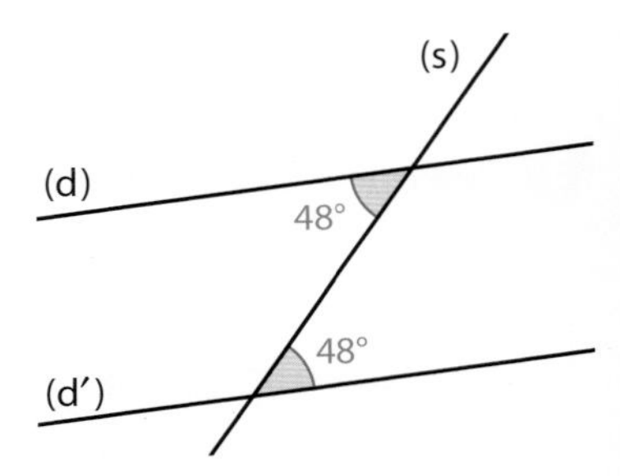

Propriété

Cas particulier
Si deux droites sont perpendiculaires à une même droite alors elles sont parallèles entre elles.

Exemple

Les droites (d) et (d′) sont perpendiculaires à une même droite (s).
Ces deux droites sont donc parallèles.

Coupées par la droite (s), les droites (d) et (d′) forment deux angles alternes-internes, représentés en orange sur la figure, de même mesure : 90°.

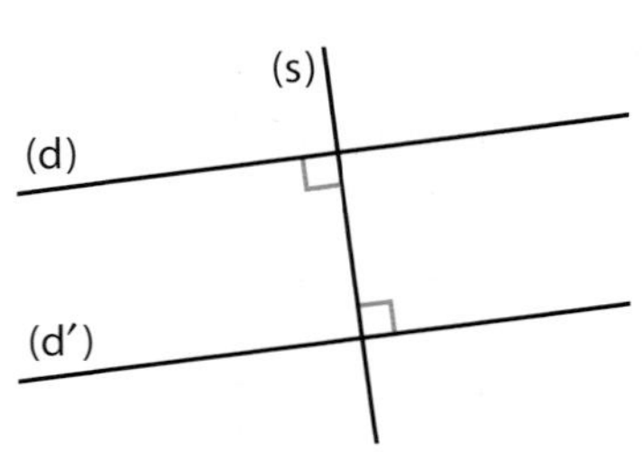

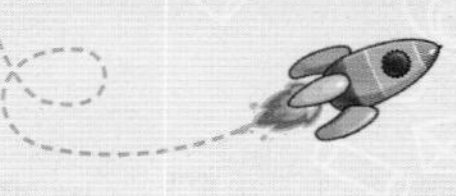

Savoir-faire

3 Déterminer un angle dans un triangle

5 Déterminer l'angle $\widehat{TEH}$.

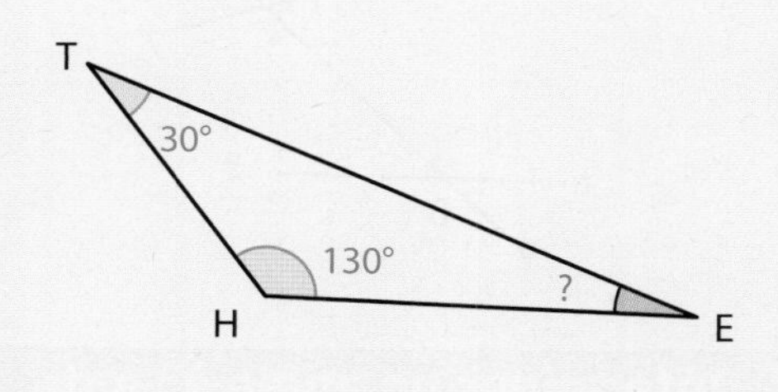

Solution

On énonce la propriété utilisée, puis on utilise les angles dont on connait la mesure.
Dans le triangle THE, la somme des mesures est égale à 180°. Ainsi :

$\widehat{TEH} + \widehat{EHT} + \widehat{HTE} = 180°$

$\widehat{TEH} + 130° + 30° = 180°$

$\widehat{TEH} + 160° = 180°$

$\widehat{TEH} = 180° - 160°$

$\widehat{TEH} = 20°$

6 Dans chacun des cas suivants, déterminer l'angle marqué d'un point d'interrogation.

ⓐ

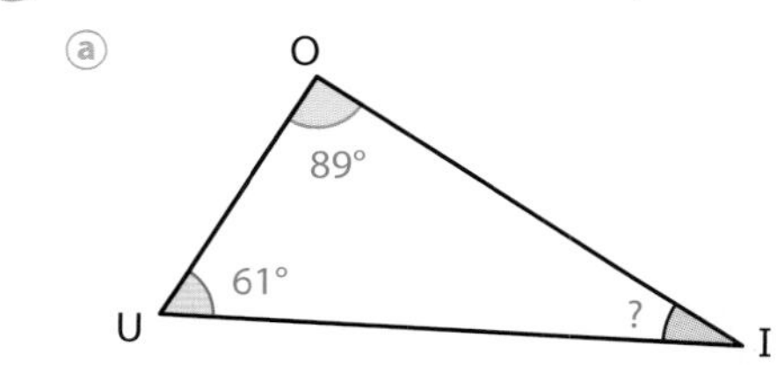

ⓑ

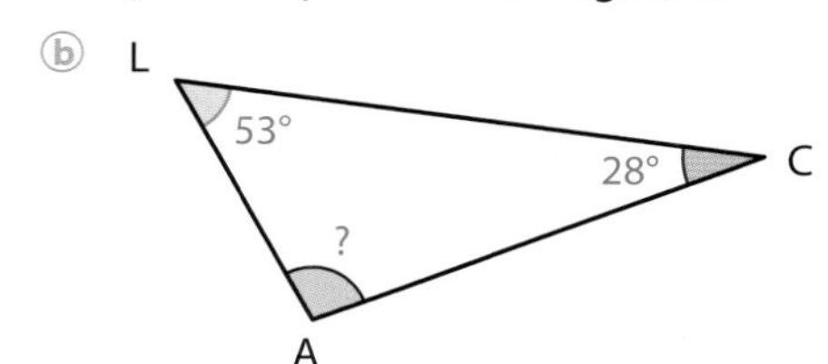

4 Reconnaitre des droites parallèles

7 Démontrer que les droites (TI) et (CE) sont parallèles.

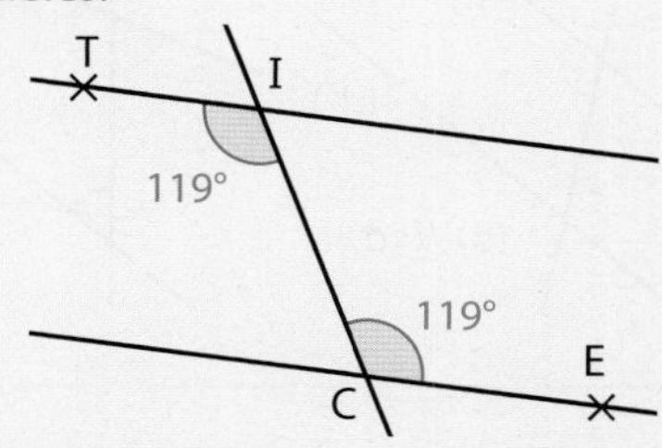

Solution

On repère les angles alternes-internes de même mesure, puis on énonce la propriété utilisée.
Les angles $\widehat{TIC}$ et $\widehat{ICE}$ sont alternes-internes et ont même mesure.
Or, si deux droites sont coupées par une sécante en formant des angles alternes-internes de même mesure, alors ces deux droites sont parallèles.
Donc (TI) et (CE) sont parallèles.

8 Dans chacun des cas suivants, démontrer que les droites vertes sont parallèles.

ⓐ

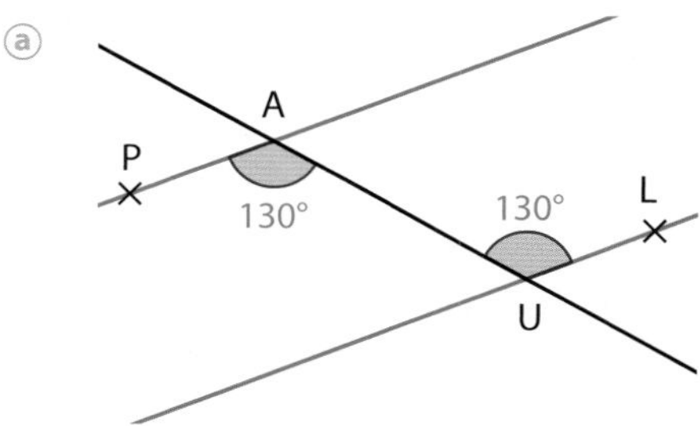

ⓑ

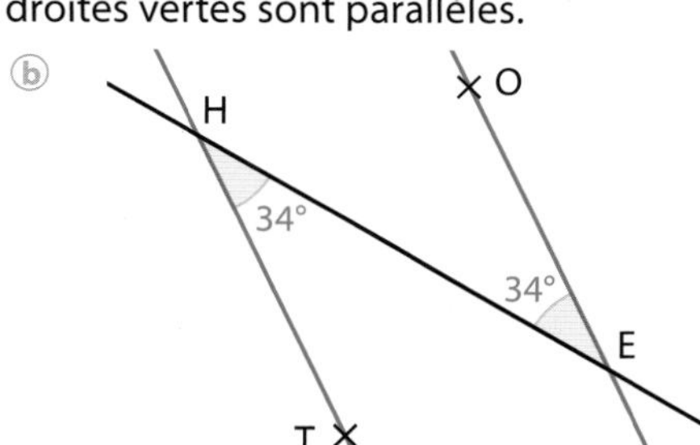

2 pages d'exercices supplémentaires dans le manuel numérique

Reconnaitre des angles alternes-internes

Savoir-faire p. 203

Questions flash

9 Dans quel(s) cas les angles rouges et verts ont-ils le même sommet ?

ⓐ 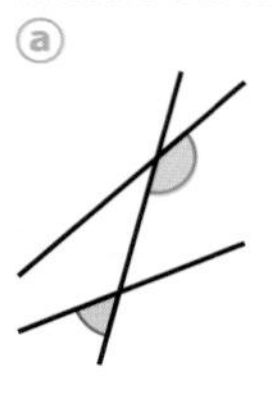 ⓑ 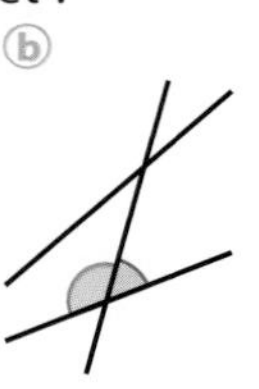 ⓒ 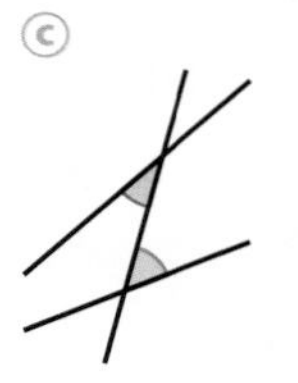 ⓓ 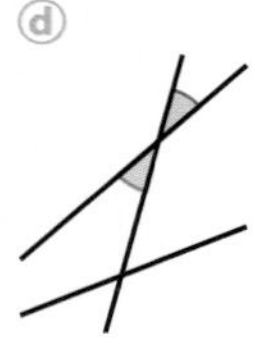

10 Dans quel(s) cas les angles bleus et roses sont-ils de part et d'autre de la droite (s) ?

ⓐ 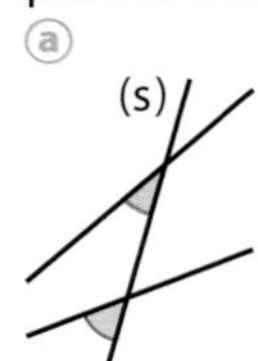

ⓑ 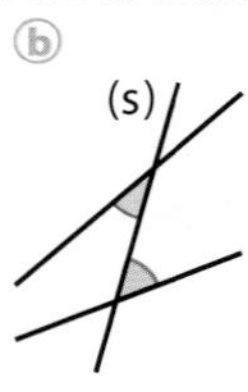

ⓒ 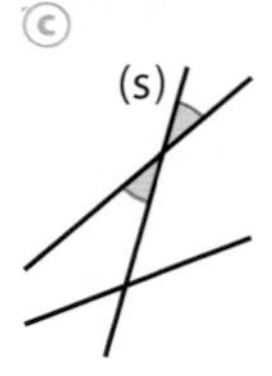

ⓓ 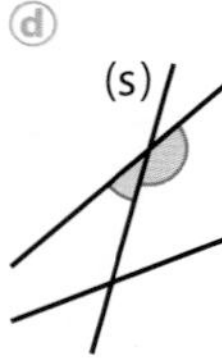

11 Dans quel(s) cas les angles orange et violet sont-ils entre les droites (d) et (d′) ?

ⓐ 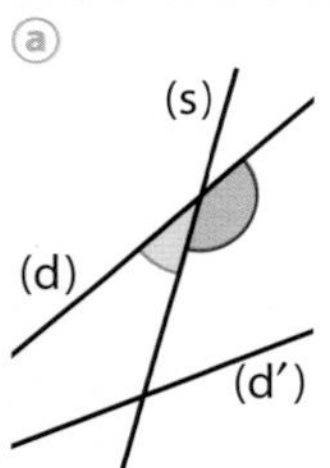

ⓑ 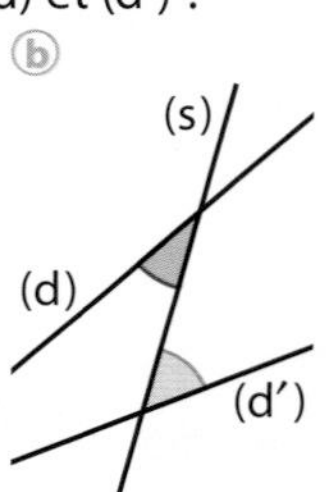

ⓒ 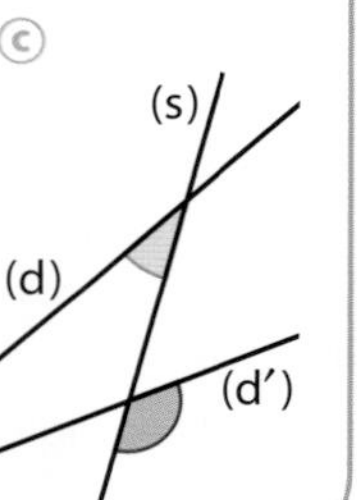

12 Dans chacun des cas suivants, dire si les angles tracés sont alternes-internes ou pas. Justifier la réponse.

ⓐ 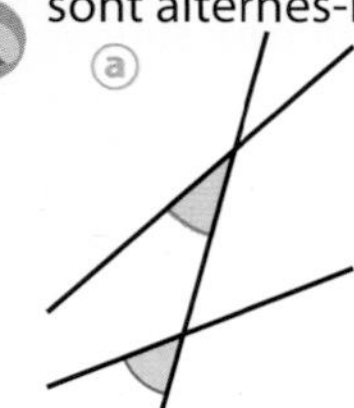 ⓑ 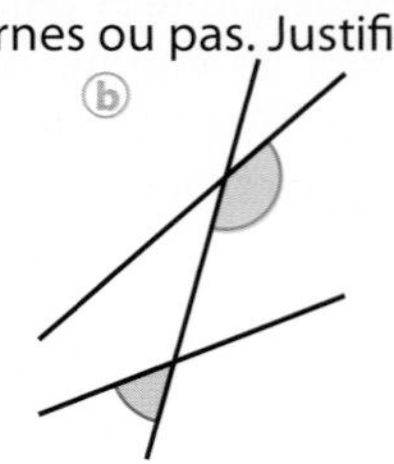 ⓒ 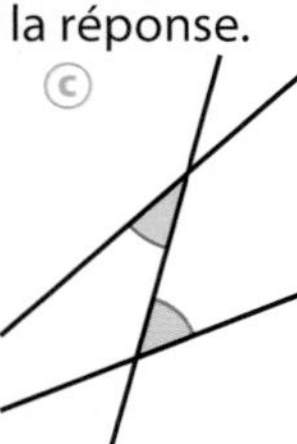

13 Tracer trois droites sécantes mais non concourantes comme le modèle ci-contre, puis repérer à l'aide de deux couleurs différentes les deux paires d'angles alternes-internes.

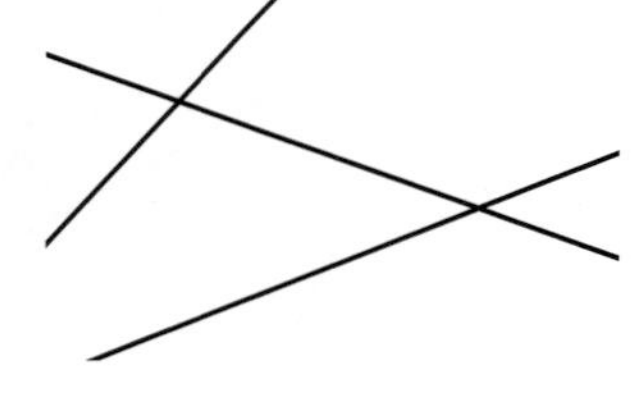

14 Dans la figure ci-dessous, nommer les angles qui sont alternes-internes.

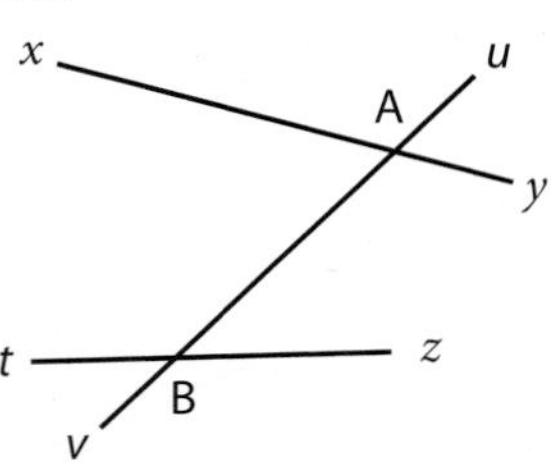

Déterminer un angle à l'aide de deux droites parallèles

Savoir-faire p. 203

Questions flash

15 Les droites rouges sont parallèles.

- Dans chacun des cas suivants, déterminer l'angle marqué d'un point d'interrogation.

ⓐ 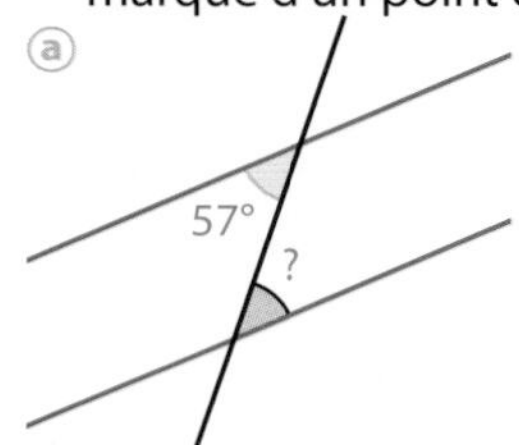

ⓑ 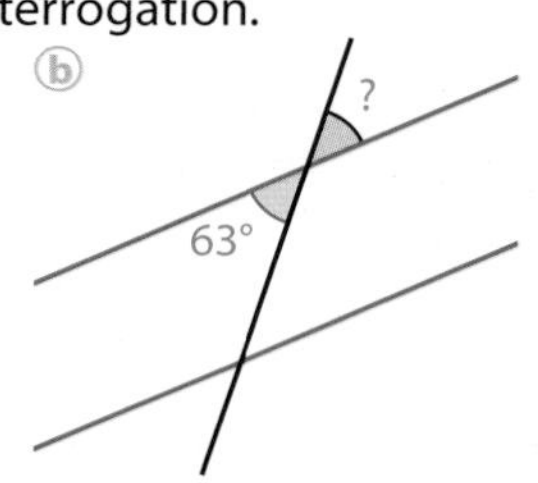

16 Dans chacun des cas suivants, dire si les angles marqués en vert sont de même mesure.

ⓐ ⓑ

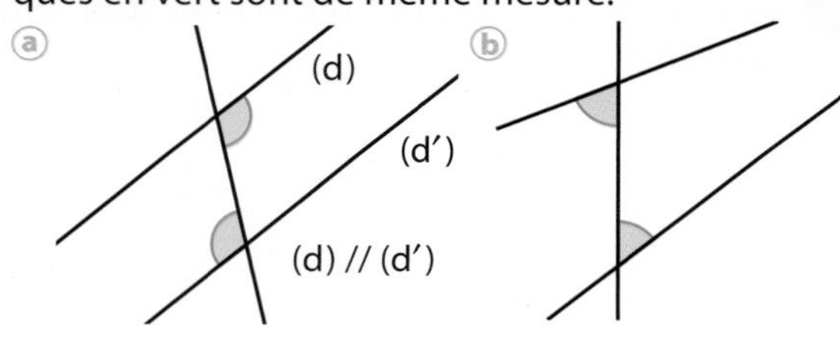

17 Déterminer l'angle $\widehat{LTO}$. Justifier la réponse.

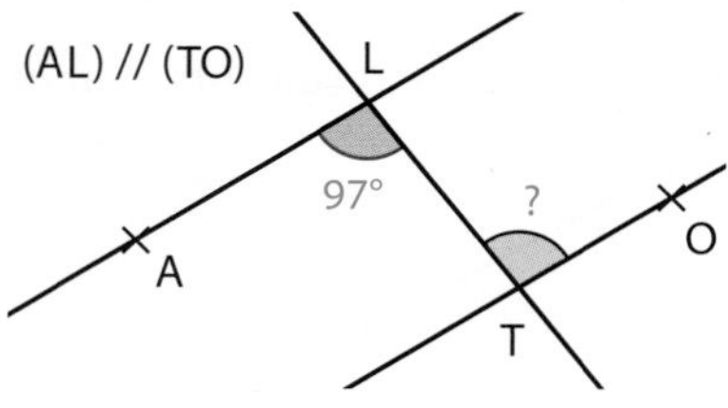

18 1. Tracer deux droites (d) et (d′) parallèles et une sécante aux droites (d) et (d′) formant des angles alternes-internes de mesure 63°.

2. Déterminer les autres angles.

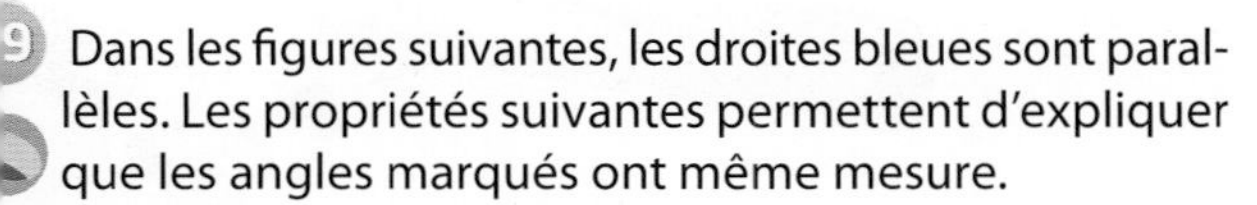

9 Dans les figures suivantes, les droites bleues sont parallèles. Les propriétés suivantes permettent d'expliquer que les angles marqués ont même mesure.

Propriété 1 : Si deux droites parallèles sont coupées par une sécante, alors les angles alternes-internes qu'elles forment sont de même mesure.

Propriété 2 : La symétrie centrale conserve les angles.

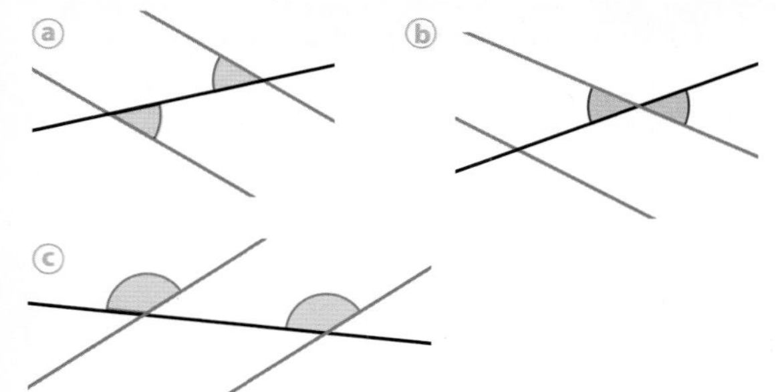

- Pour chaque figure, choisir la (ou les) propriété(s) nécessaire(s) pour expliquer que les angles marqués ont même mesure.

Déterminer un angle dans un triangle

Savoir-faire p. 205

Questions flash

0 1. Calculer mentalement :

a. $180 - (60 + 20)$ b. $180 + (60 - 20)$

c. $180 - 60 - 20$ d. $180 - 60 + 20$

2. Quels calculs ci-dessus permettent de déterminer le troisième angle d'un triangle ?

1 Dans chacune des lignes ci-dessous, déterminer l'angle manquant pour que la somme des mesures des trois angles soit égale à 180°.

a.

62°	33°	?
?	90°	35°

b.

60°	?	60°
116°	32°	?

2 Pour chacun des triangles suivants, déterminer l'angle marqué d'un point d'interrogation.

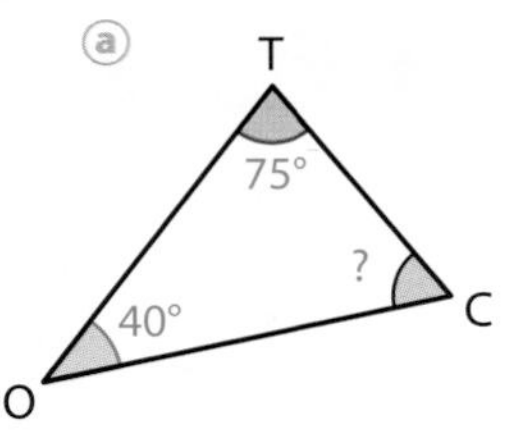

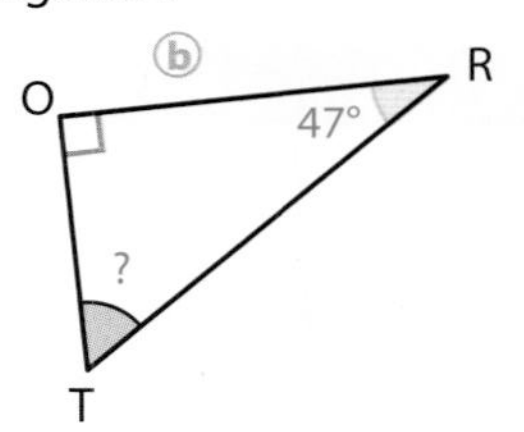

3 Dans chacun des cas suivants, dire si la figure est possible ou impossible.

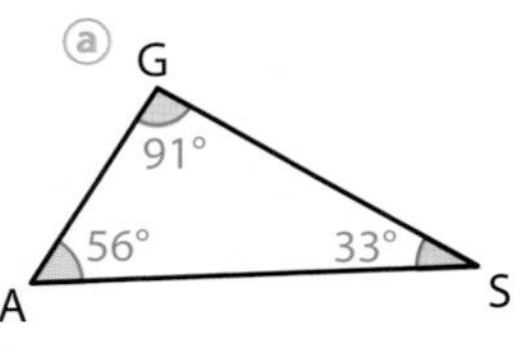

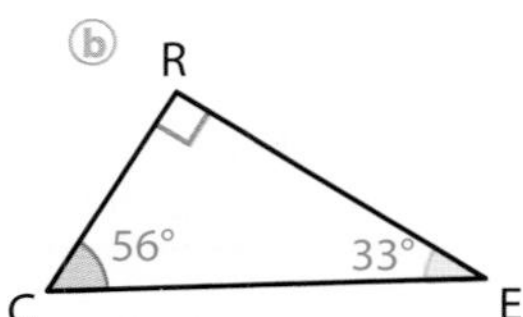

Reconnaitre des droites parallèles

Savoir-faire p. 205

Questions flash

24 Dans chacun des cas suivants, dire si les droites sont parallèles.

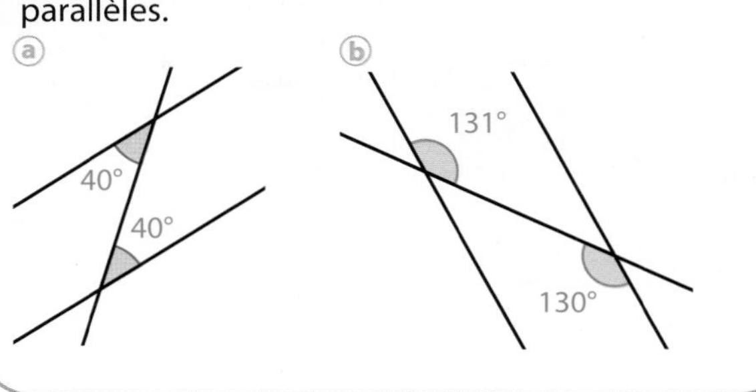

25 Dans les figures suivantes, les angles orange ont même mesure. Les propriétés suivantes permettent d'expliquer pourquoi les deux droites bleues sont parallèles.

Propriété 1 : Si deux droites sont coupées par une sécante en formant des angles alternes-internes de même mesure, alors ces deux droites sont parallèles.

Propriété 2 : La symétrie centrale conserve les angles.

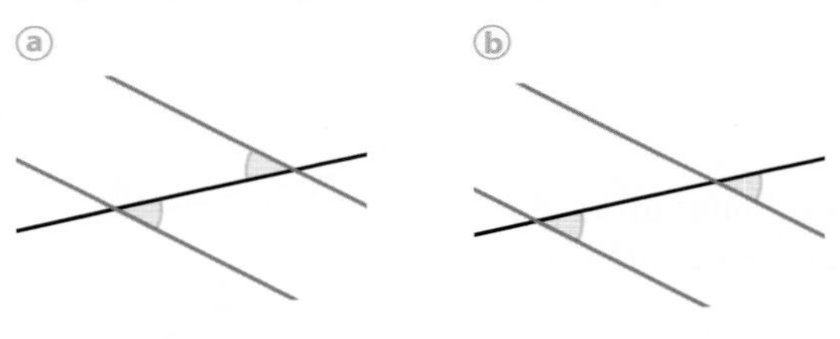

- Pour chaque figure, choisir la (ou les) propriété(s) nécessaire(s) pour expliquer pourquoi les droites bleues sont parallèles.

26 Démontrer que les droites rouges sont parallèles. Justifier la réponse.

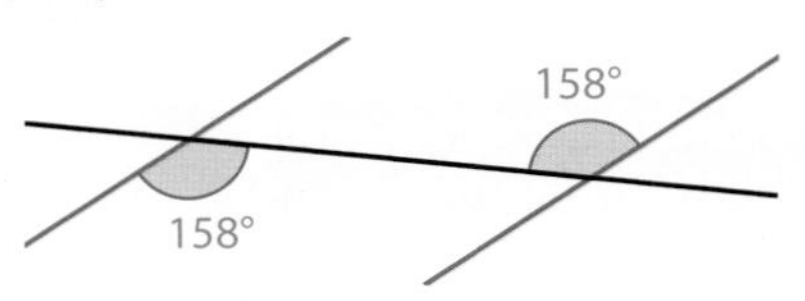

27 Démontrer que les droites vertes sont parallèles. Justifier la réponse.

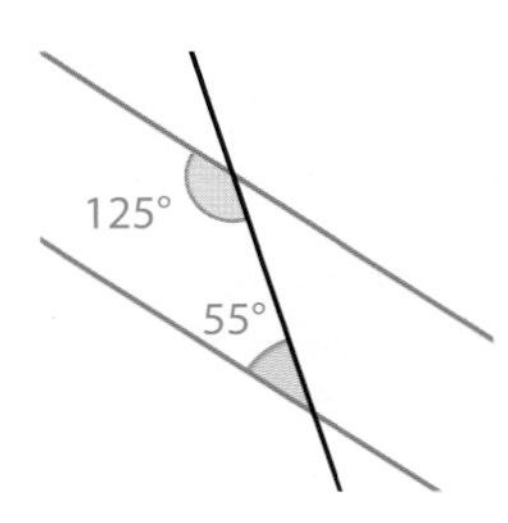

Faire le point

Vérifie tes connaissances.

QCM

Donner la seule réponse correcte parmi les trois proposées.

	Réponse A	Réponse B	Réponse C
1 Reconnaitre des angles alternes-internes			
Les angles *a* et *b* sont alternes-internes sur la figure :	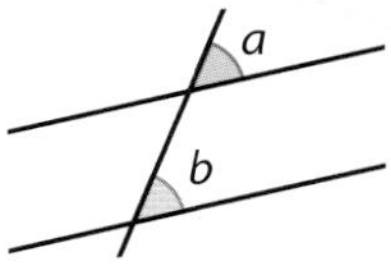	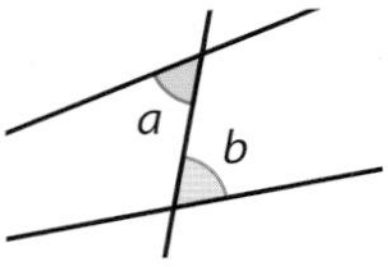	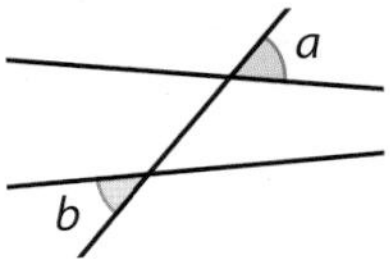
2 Déterminer un angle à l'aide de deux droites parallèles			
Dans la figure suivante, (xy) et (zt) sont parallèles. Un angle qui a pour mesure 37° est : 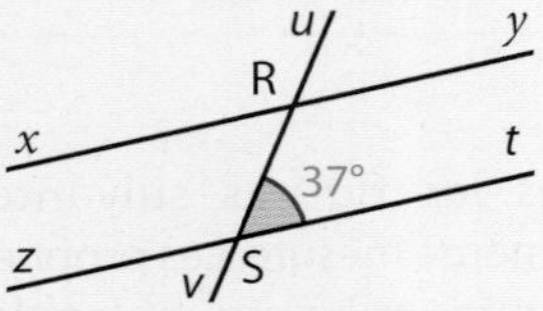	$\widehat{zSR}$	$\widehat{xRS}$	$\widehat{xRu}$
3 Déterminer un angle d'un triangle			
L'angle $\widehat{FEG}$ a pour mesure : 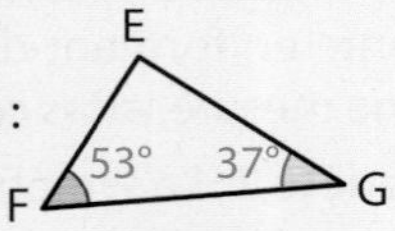	53°	77°	90°
4 Reconnaitre des droites parallèles			
Les droites (d) et (d') sont-elles parallèles ? 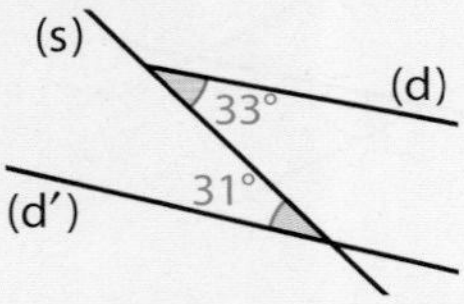	oui	non	on ne peut pas conclure

Pour t'aider à retenir le cours.*

Carte mentale

Angles

Reconnaitre des angles alternes-internes

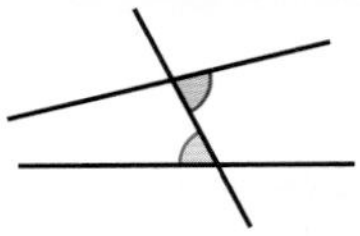

Reconnaitre deux droites parallèles

Déterminer un angle dans un triangle

Propriété :
La somme des mesures des angles d'un triangle est égale à 180°.

Déterminer un angle à l'aide de deux droites parallèles

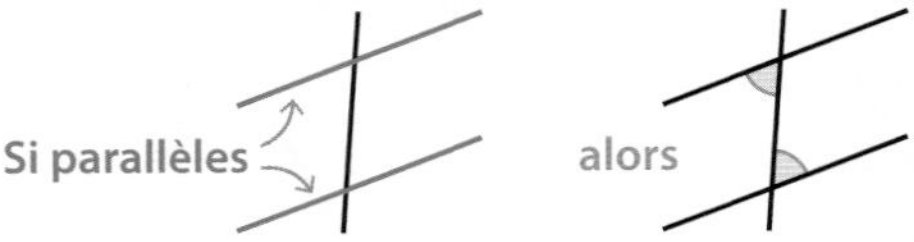

*Tu peux aussi construire ta propre carte mentale.

Algorithmique et outils numériques

8 Ligne de crête

À l'aide des instructions indiquées ci-dessous, écrire un script qui permet de reproduire cette figure.

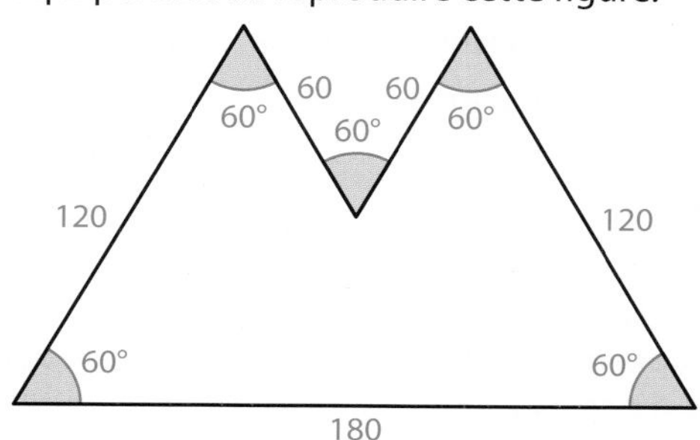

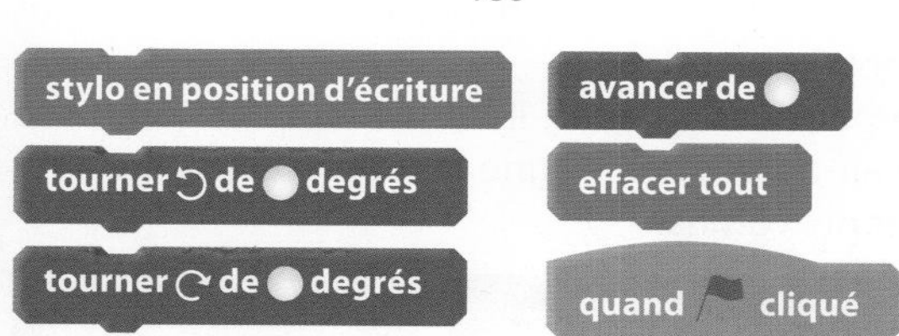

tourner ↺ de degrés

tourner ↻ de degrés

9 La croix de Malte

1. Compléter le script suivant qui permet d'obtenir une branche de la croix représentée par un triangle équilatéral.

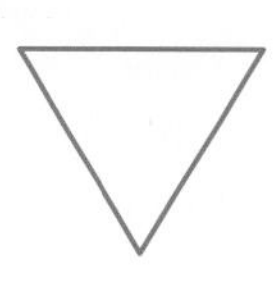

répéter 3 fois

tourner ↺ de degrés

Une branche

2. Compléter le script précédent de façon à construire la croix de Malte représentée ci-dessous.

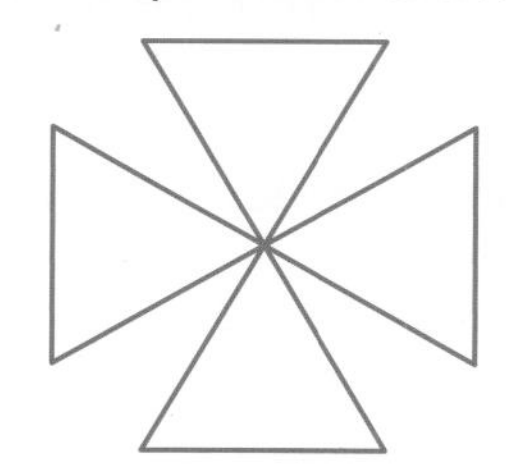

) À l'aide des commandes ci-dessous, écrire un script qui demande à l'utilisateur la mesure de l'angle $\widehat{BAC}$ et qui affiche la mesure de l'angle $\widehat{BCA}$.

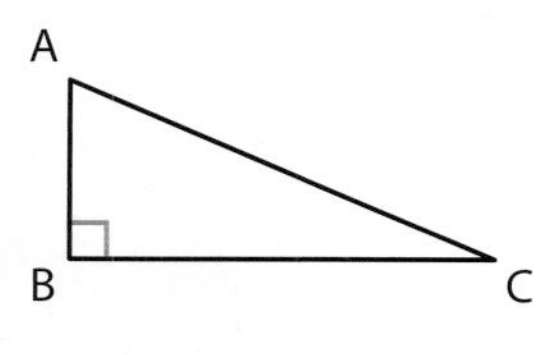

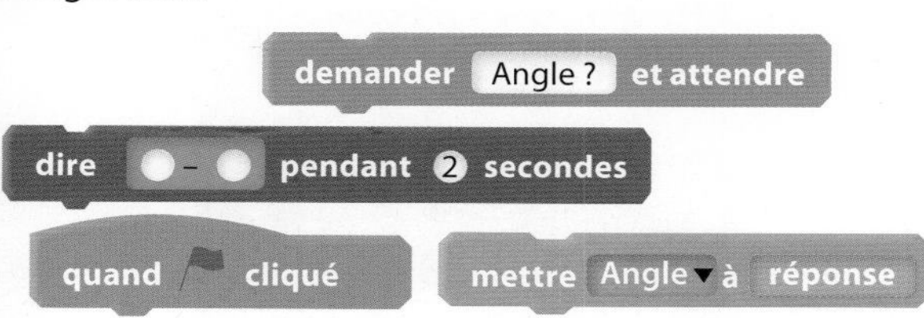

31 Angles opposés par le sommet

À l'aide d'un logiciel de géométrie dynamique :

1. Tracer deux droites (AB) et (CD) sécantes en O telles que le point O appartienne aux segments [AB] et [CD].
2. Mesurer les angles $\widehat{AOC}$ et $\widehat{BOD}$ avec l'outil . Que remarque-t-on ?
3. Déplacer les points de la figure. Que peut-on conjecturer ?

Les angles $\widehat{AOC}$ et $\widehat{BOD}$ sont dits opposés par le sommet.

32 Angles complémentaires

1. Tracer un segment [AB].
2. Tracer la droite (d) perpendiculaire au segment [AB] passant par le point A. Puis placer un point C ∈ (d).
3. Tracer le segment [BC].
4. Mesurer les angles $\widehat{ABC}$ et $\widehat{ACB}$, puis calculer la somme de ces mesures.
5. Déplacer un des points de la figure. Que peut-on conjecturer ?

Les angles $\widehat{ABC}$ et $\widehat{ACB}$ sont dits complémentaires.

33 Angles supplémentaires

1. Tracer deux segments [EH] et [FG] sécants en un point O.
2. Mesurer les angles $\widehat{EOF}$ et $\widehat{FOH}$ avec l'outil .
3. Afficher la somme des mesures de $\widehat{EOF}$ et $\widehat{FOH}$ en tapant la commande suivante dans la barre de saisie :

```
Saisie: "Somme des angles="+(Angle[E,O,F]+Angle[F,O,H])
```

4. Déplacer les points de la figure. Que peut-on conjecturer ?

Les angles $\widehat{EOF}$ et $\widehat{FOH}$ sont dits supplémentaires.

34 Les angles de la croix de Malte

1. Dans un logiciel de géométrie dynamique, reproduire la croix de Malte représentée à l'exercice 29.
2. Sur cette figure, repérer :
   a. deux angles opposés par le sommet (en vert)
   b. deux angles complémentaires (en rouge)
   c. deux angles supplémentaires (en violet)
   d. deux angles alternes-internes (en marron)

Pour mieux cibler les compétences			
Chercher	45 49	Raisonner	41 46 47
Modéliser	51 54	Calculer	36 37 38
Représenter	44 50	Communiquer	44 53 55

35 Dans un rectangle

ABCD est un rectangle. E est un point du segment [AB] et F un point du segment [DC].

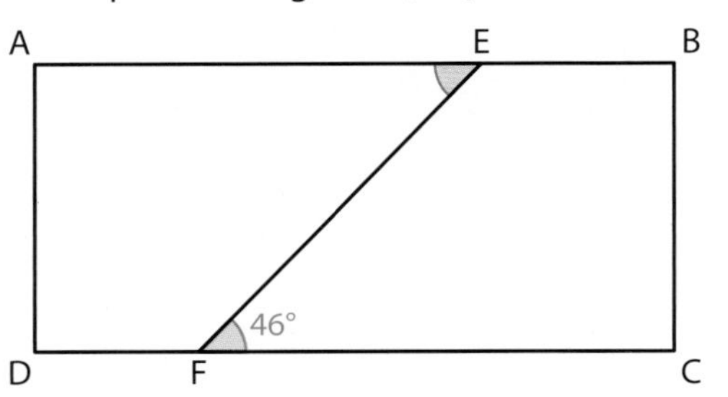

- Déterminer l'angle $\widehat{AEF}$.

36 Dans un triangle rectangle

ABD est un triangle rectangle et BCD un triangle isocèle.
On donne $\widehat{BDC} = 25°$.

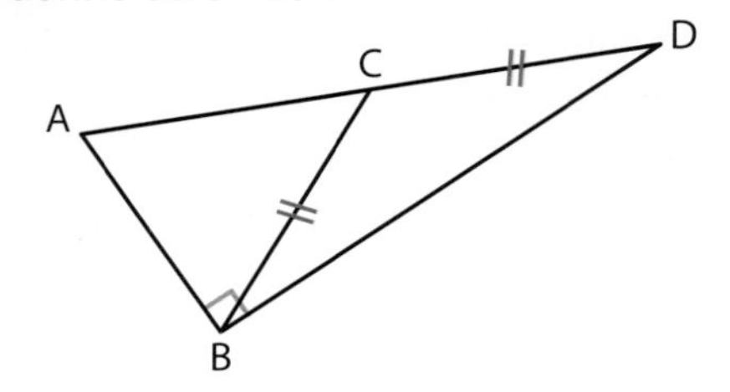

1. Déterminer l'angle $\widehat{CBD}$.
2. Déterminer l'angle $\widehat{BCD}$.
3. Déterminer les angles du triangle ABC.

37 Obtenir des droites parallèles

Calculer la valeur de x pour que les droites en bleu soient parallèles.

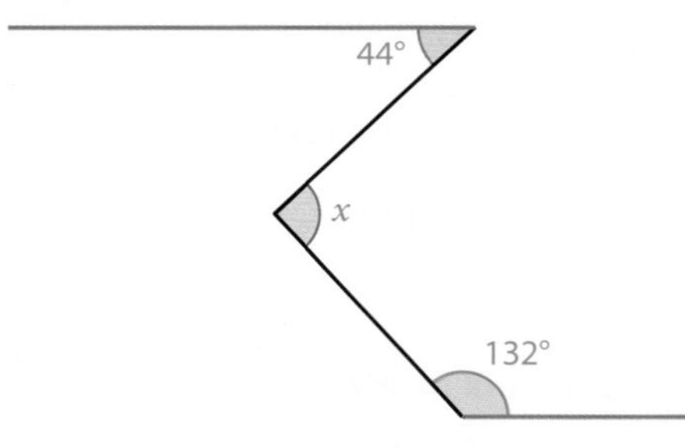

38 On passe ?

CIT

Sur le panneau ci-contre :
- IDS est un triangle équilatéral.
- PEDS est un rectangle.
- Les angles $\widehat{PIS}$ et $\widehat{EID}$ ont même mesure.

1. Déterminer les angles $\widehat{PIS}$ et $\widehat{EID}$.
2. En déduire la mesure de l'angle $\widehat{ISP}$.
3. Que signifie ce panneau ?

39 Everest

HG

L'Everest est une montagne située dans la chaine de l'Himalaya, à la frontière entre le Népal et le Tibet.
Les Européens l'ont découvert en 1847. Après quelques années d'observations et de calculs, son altitude est établie à 8 848 m, ce qui l'identifie comme le plus haut sommet du monde.
Sur la photo ci-dessous, il donne l'impression de se situer au-dessus d'une ligne d'horizon constituée par des monts voisins.

Les points M, O, N et T sont alignés.
- Déterminer chaque angle du triangle EON.

40 Mirage

PC

Les mirages sont des phénomènes optiques bien réels qui ont lieu dans des circonstances particulières. La forme la plus courante est le mirage chaud, qui se produit lorsque la température du sol est très élevée (désert, route goudronnée…). Il donne l'impression d'une flaque d'eau.
Il est dû à la déviation des faisceaux lumineux provoquée par les différences de températures.

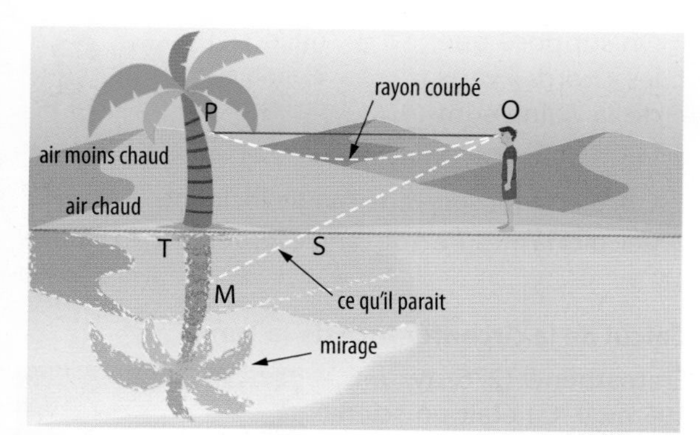

La déviation de ces rayons donne l'impression que l'objet que l'on regarde est à un endroit autre que son réel emplacement.
Sachant que $\widehat{POS} = 28°$ et que les droites (PO) et (TS) sont parallèles, déterminer :

a. l'angle $\widehat{TSM}$ b. l'angle $\widehat{TSO}$

41 Somme des angles d'un triangle

Le but de ce problème est de démontrer la conjecture de l'activité 3, page 201.

1. Tracer un triangle ABC, puis la parallèle à (BC) passant par A.
2. Quels sont les angles de même mesure dans cette figure ? Justifier.
3. Que peut-on en conclure pour la somme des mesures des angles d'un triangle ?

42 Parallèles ?

Les droites (CB) et (ED) sont-elles parallèles ? Justifier la réponse.

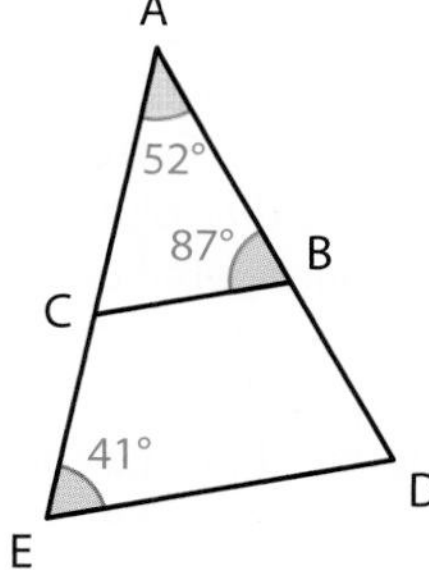

43 Construction d'une figure

1. Reproduire en vraie grandeur la figure ci-dessous, sachant que les points E, D et C sont alignés.
2. Déterminer l'angle $\widehat{BCD}$, puis l'angle $\widehat{AED}$.
3. Démontrer que les droites (AE) et (BC) sont parallèles.

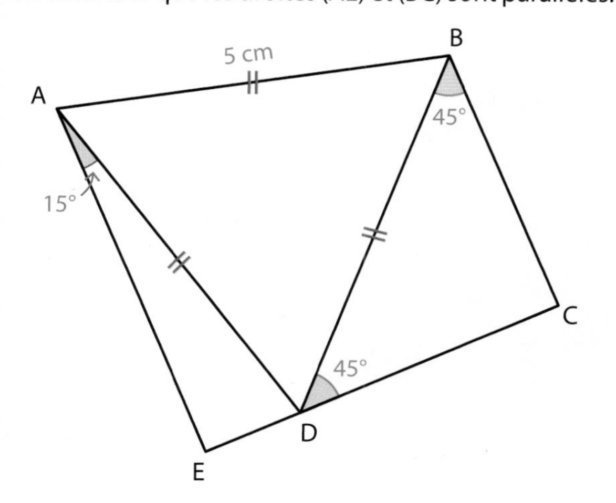

44 Sans sortir du cadre

Les droites (d) et (d′) se coupent au point A en dehors de la feuille.

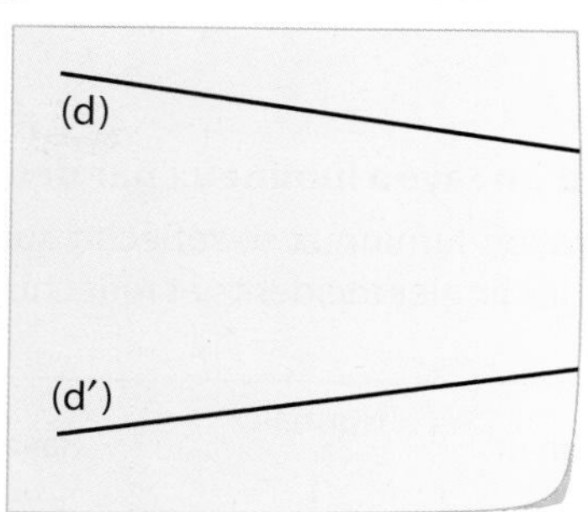

- En utilisant uniquement le rapporteur et sans effectuer de tracé à l'extérieur du cadre, que peut-on mesurer qui permettra de connaitre la mesure de l'angle en A ?

45 Un trapèze ?

Valentin dit que IJKL a deux côtés opposés parallèles. Enzo dit qu'il se trompe.

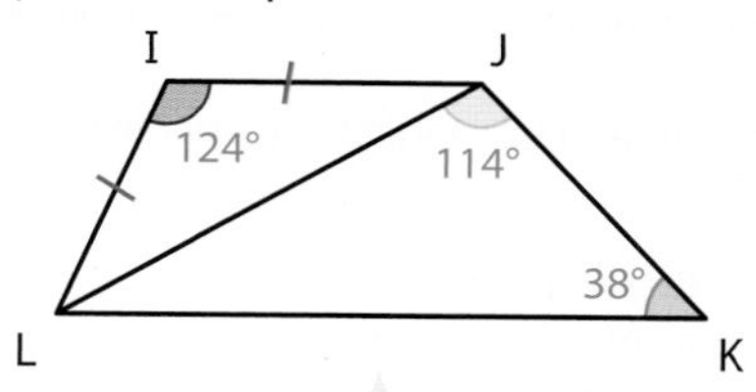

Un quadrilatère possédant deux côtés opposés parallèles est appelé un trapèze.

- Qui a raison ?

46 Un autre trapèze

Déterminer l'angle $\widehat{TRA}$.

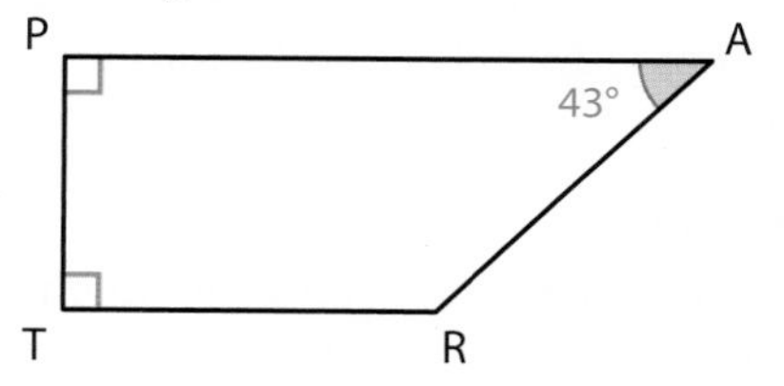

47 Aligned or not ?

LV Observe the figure. Points B, A and F seem aligned. Are they? Justify the answer.

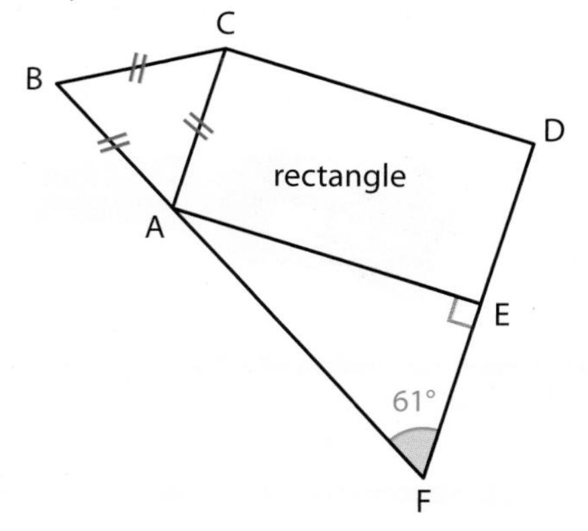

Problèmes

48 Déviation d'un rayon lumineux par deux miroirs

PC

Lorsqu'un rayon lumineux se réfléchit sur la surface d'un miroir, les angles incidents et réfléchis ont même mesure.

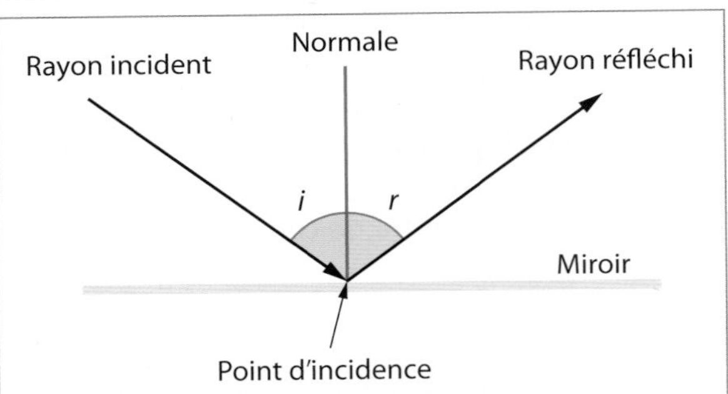

Normale : droite perpendiculaire à la surface du miroir.
Angle d'incidence (*i*) : angle formé par le rayon incident et la normale.
Angle de réflexion (*r*) : angle formé par le rayon réfléchi et la normale.

On place deux miroirs qui forment un angle de 65°. Un rayon lumineux frappe en I le miroir 1 avec un angle d'incidence de 30°, se réfléchit et frappe en J le miroir 2.

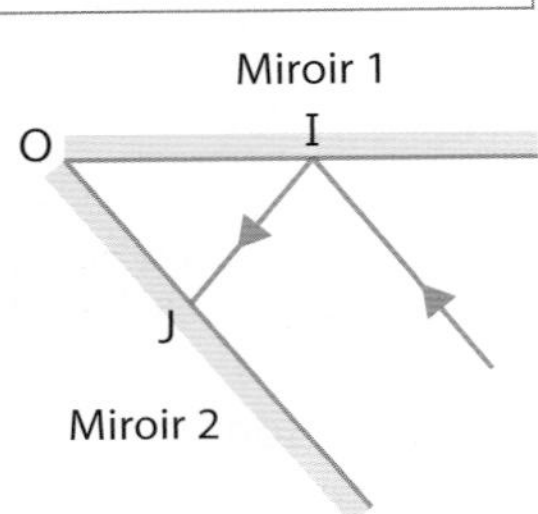

1. Déterminer l'angle de réflexion du miroir 2.
2. Faire une figure et tracer le rayon réfléchi par le miroir 2.
3. Que se passe-t-il si les miroirs forment un angle droit ?

49 Fibre optique

PC

Une fibre optique est un fil en verre ou en plastique très fin qui a la propriété d'être un conducteur de la lumière. Il sert dans la transmission de données et de lumière (télévision, téléphone, Internet).
Entourée d'une gaine protectrice, la fibre optique peut être utilisée pour conduire de la lumière entre deux lieux distants de plusieurs centaines, voire milliers, de kilomètres. La lumière subit un très grand nombre de réflexions sur les surfaces de séparation fibre-verre.

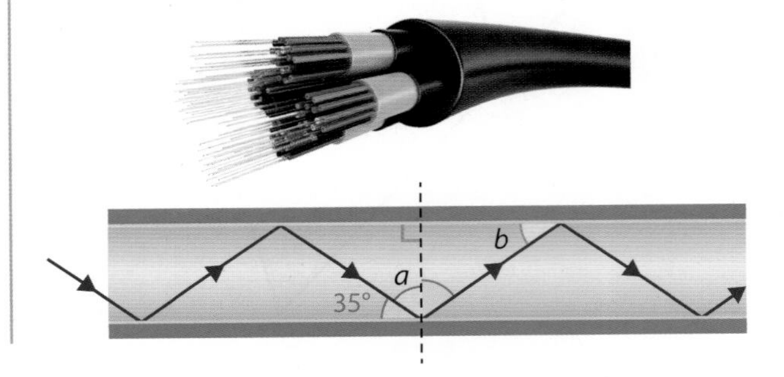

On suppose que les « bords » verts de la gaine sont parallèles.

Utilise les notions d'optique de l'exercice précédent.

1. Calculer la mesure *a* de l'angle incident.
2. Calculer la mesure *b* de l'angle représenté en mauve.

50 Calcul de la circonférence de la Terre

PC HG

Ératosthène (276 av. J.-C., 195 av. J.-C.) était un scientifique, astronome et poète grec. En 200 av. J.-C., il a réussi à calculer la circonférence de la Terre. Sa méthode est décrite dans *Cleomedis Meteora graece et latine*, de l'astronome grec Cléomède.
Au solstice d'été, Ératosthène, qui habitait la ville de Syène, savait que le Soleil était à la verticale à 12 h et qu'il n'y avait aucune ombre dans le puits.
De plus, il avait noté qu'à Alexandrie, à la même date et à la même heure, les rayons du Soleil avaient une inclinaison d'environ 7,2° par rapport à la verticale.
Il supposa que les rayons du Soleil étaient parallèles et que les deux villes étaient situées sur le même méridien. Il ne restait plus alors qu'à calculer la distance entre les villes de Syène et d'Alexandrie.
Pour cela, Ératosthène requit l'aide d'un bématiste, c'est-à-dire d'un arpenteur de l'Égypte antique dont la charge était de mesurer des distances. Le bématiste utilisait une méthode simple, il comptait le nombre de pas (bêma) d'un chameau lors du voyage entre deux points. Le chameau étant réputé pour avoir une marche régulière, les calculs étaient d'une précision assez étonnante.
Le bématiste lui fournit donc une mesure de 5 000 stades (50 jours de marche, 1 jour comptant une distance de 100 stades) entre Alexandrie et Syène.

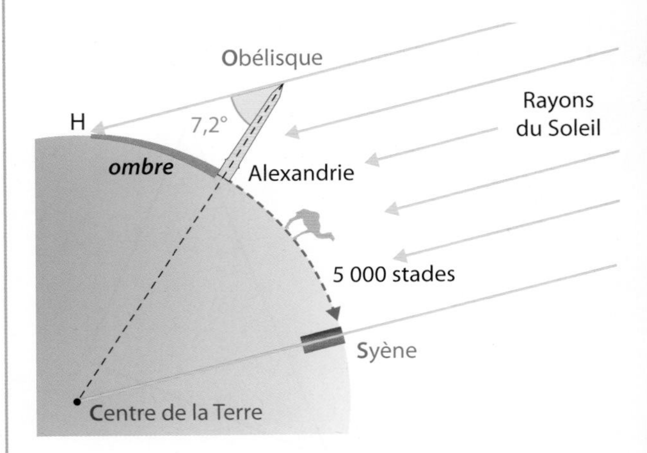

1. Comment Ératosthène détermina-t-il l'angle au centre de la Terre $\widehat{OCS}$?

2. Pour déterminer la circonférence de la Terre, Ératosthène utilisa la règle suivante : « La distance entre les villes est proportionnelle à la mesure de l'angle dont le sommet est au centre de la Terre. »
Sachant qu'un stade égyptien correspond à 157,50 m, quelle est la circonférence de la Terre trouvée par Ératosthène ?

3. Comparer cette valeur à une estimation de la circonférence de nos jours.

Portail

L'entreprise TOCLOSE contrôle la fabrication de ses portails.
Sur le modèle ci-dessous, elle doit vérifier que les barres noires horizontales sont bien parallèles.

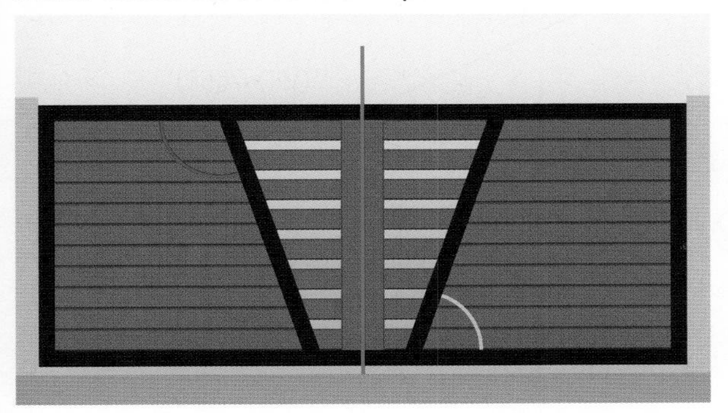

- Sachant que l'axe vert est un axe de symétrie du portail, que l'angle rouge mesure 123° et l'angle jaune 57°, ce portail est-il bien construit ?

Le billard

Pour gagner sa partie, Lucy doit rentrer la boule bleue. Elle ne réussit que si l'angle rouge a même mesure que l'angle jaune, les droites blanches étant parallèles.

- Lucy va-t-elle gagner cette partie ? Expliquer le raisonnement.

Les angles d'un polygone

Quelle est la somme des mesures des angles d'un polygone ?

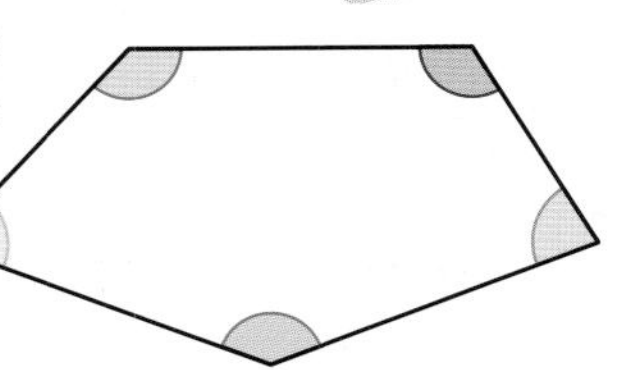

54 Le mètre pliant

Le mètre pliant du menuisier est constitué de branches de 20 cm chacune.

Avec les quatre premières branches, on forme un W. On dispose la première de ces quatre branches le long et en bas d'un mur vertical et la quatrième sur le sol horizontal.

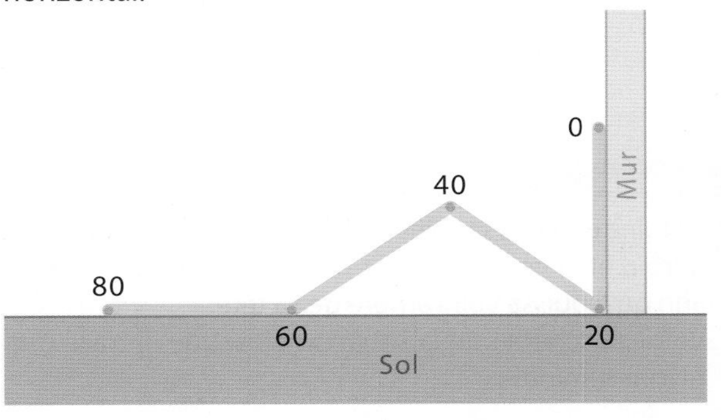

On se demande si on peut faire en sorte que les trois graduations 0, 40 et 80 du mètre soient alignées.

1. Vérifier que cela est possible à l'aide d'un logiciel de géométrie dynamique.
2. Conjecturer alors la mesure de l'angle entre le mur et la droite passant par les graduations 20 et 40.
3. Démontrer la conjecture de la question 2.

Pour t'aider, désigne par la lettre x la mesure de l'angle entre le mur et la droite passant par les graduations 20 et 40.

Source : Rallye 2013 académie Orléans-Tours.

55 Multiplication d'un angle

Voici un programme de construction :

- Tracer un angle aigu $\widehat{xOy}$.
- Placer un point A ∈ [Oy).
- Le cercle de centre A passant par O coupe [Ox) en B.
- Le cercle de centre B passant par A recoupe [Oy) en C.

1. Faire la construction.
Que peut-on conjecturer sur les angles $\widehat{xBC}$ et $\widehat{xOy}$?
2. Démontrer la conjecture.

Tu peux utiliser un logiciel de géométrie dynamique.

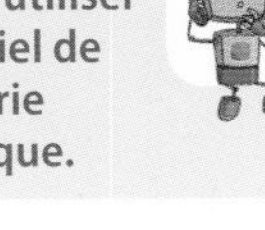

Dans un triangle isocèle, les deux angles à la base ont même mesure.

Travailler autrement

Utilisable en AP

À chacun sa méthode !

Deux énoncés pour un exercice

Exercice 1

Observer la figure ci-dessous et expliquer la réponse de Jade.

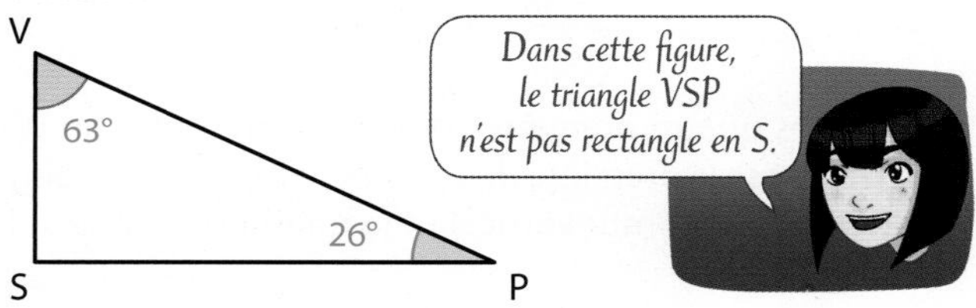

Exercice 1

Observer la figure ci-dessous et expliquer la réponse de Jade.

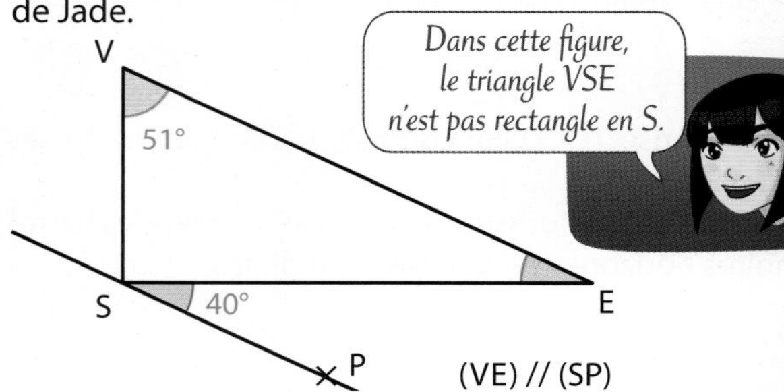

Exercice 2

Antoine est chez sa coiffeuse. Il est assis devant un grand miroir, et la coiffeuse tient un petit miroir derrière lui afin qu'il puisse voir l'arrière de sa tête.
Voici un schéma de la situation ainsi que le tracé des rayons lumineux :

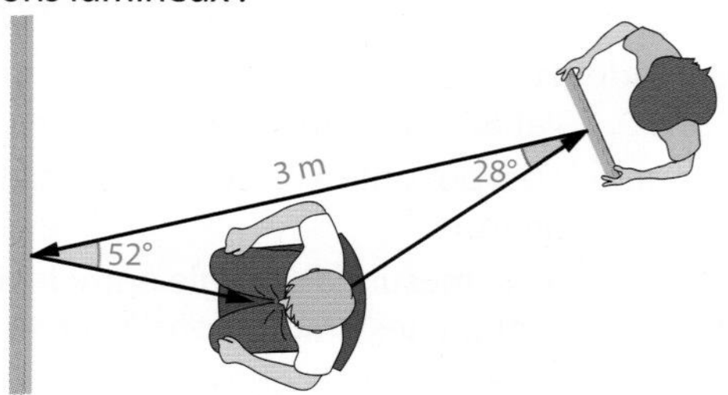

Les rayons lumineux forment un triangle.

1. À l'aide d'un logiciel de géométrie dynamique, construire ce triangle et mesurer le troisième angle.
2. Vérifier cette mesure par un calcul.

Exercice 2

Antoine est chez sa coiffeuse. Il est assis devant un grand miroir, et la coiffeuse tient un petit miroir derrière lui afin qu'il puisse voir l'arrière de sa tête.
Voici un schéma de la situation ainsi que le tracé des rayons lumineux :

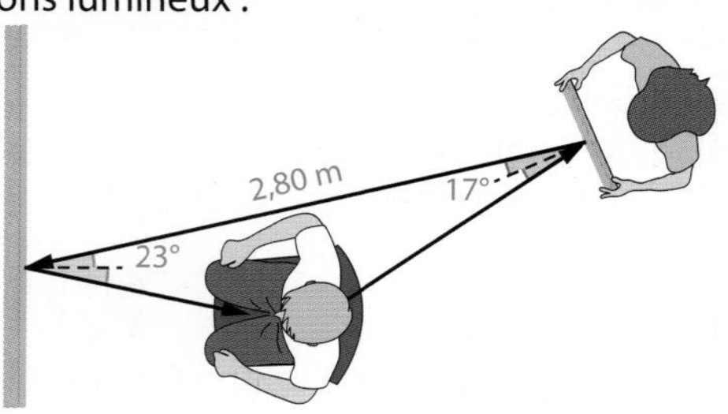

Les rayons lumineux forment un triangle.

1. À l'aide d'un logiciel de géométrie dynamique, construire ce triangle et mesurer le troisième angle.
2. Vérifier cette mesure par un calcul.

Analyse d'une production

Le professeur donne la figure suivante et demande de déterminer l'angle $\widehat{ABC}$.

- Analyser les réponses d'Arthur et de Zoé, puis corriger les erreurs s'il y en a.

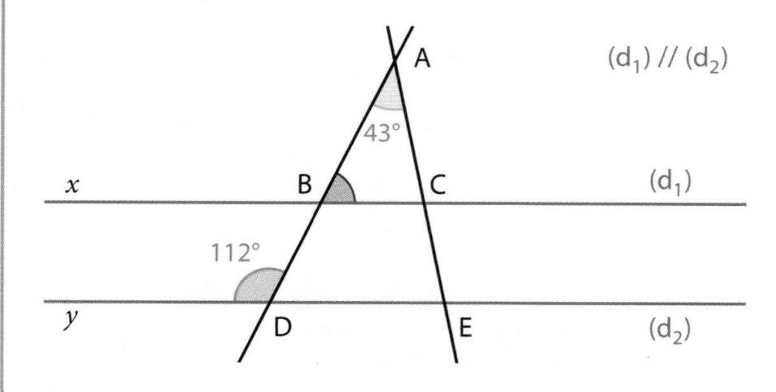

Réponse d'Arthur :

On a (d_1) // (d_2) et les angles $\widehat{yDB}$ et $\widehat{ABC}$ sont alternes-internes.
Donc $\widehat{yDB} = \widehat{ABC} = 112°$.

Réponse de Zoé :

$\widehat{BDE} = 180° - 112° = 68°$
Comme les angles alternes-internes ont toujours même mesure, $\widehat{ABC} = 68°$.

CHAPITRE
13
Ta mission
Construire et utiliser des cercles, des médiatrices et des triangles.

Triangles et cercles

Tangram

- Décalque les figures ci-dessous et complète le tangram pour former le triangle complet.

INFOS

Sonia Delaunay (1885-1979) est une artiste peintre d'origine ukrainienne. Les figures géométriques sont très présentes dans ses peintures mais également dans des tissus imprimés ou des robes haute couture.

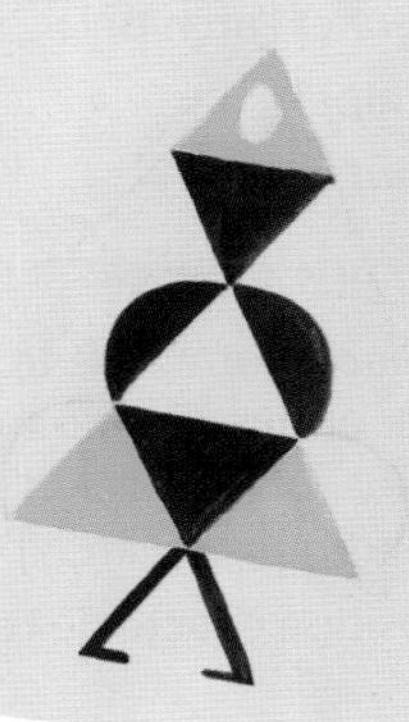

Dessin du costume de la Danseuse Jaune pour la pièce *Le Cœur à gaz* de Tristan Tzara, 1923.

Activités

1. a. Quel est le centre du cercle ?
   b. Citer deux rayons du cercle.
   c. Citer un diamètre du cercle.
   d. Combien mesure la longueur AD ?
   e. Combien mesure la longueur CD ?

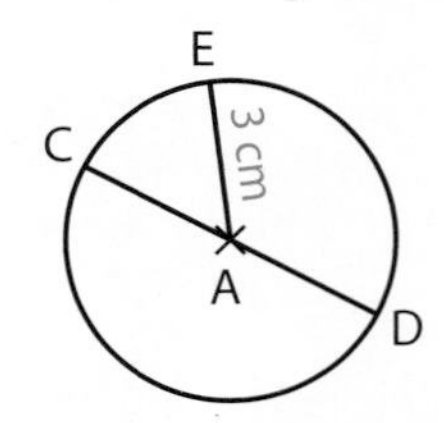

2. **Vrai ou faux ?**
Dire si les affirmations suivantes sont vraies ou fausses.

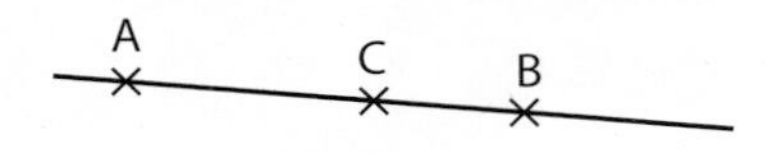

a. $C \in [AB]$ b. $A \in [BC]$ c. $B \in [AC]$

3. Parmi les solides suivants, indiquer lesquels ont des faces triangulaires.

Tétraèdre
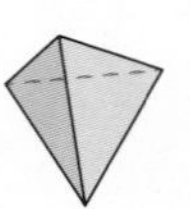

Hexaèdre ou cube
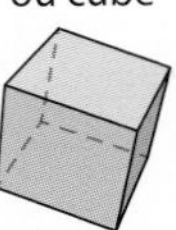

Octaèdre
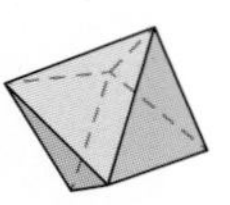

Dodécaèdre
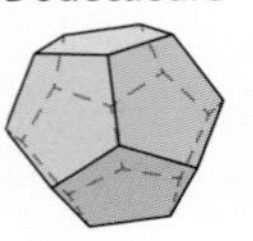

Icosaèdre
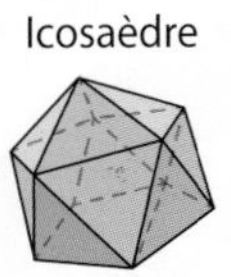

4. **Vrai ou faux ?**
Dire si les affirmations suivantes sont vraies ou fausses. Si elles sont fausses, justifier par un contre-exemple.
   a. Si $MA = MB$ alors M est le milieu de $[AB]$.
   b. Si A est le milieu de $[MB]$ alors $MA = MB$.
   c. Si $B \in [AM]$ alors B est le milieu de $[AM]$.

Plongée sous-marine

Activité 1

Des plongeurs se préparent à faire de la plongée sous-marine sur une épave. Ils embarquent sur deux bateaux de tourisme, *Globe-flotteur* et *Ged*, pour se rendre sur la zone à explorer. On a représenté leur position sur la carte ci-contre.

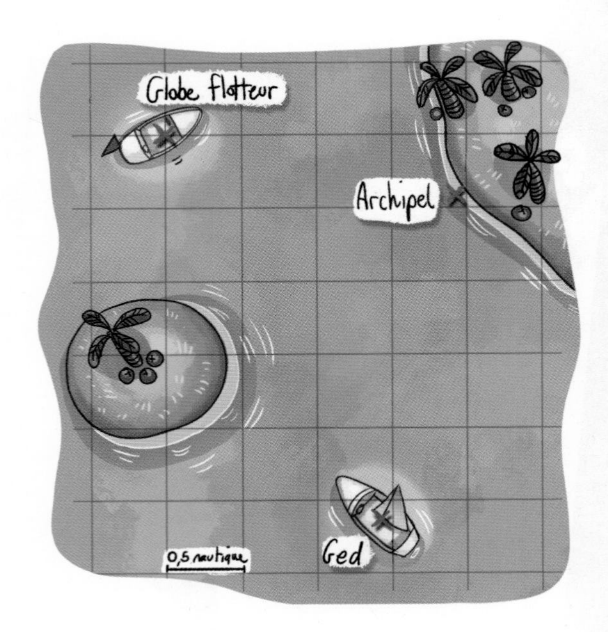

1. Le nautique est une unité de distance utilisée en navigation valant 1 852 m. À l'aide de la carte, donner la distance en nautiques entre :
   a. *Globe-flotteur* et l'archipel ;
   b. *Ged* et l'archipel ;
   c. *Globe-flotteur* et *Ged*.
2. Reproduire la carte en respectant ces distances.
3. On sait que *Globe-flotteur* se trouve à 1,5 nautique du lieu de l'épave et que *Ged* se trouve à 2 nautiques de l'épave. De plus, on sait que l'épave s'est échouée à moins de 1 nautique de l'archipel.
   Marquer la position exacte de l'épave sur la carte.

Art et symétrie

Activité 2

Bernar Venet est un plasticien et sculpteur français. Lors d'une exposition au Château de Versailles, en 2011, il crée des œuvres avec des arcs en acier. Voici l'une d'entre elles, intitulée *85,8 arc × 16°*, située à l'entrée du château entourant la statue de Louis XIV :

1. a. Reproduire la figure ci-dessus sur du papier calque.
   b. Par pliage, trouver l'axe de symétrie (d) de la figure, puis le tracer en rouge.
2. a. Placer trois points A, B et C sur la figure et construire leurs symétriques A', B' et C' par pliage.
   b. Tracer les segments [AA'], [BB'] et [CC']. Quelle semble être la position relative de la droite (d) par rapport à ces trois segments ?
   c. Placer un autre point E sur la figure et proposer une construction à la règle et à l'équerre pour son symétrique E' par rapport à (d) en s'aidant des conjectures de la question précédente.
3. a. Placer un point R sur la droite (d) puis mesurer les longueurs entre ce point et les points A, A', B, B', C, C'.
   b. Quelle conjecture peut-on faire sur un point de la droite (d) par rapport aux extrémités d'un segment ?
   c. Formuler la propriété de la médiatrice mise en évidence.
   d. Placer un autre point F sur la figure et proposer une construction uniquement au compas pour son symétrique F' par rapport à (d) en s'aidant de la propriété conjecturée à la question précédente.

Triangle, où es-tu ?

Activité 3

On souhaite construire six triangles dont les longueurs *a*, *b* et *c* sont indiquées ci-dessous en centimètres.

1. Pour construire le triangle 1 :
   - construire d'abord un segment [AB] de longueur 4,5 cm ;
   - placer ensuite un point C se trouvant à 4 cm du point A et à 2 cm du point B.
2. Construire de la même façon, quand c'est possible, les cinq autres triangles.
3. Quelle condition peut-on donner sur les longueurs d'un triangle pour qu'il soit constructible ?

	a	*b*	*c*
Triangle 1	4,5	4	2
Triangle 2	3,5	1,5	2,5
Triangle 3	7,2	10	6
Triangle 4	2,6	3	9
Triangle 5	3	11	8
Triangle 6	7	4,2	2,6

Les trois triangles

Activité 4

Ouvrir un logiciel de géométrie dynamique.

1. Construire un segment [AB].
2. Construire le cercle de diamètre [AB].
3. Nommer O le centre du cercle.
4. Placer un point C sur le cercle tel que CA = AO.
5. Quelle semble être la nature des triangles OCB, OAC et ABC ?
6. Vérifier la conjecture faite à la question précédente à l'aide des outils 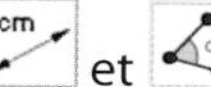 .

1 Construire et utiliser des cercles et des médiatrices ▶Vidéo

Définition

A désigne un point et *r* un nombre positif.

- Le **cercle** de centre A et de rayon *r* est l'ensemble des points situés à la même distance *r* du point A.
- Le **disque** de centre A et de rayon *r* est l'ensemble des points situés à une distance du point A inférieure ou égale à *r*.

Le **cercle** de centre A et de rayon 3 cm est l'ensemble de tous les points situés à une distance de 3 cm du point A.
Les segments [AB] et [AC] sont des rayons de ce cercle.
Ils ont tous la même longueur : 3 cm.

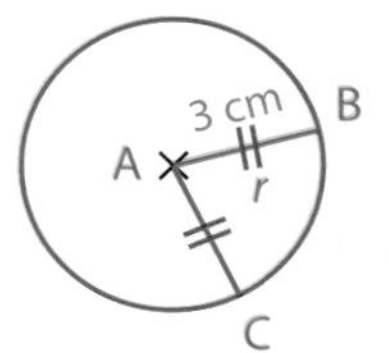

Le **disque** de centre A et de rayon 3 cm est l'ensemble de tous les points situés à une distance inférieure ou égale à 3 cm du point A : c'est la zone colorée en bleu.
La distance entre A et E est inférieure à 3 cm, la distance entre A et F est supérieure à 3 cm.

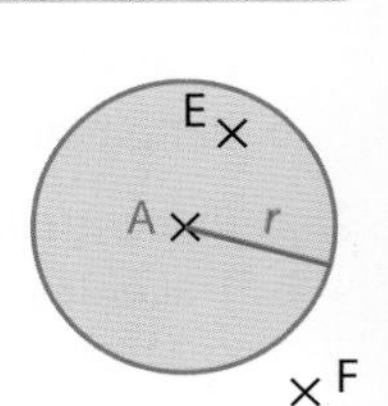

Définition

La **médiatrice** d'un segment est la droite perpendiculaire à ce segment et passant par son milieu.

On peut construire une médiatrice à l'aide d'une équerre graduée :

- On place le milieu I du segment [AB].
- On trace la droite (d) perpendiculaire au segment [AB] au point I.

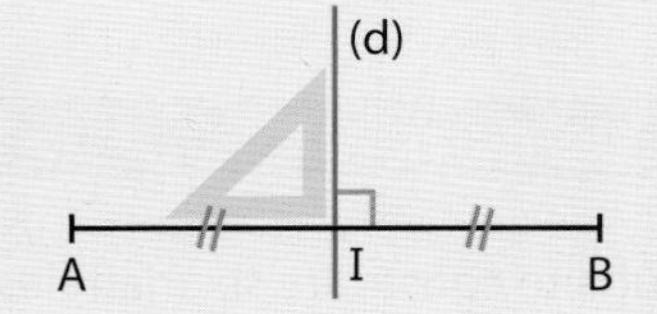

Propriétés

A et B désignent deux points distincts.
La médiatrice du segment [AB] est l'ensemble de tous les points situés à égale distance de A et de B :

- Si un point M appartient à la médiatrice de [AB], alors MA = MB.
- Si MA = MB, alors le point M appartient à la médiatrice de [AB].

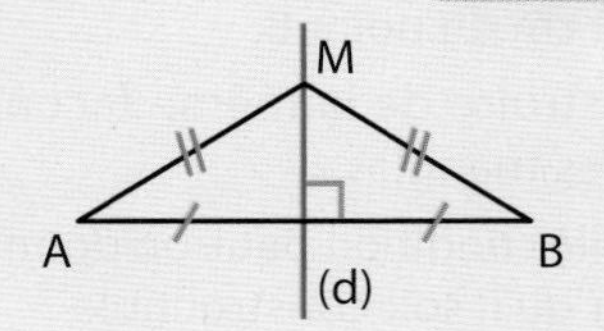

Méthode

Pour construire la médiatrice d'un segment [AB], on peut placer à l'aide d'un compas deux points à égale distance de A et de B.

- À l'aide du compas, on prend une ouverture plus grande que la moitié du segment [AB]. On pointe en A et on trace un arc de cercle de part et d'autre du segment.
- On garde la même ouverture et on pointe cette fois-ci sur B afin de tracer deux arcs de cercles coupant les deux premiers.
- On obtient deux points équidistants des extrémités que l'on rejoint en traçant une droite qui sera donc la médiatrice du segment [AB].

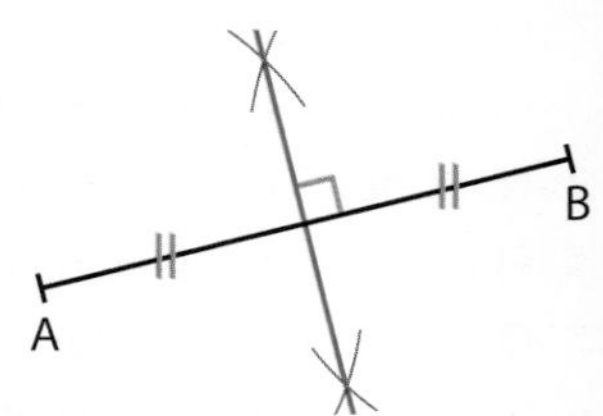

Savoir-faire

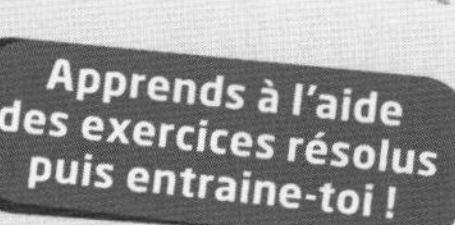

1 Construire et utiliser des cercles et des médiatrices

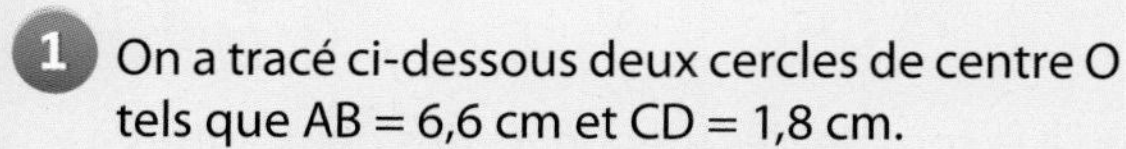

1 On a tracé ci-dessous deux cercles de centre O tels que AB = 6,6 cm et CD = 1,8 cm.
- Quel est le rayon du cercle $\mathscr{C}_2$?

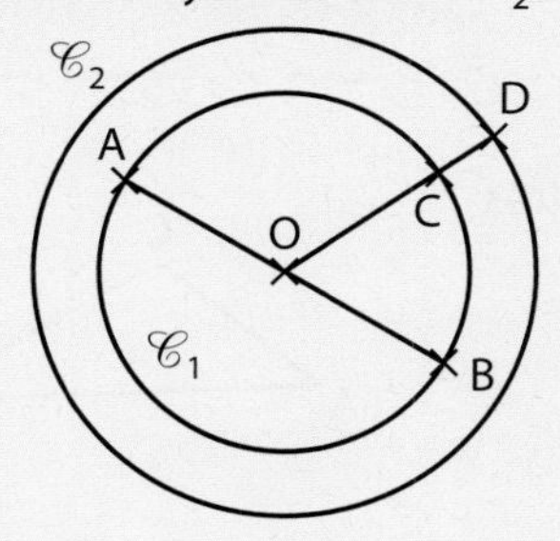

Solution

Le rayon du cercle $\mathscr{C}_2$ est égal à OD, soit OC + CD.
Il faut donc calculer OC, le rayon du cercle $\mathscr{C}_1$. [AB] est un diamètre du cercle $\mathscr{C}_1$ donc son rayon est égal à OB.
OB = AB ÷ 2 = 6,6 ÷ 2 = 3,3 cm.
Donc OD = 3,3 + 1,8 = 5,1 cm.
Donc le cercle $\mathscr{C}_2$ a pour rayon 5,1 cm.

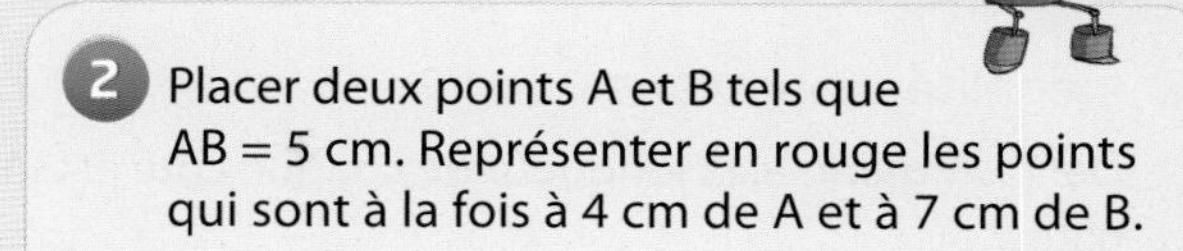

2 Placer deux points A et B tels que AB = 5 cm. Représenter en rouge les points qui sont à la fois à 4 cm de A et à 7 cm de B.

Solution

On construit un segment de 5 cm.

Tous les points situés à 4 cm de A sont sur le cercle de centre A et de rayon 4 cm.

Tous les points situés à 7 cm de B sont sur le cercle de centre B et de rayon 7 cm.

Les points qui vérifient les deux conditions à la fois sont donc les points d'intersection des deux cercles.

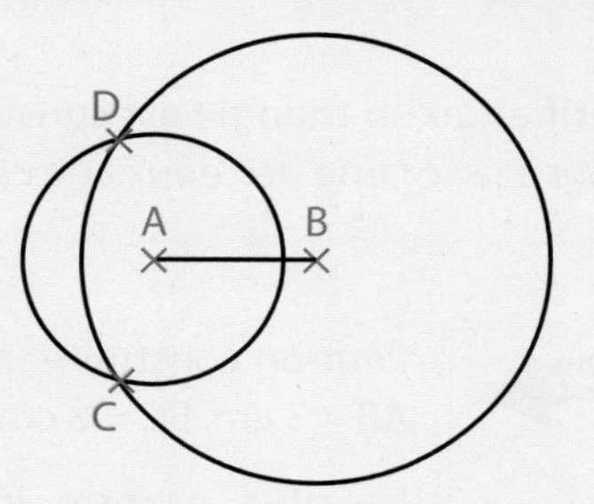

3 Dans la figure ci-contre qui a été partiellement effacée, la droite (d) est la médiatrice du segment [AB].
- Trouver le point B.

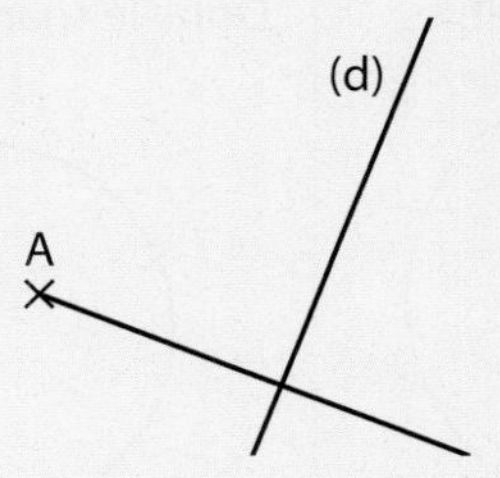

Solution

On utilise la définition de la médiatrice : la médiatrice du segment [AB] est perpendiculaire au segment [AB] et passe par son milieu. Il faut donc construire le point B tel que la droite (d) passe par le milieu de [AB].

Pour cela, on prolonge la demi-droite d'origine A. Puis on reporte la distance de A à (d) de l'autre côté de la droite (d) sur la demi-droite d'origine A. On obtient ainsi le point B.

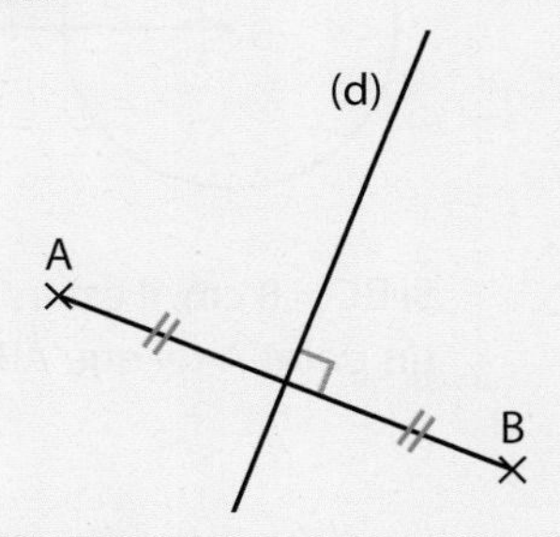

4 Placer deux points A et B tels que AB = 10,4 cm. Construire un cercle de centre A et de diamètre 5,2 cm, puis un cercle de centre B et de diamètre le double du cercle précédent.
- Combien de points sont à la fois situés à 2,6 cm de A et à 5,2 cm de B ?

5 Placer deux points A et B tels que AB = 4 cm.
- Représenter en rouge les points situés à moins de 2 cm de A et à plus de 3 cm de B.

6 Contruire un triangle quelconque, puis construire les médiatrices de ses trois côtés.

2 Utiliser l'inégalité triangulaire

Propriété

Inégalité triangulaire

Dans un triangle, la longueur de chaque côté est inférieure à la somme des longueurs des deux autres côtés.

Dans un triangle ABC non aplati, on a les inégalités triangulaires suivantes :

$AB < AC + CB$
$AC < AB + CB$
$CB < AC + AB$

Le plus court chemin entre deux points est la ligne droite !

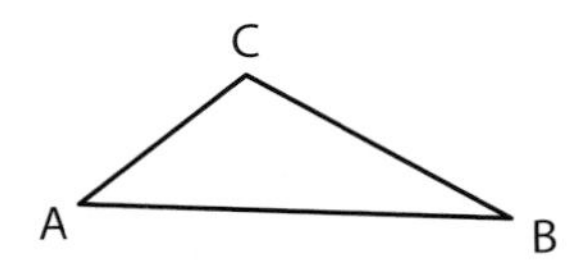

Méthode

Pour **vérifier qu'un triangle est constructible**, on vérifie que la plus grande longueur est inférieure à la somme des deux autres.

Exemples

Peut-on construire un triangle ABC tel que AB = 3 cm, BC = 8 cm et AC = 4 cm ?

La plus grande longueur est BC, et $BC > AB + AC$.
Donc le triangle **n'est pas** constructible.

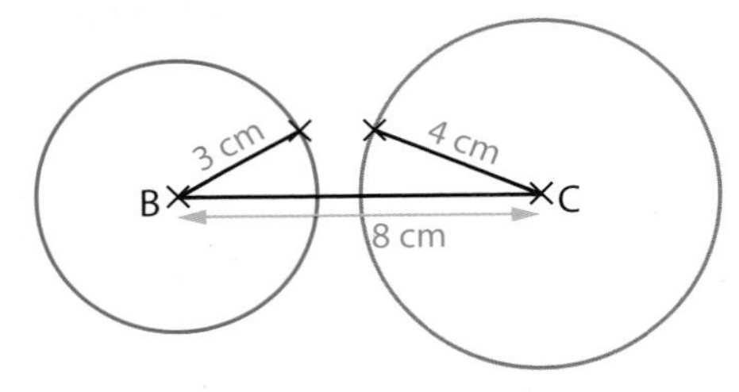

Si BC = 8 cm, il est impossible de construire un point A tel que AB = 3 cm et AC = 4 cm.

Peut-on construire un triangle CHU tel que CH = 5 cm, CU = 3 cm et UH = 4 cm ?

La plus grande longueur est CH, et $CH < CU + UH$.
Donc le triangle CHU **est** constructible.

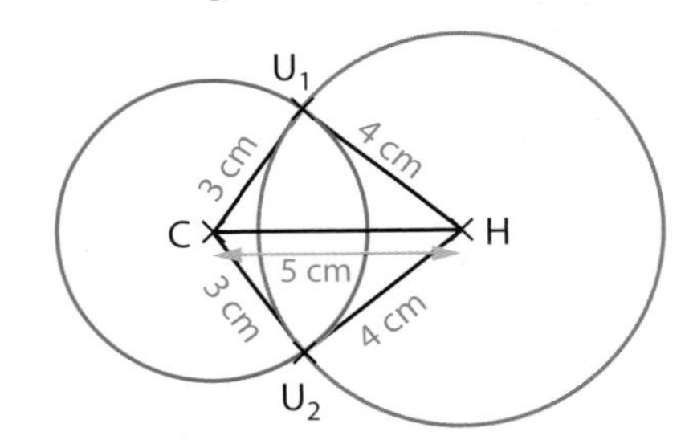

Il existe deux possibilités pour le point U.

Propriété

Égalité triangulaire

Soient A, B et C trois points distincts.

- Si $B \in [AC]$ alors $AC = AB + BC$.
- Si $AC = AB + BC$ alors $B \in [AC]$: les points A, B et C sont alignés.

Soient A, B et C trois points tels que :

AB = 1,5 cm, BC = 2,5 cm et AC = 4 cm

On a $AC = AB + BC$.
On peut donc en conclure que les points A, B et C sont alignés.
On dit que le triangle ABC est aplati.

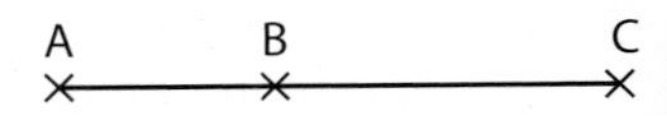

Savoir-faire

Apprends à l'aide des exercices résolus puis entraine-toi !

2 Utiliser l'inégalité triangulaire

7 Construire si possible un triangle dont les longueurs des côtés mesurent :

8,5 cm ; 3,3 cm et 4,2 cm

Solution

On cherche la plus grande longueur et on la compare avec la somme des deux autres longueurs.

La plus grande longueur est 8,5 cm.

La somme des deux autres longueurs est égale à $3{,}3 + 4{,}2 = 7{,}5$ cm.

Or $8{,}5 > 3{,}3 + 4{,}2$, donc on ne peut pas construire un triangle avec ces trois longueurs.

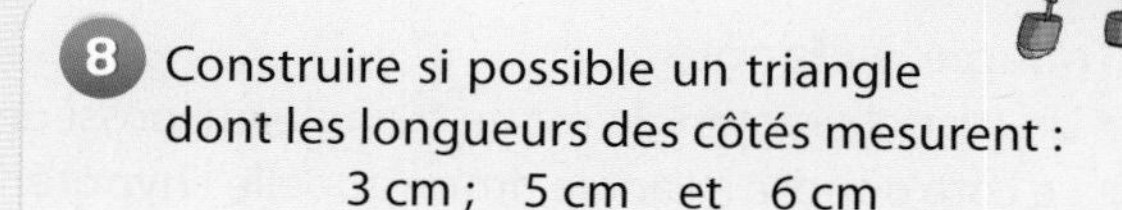

8 Construire si possible un triangle dont les longueurs des côtés mesurent :

3 cm ; 5 cm et 6 cm

Solution

La plus grande longueur est 6 cm.

La somme des deux autres longueurs est égale à $3 + 5 = 8$ cm.

$6 < 8$, donc on peut construire un triangle avec ces trois longueurs.

Pour tracer ce triangle :

- on commence par construire un segment [AB] de longueur 6 cm ;
- on trace le cercle de centre A et de rayon 3 cm et le cercle de centre B et de rayon 5 cm ;
- on place un point C à l'intersection de ces deux cercles.

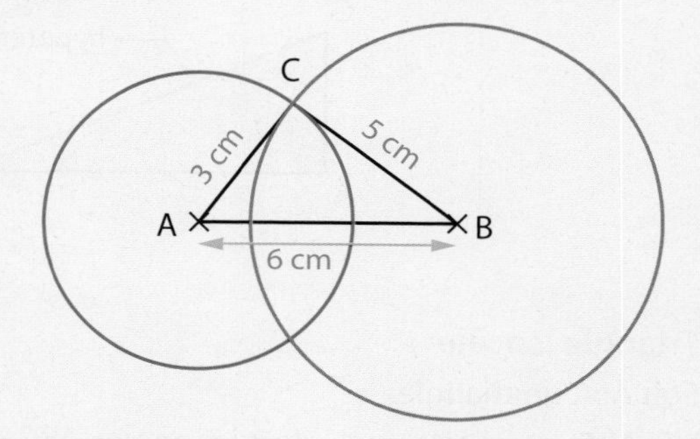

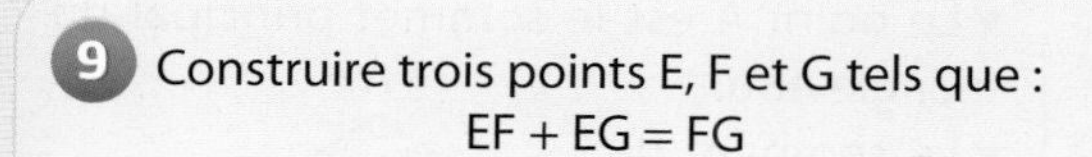

9 Construire trois points E, F et G tels que :

$EF + EG = FG$

Solution

$EF + EG = FG$; donc les points E, F et G sont alignés.

De plus, le point E doit être sur le segment [FG].

On trace donc un segment [FG] puis on place un point E sur ce segment.

10 Construire si possible un triangle dont les longueurs des côtés mesurent :

6 cm ; 11 cm et 9 cm

11 Construire si possible un triangle dont les longueurs des côtés mesurent :

2,7 cm ; 8,3 cm et 4,7 cm

12 Soient trois points M, N et P avec MN = 4 cm et MP = 2 cm.

- Placer les points de telle sorte que :

$NP = MN + MP$

13 On considère un triangle ABC tel que AB = 2 cm et AC = 4 cm.

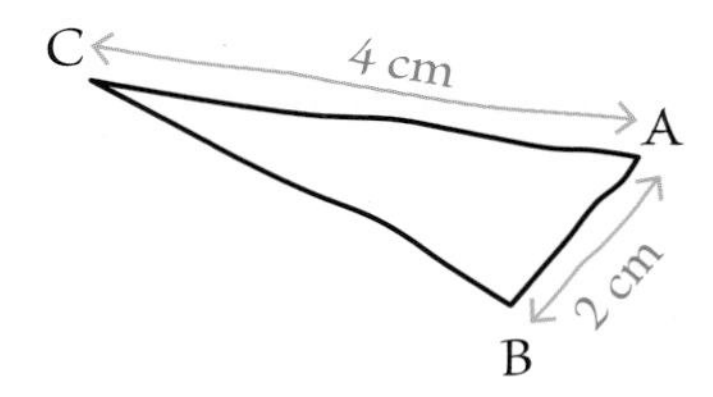

1. Trouver une valeur de BC telle que ce triangle ne soit pas constructible.
2. Trouver une valeur de BC telle que ce triangle soit constructible, puis le construire.

Connaitre les triangles particuliers

Définitions

Triangle rectangle

- Un triangle **rectangle** est un triangle qui possède un angle droit.
- Le côté opposé à l'angle droit s'appelle l'**hypoténuse**.

Triangle isocèle

- Un triangle **isocèle** est un triangle qui a deux côtés de même longueur.
- On appelle :
  - **sommet principal** : le point commun aux deux côtés de même longueur ;
  - **base** : le côté opposé au sommet principal.

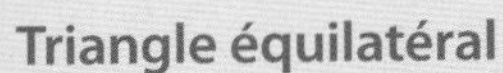

Triangle équilatéral

Un triangle **équilatéral** est un triangle qui a ses trois côtés de même longueur.

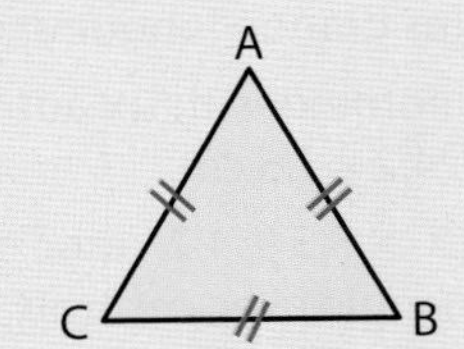

Exemples

Le triangle ABC est **rectangle** en A.
[BC] est l'hypoténuse.

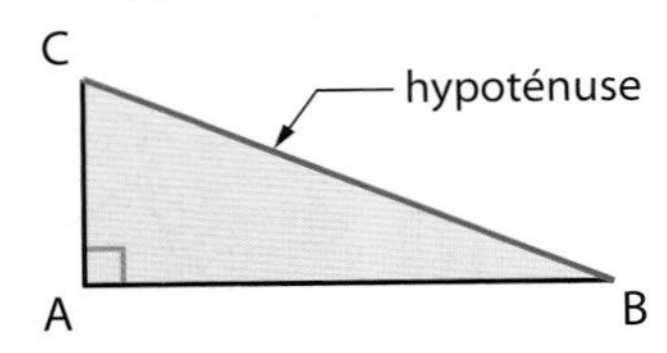

ABC est un triangle **isocèle** en A.

- Le point A est le sommet principal du triangle ABC.
- Le segment [BC] est la base du triangle ABC.

A
C
B
base

Propriétés

Triangle isocèle

Soit ABC un triangle.

- Si ABC est isocèle en A, alors les angles $\widehat{ABC}$ et $\widehat{ACB}$ ont même mesure.
- Si les angles $\widehat{ABC}$ et $\widehat{ACB}$ ont même mesure, alors ABC est isocèle en A.
- Un triangle isocèle a un axe de symétrie : la médiatrice de sa base.

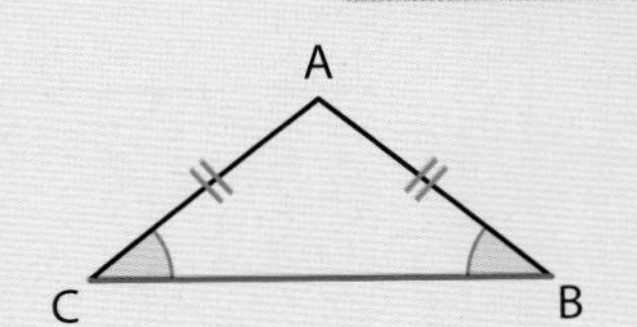

Propriétés

Triangle équilatéral

- Si un triangle est équilatéral, alors ses trois angles ont pour mesure 60°.
- Si les trois angles d'un triangle ont même mesure, alors il est équilatéral.
- Un triangle équilatéral a trois axes de symétries : les médiatrices de ses trois côtés.

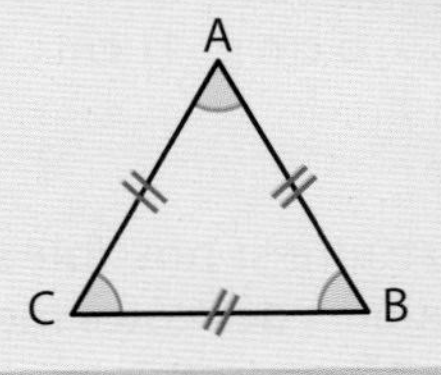

ABC est isocèle en A : la médiatrice de [BC] est un axe de symétrie du triangle ABC.

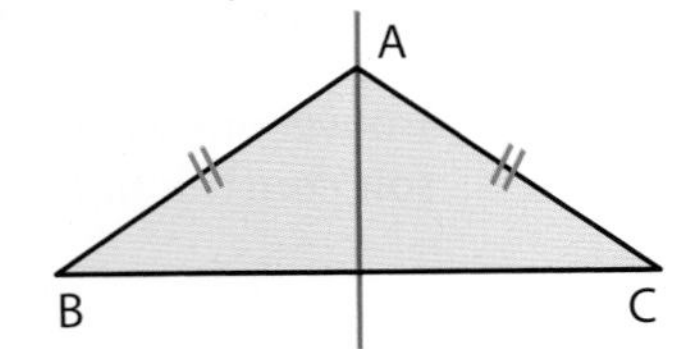

ABC est équilatéral : les médiatrices de ses trois côtés sont des axes de symétrie du triangle ABC.

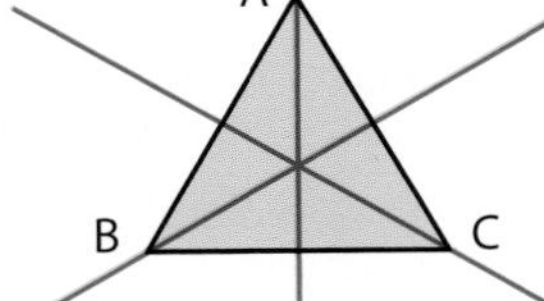

Savoir-faire

Apprends à l'aide des exercices résolus puis entraine-toi !

3 Connaitre les triangles particuliers

14 1. Quelle est la mesure de l'angle $\widehat{ABC}$?

2. Quelle est la mesure de l'angle $\widehat{ACB}$?

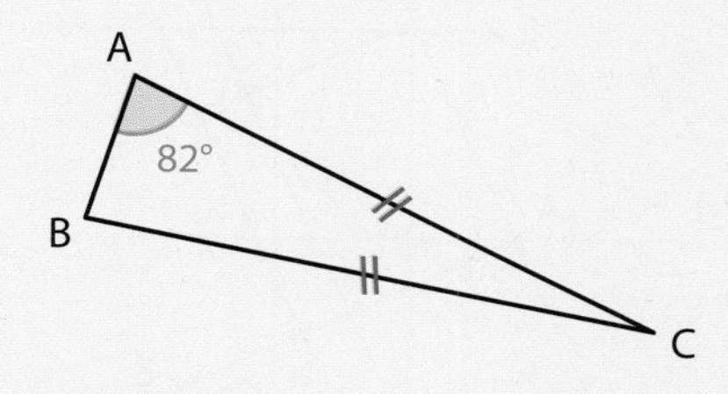

Solution

1. Les longueurs CA et CB sont égales, donc ABC est un triangle isocèle en C. On sait que dans un triangle isocèle, les angles à la base ont même mesure.

La base est le côté [AB], donc $\widehat{ABC} = \widehat{BAC}$. Donc $\widehat{ABC} = 82°$.

2. On sait que la somme des mesures des trois angles d'un triangle est égale à 180°.

Donc $\widehat{ACB} = 180° - 82° - 82° = 16°$.

15 Construire un triangle OQP isocèle en O avec OP = 3 cm et QP = 4 cm.

Solution

- On trace une figure à main levée.

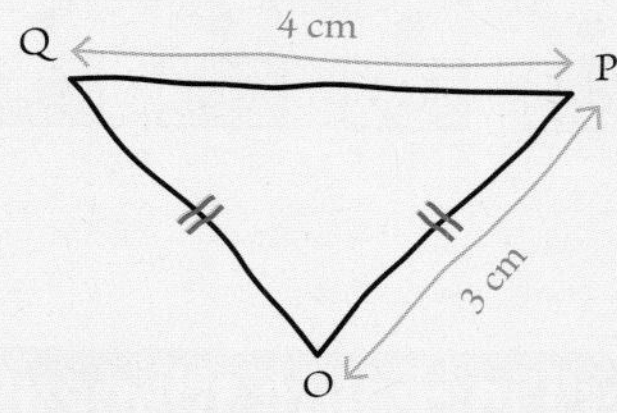

- On commence par tracer la base [PQ] de longueur 4 cm.
- Avec le compas, on prend une ouverture de 3 cm, on trace deux arcs de cercle à partir des points Q et P. Ils se coupent en O.
- Pour finir, on relie les points.

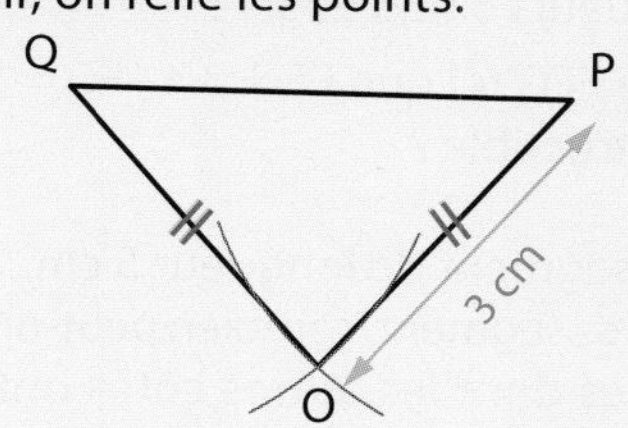

16 1. Dans la figure ci-dessous, quelle est la nature des triangles ADC et ABC ?

2. Quelle est la mesure de l'angle $\widehat{ACB}$?

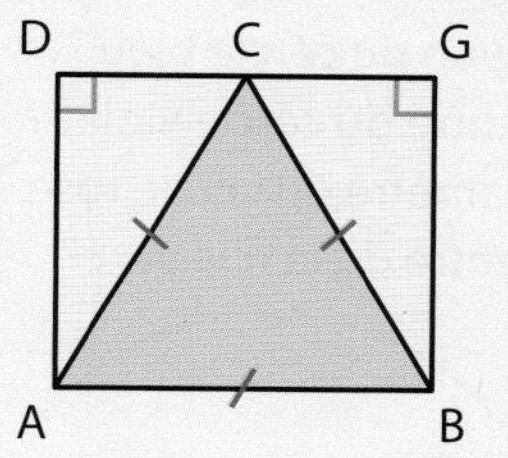

Solution

1. À l'aide du codage de la figure, on cherche des angles droits ou des côtés de même longueur.
Le triangle ADC est rectangle en D car il a un angle droit.
Le triangle ABC est équilatéral car tous ses côtés sont de même longueur.

2. On sait que, dans un triangle équilatéral, tous les angles ont pour mesure 60°.
Le triangle ACB est équilatéral, donc $\widehat{ACB} = 60°$.

17 Construire le triangle VIC rectangle en V avec VI = 5,8 cm et CV = 6,9 cm.

18 Construire le triangle MNP rectangle en N avec NP = 5,2 cm et MP = 7,5 cm.

19 1. Construire un triangle LOI isocèle en I avec LO = 4,5 cm et $\widehat{OLI} = 38°$.

2. Quelle est la mesure de l'angle $\widehat{LOI}$?
3. Quelle est la mesure de l'angle $\widehat{OIL}$?

Exercices

2 pages d'exercices supplémentaires dans le manuel numérique

Construire et utiliser des cercles et des médiatrices

Savoir-faire p. 219

Questions flash

20 Parmi les figures suivantes, indiquer si la droite (d) est la médiatrice du segment [AB]. Justifier la réponse.

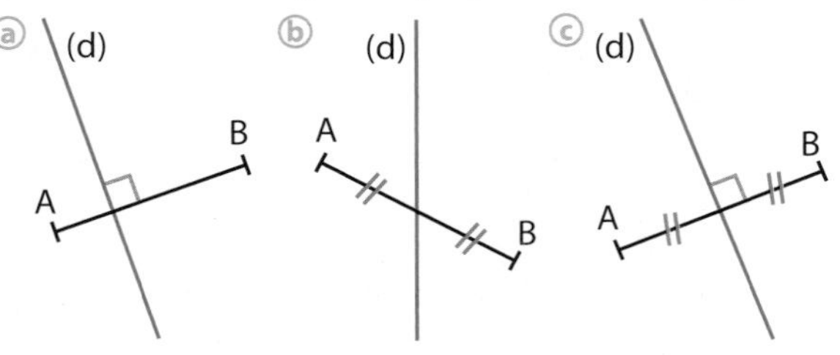

21 Le diamètre du cercle orange est de 12 cm.

1. Quel est le rayon du cercle bleu ?
2. Quel est le centre du cercle violet ?
3. Quel est le diamètre du cercle rose ?
4. Quel est le centre du cercle vert ?

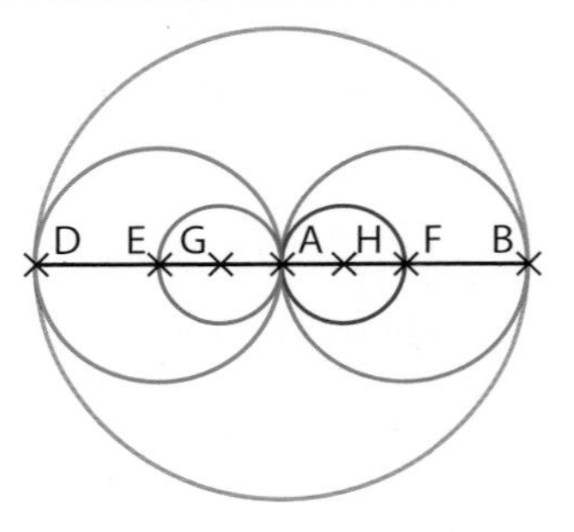

22 1. Construire un segment [MN] de longueur 6,8 cm.
2. Construire la médiatrice du segment [MN] à l'aide de l'équerre.

23 1. Construire un segment [EF] de longueur 5,9 cm.
2. Construire au compas la médiatrice du segment [EF].

24 Écrire un programme de construction qui permet de réaliser la figure ci-contre, où AB = 4 cm.

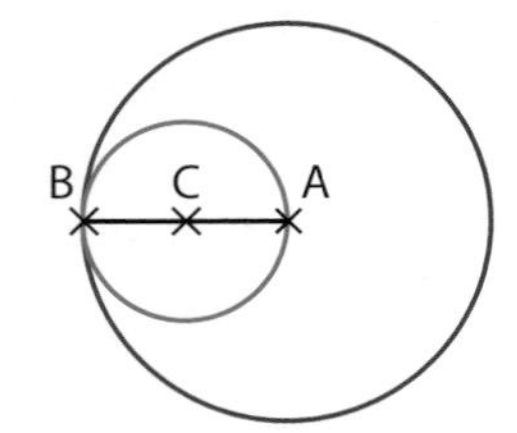

25 1. Placer deux points distincts H et D.
2. Construire trois cercles passant par les points D et H et expliquer la démarche suivie.

26 On donne la figure suivante.

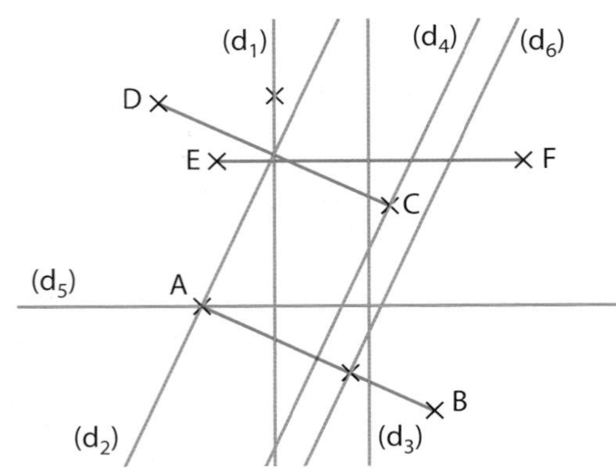

D'après la figure ci-dessus, relier chaque segment à la droite qui semble être sa médiatrice.

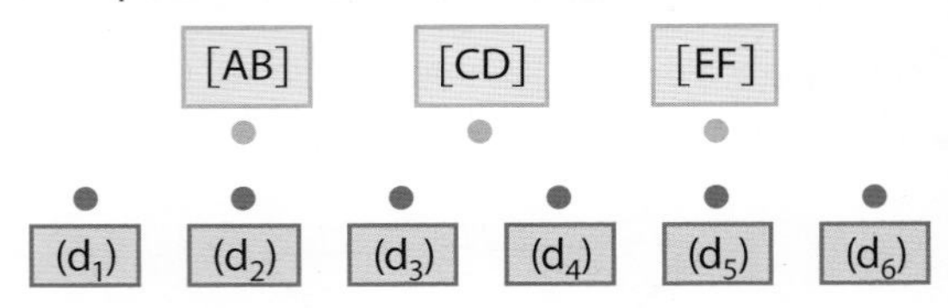

Utiliser l'inégalité triangulaire

Savoir-faire p. 221

Questions flash

27 1. Peut-on construire un triangle dont les côtés ont pour longueurs 6 ; 2,5 et 3,4 ?
2. Le triangle EFG tel que EF = 3,4 ; EG = 5 et FG = 7 est-il constructible ?

28 On trace un segment de longueur 5 cm.

- À partir de ce segment, combien peut-on construire de triangles dont les autres côtés ont pour longueurs 3 cm et 4 cm ?

29 Est-il possible de construire les triangles suivants en vraie grandeur ? Justifier.

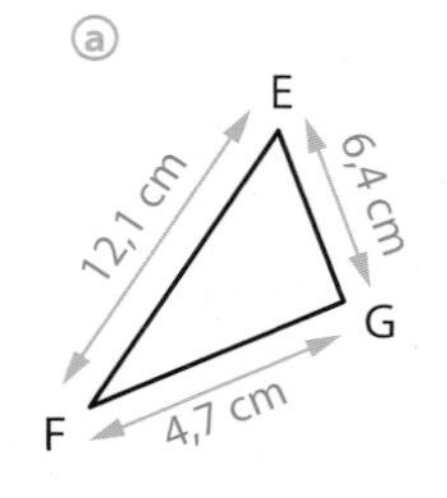

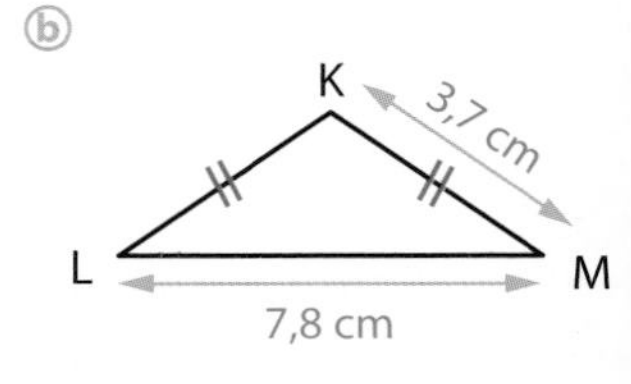

30 1. Reproduire la figure ci-dessous.

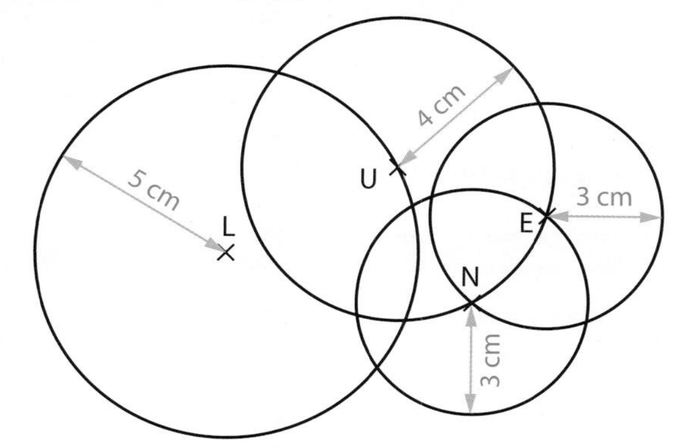

2. a. Placer les points C et F situés à 5 cm de L et 4 cm de U, sachant que C est dans le disque de centre N et de rayon 3 cm.
   b. Placer les points A et B situés à 5 cm de L et à 3 cm de N, sachant que A est dans le disque de centre U et de rayon 4 cm.
   c. Placer les points G et H situés à 3 cm de N et de E sachant que G est situé dans le disque de centre U et de rayon 4 cm.
   d. Placer le point P distinct de E situé à 4 cm de U et à 3 cm de N.

Connaitre les triangles particuliers

➡ Savoir-faire p. 223

diapo

31 Pour les questions suivantes, faire une construction quand c'est possible, sinon justifier.
1. Un triangle isocèle peut-il se composer de deux triangles rectangles ?
2. Est-il possible de construire un triangle équilatéral et rectangle ?
3. Est-il possible de construire un triangle isocèle rectangle ?

32 À partir de la figure ci-dessous, on a tracé quatre cercles de centres respectifs L, U, N et E.
- Donner la nature des triangles EGN, LCU, UPF et EHN.

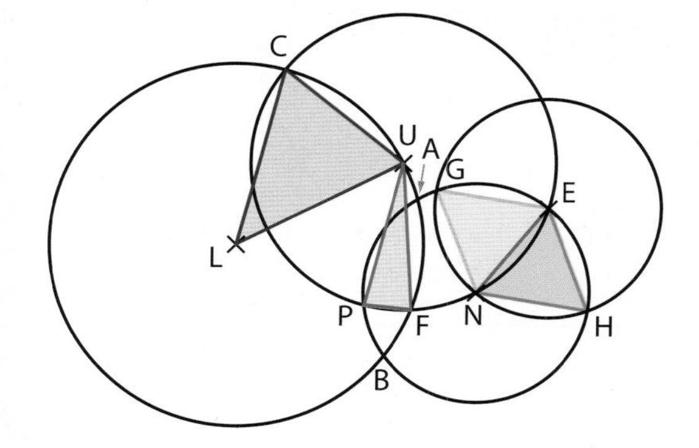

33 On donne la figure ci-dessous.

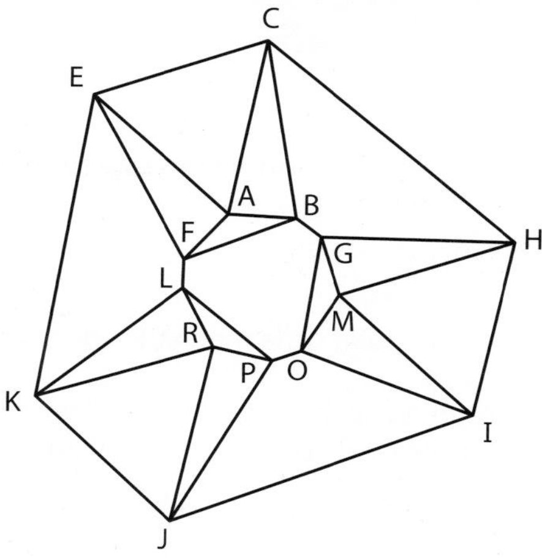

En utilisant les instruments appropriés, déterminer si les triangles suivants sont rectangles, isocèles ou équilatéraux :
EAC, EAF, ABF, ABC, GHM, MHI, GMO, MOI, PJR, RPL, RKL et JRK.
Répondre en les plaçant dans le tableau.

Triangles rectangles	
Triangles isocèles	
Triangles équilatéraux	

34 1. Construire un triangle ACO rectangle en O tel que AO = 4 cm et OC = 3 cm.
2. Placer un point D à l'extérieur du triangle ACO tel que COD soit un triangle équilatéral.
3. Placer un point B à l'extérieur du triangle ACO tel que BOA soit un triangle isocèle en O avec AB = 2,7 cm.
4. Placer un point V à l'extérieur du triangle ACO tel que AVC soit un triangle isocèle en V avec AV = 3,6 cm.

35 On considère la figure ci-contre.
1. Quelle est la nature du triangle ABC ?
2. Quelle est la mesure de l'angle $\widehat{ABC}$?

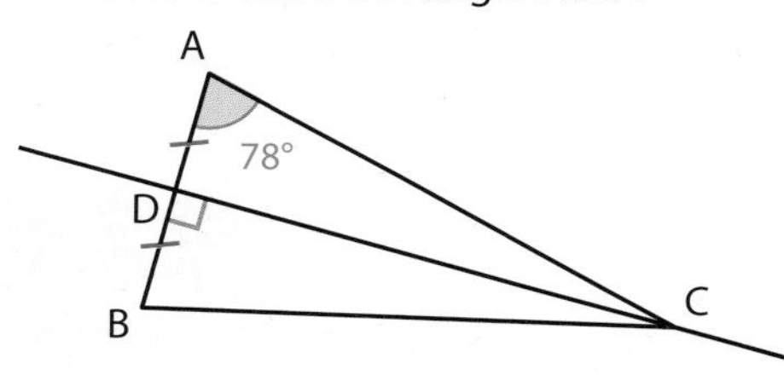

36 Sur la figure ci-contre, on a $\widehat{DAE} = 30°$ et $\widehat{ACD} = 60°$.
- Quelle est la nature des triangles ACE, AED et ACD ?

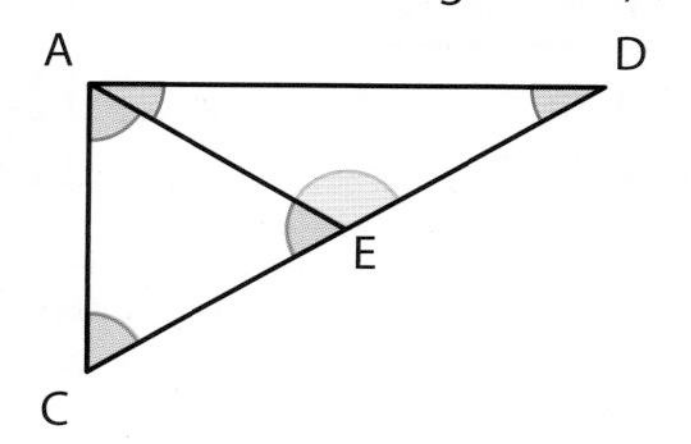

Faire le point

Vérifie tes connaissances.

Donner la seule réponse correcte parmi les trois proposées.

1 Construire et utiliser des cercles et des médiatrices	Réponse A	Réponse B	Réponse C
1. Si M est un point de la médiatrice du segment [OP], alors :	M est le milieu de [OP]	MO = OP	MO = MP
2. Soit $\mathscr{C}$ un cercle de centre O et de diamètre 6 cm. M est un point du cercle $\mathscr{C}$. Le segment [OM] est :	un rayon du cercle	un diamètre du cercle	de longueur 6 cm
2 **Utiliser l'inégalité triangulaire**			
1. Le triangle est : (5,7 cm ; 2,7 cm ; 2 cm)	inconstructible	aplati	constructible
2. ABC est un triangle non aplati tel que AB = 3 cm et AC = 4 cm. Alors BC = …	1	6	8
3. Si ABC est un triangle non aplati et constructible alors :	$AB < AC + BC$	$AB > AC + BC$	$AC > AB + BC$
3 **Connaitre les triangles particuliers**			
1. Un triangle qui a un seul axe de symétrie est un triangle :	rectangle	isocèle	équilatéral
2. Un triangle ayant deux angles de mesure 40° est un triangle :	rectangle	isocèle	équilatéral
3. ABC est un triangle isocèle en A, avec AB = 3 cm et BC = 5 cm. Le segment [AC] mesure :	3 cm	5 cm	on ne peut pas savoir

Pour t'aider à retenir le cours.*

Carte mentale

Inégalité triangulaire

On utilise l'inégalité triangulaire pour justifier qu'un triangle est constructible.

Il suffit de vérifier que le plus grand côté est plus petit que la somme des deux autres.

Triangles

Triangle rectangle

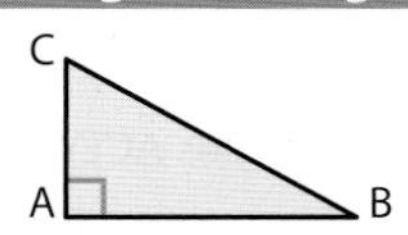

- un angle droit
- une hypoténuse

Triangle isocèle

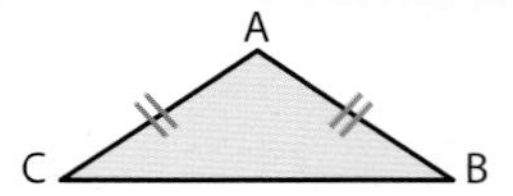

- deux côtés de même longueur
- un sommet principal et une base
- un axe de symétrie

Triangle équilatéral

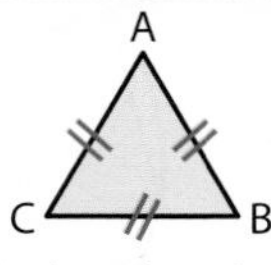

- trois côtés de même longueur
- trois axes de symétrie

▶ **Cercle de centre O** : ensemble des points équidistants de O.
▶ **Médiatrice de [AB]** : ensemble des points équidistants de A et de B.

*Tu peux aussi construire ta propre carte mentale.

Algorithmique et outils numériques

Triangle particulier

Matéo a commencé le script suivant mais a laissé en blanc trois valeurs.

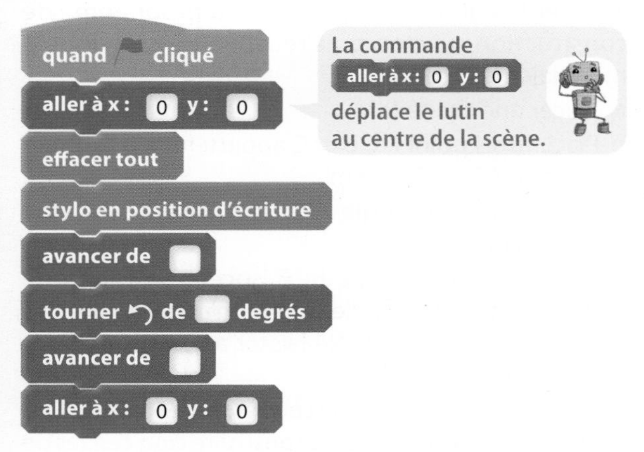
quand cliqué
aller à x : 0 y : 0
effacer tout
stylo en position d'écriture
avancer de
tourner ↺ de degrés
avancer de
aller à x : 0 y : 0
La commande aller à x : 0 y : 0 déplace le lutin au centre de la scène.

Compléter ce script pour que le lutin trace :

a. un triangle rectangle isocèle ;

b. un triangle équilatéral.

Le bon script

Associer chaque script à la figure qu'il permet de tracer.

①
②
③
④
ⓐ
quand cliqué
aller à x : 0 y : 0
s'orienter à 90
avancer de 80
tourner ↺ de 90 degrés
avancer de 20
aller à x : 0 y : 0
ⓑ
quand cliqué
aller à x : 0 y : 0
s'orienter à 90
avancer de 80
tourner ↺ de 150 degrés
avancer de 80
aller à x : 0 y : 0
ⓒ
quand cliqué
aller à x : 0 y : 0
s'orienter à 90
avancer de 50
tourner ↺ de 90 degrés
avancer de 50
aller à x : 0 y : 0
ⓓ
quand cliqué
aller à x : 0 y : 0
s'orienter à 90
répéter 3 fois
avancer de 50
tourner ↺ de 120 degrés

39 Cercle circonscrit

Pour aller plus loin

1. a. Avec un logiciel de géométrie dynamique, construire un triangle quelconque ABC.
   b. Construire les médiatrices respectives (d) et (d′) des segments [AB] et [AC].
   c. Placer le point O, intersection des droites (d) et (d′).
   d. Tracer les segments [OA], [OB] et [OC].
   e. Que peut-on conjecturer concernant ces segments ?

Perpendiculaire
Parallèle
Médiatrice
Bissectrice

Point
Point sur Objet
Lier/Libérer Point
Intersection
Milieu ou centre

2. a. Démontrer la conjecture faite à la question précédente.
   b. Démontrer que la médiatrice du segment [BC] passe par le point O.
   c. Quelle propriété peut-on énoncer sur les médiatrices des trois côtés d'un triangle ?
3. À l'aide des questions précédentes, tracer un cercle passant par les trois sommets du triangle ABC.

Ce cercle est appelé **cercle circonscrit** au triangle ABC.

40 Le théorème de Napoléon

Pour aller plus loin

1. Avec un logiciel de géométrie dynamique, construire un triangle quelconque ABC.
2. a. Construire le triangle ABD équilatéral tel que D soit à l'extérieur du triangle ABC.
   b. Construire le triangle ACE équilatéral tel que E soit à l'extérieur du triangle ABC.
   c. Construire le triangle BCF équilatéral tel que F soit à l'extérieur du triangle ABC.
3. Une médiane d'un triangle est un segment reliant un sommet du triangle au milieu du côté opposé à ce sommet. On appelle « centre de gravité » d'un triangle le point d'intersection des médianes de ce triangle.
   a. Construire le point M, centre de gravité du triangle ABD.
   b. Construire de même le point N, centre de gravité du triangle ACE, et le point P, centre de gravité du triangle BCF.
4. Que peut-on conjecturer sur la nature du triangle MNP ?

Pour mieux cibler les compétences			
Chercher	54 55	Raisonner	52 53
Modéliser	42 45	Calculer	50 52
Représenter	54 56	Communiquer	41 43 55

41 Attention intersection

1. Réaliser la figure correspondant au programme de construction suivant.
   a. Tracer un segment [AC] de longueur 5 cm.
   b. Construire un triangle ABC équilatéral.
   c. Construire les médiatrices des trois côtés du triangle ABC.
   d. Sur la médiatrice de [AB], placer un point M à l'extérieur du triangle et situé à 0,5 cm de C.
   e. Sur la médiatrice de [AC], placer un point N à l'extérieur du triangle et situé à 0,5 cm de B.
   f. Sur la médiatrice de [BC], placer un point P à l'extérieur du triangle et situé à 0,5 cm de A.
   g. Tracer le triangle MNP. Colorier en rouge la bande entre les deux triangles. Laisser seulement les deux triangles apparents.
2. Montrer que le triangle MNP est équilatéral.
3. La figure obtenue est un panneau de signalisation du code de la route. Quelle est sa signification ?

42 Week-end entre amies

HG

Trois amies vivent dans trois villes différentes. Elles souhaitent passer un week-end ensemble mais elles veulent parcourir la même distance à « vol d'oiseau ». Elles habitent à Lille, Strasbourg et Biarritz.

1. Reproduire le polygone ci-dessous et placer les trois villes avec leur première lettre.
2. Trouver l'endroit idéal pour leur week-end. Laisser les traits de construction.

Tu peux aussi utiliser le fichier du manuel numérique et un logiciel de géométrie dynamique.

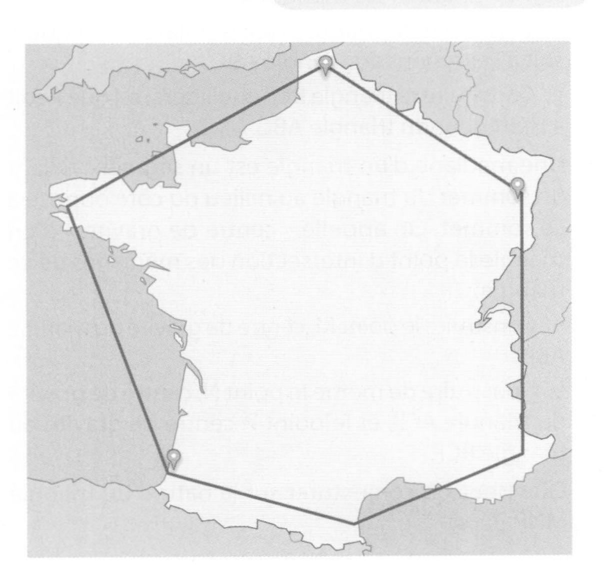

43 Le symbole mystère

Réaliser la figure correspondant au programme de construction suivant, puis reconnaitre ce symbole mondialement connu.

a. Tracer une droite (d).
b. Placer trois points A, B et C appartenant à la droite tels que AB = BC = 7 cm.
c. Construire le triangle ABD isocèle en D tel que AD = 5cm.
d. Construire le triangle BCE isocèle en E tel que BE = 5 cm et tel que le point E n'appartienne pas à la demi-droite [DB). Ne laisser apparents que les points A, B, C, D et E.
e. Construire cinq cercles de centres respectifs A, B, C, D et E et de rayon 3 cm, puis construire cinq cercles de centres respectifs A, B, C, D et E et de rayon 3,4 cm. Ne laisser que les cercles apparents.

44 Petit guéridon

Un menuisier réalise un petit guéridon comme ci-contre. Il l'a fait en deux parties : le pied et le plateau de la table. Il souhaite fixer le pied de la table au centre du plateau.

Pour cela, on a besoin de connaitre la position du centre de la table.

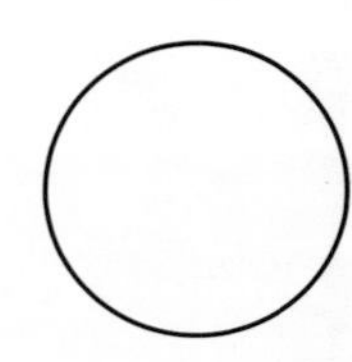

1. Décalquer le cercle ci-contre représentant le plateau du guéridon.
2. Construire le centre O du cercle. Laisser les traits de construction apparents et expliquer la démarche suivie.

45 Patrouille de France

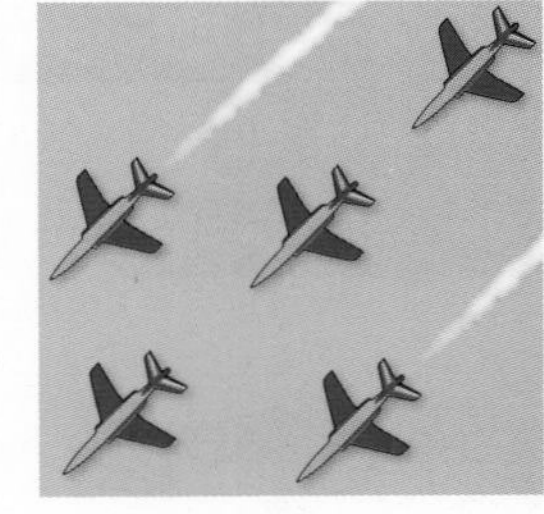

Lors du 14 juillet, la patrouille de France fait un spectacle aérien. Les pilotes réalisent des figures géométriques selon la position de leur avion. Ces figures géométriques possèdent un axe de symétrie comme celle du dessin ci-dessus.

1. Construire une figure représentant cette situation, en désignant les positions des avions par 5 points. On notera A et B les positions des deux avions qui ne sont pas alignés avec les autres.
2. Un sixième avion, qu'on note M, se joint à la patrouille. Comparer, en fonction de sa position, les longueurs AM et BM.
3. Où devra-t-il se placer pour que la figure reste symétrique ?

46 Molle rudesse

EAC

Vassily Kandinsky est un artiste peintre du xxe siècle. Il est l'un des fondateurs de l'art abstrait. Il réalise de nombreuses œuvres avec des formes géométriques dont *Molle rudesse* en 1927.

1. Quelles figures géométriques sont représentées sur ce tableau ?
2. Dans chaque figure ci-dessous, combien y a-t-il d'axes de symétrie ?

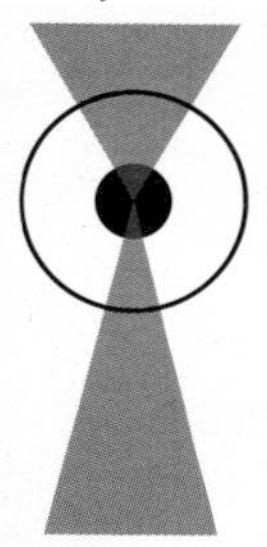
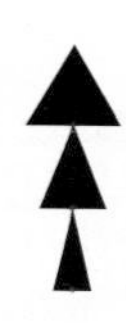

3. Dans chaque figure, que représente l'axe de symétrie par rapport aux bases des triangles ?
4. À l'aide d'un logiciel de géométrie dynamique, réaliser ces trois figures.

47 Angles et triangle isocèle

1. Tracer un triangle ABC isocèle en A et la médiatrice (d) du segment [BC].
   Montrer que A appartient à (d).
2. Quels sont les symétriques des points A, B et C par la symétrie axiale (d) ?
3. Justifier que les angles à la base d'un triangle isocèle ont même mesure.

On a démontré une propriété du cours.

48 London Eye

The London Eye wheel is shaped like a circle.

It is 135 m high and has 32 cabins regularly separated like the model below.

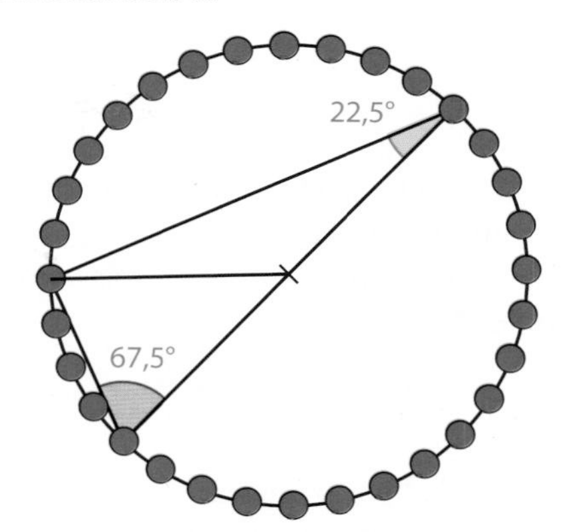

- If we connect two diametrically opposite cabins to a third one, what geometric figure do the 3 cabins seem to form? Explain it.

49 Quelle pagaille !

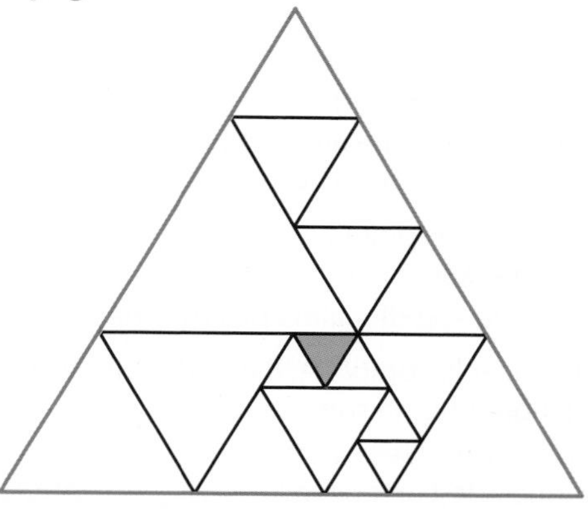

Tous les triangles sur la figure sont des triangles équilatéraux.

1. Quelle est la longueur du côté du triangle équilatéral bleu sachant que le petit triangle vert a pour longueur 1 cm ?
2. Faire en vraie grandeur cette figure.

50 Dessin industriel

TECH

Pour réparer un engin de chantier, on doit fabriquer une pièce dont le dessin technique est représenté ci-dessous. Ce dessin est incomplet.

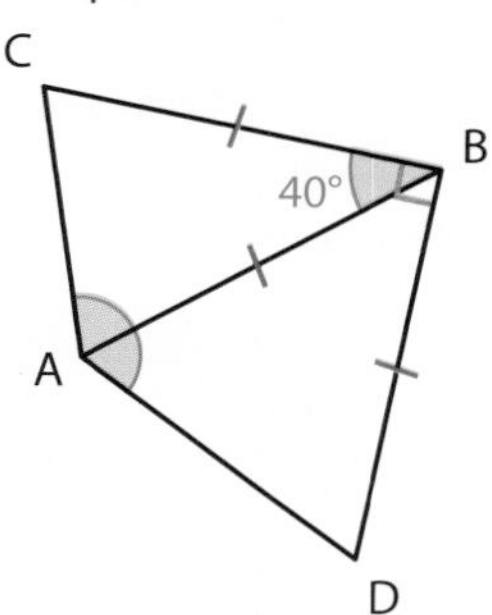

1. Déterminer toutes les mesures d'angles manquantes.
2. Calculer la mesure de l'angle $\widehat{CAD}$.

51 Hauteurs

Pour aller plus loin

1. a. À l'aide d'un logiciel de géométrie dynamique, tracer un triangle ABC.
   b. Tracer les hauteurs issues des trois sommets du triangle ABC.

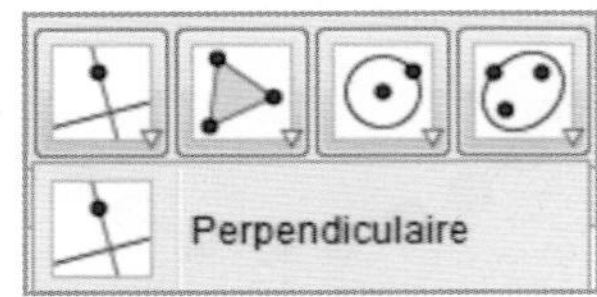

   c. Que remarque-t-on concernant ces trois droites ?

Le point d'intersection des trois hauteurs d'un triangle s'appelle l'**orthocentre** du triangle.

2. a. Déplacer le point A de telle sorte que le triangle ABC soit isocèle en A.
   b. Que peut-on dire alors de la hauteur issue de A ? Est-ce vrai pour les autres hauteurs ?
3. a. Déplacer les points A, B et C de telle sorte que le triangle ABC soit équilatéral.
   b. Que peut-on dire alors des trois hauteurs ?
4. a. Déplacer les points A, B et C de telle sorte que le triangle ABC ne soit pas isocèle.
   b. Construire les symétriques de l'orthocentre du triangle par rapport aux trois côtés du triangle.

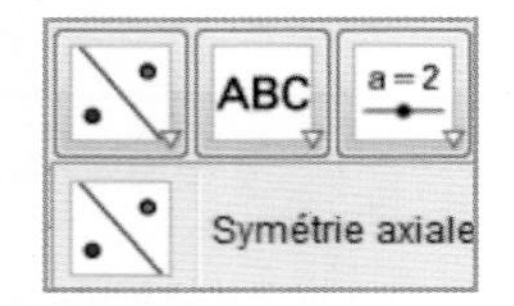

   c. Tracer le cercle passant par ces trois points.

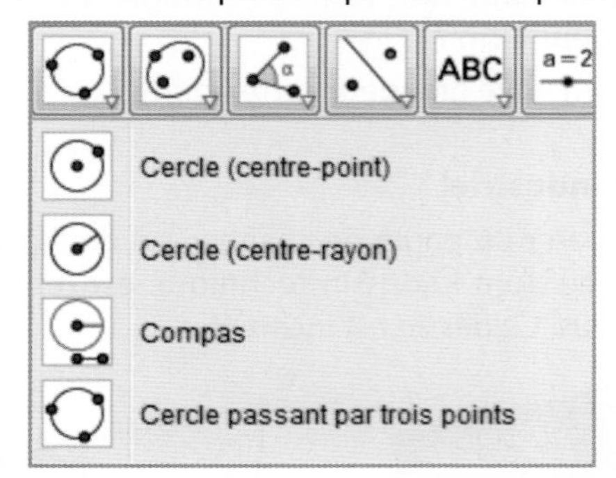

   d. Que remarque-t-on ?

Le cercle passant par les trois sommets du triangle s'appelle le **cercle circonscrit** du triangle.

5. Déplacer les points A, B et C de telle sorte que le triangle ABC soit équilatéral.
   Que représente l'orthocentre pour le cercle circonscrit ?

52 Défi

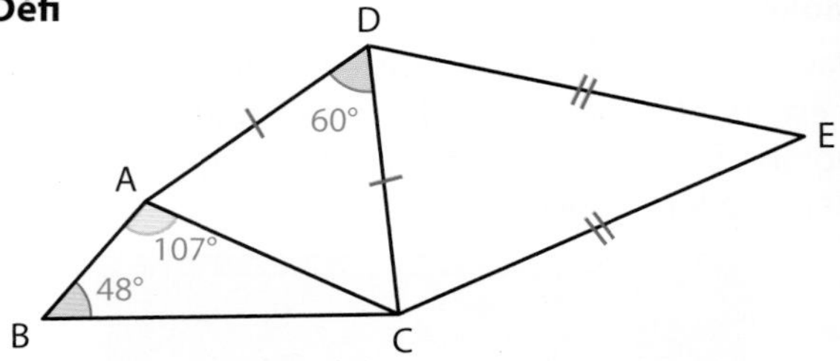

On donne $\widehat{BCE} = 157°$.

- Déterminer l'angle $\widehat{CED}$.

53 Art contemporain

PEAC

Bernar Venet est un artiste français, né en 1941, connu pour ses sculptures d'acier formant des lignes. Une de ses œuvres, représentée ci-dessous, est intitulée *Arc de 115°5*. Elle a été réalisée en 1988, placée et inaugurée dans le jardin Albert Ier à Nice. Sa forme est un arc de cercle de rayon 23,95 m et les 115°5 correspondent à la mesure de l'angle formé par les extrémités de l'arc avec le centre du cercle.

La longueur L d'un arc de cercle de rayon r est proportionnelle à la mesure de l'angle au centre x en degrés représentés sur la figure ci-contre.

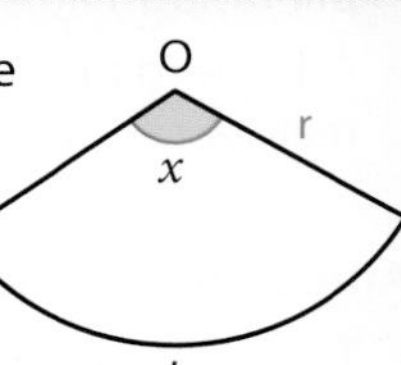

1. À l'aide du périmètre d'un cercle de rayon r, vérifier que $L = \dfrac{\pi \times r \times x}{180}$.
2. Quelle est la longueur de l'*Arc de 115°5* ?

54 Productivité et efficacité

Prise d'initiative

Une entreprise près de Lognes se restructure. Le site qu'elle occupe est représenté en vert sur le plan ci-contre. Ce site est traversé par une voie ferrée (représentée en trait plein et noir sur le plan) permettant de charger la production de l'entreprise.

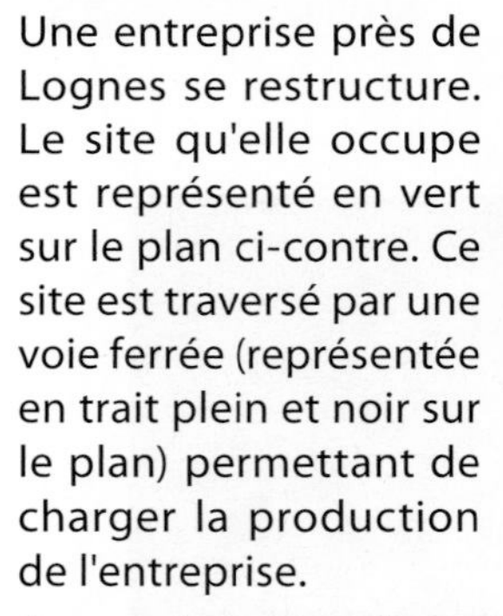

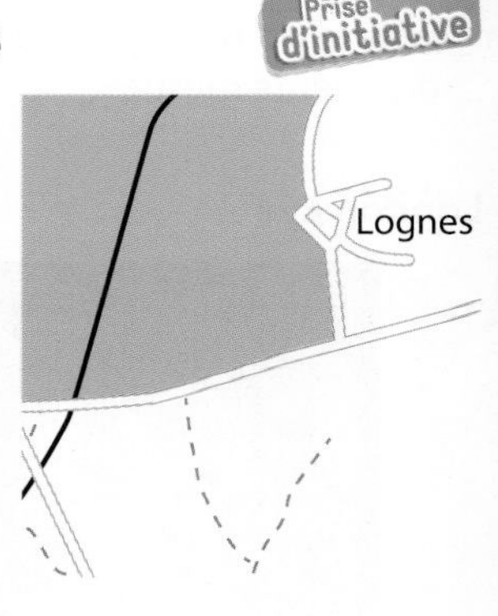

On représente ci-dessous le site de l'entreprise par le quadrilatère ABCF et la voie ferrée par la droite (d).

L'entreprise souhaite d'une part rénover le bâtiment I et d'autre part construire un nouveau bâtiment J sur le site. Le directeur exige également la création d'une gare de chargement G sur leur site. Celle-ci doit se trouver sur la voie ferrée à la même distance des deux bâtiments I et J qu'on symbolisera par des points.

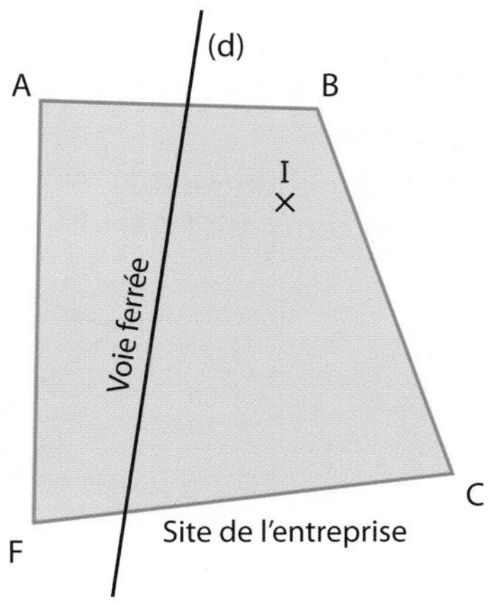

1. Reproduire la figure ci-contre modélisant le site de l'entreprise, la voie ferrée et le bâtiment I.
2. a. Trouver un emplacement du bâtiment J pour lequel un seul emplacement de la gare G est possible.
   b. Représenter ces deux emplacements sur la figure par deux points que l'on notera J_1 et G_1.
3. a. Trouver un emplacement du bâtiment J pour lequel aucun emplacement de la gare G n'est possible.
   b. Représenter cet emplacement sur la figure par un point que l'on notera J_2.
4. a. Trouver un emplacement du bâtiment J pour lequel plusieurs emplacements de la gare G sont possibles.
   b. Représenter l'emplacement du bâtiment J sur la figure par un point que l'on notera J_3 et deux emplacements possibles pour la gare G par deux points que l'on notera G_3 et G_3'.

5 Installation d'éoliennes

Les installations d'éoliennes se font par groupe pour optimiser la production d'électricité. Néanmoins, elles doivent être espacées de 200 m afin d'éviter les perturbations lorsqu'elles sont les unes à côté des autres. De plus, elles doivent impérativement être installées à plus de 500 m d'une habitation pour éviter les nuisances sonores auprès des riverains. Enfin, elles doivent se trouver à plus de 50 m d'un chemin ou d'une route.

On présente ci-après une représentation d'un site pouvant recevoir une installation d'éoliennes.

- Proposer une disposition de 11 éoliennes en respectant les contraintes techniques et d'urbanisation.

Tu peux utiliser un logiciel de géométrie dynamique ou décalquer le dessin ci-après.

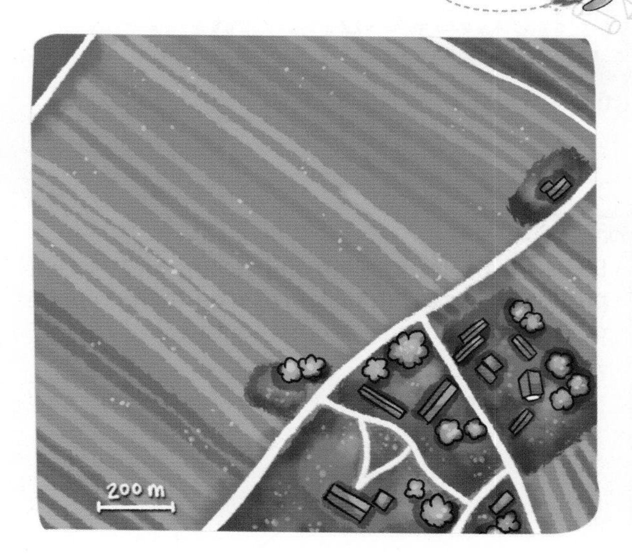

56 Aspiration centralisée

Patrice et Claire sont en train de faire construire leur maison. Ils souhaitent installer une aspiration centralisée pour laquelle il suffit de brancher le tuyau d'une longueur maximale de 7 m dans une prise murale spécialisée.

Patrice cherche où il doit mettre ses prises spécialisées pour pouvoir accéder à toutes les parties de la maison. Le cout d'une prise étant assez élevé, il souhaite en mettre le moins possible.

Voici le plan de la maison :

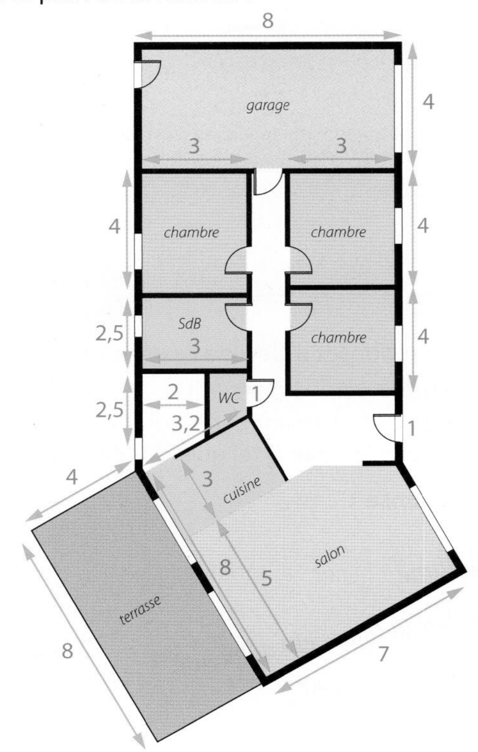

1. Réaliser un plan à l'échelle 1/200.
2. Faire une proposition de nombre et d'emplacements de prises.

Travailler autrement

Utilisable en AP

À chacun sa méthode !

Deux énoncés pour un exercice

Exercice 1

Des élèves doivent suivre un parcours en EPS. Leur professeur leur a distribué un plan qui est représenté ci-dessous. Le triangle AED est équilatéral.

- Calculer la longueur du parcours ABCDEA.

A — 200 m — B
300 m
E C D

Exercice 1

Des élèves doivent suivre un parcours en EPS. Leur professeur leur a distribué un plan qui est représenté ci-dessous.

- Calculer la longueur du parcours ABCDEA.

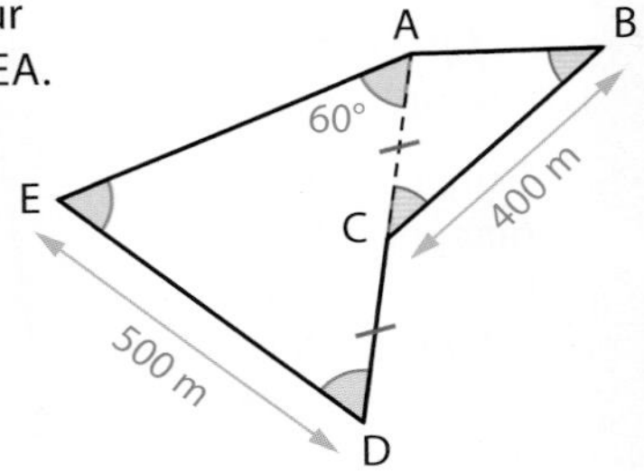

Exercice 2

1. Tracer un cercle de 7 cm de rayon. Placer un point A à 6 cm du centre du cercle. Construire un triangle équilatéral inscrit dans le cercle et dont un des côtés passe par le point A.
2. Écrire les différentes étapes de cette construction.

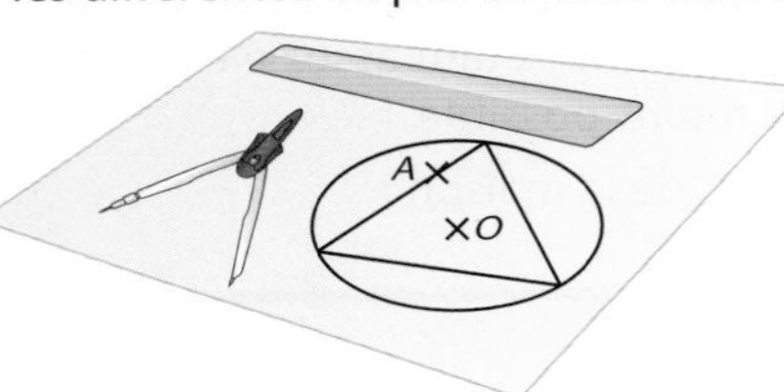

D'après mathématiques sans frontières.

Exercice 2

1. Tracer un cercle de 7 cm de rayon. Placer un point A à l'intérieur du cercle.
2. En fonction de la position du point A, construire, lorsque c'est possible, un triangle équilatéral inscrit dans le cercle et dont un des côtés passe par le point A.
3. Écrire les différentes étapes de cette construction.
4. Déterminer et colorier l'ensemble des points pour lesquels il est possible de construire un tel triangle.

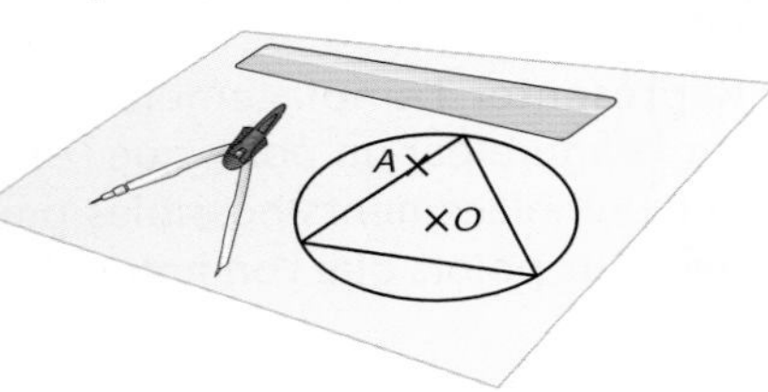

D'après mathématiques sans frontières.

Un triangle « inscrit » dans un cercle est un triangle dont les trois sommets sont sur le cercle.

Analyse d'une production

Voici deux réponses d'élèves à l'exercice suivant.

« Construire deux droites (d_1) et (d_2) perpendiculaires en B. Placer un point A sur (d_1) et tracer une droite sécante à (d_2) passant par A qui coupe (d_2) en C.
Construire le point D tel que (d_1) soit la médiatrice de [CD]. Justifier que le triangle ADC est isocèle en A. »

Réponse 1

Mélanie
J'ai fait la figure et j'ai mesuré.
Je trouve AD = AC
donc ADC est isocèle en D.

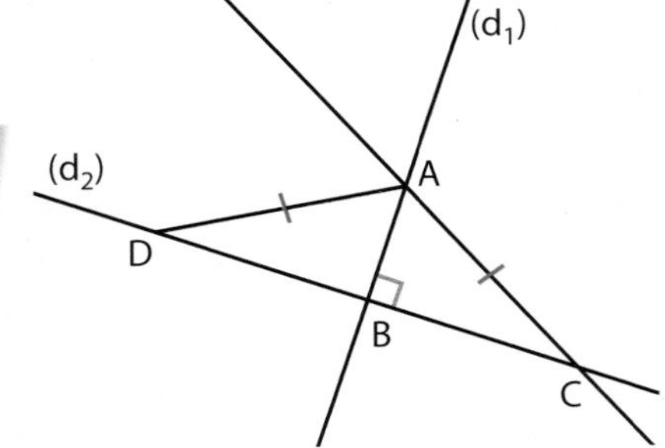

Réponse 2

Zoé
(d_2) est la médiatrice de [CD]
et $A \in (d_2)$ donc ADC
est un triangle isocèle en A.

- Corriger les réponses des élèves en expliquant les erreurs commises quand il y en a.

Ta mission
Reconnaitre
et construire
des parallélogrammes.
CHAPITRE
14

Quadrilatères

Jeux

En découpant le carré comme indiqué ci-dessous et en utilisant les six pièces obtenues, reconstituer les deux parallélogrammes suivants.

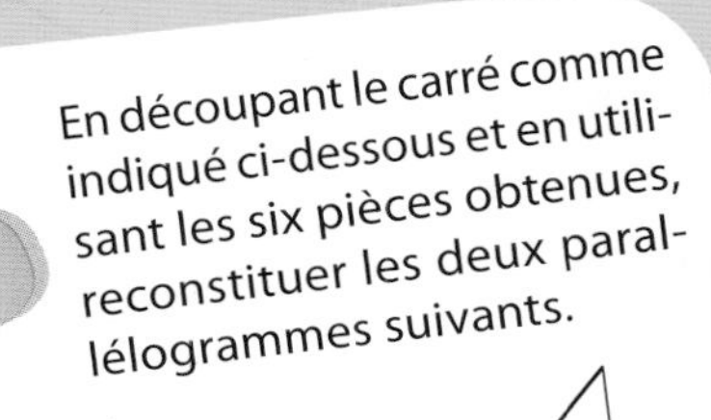

INFOS

Alex MacLean est aviateur et photographe. Ses photos prises depuis le ciel sont esthétiques mais elles donnent aussi à réfléchir sur l'usage que fait l'homme de la surface de la Terre.

Parking de Portland, Oregon, USA, Alex MacLean.

Activités

1. Lorsque l'on croise deux bandes de papier transparentes de couleur, quelle figure se forme à leur intersection ?

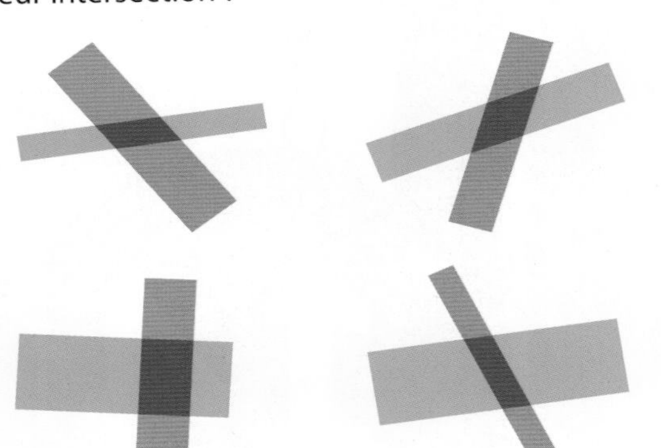

2. Parmi les quadrilatères suivants, indiquer ceux qui semblent avoir :
   a. leurs côtés opposés parallèles deux à deux
   b. les quatre côtés de même longueur
   c. quatre angles droits

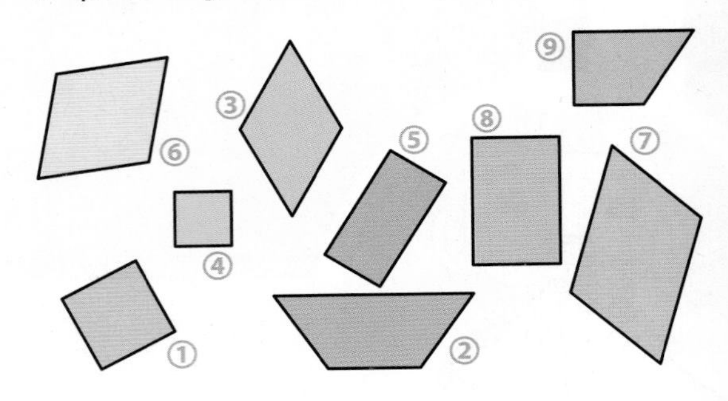

Partez !

Un quadrilatère connu — Activité 1

1. a. Réaliser la construction ci-contre avec un logiciel de géométrie dynamique.
   - Placer deux points A et B et tracer la droite (AB) en rouge.
   - Placer un point C qui n'appartient pas à la droite (AB) et tracer la droite (BC) en bleu.
   - Tracer la parallèle à (AB) passant par C en rouge et la parallèle à (BC) passant par A en bleu, en utilisant l'outil [icône].
   - Nommer D le point d'intersection entre les deux dernières droites, en utilisant l'outil [icône].

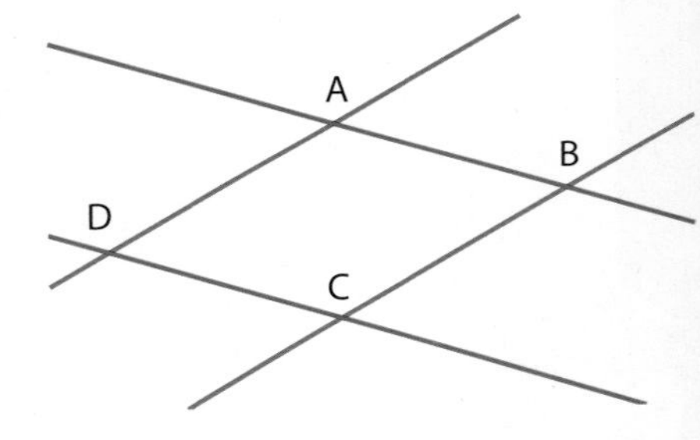

   b. Faire bouger les points A, B et C, et observer l'effet produit sur le quadrilatère ABCD. Quelle est la nature du quadrilatère ABCD ?
   c. Rappeler la définition d'un parallélogramme.

2. a. Placer le point I, milieu de la diagonale [AC], et le point J, milieu de la diagonale [BD], avec l'outil [icône].
   b. Faire de nouveau bouger les points A, B et C, et observer l'effet produit sur I et J. Quelle propriété du parallélogramme a-t-on mise en évidence ?
   c. Que représente ce point pour le parallélogramme ?

3. a. Faire apparaitre les mesures des angles et des côtés du parallélogramme ABCD avec l'outil [icône] et [icône].
   b. En déduire des propriétés du parallélogramme sur les angles et les longueurs.

4. a. Déformer le parallélogramme ABCD de façon à obtenir un rectangle. Que constate-t-on sur les angles et les longueurs de ABCD ? Faire apparaitre les longueurs des diagonales. Que constate-t-on ?
   b. Déformer le parallélogramme ABCD de façon à obtenir un losange. Que constate-t-on sur les angles et les longueurs de ABCD ? Que constate-t-on pour ses diagonales ?

Avec ou sans quadrillage

Activité 2

Partie A – Constructions de figures sur un quadrillage

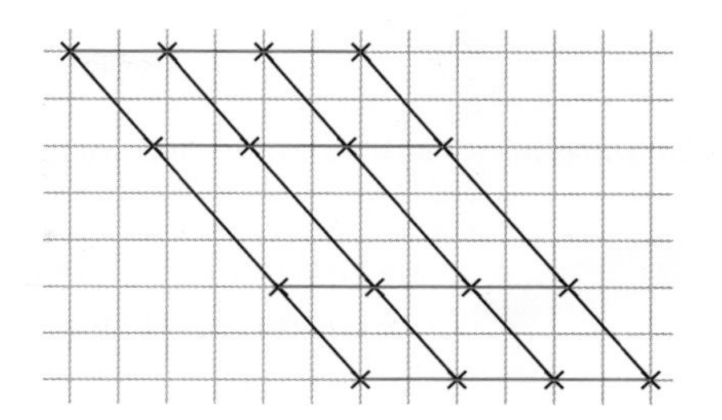

1. Placer trois points A, B et C non alignés sur une feuille quadrillée aux croisements de carreaux. Tracer les segments [AB] et [BC].
2. Placer précisément le point D tel que ABCD soit un parallélogramme. Expliquer la méthode utilisée.
3. De la même façon, exploiter le quadrillage d'une feuille à carreaux pour reproduire la figure ci-contre.
   Combien voit-on de parallélogrammes sur cette figure ?

Partie B – Constructions de figures sur une feuille blanche

4. Sur une feuille blanche, placer trois points E, F et G non alignés. Tracer en rouge la droite (EF) et en bleu la droite (FG).
5. En utilisant la règle et l'équerre (ou seulement l'équerre) :
   - tracer en rouge la parallèle à (EF) passant par G ;
   - tracer en bleu la parallèle à (FG) passant par E.
6. Ces deux droites se coupent en un point H. Quelle est la nature du quadrilatère EFGH ? Pourquoi ?
7. Sur une feuille blanche, tracer trois droites noires parallèles entre elles, puis quatre droites vertes parallèles entre elles. Combien de parallélogrammes peut-on tracer à partir de ces droites ?

Des diagonales spéciales

Activité 3

- Placer un point O, puis tracer deux cercles de centre O et de rayons différents.
- Tracer un diamètre [WX] du premier cercle, puis tracer un diamètre [YZ] du deuxième cercle en prenant soin d'éviter que ces segments soient parallèles ou perpendiculaires entre eux.

1. Quelle semble être la nature du quadrilatère WYXZ ?
2. Comparer cette construction avec celles des autres élèves de la classe. Observe-t-on la même chose ?
3. Formuler la propriété ainsi mise en évidence.

Pailles et bâtonnets

Activité 4

À la fin d'un repas d'anniversaire, Franck et ses deux cousins ramassent les pailles et les bâtonnets de glace.

Les pailles mesurent 13,5 cm chacune et les bâtonnets mesurent 6 cm chacun.

Ils s'amusent à les mettre bout à bout de façon à former un quadrilatère non croisé, en alternant les pailles et les bâtonnets. On présente ci-contre un exemple de construction obtenue.

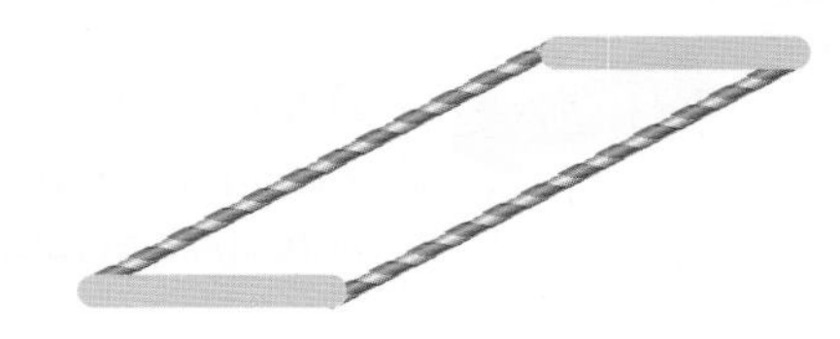

1. Faire une représentation en vraie grandeur de trois figures différentes que Franck et ses cousins pourraient avoir faites. Quelle semble être la nature des trois quadrilatères formés ?
2. Compléter la propriété qui a été expérimentée ici : « Si un quadrilatère non croisé a …, alors c'est un … . »

Cours

 Construire un parallélogramme 

Définition

Un **parallélogramme** est un quadrilatère dont les côtés opposés sont deux à deux parallèles.

- Les droites (AB) et (DC) sont parallèles.
- Les droites (AD) et (BC) sont parallèles.

Le quadrilatère ABCD est un parallélogramme.

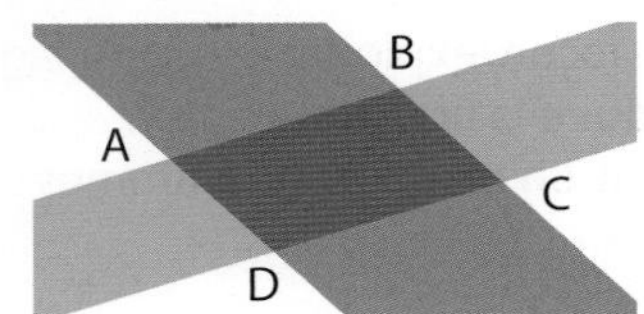
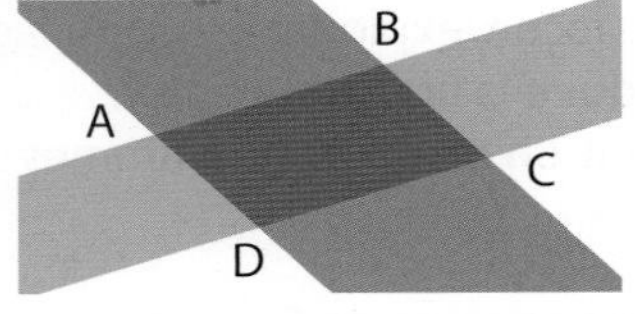

Propriétés

Diagonales

- Les diagonales d'un parallélogramme se coupent en leur milieu.
- Le point d'intersection des diagonales est le centre de symétrie du parallélogramme.

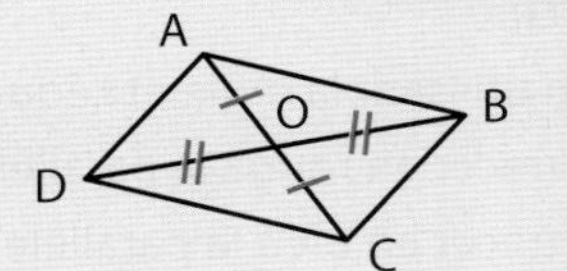

Longueurs et angles

- Les côtés opposés d'un parallélogramme sont de même longueur.
- Les angles opposés d'un parallélogramme ont même mesure.

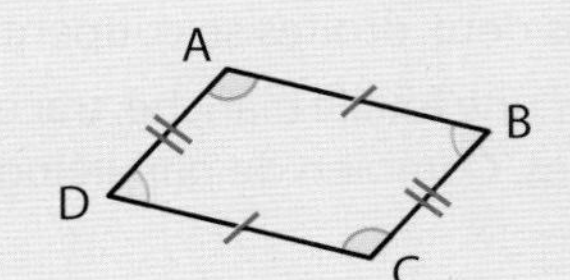

Méthode

Pour **construire un parallélogramme avec un quadrillage** à partir de trois points, il faut repérer puis reproduire le déplacement d'un point vers un autre.

- On trace les deux premiers côtés [AB] et [BC].
- On repère le déplacement de B vers A : 3 carreaux horizontalement et 1 carreau verticalement.
- On reproduit le même déplacement de C vers D.
- On trace les deux derniers côtés [CD] et [DA].

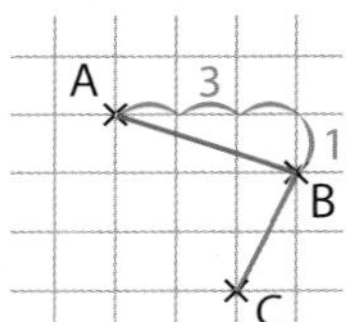

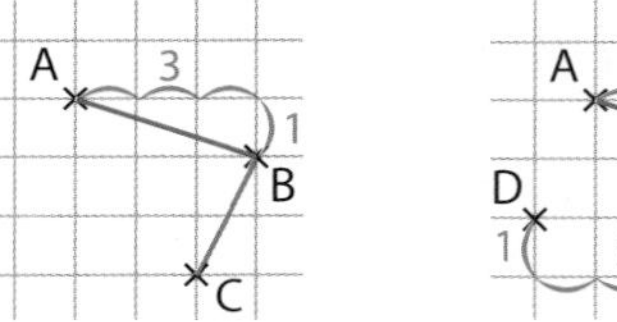

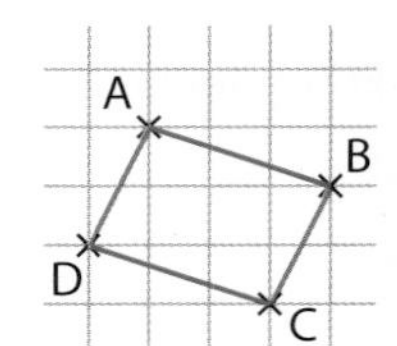

Méthode

Pour **construire un parallélogramme sans quadrillage**, il faut utiliser la définition ou les propriétés du parallélogramme.

D'après la définition, les côtés opposés doivent être parallèles deux à deux.

- On trace les deux premiers côtés [AB] et [BC].
- Avec l'équerre et la règle, on trace la parallèle à la droite (BC) passant par A.
- De la même façon, on trace la parallèle à (AB) passant par C. On place le point D.

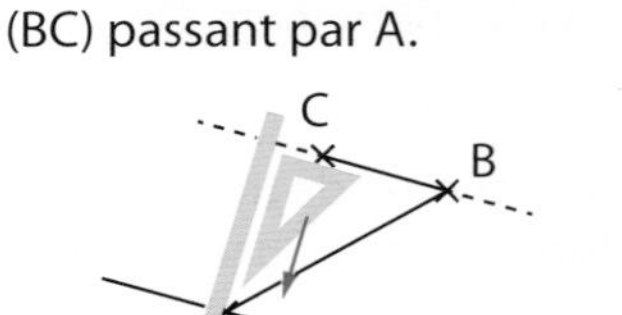

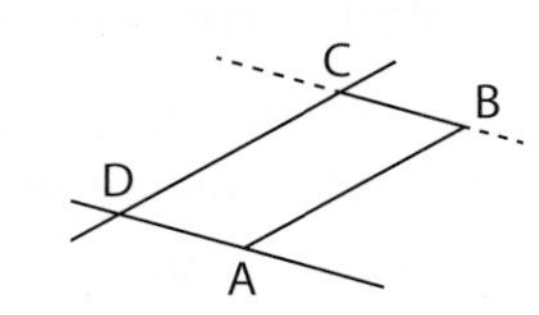

Savoir-faire

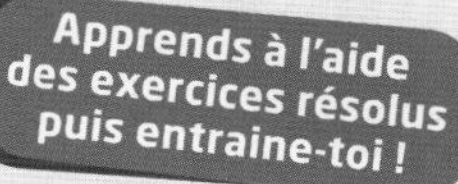

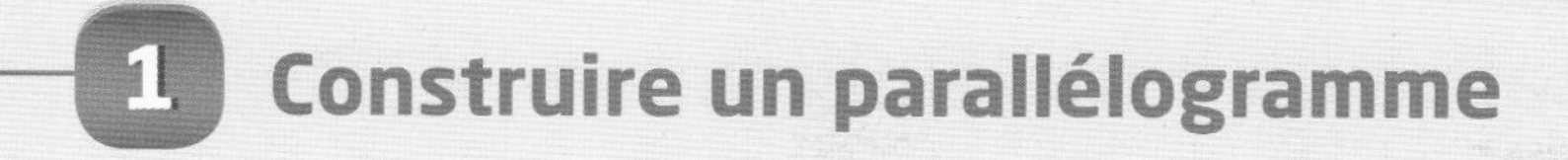

1 Construire un parallélogramme

1 TOUR est un parallélogramme tel que TO = 5 cm et OU = 2,5cm.
- Déterminer les longueurs TR et RU.

Solution

On commence par faire une figure à main levée, puis on cite la propriété du parallélogramme qu'on utilise. On utilise ici la propriété : « Les côtés opposés d'un parallélogramme sont deux à deux de même longueur. »

On peut en conclure que dans le parallélogramme TOUR, on a TO = RU = 5 cm et TR = OU = 2,5 cm.

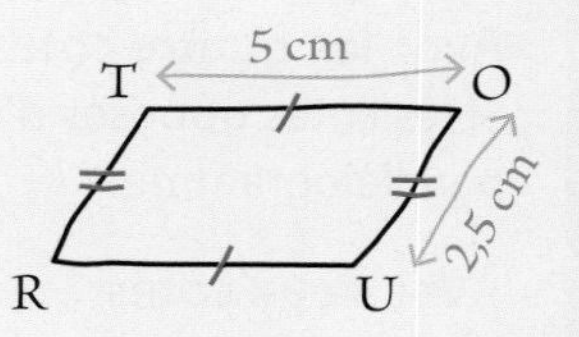

2 Le parallélogramme STUV ci-contre a été construit à main levée.
- Construire STUV en vraie grandeur.

Solution

- **Étape 1**

On commence par tracer le segment [TU] de longueur 3,8 cm.

- **Étape 2**

On construit ensuite le point S. Pour cela, avec le compas, on trace :
– un arc de cercle de centre T et de rayon 2,8 cm ;
– un arc de cercle de centre U et de rayon 3,5 cm.
Le point S est à l'intersection des deux arcs de cercle.

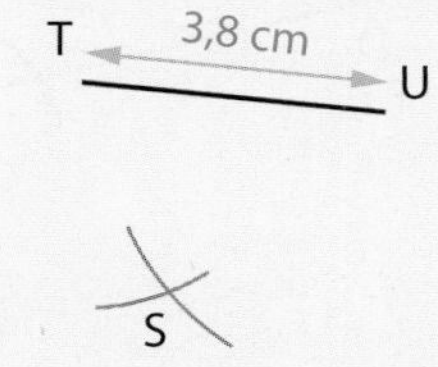

- **Étape 3**

On construit ensuite le point V. Pour cela, avec le compas, on trace :
– un arc de cercle de centre S et de rayon 3,8 cm ;
– un arc de cercle de centre U et de rayon 2,8 cm.
Le point V est à l'intersection des deux arcs.

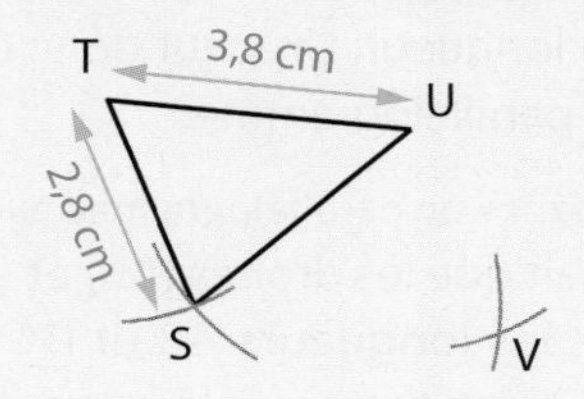

Les côtés opposés d'un parallélogramme sont de même longueur.

- **Étape 4**

On finit par relier les points et on trace alors le parallélogramme STUV.

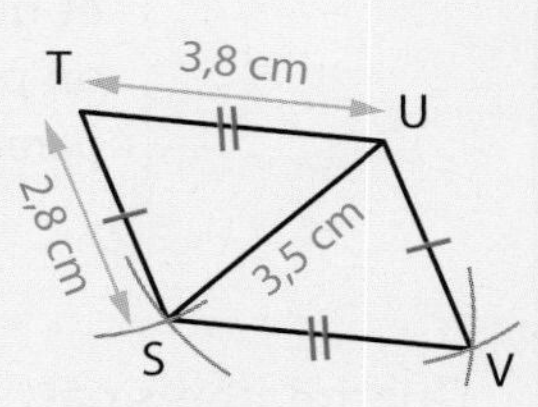

3 ZEST est un parallélogramme de centre O tel que ZE = 9 cm, OE = 5 cm et ES = 6 cm.
1. Faire une figure à main levée.
2. Déterminer les longueurs ZT, TS et TE.

4 Placer trois points A, B et O non alignés.
- Construire le parallélogramme ABCD de centre O.

5 TRUC est un parallélogramme tel que TR = 6 cm, $\widehat{RTU} = 30°$ et $\widehat{UCT} = 106°$.
1. Faire une figure à main levée, puis la compléter en utilisant les propriétés du parallélogramme.
2. Construire en vraie grandeur le parallélogramme TRUC.

2 Reconnaitre un parallélogramme

Propriétés

Avec les diagonales

Si les diagonales d'un quadrilatère se coupent en leur milieu, alors c'est un parallélogramme.

Avec les quatre côtés

Si les côtés opposés d'un quadrilatère non croisé sont deux à deux de même longueur, alors c'est un parallélogramme.

Avec deux côtés

Si deux côtés opposés d'un quadrilatère non croisé sont parallèles et de même longueur, alors c'est un parallélogramme.

Reconnaitre un parallélogramme avec les diagonales

D'après le codage de la figure ci-contre, les diagonales [AC] et [BD] se coupent en **leur milieu O**.
On peut donc conclure que le quadrilatère ABCD est un parallélogramme.

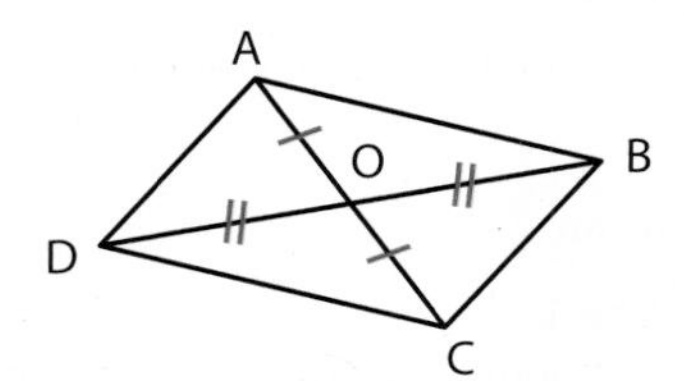

Reconnaitre un parallélogramme avec les quatre côtés

D'après le codage de la figure ci-contre, AB = CD et AD = BC.
Les côtés opposés de ABCD sont deux à deux de même longueur. On peut donc conclure que ABCD est un parallélogramme.

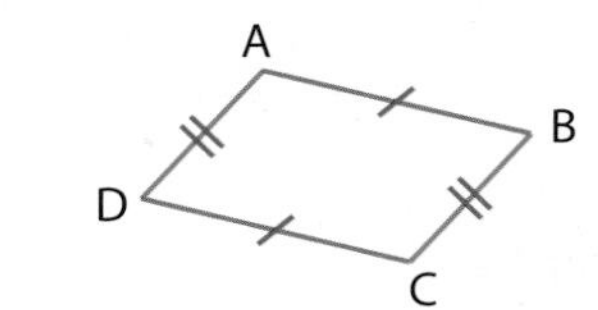

Reconnaitre un parallélogramme avec deux côtés

Si on sait que les droites (AB) et (DC) sont parallèles et que les longueurs AB et DC sont égales, alors on peut conclure que le quadrilatère ABCD est un parallélogramme.

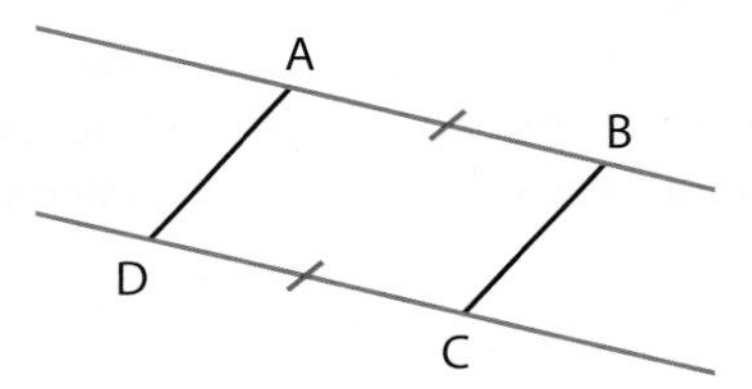

Définitions

Quadrilatères particuliers

- Un **rectangle** est un quadrilatère qui a quatre angles droits.
- Un **losange** est un quadrilatère qui a quatre côtés de même longueur.
- Un **carré** est un quadrilatère qui a quatre angles droits et quatre côtés de même longueur.

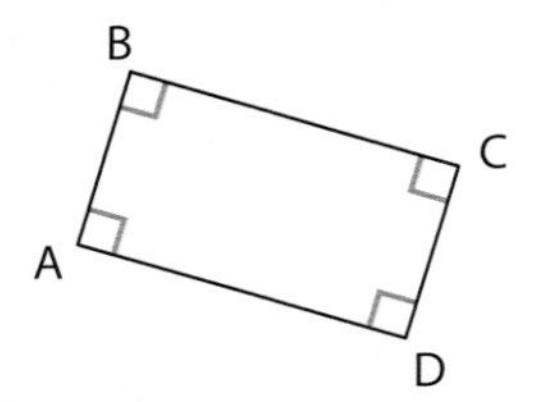

ABCD est un rectangle.

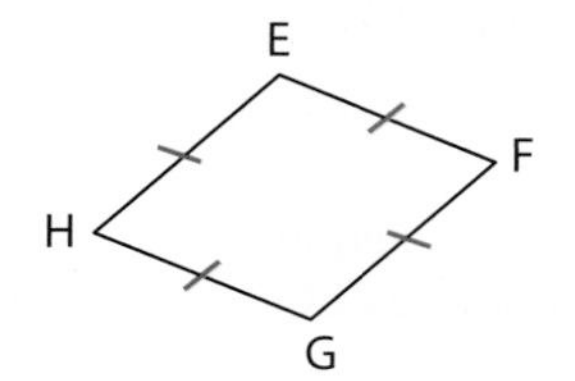

EFGH est un losange.

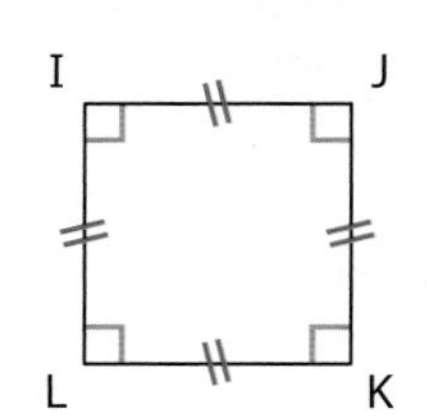

IJKL est un carré.

Les rectangles, les losanges et les carrés sont aussi des parallélogrammes !

Savoir-faire

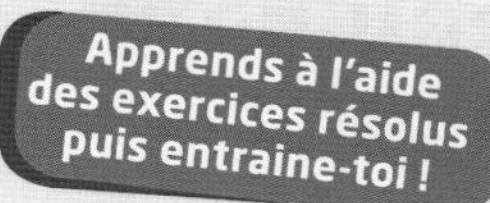

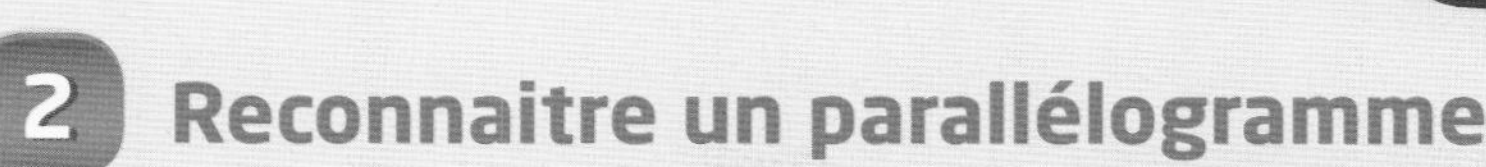

2 Reconnaitre un parallélogramme

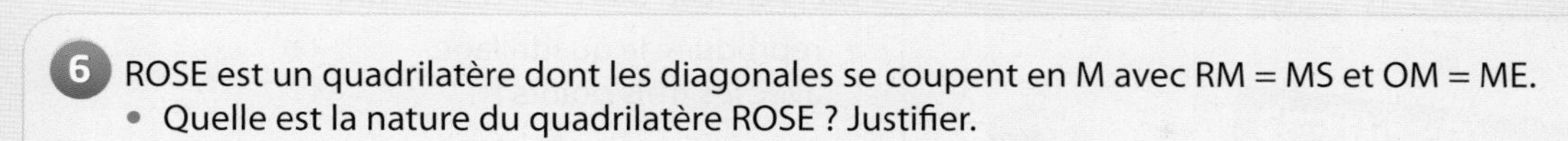

6 ROSE est un quadrilatère dont les diagonales se coupent en M avec RM = MS et OM = ME.
- Quelle est la nature du quadrilatère ROSE ? Justifier.

Solution

On commence par faire un dessin à main levée.

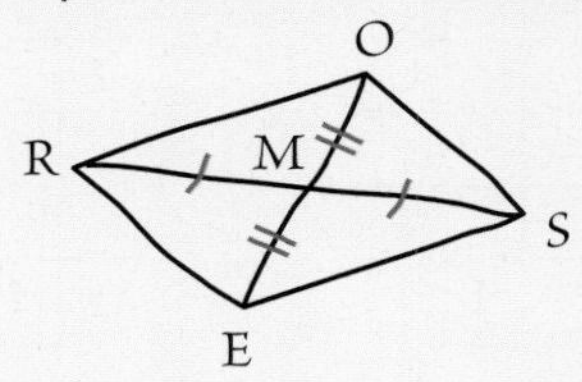

On cite la propriété qu'on utilise : « Si les diagonales d'un quadrilatère se coupent en leur milieu, alors c'est un parallélogramme. »

On conclut que ROSE est un parallélogramme de centre M.

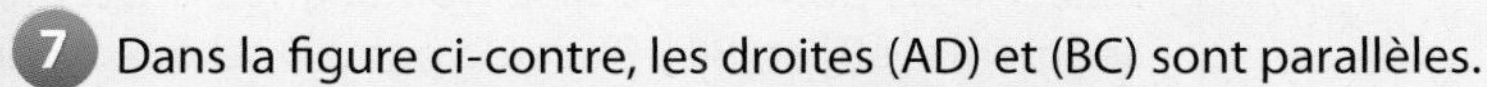

7 Dans la figure ci-contre, les droites (AD) et (BC) sont parallèles.

1. Quelle est la nature du quadrilatère ABCD ?
2. Quelle est la nature du quadrilatère ADEF ?

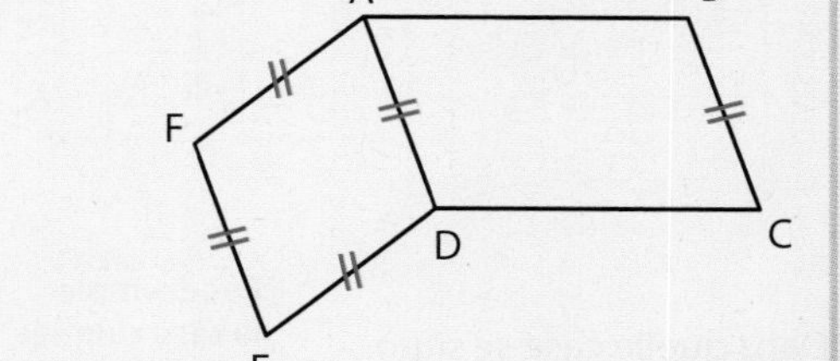

Solution

1. Sur la figure, ABCD semble être un parallélogramme.
   Pour le démontrer, on peut utiliser la propriété « Si deux côtés opposés d'un quadrilatère sont parallèles et de même longueur, alors c'est un parallélogramme ».
   En effet, les côtés [AD] et [BC] sont parallèles et de même longueur.
   On peut donc conclure que ABCD est un parallélogramme.
2. On remarque que les quatre côtés du quadrilatère ADEF ont même longueur.
   On peut donc en conclure que ADEF est un losange.

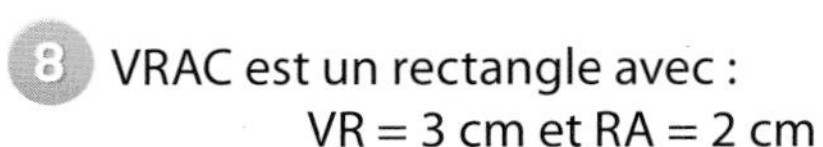

8 VRAC est un rectangle avec :
VR = 3 cm et RA = 2 cm
L est un point du côté [VR] avec VL = 1 cm.
N est un point du côté [AC] avec AN = 1 cm.

1. Faire une figure en vraie grandeur. Puis tracer le quadrilatère VLAN.
2. Quelle est la nature du quadrilatère VLAN ? Justifier.

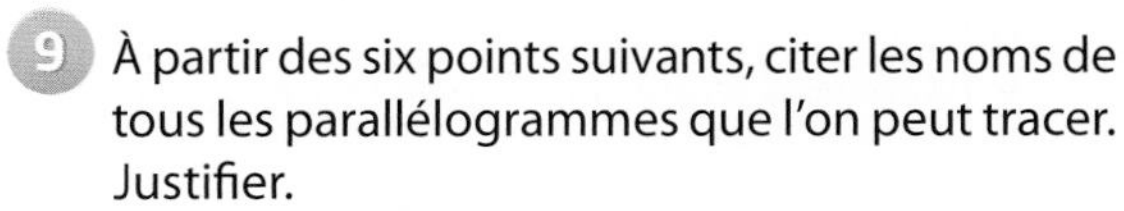

9 À partir des six points suivants, citer les noms de tous les parallélogrammes que l'on peut tracer. Justifier.

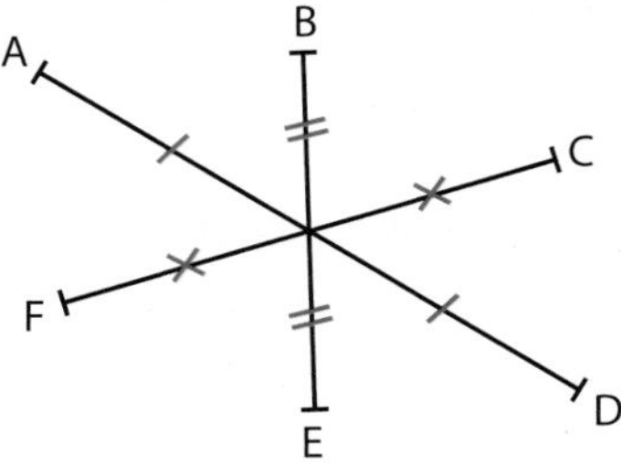

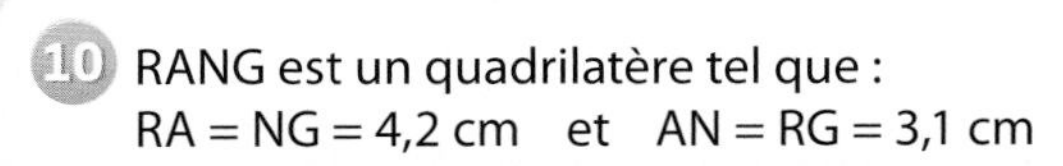

10 RANG est un quadrilatère tel que :
RA = NG = 4,2 cm et AN = RG = 3,1 cm

1. Faire une figure à main levée.
2. Quelle est la nature du quadrilatère RANG ? Justifier.

11 BISE est un quadrilatère avec [BI] // [SE] et BI = SE.

1. Faire une figure à main levée.
2. Quelle est la nature du quadrilatère BISE ? Justifier.

Exercices

2 pages d'exercices supplémentaires dans le manuel numérique

Construire un parallélogramme

Savoir-faire p. 237

Questions flash

12 Dans chacun des cas suivants, parmi les points A_1, A_2, A_3, A_4, lequel permet de construire un parallélogramme ABCD ?

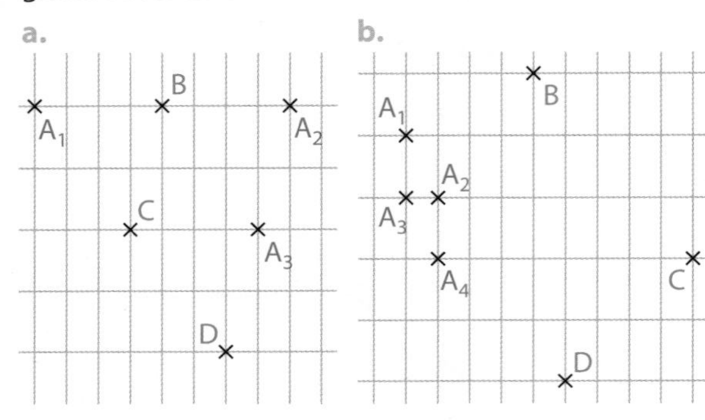

13 Dans quelle case se situe le quatrième sommet du parallélogramme PILE ?

Par exemple, la case coloriée sur le quadrillage se lit R5.

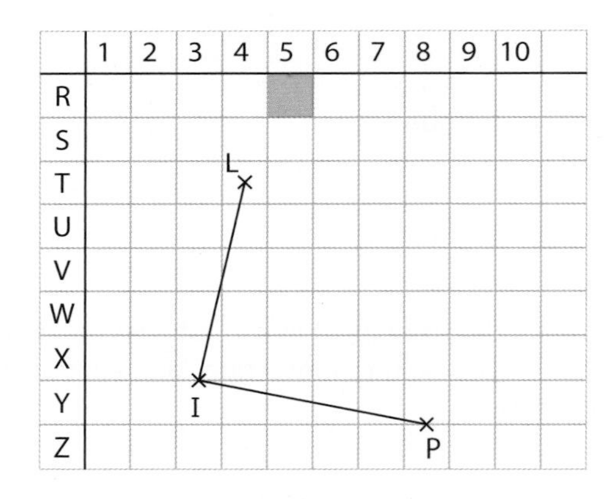

14 On a demandé à Rémi de construire un parallélogramme IJKL tel que IJ = 4 cm, IK = 6 cm et $\widehat{JIK} = 35°$. On présente son croquis ci-dessous.

- Est-il correct ?

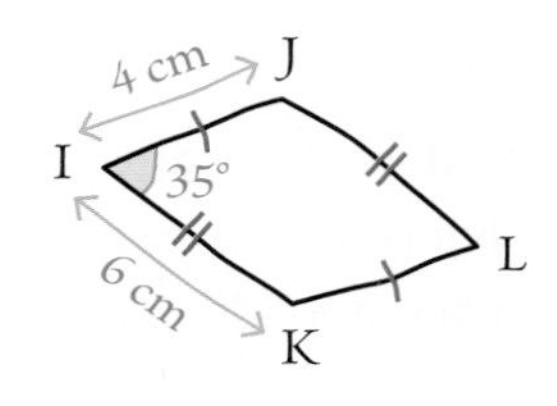

15 Dans chacun des trois cas suivants :

- reproduire le quadrillage avec les trois points ;
- compléter afin d'obtenir un parallélogramme PILE.

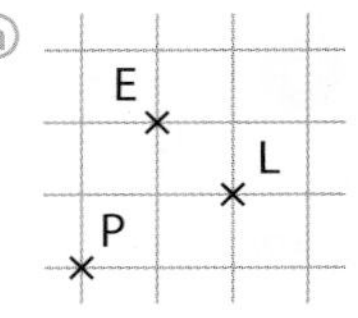

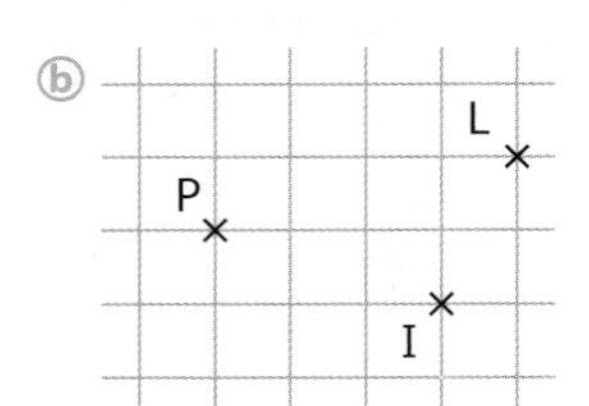

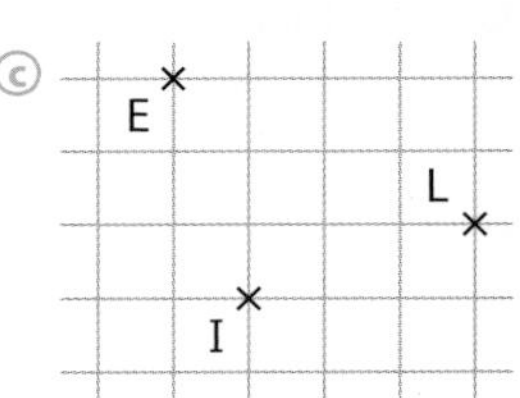

16 Placer trois points A, B et C non alignés. Tracer les segments [AB] et [BC]. Placer le point D tel que ABCD soit un parallélogramme.

17 Construire trois points non alignés R, O et S. Placer le point E tel que ROSE soit un parallélogramme.

18 Placer trois points V, R et T non alignés. Placer le point E tel que VERT soit un parallélogramme.

19 Construire chacun des parallélogrammes suivants.

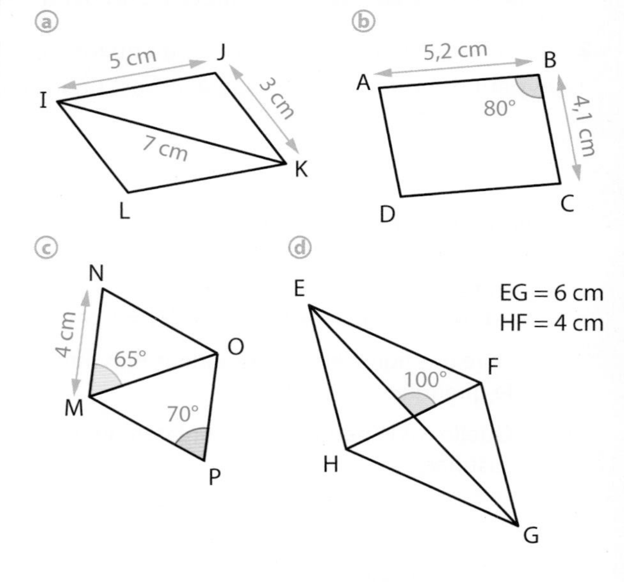

20 Construire un parallélogramme ABCD tel que :

AD = 4 cm, AB = 4,3 cm et $\widehat{DAB} = 115°$

21 Construire un parallélogramme EFGH tel que :

EG = 6 cm, EF = 5 cm et FG = 7 cm

Reconnaitre un parallélogramme

Savoir-faire p. 239

Questions flash

2 Parmi les quadrilatères suivants, lesquels semblent être, à vue d'œil, des parallélogrammes ?

ⓐ
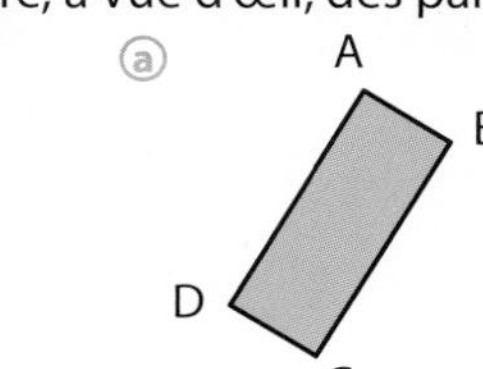

ⓑ
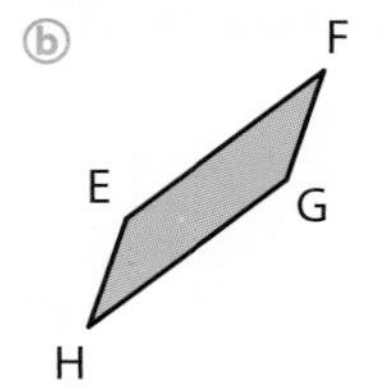

ⓒ
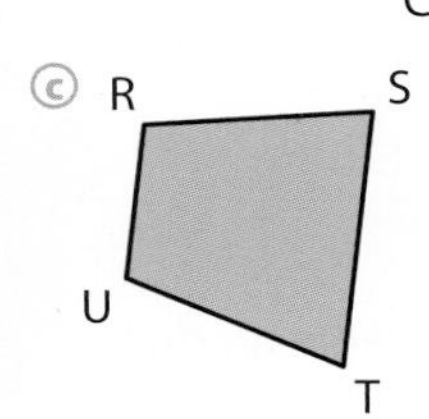

ⓓ
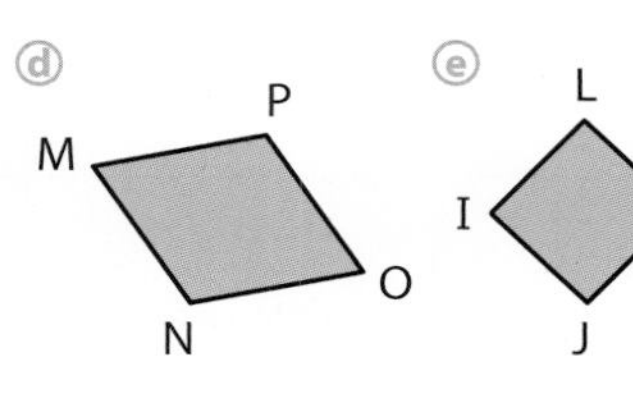

ⓔ L, I, K, J

3 À partir des informations codées sur les dessins suivants, déterminer les quadrilatères qui sont des parallélogrammes.

ⓐ
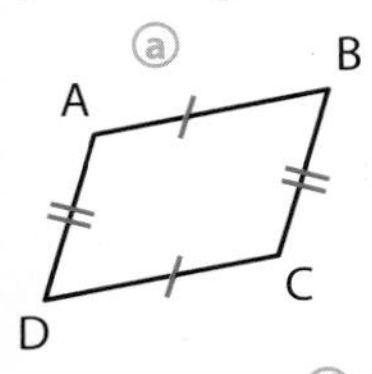

ⓑ
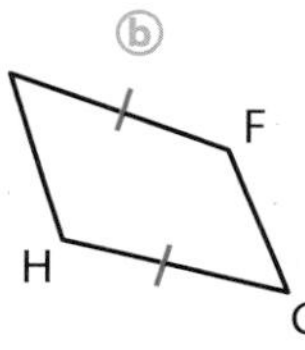

ⓒ
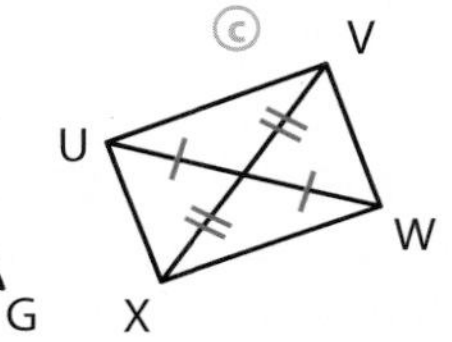

ⓓ
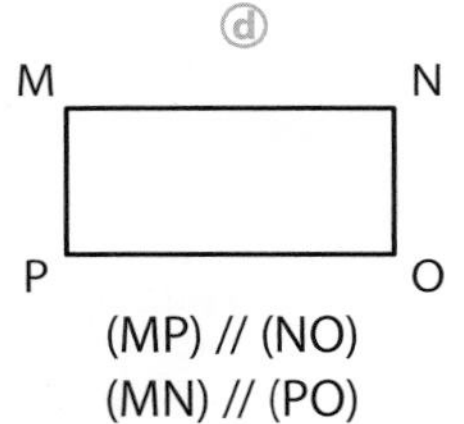

(MP) // (NO)
(MN) // (PO)

ⓔ
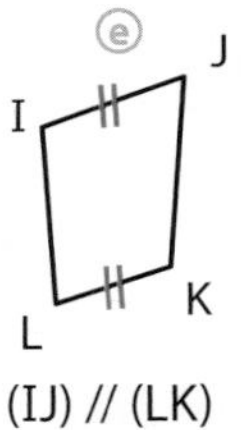

(IJ) // (LK)

4 Pour chacun des parallélogrammes suivants, déterminer les longueurs demandées.

ⓐ
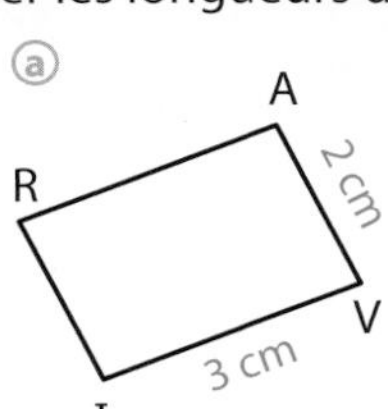

RA = … ; IR = …

ⓑ
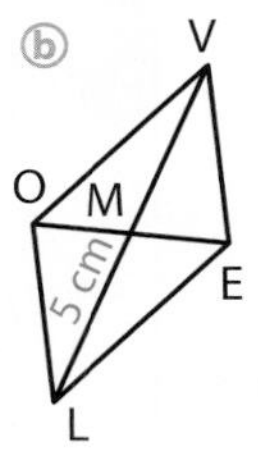

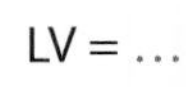
LV = …

ⓒ
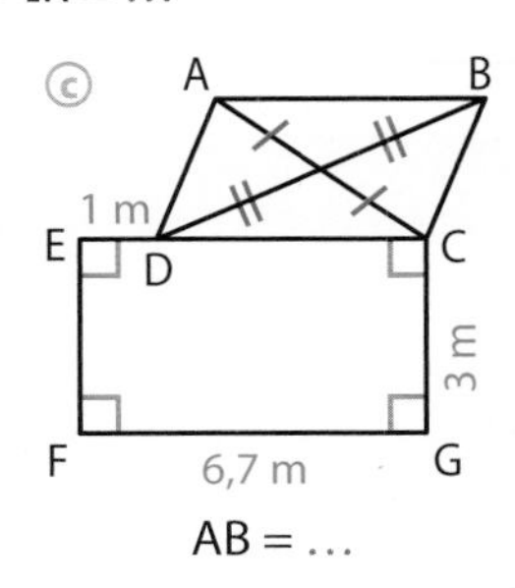

AB = …

25 Dans la figure suivante, les segments de la même couleur sont parallèles entre eux.

- Combien de parallélogrammes voit-on ? Justifier.

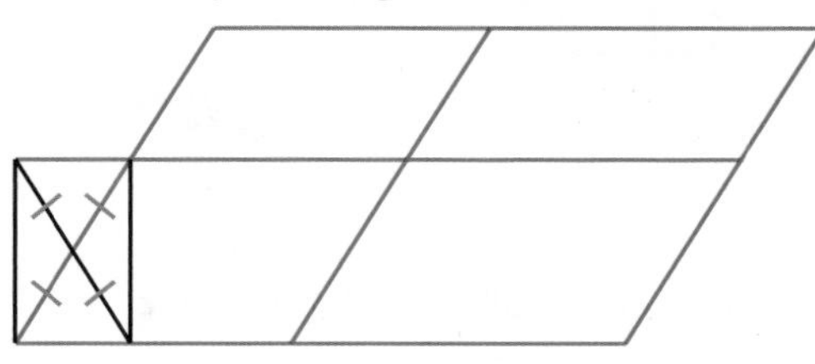

26 Dans la figure suivante, les droites de même couleur sont parallèles.

- Combien voit-on de parallélogrammes dans cette figure ?

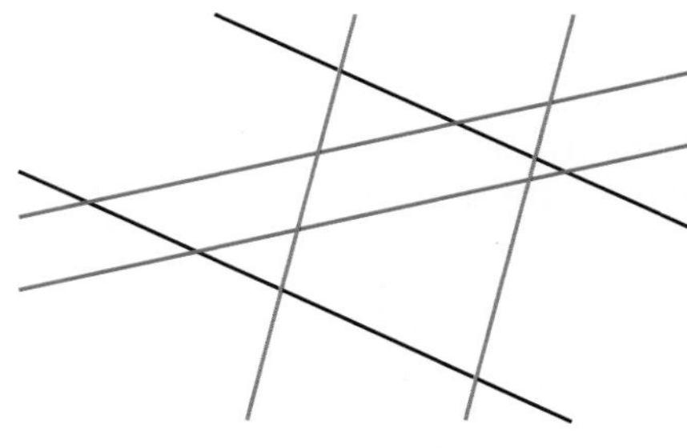

27 1. Justifier que le quadrilatère VOLE est un parallélogramme.

I ∈ [OE]
I ∈ [VL]

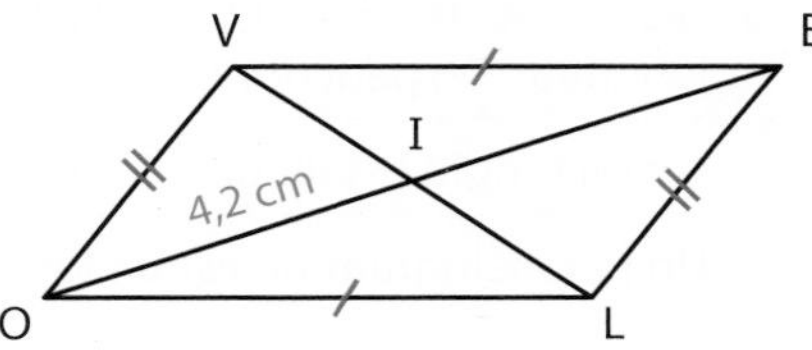

2. En déduire la longueur du segment [IE] en justifiant.

28 1. Pourquoi peut-on affirmer que le quadrilatère TRUC tracé ci-dessous est un parallélogramme ?

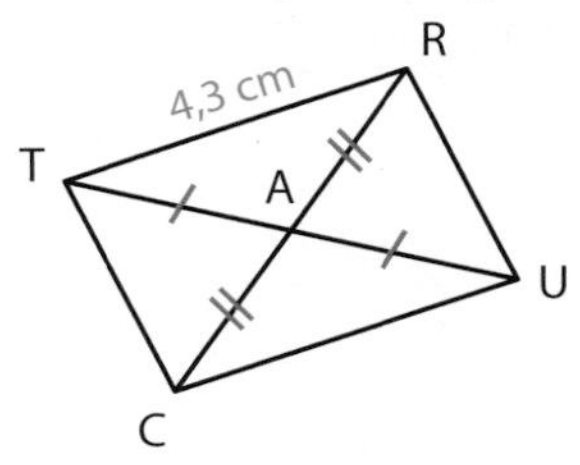

2. En déduire la longueur du segment [CU] en justifiant.

29 Dans la figure ci-dessous, VRAI est un parallélogramme.

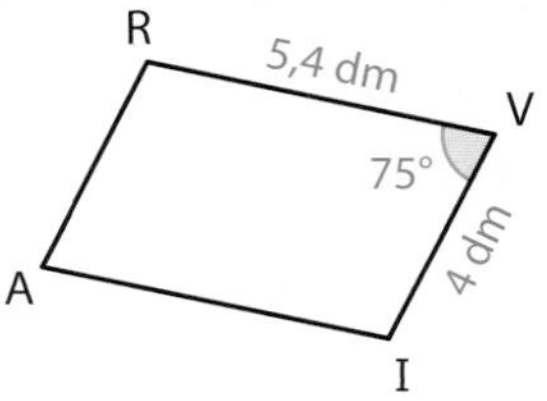

1. Quelles sont les longueurs des côtés [AI] et [RA] ? Citer la propriété qui permet de l'affirmer.
2. Trouver la mesure de l'angle $\widehat{RAI}$. Justifier.

Faire le point

QCM

Donner la seule réponse correcte parmi les trois proposées.

1 Construire un parallélogramme	Réponse A	Réponse B	Réponse C
1. ZJUY est un parallélogramme, alors :	ZY = UJ	ZU = YJ	UZ = UY
2. Quelle figure à main levée correspond au parallélogramme ZARE tel que RZ = 9 cm, ZE = 5 cm et $\widehat{ZRA} = 50°$?	Z, E, R, A ; 5 cm ; 9 cm ; 50° ; 5 cm	R, A, Z, E ; 50° ; 9 cm ; 5 cm	Z, A, R, E ; 5 cm ; 9 cm ; 50°
3. Pour construire ce parallélogramme, il suffit d'utiliser : (R, S, T, U ; 6 cm ; 4 cm ; 5 cm)	la règle graduée	la règle graduée et l'équerre	la règle graduée et le compas
2 Reconnaitre un parallélogramme			
1. Les segments [RF] et [EV] ont le même milieu. On peut donc tracer le parallélogramme :	RFEV	REVF	RVFE
2. Les segments [VE] et [OL] sont parallèles et de même longueur. On peut donc tracer le parallélogramme :	VOEL	VELO ou VEOL	VLEO
3. Un rectangle est un parallélogramme :	toujours	jamais	parfois
4. Un parallélogramme est un losange :	toujours	jamais	parfois

Carte mentale

Parallélogrammes particuliers

Rectangles

Losanges

Carrés

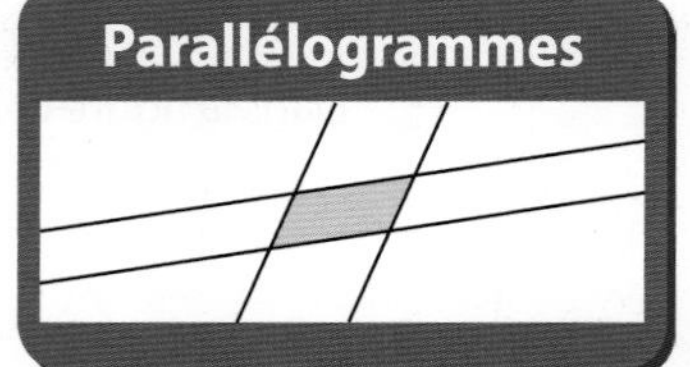

Prouver qu'un quadrilatère est un parallélogramme

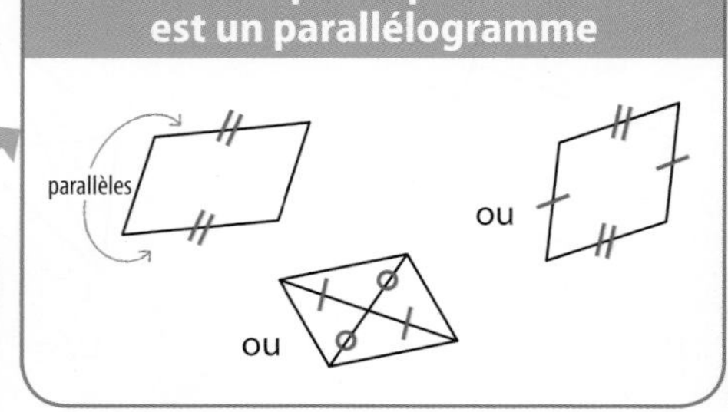

Propriétés des parallélogrammes

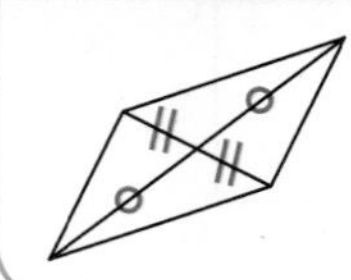
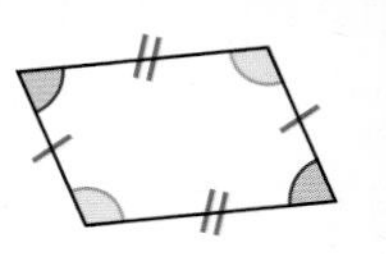

Tu peux aussi construire ta propre carte mentale.

Algorithmique et outils numériques

Les bonnes valeurs

1. Compléter le script suivant afin de tracer un parallélogramme.

quand [drapeau] cliqué
effacer tout
stylo en position d'écriture
avancer de 80
tourner de 60 degrés
avancer de 50
tourner de degrés
avancer de
tourner de degrés
avancer de

2. Comment doit-on modifier ce script pour tracer :
   a. un losange ?
   b. un rectangle ?
   c. un carré ?

Le bon script

Chacun des scripts ci-dessous permet de tracer une des figures suivantes. Associer chaque script à la figure qu'il permet de tracer.

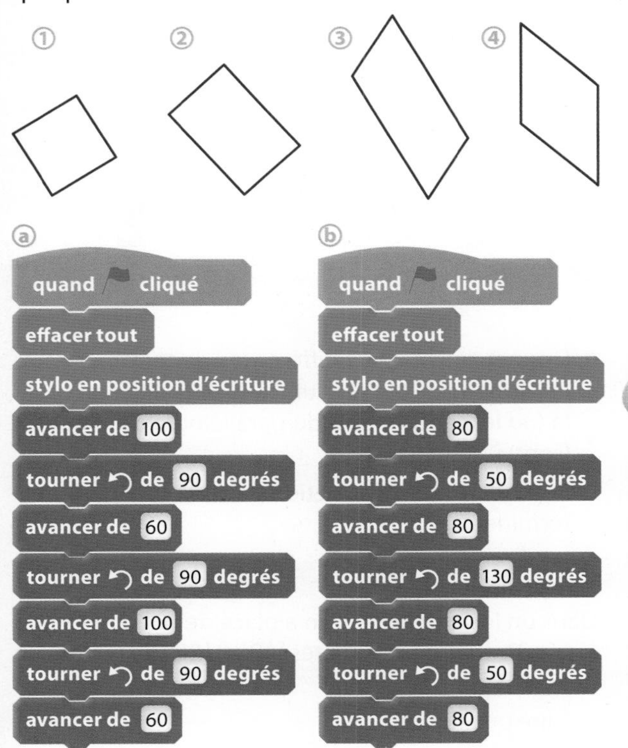

①
②
③
④
ⓐ
quand [drapeau] cliqué
effacer tout
stylo en position d'écriture
avancer de 100
tourner de 90 degrés
avancer de 60
tourner de 90 degrés
avancer de 100
tourner de 90 degrés
avancer de 60
ⓑ
quand [drapeau] cliqué
effacer tout
stylo en position d'écriture
avancer de 80
tourner de 50 degrés
avancer de 80
tourner de 130 degrés
avancer de 80
tourner de 50 degrés
avancer de 80

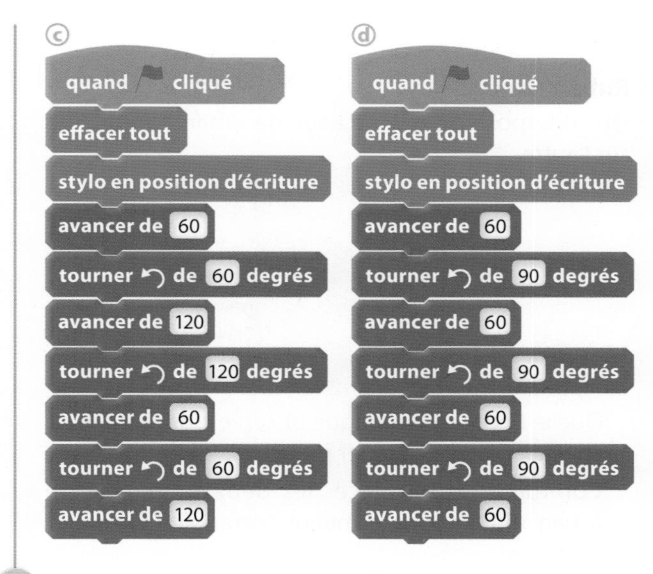

ⓒ
quand [drapeau] cliqué
effacer tout
stylo en position d'écriture
avancer de 60
tourner de 60 degrés
avancer de 120
tourner de 120 degrés
avancer de 60
tourner de 60 degrés
avancer de 120
ⓓ
quand [drapeau] cliqué
effacer tout
stylo en position d'écriture
avancer de 60
tourner de 90 degrés
avancer de 60
tourner de 90 degrés
avancer de 60
tourner de 90 degrés
avancer de 60

32 Parallélogramme particulier (1)

1. a. Avec un logiciel de géométrie dynamique, tracer deux segments [AC] et [BD] de même longueur et se coupant en leur milieu.

   > Pour t'aider, tu peux tracer un cercle.

   b. Tracer le quadrilatère ABCD et afficher les mesures de longueurs et d'angles de ce quadrilatère, à l'aide des outils [cm] et [angle].
   c. Faire bouger les points et observer les propriétés particulières de ce quadrilatère.
   d. Formuler la propriété que l'on vient de mettre en évidence.
2. a. Dans une nouvelle figure, tracer deux segments [AC] et [BD] perpendiculaires et se coupant en leur milieu.
   b. Tracer le quadrilatère ABCD et afficher les mesures de longueurs et d'angles de ce quadrilatère, à l'aide des outils [cm] et [angle].
   c. Faire bouger les points et observer les propriétés particulières de ce quadrilatère.
   d. Formuler la propriété que l'on vient de mettre en évidence.

33 Parallélogramme particulier (2)

1. Avec un logiciel de géométrie dynamique, tracer un parallélogramme CHEF tel que CE = 8, $\widehat{ECH} = 62°$ et $\widehat{CEH} = 28°$ en utilisant les outils [segment], [angle], [intersection] et [parallèle].

   > Tu peux commencer ta construction par le point C.

2. a. Mesurer les quatre angles de ce parallélogramme et les angles $\widehat{FCE}$ et $\widehat{CEF}$, en utilisant [angle]. Qu'observe-t-on ?
   b. Pouvait-on prévoir ces résultats ? Expliquer.

Problèmes

Pour mieux cibler les compétences			
Chercher	38 43 45 49 53	Raisonner	35 39 42 45 48
Modéliser	36 37 43 53	Calculer	44 46 48 51
Représenter	39 42 44 48 49 53	Communiquer	34 40 48 54

34 Ruban adhésif

On superpose deux morceaux de ruban adhésif l'un sur l'autre.

1. Quelle figure géométrique observe-t-on là où ils se chevauchent ? Expliquer pourquoi.
2. Comment faut-il placer les deux morceaux de ruban adhésif pour former un rectangle ? Expliquer pourquoi.

35 Raisonner en rond

On a tracé ci-dessous deux cercles de centres R et N et de rayon RN. On a noté O et D leurs deux points d'intersection.

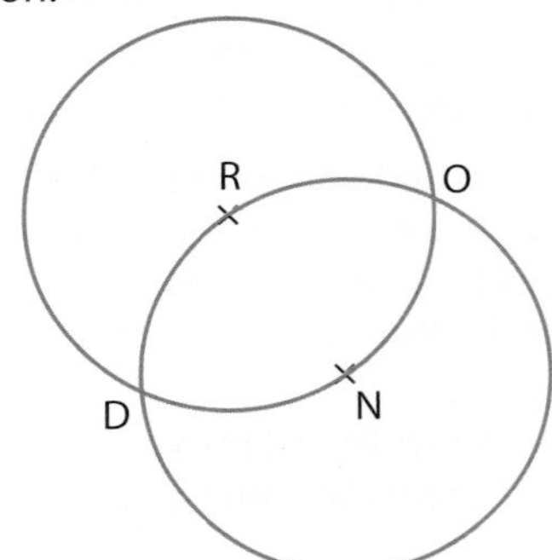

- Quelle est la nature du quadrilatère ROND ? Justifier.

36 Trompe-l'œil

1. Reproduire en vraie grandeur la figure ci-dessous.

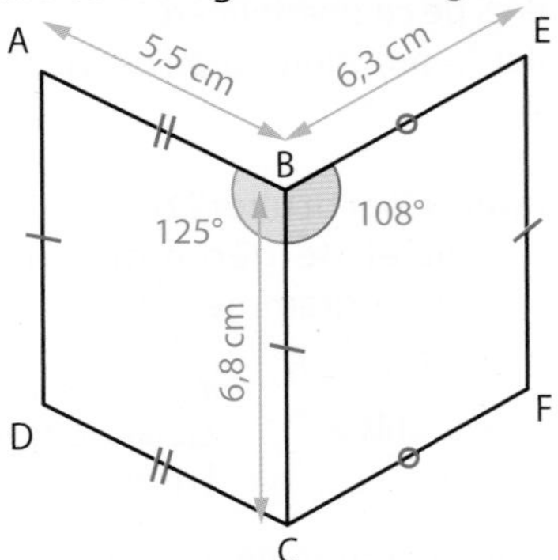

2. Compléter la figure en traçant le parallélogramme ABEG.
3. La construction obtenue ressemble à un dessin en perspective cavalière d'un solide. Lequel ?

37 Rosace

Tous les arcs de cercle de cette rosace ont le même rayon. Ils ont pour centre un des sept points O, A, C, J, H, F et D.

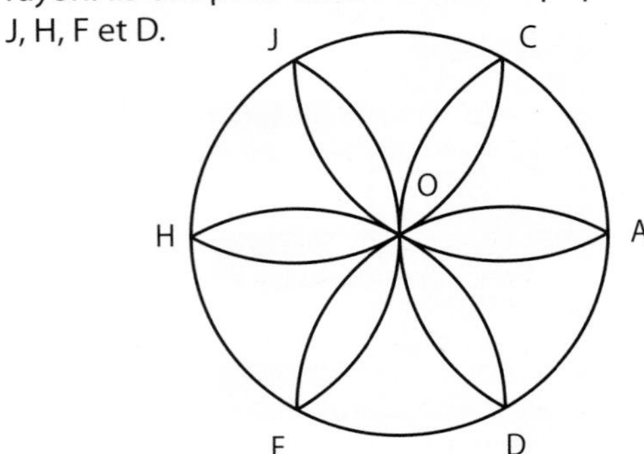

1. Reproduire cette rosace en prenant 3 cm comme rayon.
2. Quelle est la nature du quadrilatère HOCJ ? Justifier.
3. Sans justifier, dire combien de losanges et de rectangles on peut tracer à partir des sept points O, A, C, J, H, F et D.

38 En parallèle

Sébastien a démarré la construction d'un parallélogramme LIMA.

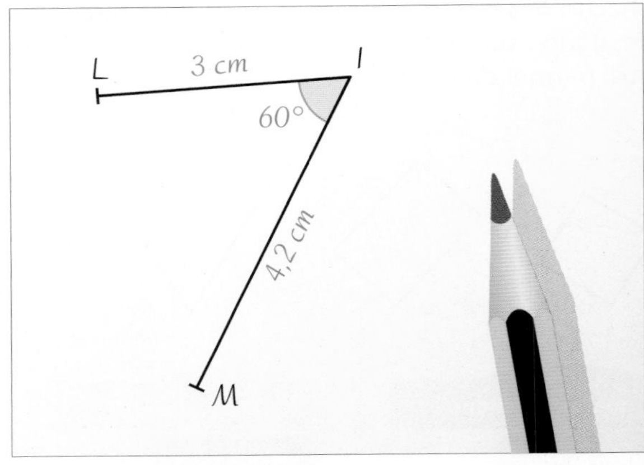

1. Donner trois façons différentes de terminer cette construction. Pour chacune d'elles, justifier en citant la (ou les) propriété(s) du parallélogramme qui est (sont) utilisée(s).
2. Reproduire sa construction en vraie grandeur et la terminer.

39 Dans un losange

Dans un losange ABCD, on a placé deux points Y et Z respectivement sur les côtés [AB] et [CD] de telle façon que AY = CZ.

1. Faire une figure.
2. Quelle est la nature du quadrilatère AYCZ ? Justifier.

L'étiquetage évolue

On donne l'article de presse suivant.

Depuis 2010, l'étiquetage des produits chimiques dangereux a évolué. Le pictogramme signalant un produit inflammable était dans un carré noir sur fond jaune. Depuis 2010, il est dans un losange rouge sur fond blanc.

- Peut-on dire que le règlement CLP n'utilise plus le carré pour encadrer les pictogrammes ? Pourquoi ?

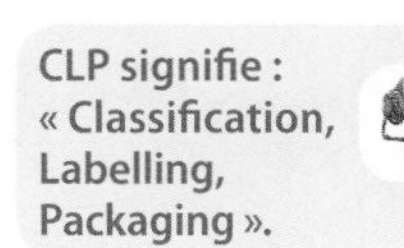

CLP signifie :
« Classification, Labelling, Packaging ».

Raisonner sur l'un et l'autre

VRAI et TRAC sont deux parallélogrammes.

- Quelle est la nature du quadrilatère VICT ? Justifier.

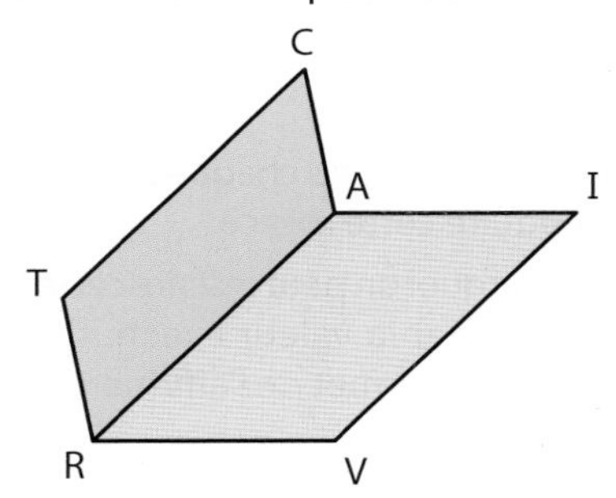

Programme de construction

1. Réaliser la figure suivante.
   - Tracer un cercle de centre O. Le nommer $\mathscr{C}$.
   - Placer un point R sur ce cercle.
   - Placer le point E symétrique du point O par rapport à R.
   - La perpendiculaire à [OR] passant par O coupe le cercle $\mathscr{C}$ en deux points. Nommer M l'un de ces deux points.
   - Placer le point D symétrique du point M par rapport à R.
2. Quelle est la nature du quadrilatère MODE ? Justifier.
3. Tracer la perpendiculaire à [RO] passant par R. Placer un point T sur cette droite tel que :
   - RMOT est un quadrilatère non croisé.
   - RT = MO.
4. Montrer que RMOT est un parallélogramme.

43 Coup de ciseaux

Luc affirme : « D'un seul coup de ciseaux, on peut transformer un post-it rectangulaire en un parallélogramme ! ». Puis il le montre :

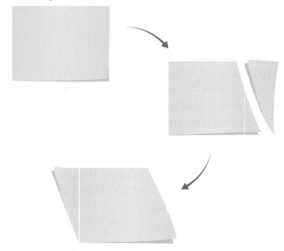

1. Le post-it de Luc est un rectangle de 5 cm sur 4 cm. Prouver que Luc a raison.
2. Si le post-it était rectangulaire mais avec d'autres dimensions, est-ce que Luc aurait toujours raison ? Justifier.
3. a. Comment peut-on couper le post-it rectangulaire de 5 cm sur 4 cm afin d'obtenir un losange ?
   b. Dessiner en vraie grandeur le losange obtenu.

44 Logo

On représente ci-dessous le logo d'une entreprise tel qu'il apparait sur les courriers officiels.

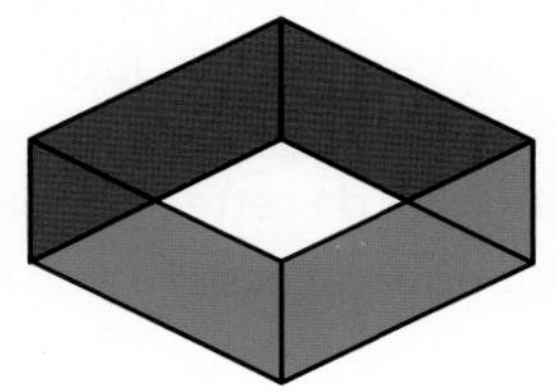

Le graphiste qui l'a inventé a utilisé un logiciel de géométrie dynamique. Voici la construction qu'il avait réalisée sur quadrillage, avant d'ajouter la couleur :

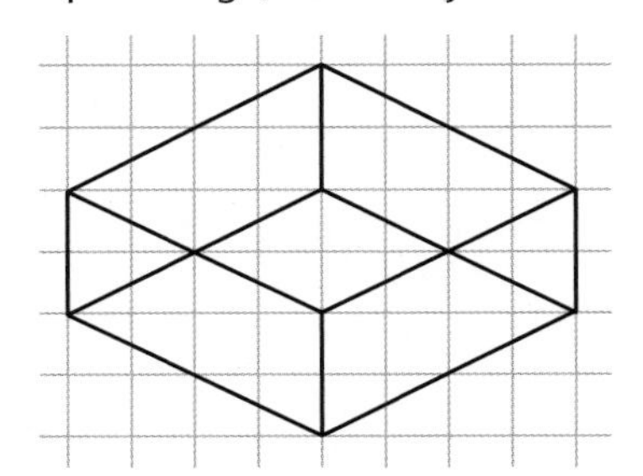

1. En utilisant le quadrillage, montrer que ce logo est formé de quatre parallélogrammes.
2. Sachant que chaque carreau a pour aire 1 cm^2, calculer l'aire de la partie coloriée de ce logo. Justifier.

Problèmes

45 TIC et TAC

1. Tracer un triangle TIC.
Placer le point M, milieu du segment [TC].
Placer le point A, symétrique du point I par rapport à M. Tracer le triangle TAC.
2. Que peut-on dire des triangles TIC et TAC ? Justifier.
3. Quelle est la nature du quadrilatère TICA ? Justifier.
4. Lucas constate que le quadrilatère TICA tracé par son voisin Tim est un rectangle. Il lui dit : « Je suis sûr que ton triangle TIC est un triangle particulier ! » A-t-il raison ? Pourquoi ?

46 Télévision

1. Pourquoi n'est-il pas nécessaire de donner la longueur des deux diagonales d'un téléviseur rectangulaire ?

2. Représenter à l'échelle $\frac{1}{20}$ l'écran d'un téléviseur de 90 cm sur 160 cm.
3. Donner une valeur approchée à 5 cm près de la diagonale réelle de cet écran. Justifier.
4. On sait que 1 pouce = 2,54 cm.
Donner la longueur de cette diagonale en pouces.
5. Expliquer pourquoi cet écran est au format 16/9.

47 Nénuphar

Luc a dessiné ce nénuphar rose en utilisant des parallélogrammes.

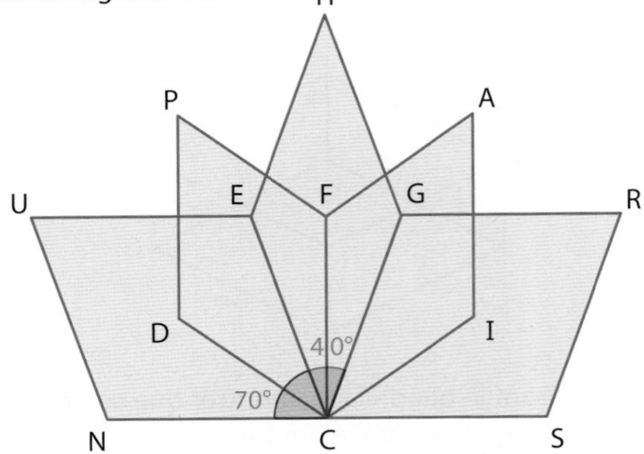

Cette construction a plusieurs particularités :
- Les points N, C et S sont alignés.
- CN = CE = CG = CS = 3 cm ; $\widehat{NCE} = 70°$; $\widehat{ECG} = 40°$.
- DCFP et FCIA sont des parallélogrammes.
- D, F et I sont les centres respectifs des parallélogrammes NCEU, ECGH et CSRG.

1. Montrer que NCEU, ECGH et CSRG sont des losanges.
2. Montrer que $\widehat{GCS} = 70°$.
3. Dessiner en vraie grandeur ce nénuphar.

48 Assembler

Avec 27 losanges de couleur qui ont la même forme, on a fabriqué un hexagone régulier.

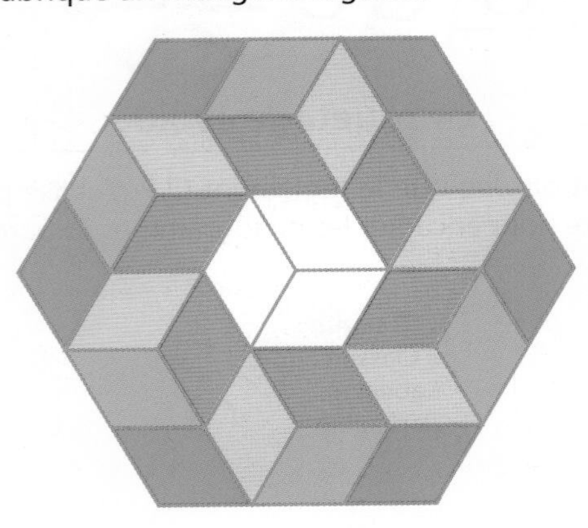

Un hexagone régulier est un polygone à 6 côtés avec ses 6 angles de même mesure et ses 6 côtés de même longueur.

1. Trouver les mesures des quatre angles de chacun des 27 losanges. Justifier.
2. Sachant que les côtés de chaque losange mesurent 2 cm, reproduire cette rosace.
3. Expliquer pourquoi on peut inscrire cette figure dans un cercle. Donner la valeur exacte de son rayon, expliquer ce qui permet de l'affirmer.

49 Parallelogram

LV

Calculate the perimeter of this parallelogram.

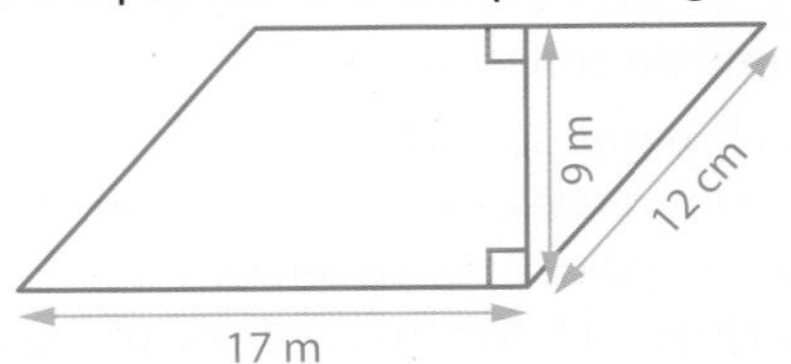

50 Carré contre carré

Prise d'initiative

La figure ABCD ci-contre est constituée de 9 carrés.

Le carré gris a pour côté 10 cm et le carré noir a pour côté 1 cm.

- Quelle est la nature de ABCD ? Rédiger un texte qui présente les étapes du raisonnement.

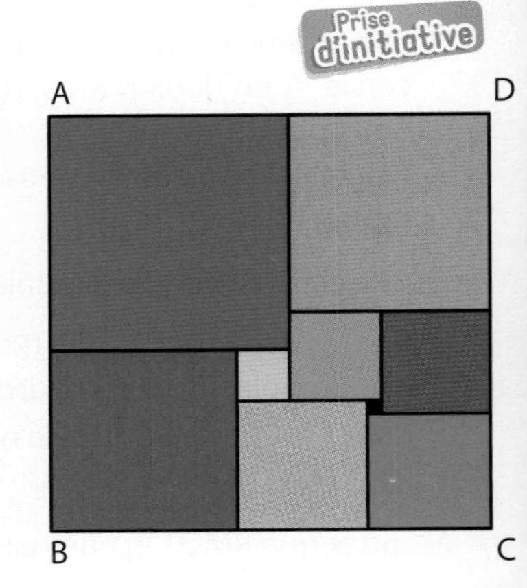

La porte de l'Europe

La porte de l'Europe est un ensemble formé de deux immeubles hauts de 115 m. Elle se situe à Madrid, en Espagne (son nom espagnol est Puerta de Europa).

Ces deux immeubles sont les premières tours volontairement inclinées dans le monde.

Toutes les faces de ces deux tours sont des quadrilatères dont les côtés opposés sont de même longueur.

Chaque tour est penchée d'un angle de 15° par rapport à la verticale lorsqu'on les regarde comme sur la photo. Sur cette face avant, la barre en acier verticale visible sur la photo est une diagonale de la tour.

1. Quelle est la nature de la face avant de chaque tour ? Justifier.
2. En utilisant un logiciel de géométrie dynamique ou une reproduction sur papier, donner une valeur approchée des longueurs des quatre côtés de la face avant.
3. Il existe en Italie une tour penchée célèbre, mais pour celle-ci, ses constructeurs ne l'ont pas fait exprès. Quelle est cette tour ?

L'art des objets impossibles

Voici une œuvre d'Oscar Reutersvärd, artiste suédois né en 1915 à Stockholm et décédé en 2002 en Suède :

1. Oscar Reutersvärd est parfois surnommé « le père de l'impossible ». Pourquoi ?
2. Sur une feuille, en utilisant des instruments de géométrie, faire un tableau s'inspirant de celui d'Oscar Reutersvärd, dans lequel deux parallélépipèdes s'entrelacent de façon « impossible ».

53 Plaques et boulons

Les trous des quatre éléments verts sont régulièrement espacés.

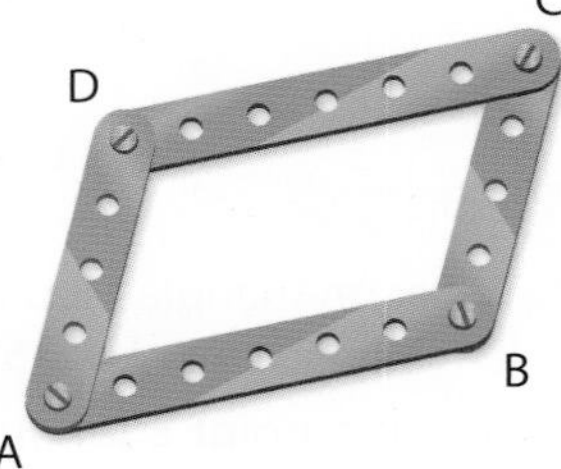

1. Quelle est la nature de la construction ci-contre ? Justifier.
2. À partir des éléments ci-dessous, comment fabriquer un carré ? un losange ? un rectangle ?

Dessiner et justifier chaque réponse.

Tu peux utiliser les éléments métalliques en diagonale et tendre la ficelle noire d'un trou à un autre pour former un quadrilatère.

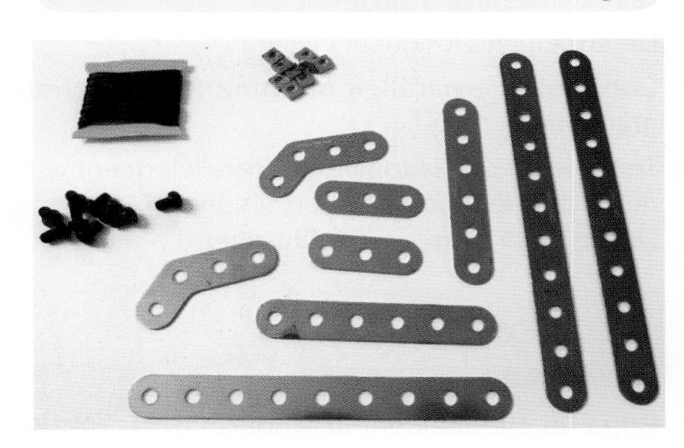

54 Lampe accordéon

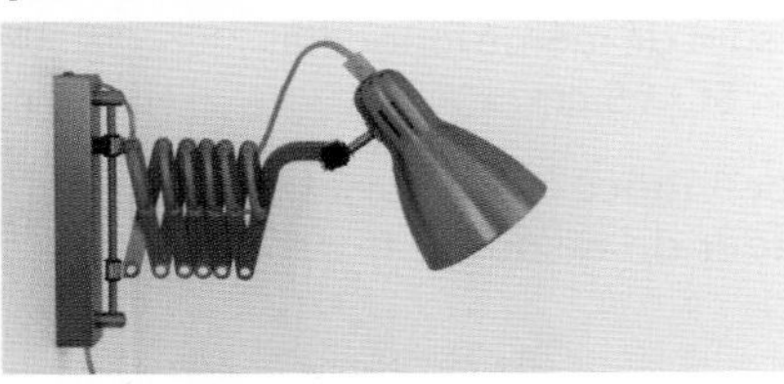

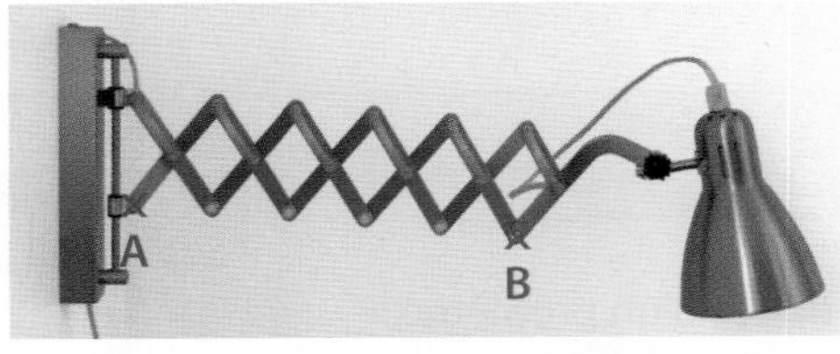

Cette lampe possède un bras articulé en « accordéon ciseaux » constitué de dix tiges identiques de longueur 18 cm. Ces tiges sont fixées entre elles en leurs milieux et à leurs extrémités par des rivets.

1. Quelle est la nature des cinq quadrilatères formés par l'accordéon ? Justifier.
2. On étire l'accordéon jusqu'à ce qu'il forme cinq carrés. Donner une valeur approchée de la distance entre les rivets A et B (on ne tiendra pas compte de la largeur des tiges). Justifier.
3. On étire l'accordéon de façon à ce que la distance entre les rivets A et B soit de 45 cm. Quel est alors l'angle d'inclinaison des tiges par rapport à la verticale ? Expliquer pourquoi.

Utilisable en AP

À chacun sa méthode !

Deux énoncés pour un exercice

Exercice 1

1. Tracer un triangle MLU tel que :
   ML = 6 cm, LU = 5 cm et $\widehat{MLU} = 40°$
2. Placer le point E tel que MULE soit un parallélogramme.

Exercice 2

RIVE est un parallélogramme tel que :
RI = 4 cm, RE = 5 cm et EI = 3 cm

1. Faire un dessin à main levée.
2. Déterminer les longueurs VE et IV.
3. Construire le parallélogramme RIVE en vraie grandeur.
4. Tracer les deux diagonales du parallélogramme et nommer O leur point d'intersection.
   Quelle est la longueur OE ? Justifier.

Exercice 1

1. Tracer un triangle POA tel que :
   PO = 2,8 cm, OA = 4,3 cm et $\widehat{POA} = 42°$
2. Placer les points R et C tels que PARC soit un parallélogramme de centre O.

Exercice 2

RIVE est un parallélogramme de centre O tel que :
EO = 1,5 cm, RI = 4 cm et IV = 5 cm

1. Faire un dessin à main levée.
2. Déterminer les longueurs RE, EV et EI en justifiant.
3. Construire le parallélogramme RIVE en vraie grandeur.
4. Placer le point T tel que TRIE soit un parallélogramme et le point S tel que VEIS soit un parallélogramme.
5. Montrer que les points R, I et S sont alignés.

Écriture d'un énoncé

1. Écrire un énoncé dont la réponse pourrait être :
   « Les côtés opposés d'un parallélogramme sont de même longueur. Donc RI = SC = 5 cm. »
2. Donner cet énoncé à son voisin et lui demander de résoudre le problème.

Écriture d'un énoncé

Voici le dessin à main levée d'un parallélogramme QUOI de centre R :

1. Quelles sont les longueurs que l'on peut calculer à partir de cette figure ?
2. Écrire l'énoncé d'un exercice qui demande de construire ce parallélogramme et qui demande de déterminer les longueurs qu'il est possible de trouver.

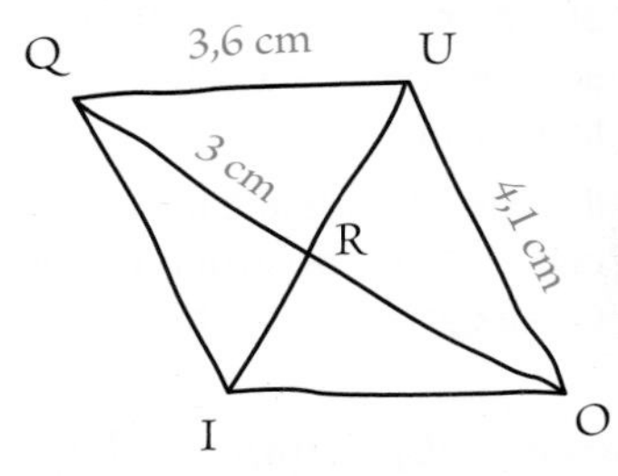

3. Échanger cet énoncé avec son binôme et résoudre l'exercice.

Analyse d'une production

Voici l'énoncé d'un problème :

> RISC est un parallélogramme de centre M tel que RI = 7 cm, RC = 5 cm et MI = 3,8 cm.
> Faire un dessin à main levée, puis répondre aux questions suivantes en justifiant.
> 1. Déterminer les longueurs des segments [IS] et [CS].
> 2. Déterminer la longueur CI.

Voici la réponse de Lucie :

1. IS = 5 cm et CS = 7 cm car les côtés opposés sont parallèles deux à deux.
2. CI = 7,6 cm car M est le milieu de [CI].

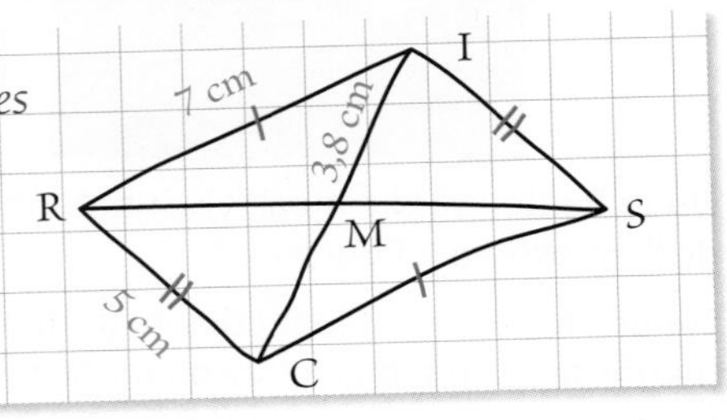

• Analyser cette production et corriger les erreurs s'il y en a.

Ta mission
Reconnaitre et représenter des solides.
CHAPITRE
15

Solides de l'espace

Jeux

Pour obtenir le code de son cadenas, Sandie doit faire pivoter chaque cube d'un quart de tour dans le sens de la flèche autour de l'axe.

- Sachant que tous les cubes, dont voici un patron, sont identiques, trouver les trois symboles qui ouvriront le cadenas de Sandie.

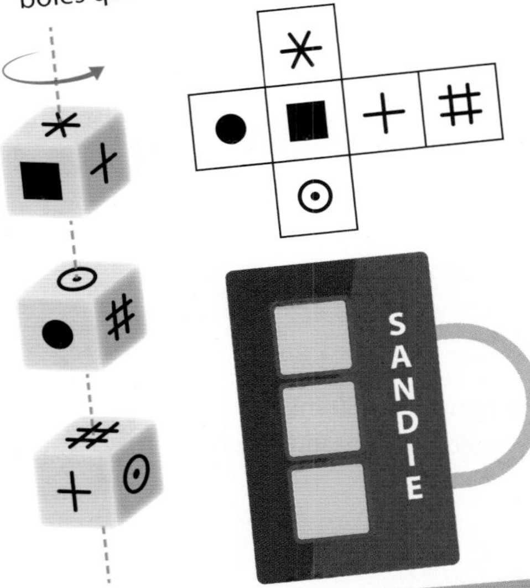
SANDIE

INFOS

Dans les années 1920-1930, les architectes Le Corbusier et Pierre Jeanneret inventent une nouvelle architecture et un style d'art décoratif basés sur la géométrie. Ils considèrent parallélépipèdes, prismes, cubes, cylindres, pyramides, sphères comme des « purs volumes ». La Villa Savoye à Poissy est construite à partir de ces volumes de base.

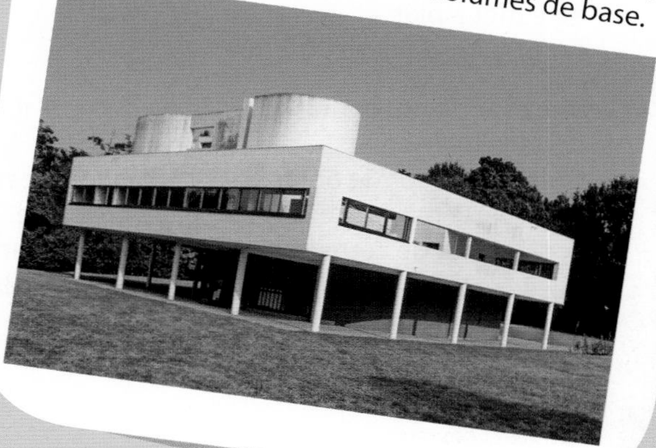

Activités

Questions flash

1. On donne le parallélépipède rectangle ci-contre. Trouver la bonne réponse parmi les trois propositions.

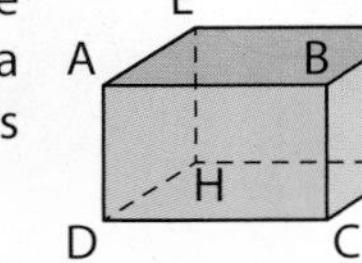

   a. [AB] est :
   • un sommet • une arête • une face

   b. HEFG est :
   • un sommet • une arête • une face

   c. H est :
   • un sommet • une arête • une face

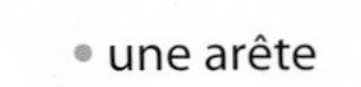

2. Parmi les patrons suivants, lesquels forment un cube une fois qu'ils sont repliés ?

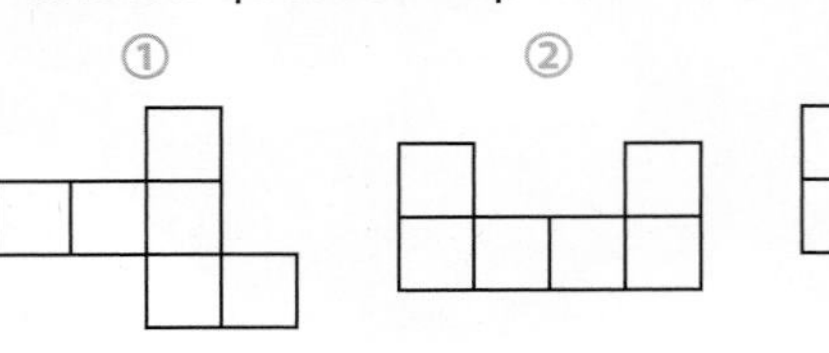

3. Calculer l'aire exacte des figures suivantes.
   a. un rectangle de longueur 5 cm et de largeur 3 cm
   b. un carré de 4 cm de côté
   c. un triangle ayant pour côté 5 cm et pour hauteur relative 4 cm
   d. un disque de rayon 3 cm

4. Nommer chacun des solides ci-dessous.

a.

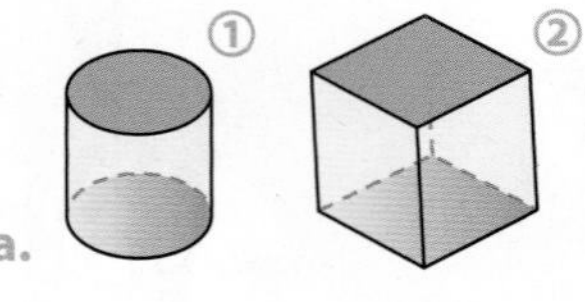

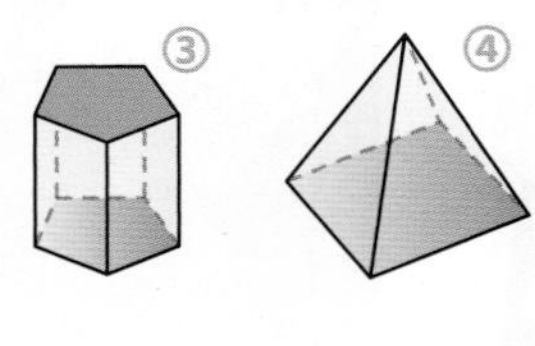

b.

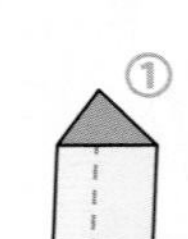

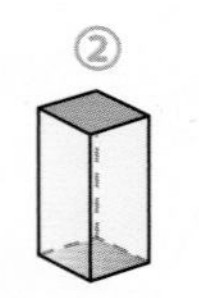

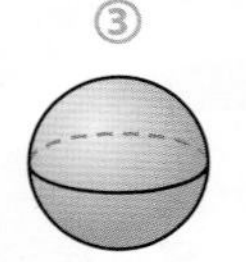

c.

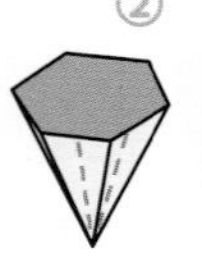

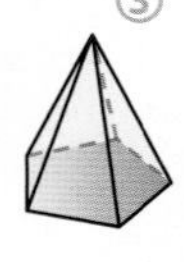

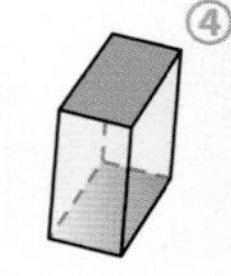

5. Compléter :
   a. 1 L = … dm^3
   b. 52 000 cm^3 = … dm^3
   c. 1,2 L = … cL
   d. 89,75 mL = … L
   e. 774 000 cL = … L

Un bon gouter

Activité 1

Jessica a acheté une brique de lait représentée ci-contre.

1. a. Quel est le nom de ce solide ?
   b. Donner :
   • le nombre et la nature des faces ;
   • le nombre de sommets ;
   • le nombre d'arêtes.
   c. Après en avoir bu le contenu, Jessica ouvre intégralement l'emballage et le met à plat.
   Construire la figure obtenue.

2. Jessica prend ensuite une boite de conserve d'abricots. Elle en décolle l'étiquette puis la déroule bien à plat.

   a. Quelle est la forme obtenue ? Quelles sont ses dimensions ?
   b. Réaliser un patron de cette boite de conserve.
   c. Le fabricant de cette boite affiche sur l'étiquette une contenance de 850 mL. Sachant que le volume $\mathscr{V}$ d'un cylindre est donné par la formule $\mathscr{V}$ = aire de la base × hauteur, cette contenance est-elle vraisemblable ?

Assemblage

Activité 2

ABCDEFGH est un cube de 5 cm de côté.

1. a. Quelle est la nature du solide AEFGH ?
   b. Donner :
   - le nombre et la nature des faces ;
   - le nombre de sommets ;
   - le nombre d'arêtes.
2. Construire un patron de ce solide.
3.  Assembler le solide obtenu avec celui d'autres élèves.
   Combien de solides identiques faut-il pour reconstruire le cube ?
4. Proposer une formule générale permettant de calculer le volume de ce type de solide.

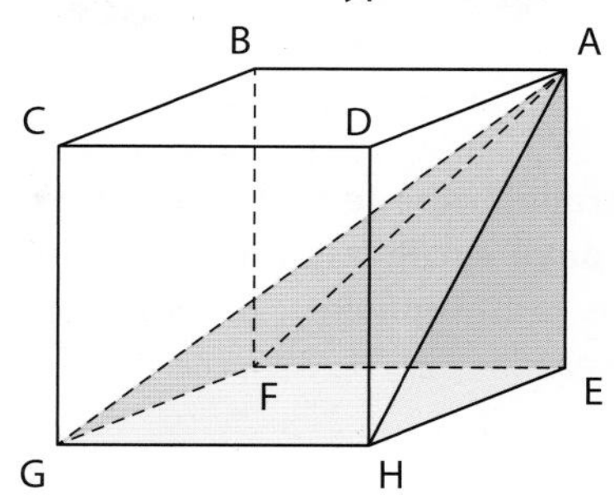

Ça tourne

Activité 3

ABCD est un rectangle.

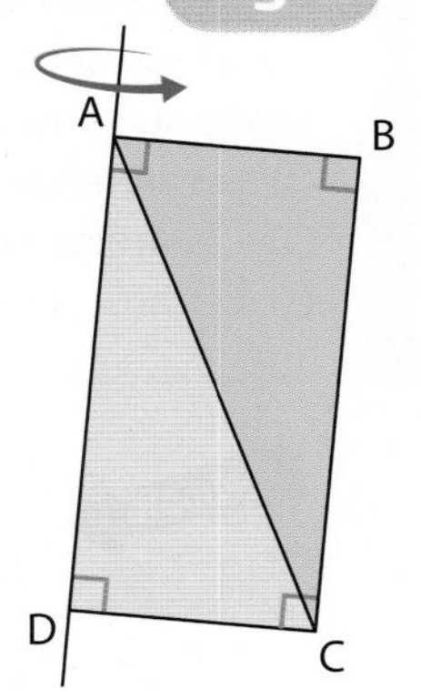

1. Quel solide obtient-on en faisant tourner le rectangle ABCD autour de la droite (AD) ?
2. On découpe ce rectangle le long du segment [AC] afin d'obtenir le triangle rectangle ADC. Quel solide obtient-on en faisant tourner ce triangle autour de la droite (AD) ?
3. On souhaite représenter les deux solides obtenus à l'aide d'un logiciel de géométrie dynamique.
   - Créer deux curseurs nombres grâce à l'outil a = 2, l'un pour DC, l'autre pour AD, permettant de faire varier DC et AD entre 0 et 5.
   - Tracer les bases des deux solides.
   - Passer dans la zone graphique 3D en cliquant dans le menu affichage sur Graphique 3D.
   - Tracer les deux solides à l'aide des outils qui permettent de tracer ces solides en sélectionnant leur base puis en entrant une hauteur :

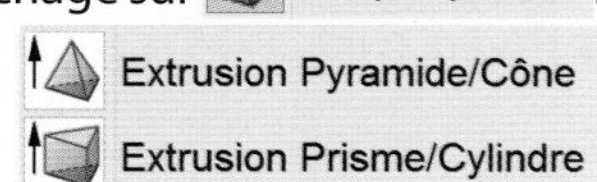

   - Afficher leur volume grâce à l'outil cm³ Volume.
   - Faire varier le curseur AD, puis le curseur DC.
4. Bouchra a reporté dans un tableur les volumes de ces deux solides, d'abord pour différentes valeurs de DC, puis pour différentes valeurs de DA, en faisant varier les curseurs.

	A	B	C
1	DC	volumea	volumeb
2	1.3	1.77	5.31
3	1.65	2.85	8.55
4	2.2	5.07	15.21
5	2.35	5.78	17.35
6	2.5	6.54	19.63
7	2.55	6.81	20.43
8	2.65	7.35	22.06
9	2.7	7.63	22.9
10	2.9	8.81	26.42
11	3.15	10.39	31.17
12	3.5	12.83	38.48

	A	B	C
1	DA	volumea	volumeb
2	1.05	1.1	3.3
3	1.1	1.15	3.46
4	1.2	1.26	3.77
5	1.25	1.31	3.93
6	1.3	1.36	4.08
7	1.35	1.41	4.24
8	1.4	1.47	4.4
9	1.45	1.52	4.56
10	1.5	1.57	4.71
11	1.55	1.62	4.87
12	1.7	1.78	5.34

   a. Dans ces deux feuilles de calcul, à quel solide correspond chacune des colonnes B et C ?
   b. Peut-on trouver un lien entre les volumes de ces deux solides ?
   c. Conjecturer une formule générale permettant de calculer le volume d'un cône de révolution.

1 Reconnaitre et représenter un parallélépipède rectangle ▶ Vidéo

Définition et propriété

Un **parallélépipède rectangle**, appelé aussi **pavé droit**, est un solide qui a 6 faces rectangulaires, 8 sommets et 12 arêtes.

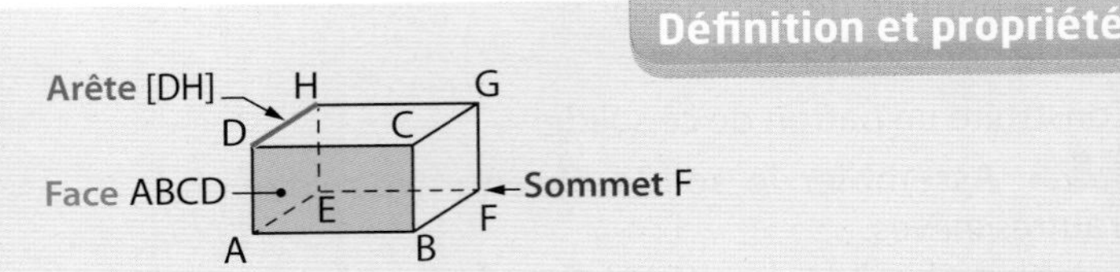

Le **cube** est un pavé droit particulier, ses 6 faces sont des carrés superposables.

Méthode

Pour représenter un solide sur un plan, on utilise la **perspective cavalière** en respectant les règles suivantes :

① Les arêtes de même longueur et parallèles sont représentées par des segments parallèles et de même longueur.
② Les arêtes cachées sont représentées en pointillés.
③ Les arêtes obliques sont représentées par des arêtes n'ayant pas la même longueur que dans la réalité.

Exemple

On représente ci-contre un pavé droit en perspective cavalière.

- Les segments [AE] et [BF] sont parallèles.
- Les longueurs **DH** et **CG** sont égales.
- L'arête [HE] est cachée.

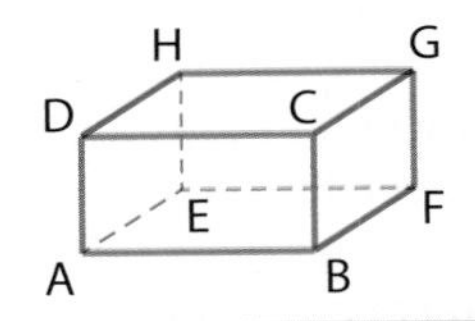

Définition

Un **patron** d'un solide est une figure en grandeur réelle qui, après pliage, permet de construire ce solide.

On représente ci-dessous un parallélépipède rectangle et l'un de ses patrons. Les faces de même couleur sont superposables.

Patron

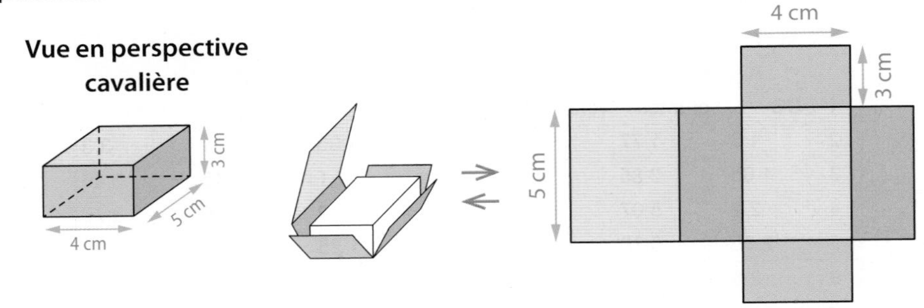

Propriété

Le **volume** $\mathcal{V}$ **d'un parallélépipède rectangle** de longueur L, de largeur ℓ et de hauteur h est donné par la formule :

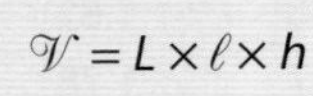

$$\mathcal{V} = L \times \ell \times h$$

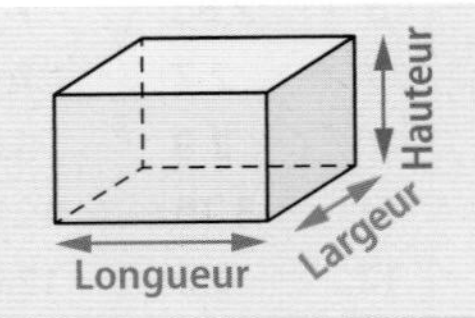

Exemple

Soit un parallélépipède de longueur $L = 10$ cm, de largeur $\ell = 5$ cm et de hauteur $h = 2$ cm.
Le volume de ce pavé droit est :
$\mathcal{V} = L \times \ell \times h = 10 \times 5 \times 2 = 100 \text{ cm}^3$

Les dimensions doivent être dans la même unité.

Savoir-faire

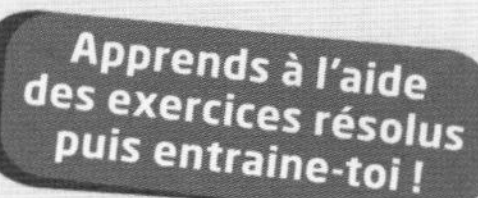

1 Reconnaitre et représenter un parallélépipède rectangle

1 Compléter cette figure qui représente un cube en perspective cavalière.

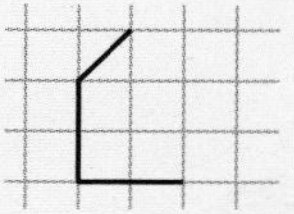

Solution

On complète la figure en plusieurs étapes en traçant les segments parallèles et de même longueur.

- **Étape 1**

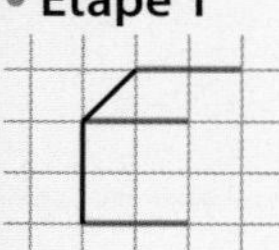

- **Étape 2**

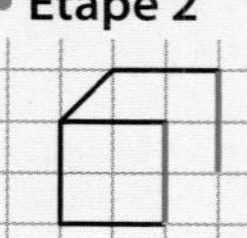

- **Étape 3**

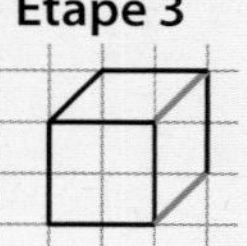

- **Étape 4**

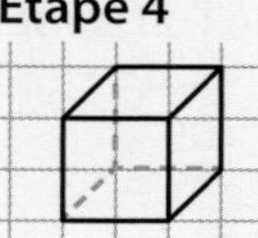

On n'oublie pas les arêtes cachées.

2 Dessiner un patron du parallélépipède rectangle ci-contre.

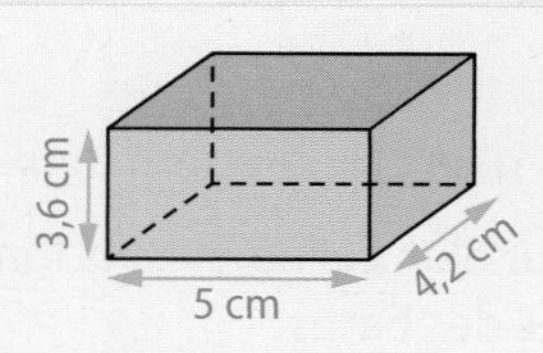

Solution

On construit le patron en plusieurs étapes.

- **Étape 1**
On trace une face en vraie grandeur.

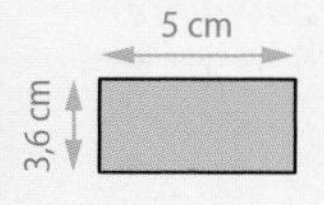

On choisit ici de construire le patron à partir de la face avant, coloriée en vert.

- **Étape 2**
On trace les faces qui ont une arête commune avec la précédente.

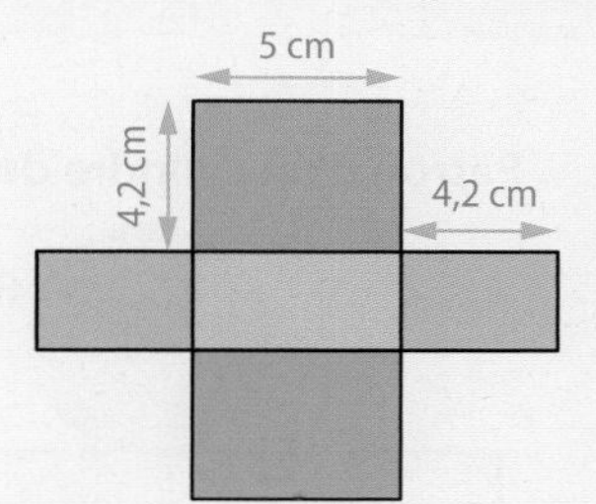

- **Étape 3**
On trace la dernière face en faisant attention aux égalités de longueur.

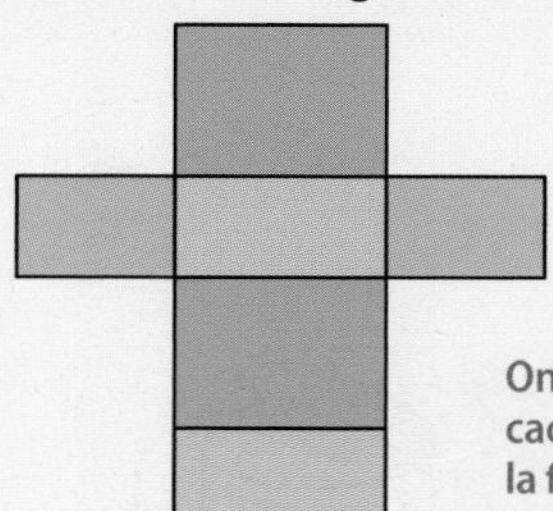

On termine par la face cachée, à l'arrière de la figure.

3 Reproduire et compléter cette figure pour obtenir une représentation en perspective cavalière d'un parallélépipède rectangle.

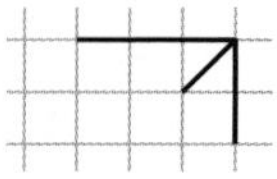

4 Tracer un patron d'un parallélépipède rectangle de largeur 3,5 cm, de longueur 4,5 cm et de hauteur 2,5 cm.

5 Calculer le volume d'un parallélépipède rectangle de longueur $L = 5,4$ cm, de largeur $\ell = 3,8$ cm et de hauteur $h = 2,9$ cm.

Solution

Le volume d'un parallélépipède rectangle est donné par la formule $\mathcal{V} = L \times \ell \times h$.
On remplace par les valeurs de l'énoncé : $\mathcal{V} = 5,4 \times 3,8 \times 2,9 = 59,508$ cm^3.
Les trois mesures sont en centimètres, le volume est en centimètres cubes.

Il faut vérifier que les longueurs sont bien exprimées dans la même unité.

6 Calculer le volume d'un parallélépipède rectangle de longueur $L = 6,4$ cm, de largeur $\ell = 27$ mm et de hauteur $h = 1,1$ dm.

2 Reconnaitre et représenter un cylindre de révolution ▶Vidéo

Définition

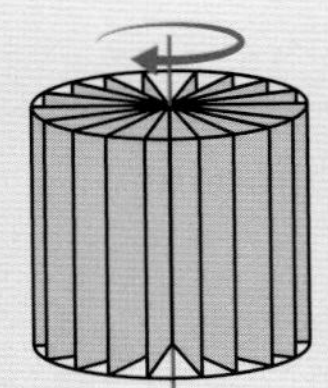

Un **cylindre de révolution** est un cylindre obtenu en faisant tourner un rectangle autour de l'un de ses côtés.

Définitions et propriété

- Les bases d'un cylindre sont deux **disques** de même rayon.
- La **hauteur** d'un cylindre est la longueur du segment qui joint les centres des bases.

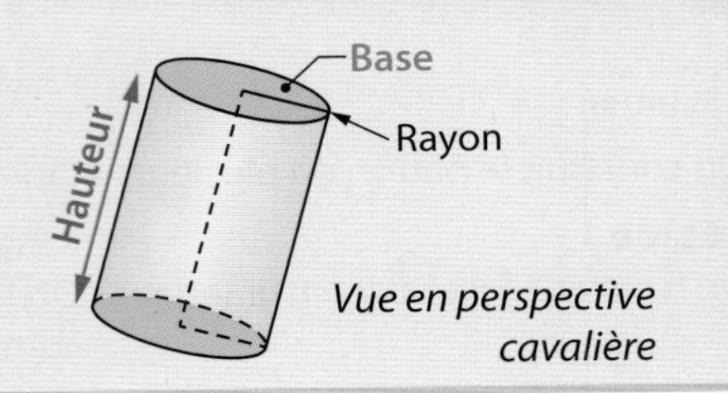

Patron d'un cylindre de révolution

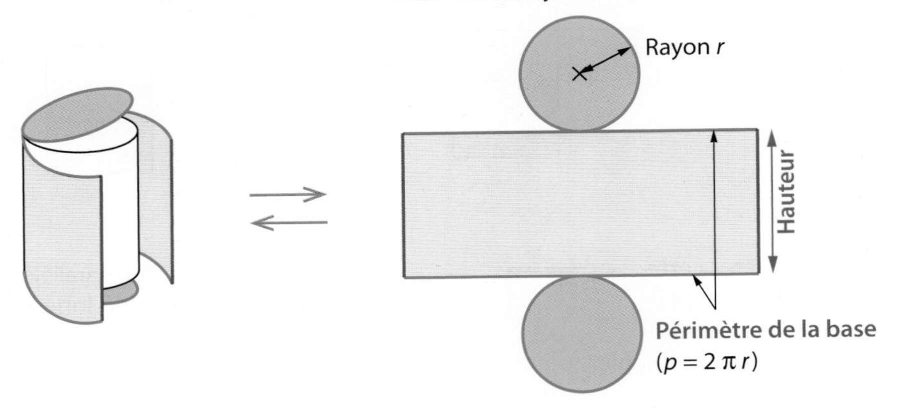

Propriété

Le **volume** $\mathcal{V}$ **d'un cylindre de révolution** de rayon r et de hauteur h est donné par la formule :

$$\mathcal{V} = \text{aire de la base} \times \text{hauteur} = \pi \times r^2 \times h$$

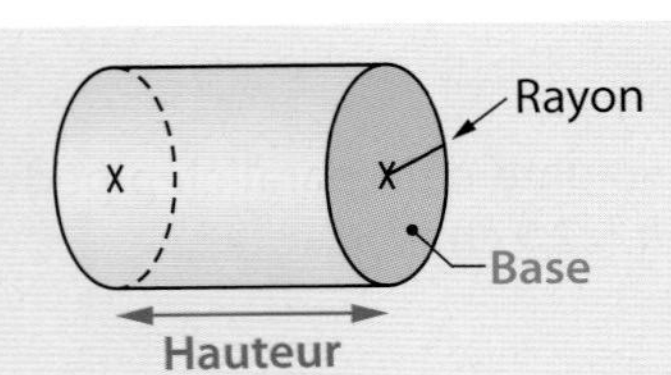

Soit un cylindre de rayon 3 cm et de hauteur 5 cm.
Son volume est donné par le calcul :
$\mathcal{V} = \pi \times 3 \times 3 \times 5 = 45\,\pi$
$\approx 141{,}4\ \text{cm}^3$

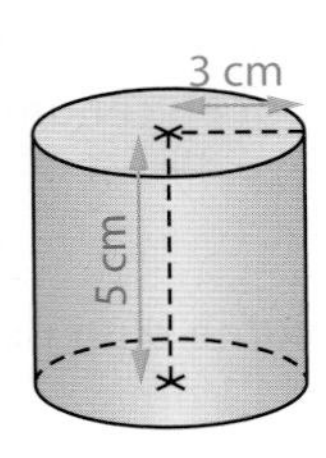

Savoir-faire

2 Reconnaitre et représenter un cylindre de révolution

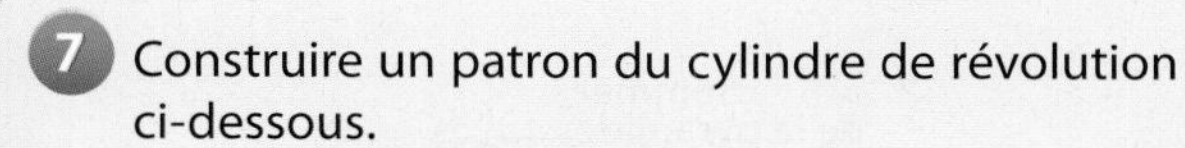

7 Construire un patron du cylindre de révolution ci-dessous.

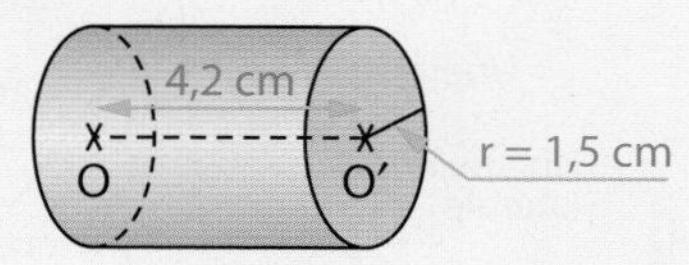

Solution

- **Étape 1**

On trace d'abord le premier cercle de rayon 1,5 cm.

Il faut calculer le périmètre du cercle :

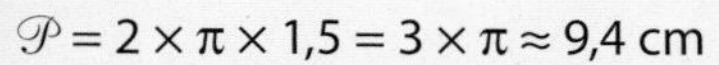

$\mathcal{P} = 2 \times \pi \times 1{,}5 = 3 \times \pi \approx 9{,}4$ cm

Ce périmètre est la longueur du rectangle qui constitue la face latérale.

- **Étape 2**

On trace le rectangle de longueur 9,4 cm et de largeur 4,2 cm.

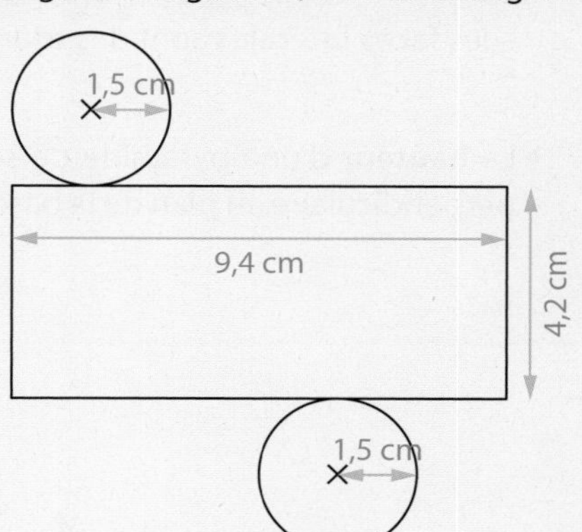

- **Étape 3**

On trace la deuxième base identique à la première.

8 Tracer un patron d'un cylindre de rayon 4,8 cm et de hauteur 6,7 cm.

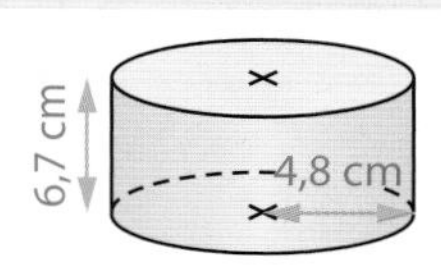

9 Calculer le volume d'un cylindre de révolution de hauteur 6 cm et de rayon 2,4 cm.

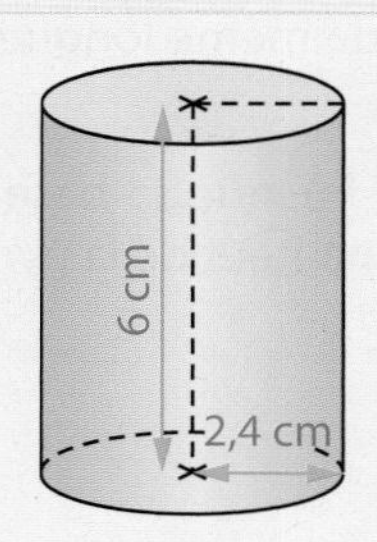

Solution

Toutes les unités sont en centimètres, le résultat sera en centimètres cubes.

- On utilise la formule du volume d'un cylindre :

$$\mathcal{V} = \pi \times r^2 \times h = \pi \times r \times r \times h$$

- On remplace par les valeurs de l'énoncé.

$$\mathcal{V} = \pi \times 2{,}4 \times 2{,}4 \times 6 \approx 108{,}6 \text{ cm}^3$$

On peut convertir les unités de volume et de capacité :
$1 \text{ dm}^3 = 1 \text{ L}$; $1 \text{ m}^3 = 1\,000 \text{ dm}^3$

$\mathcal{V} \approx 0{,}1086 \text{ dm}^3$
$\approx 0{,}1086$ L
$\approx 10{,}86$ cL

10 Calculer le volume d'un cylindre de révolution de rayon 7,9 cm et de hauteur 11,5 cm.

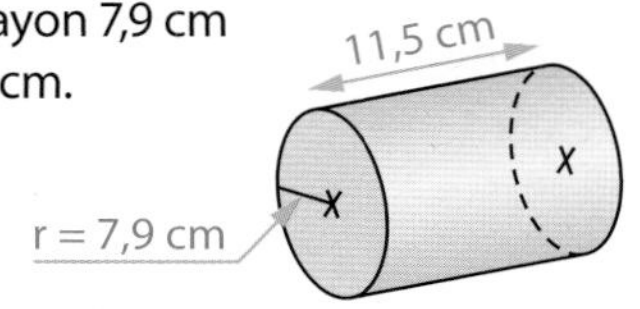

11 Calculer le volume d'un cylindre de révolution de rayon 156 mm et de hauteur 3,5 dm.

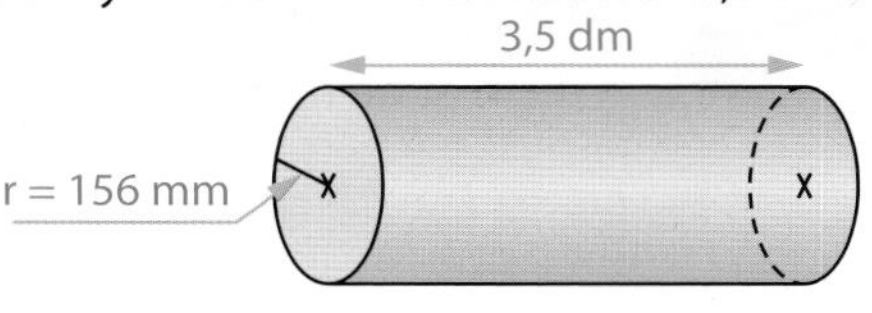

3 Reconnaitre et représenter une pyramide

Définitions

- Une **pyramide** de sommet S est un solide dont :
  – la base est un **polygone** (triangle, quadrilatère…) ;
  – les faces latérales sont des **triangles** de sommet S.
- La **hauteur** d'une pyramide de sommet S est le segment [SH] perpendiculaire au plan de la base, où H est un point de ce plan.

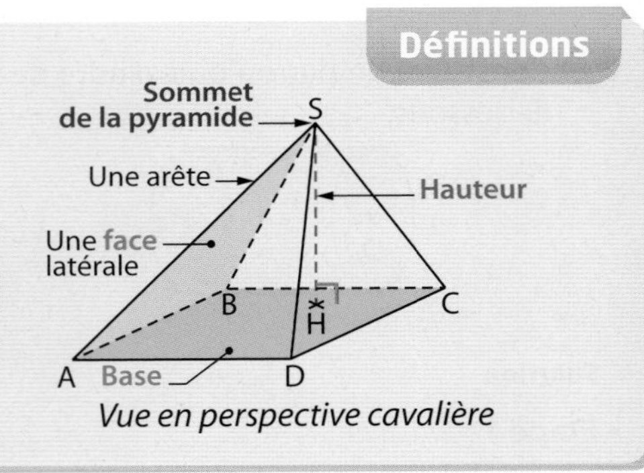

Vue en perspective cavalière

Patron d'une pyramide à base carrée

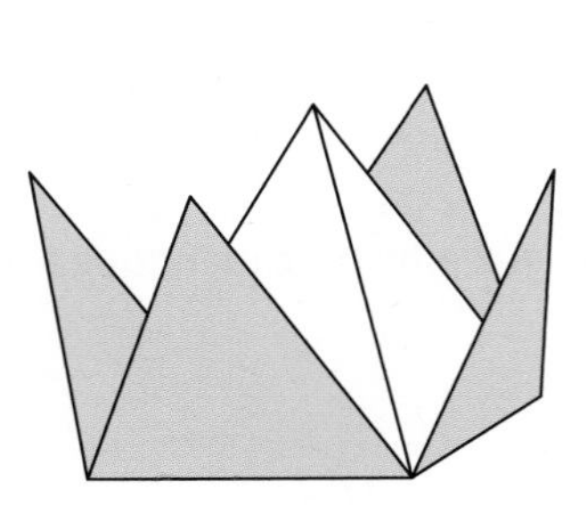

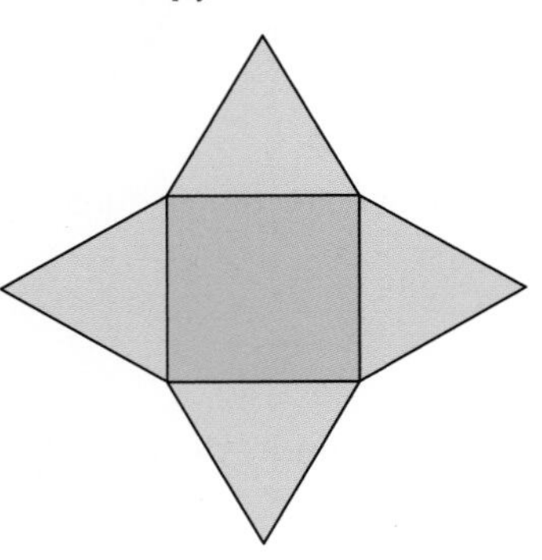

- Une pyramide dont la base est un triangle est appelée un **tétraèdre**.
- Un polygone est régulier si tous ses côtés sont de même longueur et si tous ses angles ont la même mesure.
- Une pyramide de sommet S est dite **régulière** lorsque sa base est un polygone régulier de centre O et que [SO] est la hauteur de la pyramide.

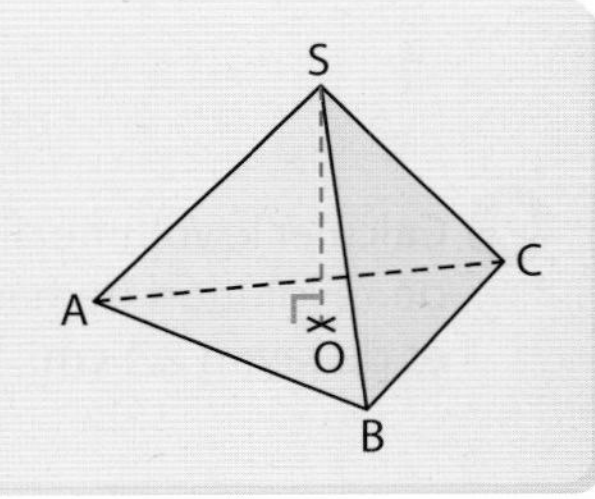

Propriété

- Le volume $\mathscr{V}$ d'une pyramide est donné par la formule :

$$\mathscr{V} = \frac{\text{aire de la base} \times \text{hauteur}}{3}$$

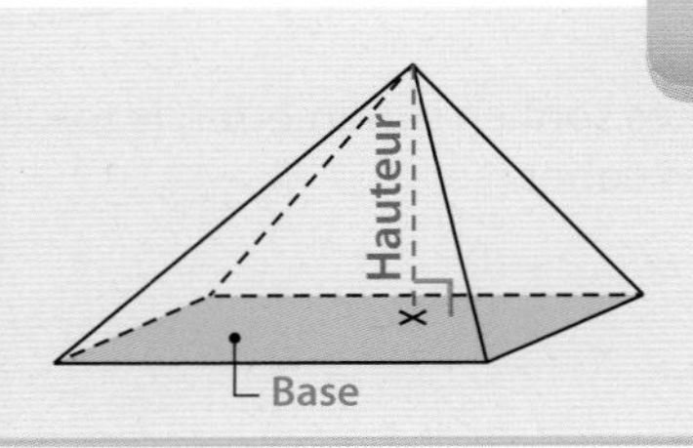

Exemple

Le volume d'une pyramide à base carrée de côté 4 cm et de hauteur 6 cm est donné par le calcul :

$$\mathscr{V} = \frac{4 \times 4 \times 6}{3} = 32 \text{ cm}^3$$

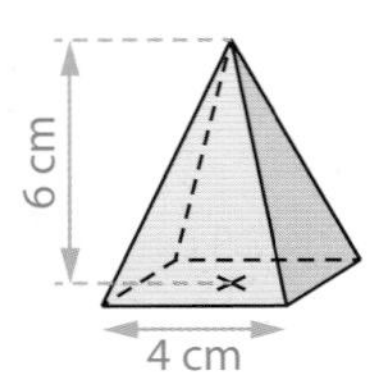

Savoir-faire

3 Reconnaitre et représenter une pyramide

12 Tracer un patron d'une pyramide à base carrée dont toutes les arêtes mesurent 4 cm.

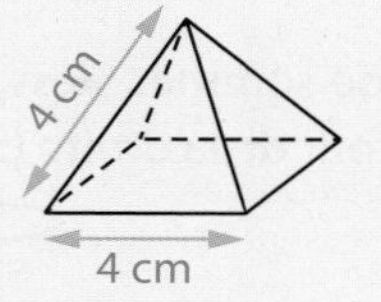

Solution

On trace d'abord la base : un carré de côté 4 cm.

Puis on trace les faces latérales qui sont des triangles équilatéraux de côté 4 cm.

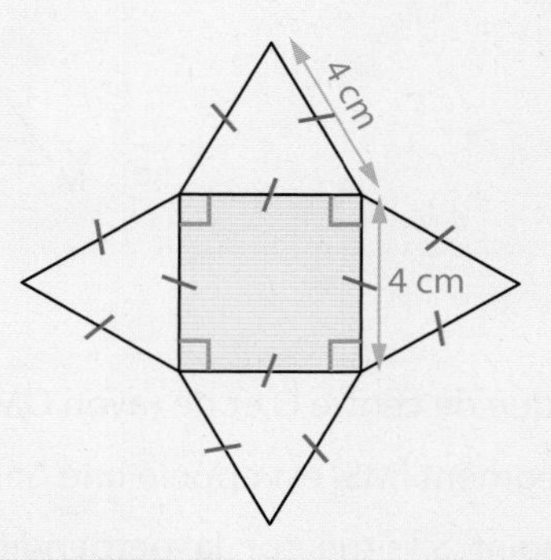

13 Calculer le volume d'une pyramide à base rectangulaire de longueur 95 cm, de largeur 6,7 dm et de hauteur 1,5 m.

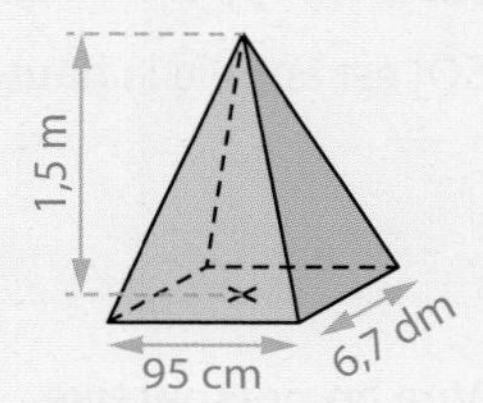

Solution

- On choisit de convertir toutes les mesures en décimètres :

  95 cm = 9,5 dm ;

  1,5 m = 15 dm

On aurait aussi pu les convertir en centimètres.

- On calcule d'abord l'aire de la base, c'est un rectangle, donc :

$$\mathcal{A} = \text{longueur} \times \text{largeur} = 9{,}5 \times 6{,}7 = 63{,}65 \text{ dm}^2$$

- On applique ensuite la formule du calcul du volume d'une pyramide.

$$\mathcal{V} = \frac{\text{aire de la base} \times \text{hauteur}}{3} = \frac{63{,}65 \times 15}{3} = 318{,}25 \text{ dm}^3$$

14 Calculer le volume d'une pyramide à base carrée de côté 5,4 cm et de hauteur 6,3 cm.

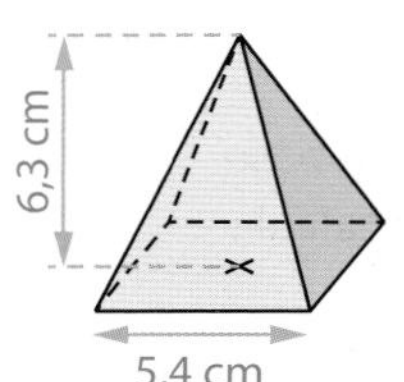

15 Calculer le volume d'une pyramide de hauteur 345 cm et qui a pour base un rectangle de longueur 58 dm et de largeur 4,2 m.

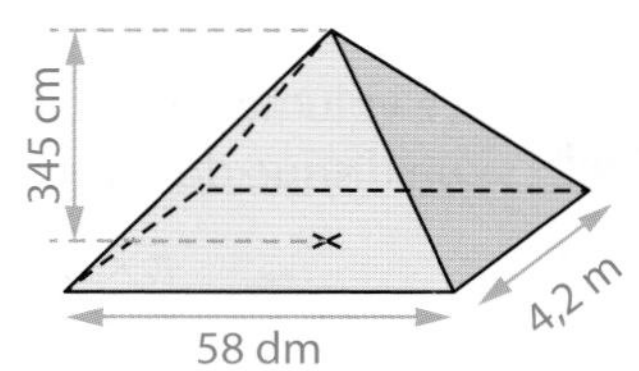

4 Reconnaitre et représenter un cône de révolution

Vidéo

Définition

Un **cône de révolution** de sommet S est un solide obtenu par la rotation d'un triangle SOM rectangle en O, autour de la droite (SO).

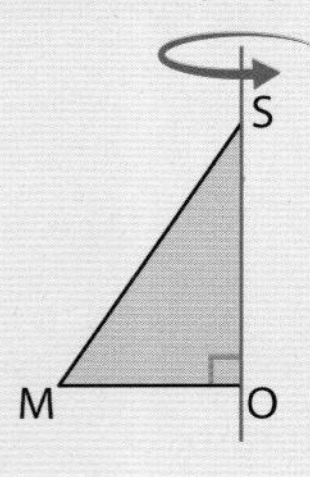

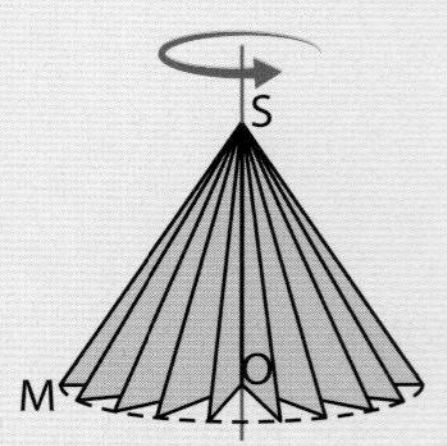

Définitions

Le disque de centre O et de rayon OM est la **base** de ce cône.

- Le segment [MS] est appelé une **génératrice** de ce cône.
- Le point S, situé sur la perpendiculaire en son centre au disque de la base, est appelé le **sommet** de ce cône.
- Le segment [SO] est appelé la **hauteur** de ce cône.

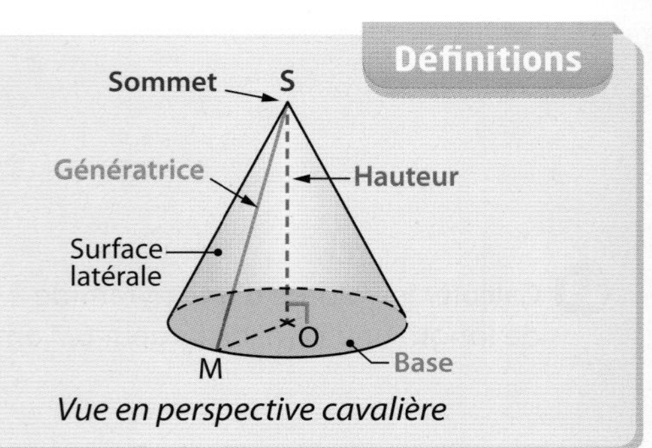

Vue en perspective cavalière

Vue en perspective

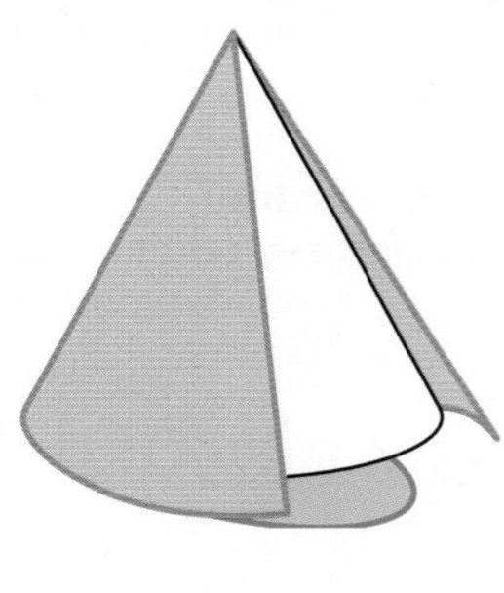

Patron

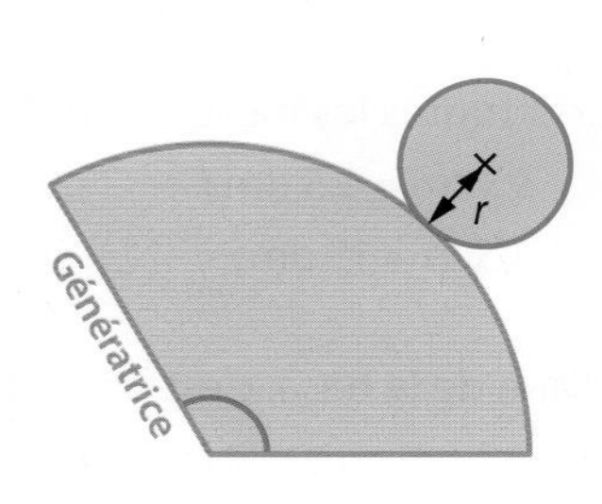

Propriété

- Le volume $\mathscr{V}$ d'un cône de révolution est donné par la formule :

$$\mathscr{V} = \frac{\text{aire de la base} \times \text{hauteur}}{3}$$

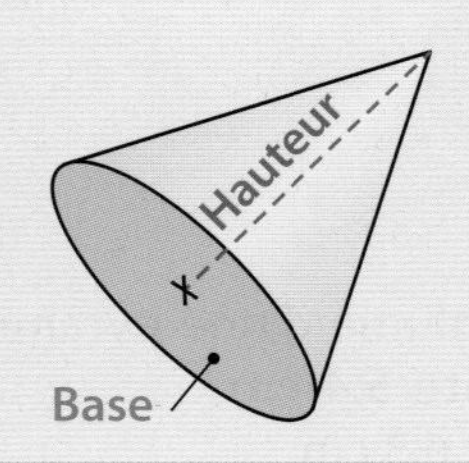

Exemple

Le volume d'un cône de hauteur 5 cm et de base un disque de rayon 2 cm est donné par le calcul :

$$\mathscr{V} = \frac{\pi \times 2 \times 2 \times 5}{3} = \frac{20\pi}{3} \approx 21 \text{ cm}^3$$

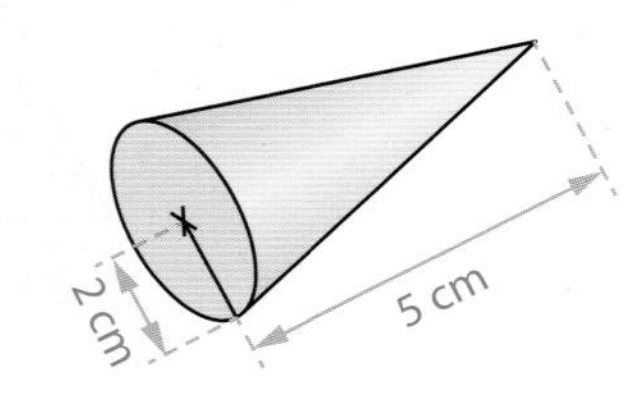

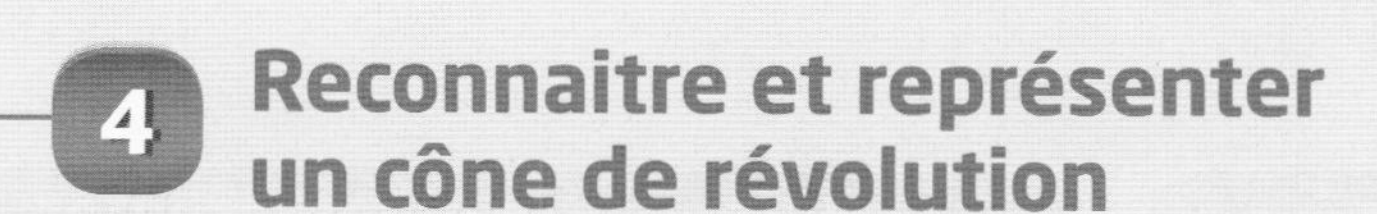

4 Reconnaitre et représenter un cône de révolution

16 Construire un patron du cône ci-contre.

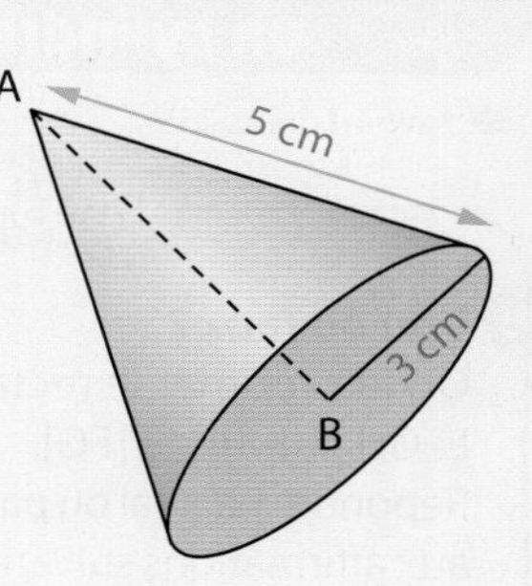

Solution

On commence par faire un patron à main levée.

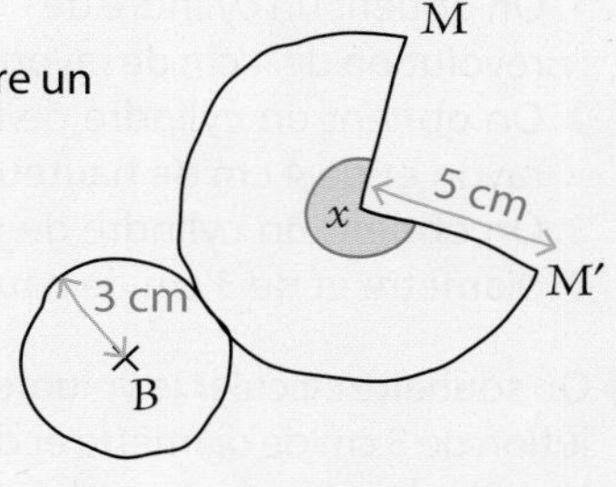

• On calcule d'abord la longueur de l'arc de cercle qui relie M à M′ :
$2 \times \pi \times r = 2 \times \pi \times 3 = 6\,\pi$ cm

• On calcule ensuite le périmètre du disque de centre S et de rayon 5 cm.
$\mathscr{P}_{\text{disque}} = 2 \times \pi \times 5 = 10\,\pi$ cm

• On calcule enfin la mesure x de l'angle vert. Sachant que la longueur de l'arc est proportionnelle à la mesure de l'angle, on utilise un tableau de proportionnalité.

Mesure de l'angle (en °)	360	x
Longueur de l'arc (en cm)	$10\,\pi$	$6\,\pi$

$\times \dfrac{360}{10\pi}$

$x = 6\,\pi \times \dfrac{360}{10\pi} = 216°$.

On peut alors tracer le patron en grandeur réelle.

17 Calculer le volume d'un cône de révolution de rayon 21 cm et de hauteur 15 dm.

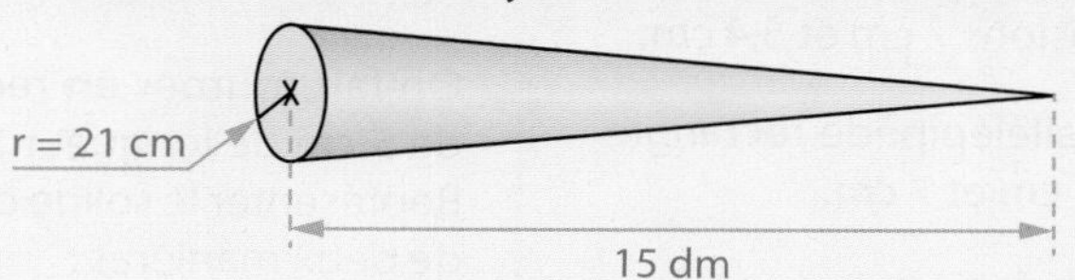

Solution

15 dm = 150 cm.

On calcule d'abord l'aire de la base. C'est un disque, donc :

$\mathscr{A} = \pi \times \text{rayon}^2 = \pi \times 21^2 = 441\,\pi\ \text{cm}^2$

On applique ensuite la formule du calcul du volume d'un cône.

$\mathscr{V} = \dfrac{\text{aire de la base} \times \text{hauteur}}{3} = \dfrac{441\,\pi \times 150}{3} \approx 69\,272\ \text{cm}^3$

On peut convertir les unités de volume et de capacité :
1 dm³ = 1 L ; 1 dm³ = 1 000 cm³
$\mathscr{V} \approx 69{,}272\ \text{dm}^3$
$\approx 69{,}272$ L

18 Construire un patron du cône obtenu en faisant tourner le triangle rectangle ci-dessous auour du côté [AB].

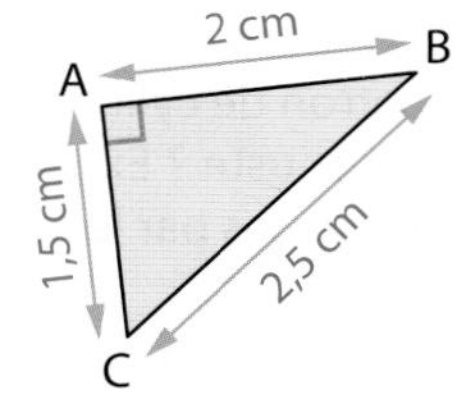

19 Calculer le volume d'un cône de révolution de rayon 6,7 cm et de hauteur 5,6 dm.

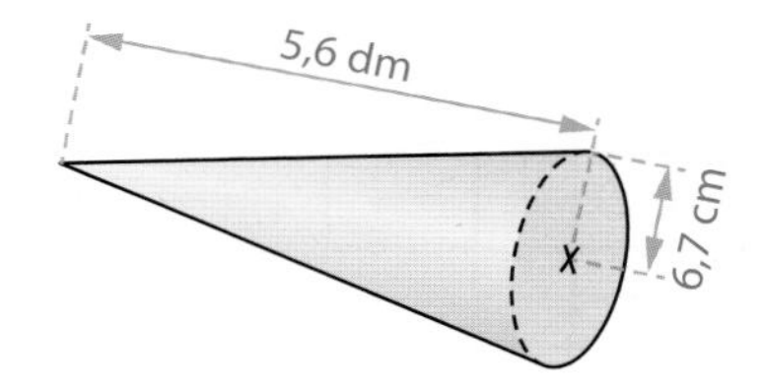

Exercices

2 pages d'exercices supplémentaires dans le manuel numérique

Reconnaitre et représenter un parallélépipède rectangle

Savoir-faire p. 253

Questions flash

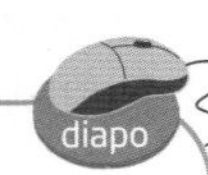

20 **Vrai ou faux ?**

On a représenté ci-contre un parallélépipède rectangle en perspective cavalière.

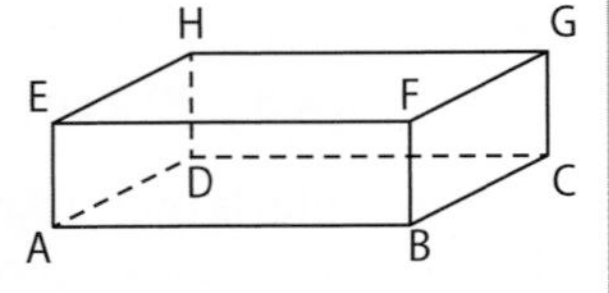

Dire si les affirmations suivantes sont vraies ou fausses.

1. AEHD n'est pas un rectangle.
2. AEHD et FBCG sont parallèles.
3. L'arête [GC] n'est pas visible.
4. AEFB est un rectangle.
5. FBC est un triangle rectangle.

21 Représenter en perspective cavalière un parallélépipède rectangle de longueur 7 cm, de largeur 5,4 cm et de hauteur 4,5 cm. On choisira de représenter en face avant la face ayant pour dimensions 7 cm et 5,4 cm.

22 Construire un patron d'un parallélépipède rectangle ayant pour dimensions 4 cm, 5 cm et 7 cm.

23 1. Calculer le volume d'un cube de 54 mm de côté.

2. Calculer le volume d'un parallélépipède rectangle ayant pour dimensions 0,32 cm, 6 mm et 36 mm.

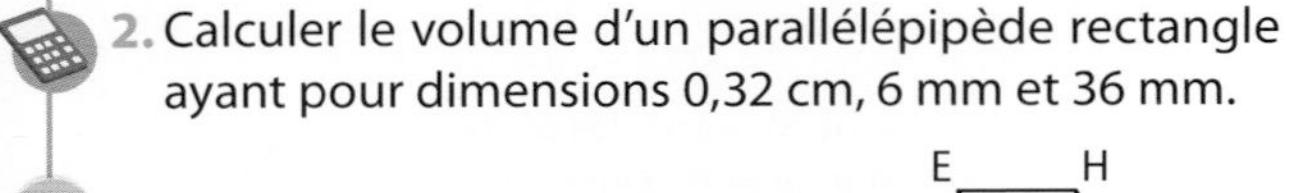

24 On représente ci-contre un parallélépipède rectangle en perspective cavalière.

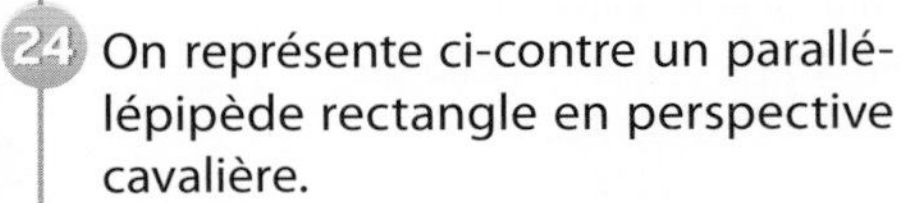

1. Nommer ce solide.
2. Représenter en vraie grandeur les faces EFGH et EABF.

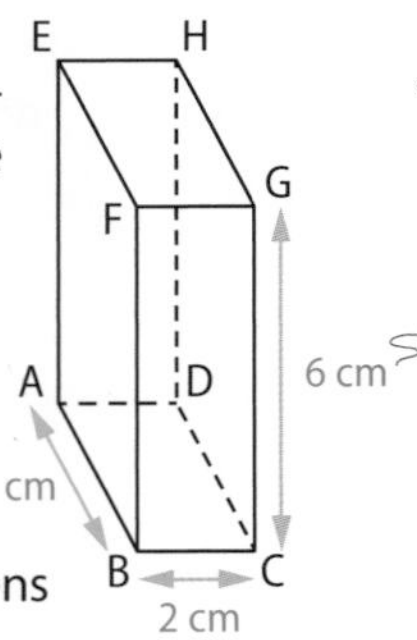

25 Les patrons suivants sont-ils des patrons de parallélépipèdes rectangles ?

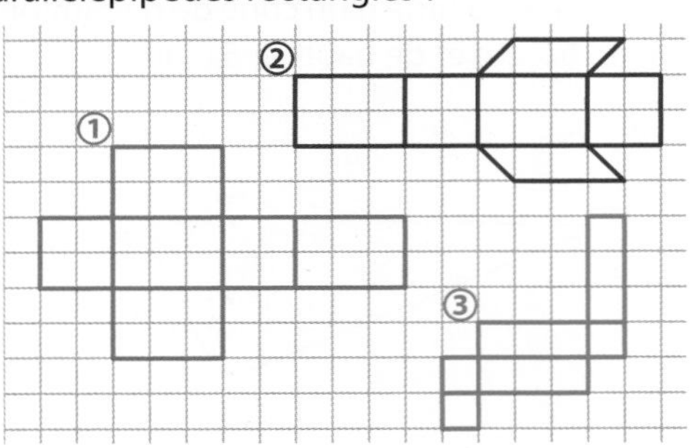

Reconnaitre et représenter un cylindre de révolution

Savoir-faire p. 255

Questions flash

diapo

26 **Vrai ou faux ?**

On fait tourner le rectangle EFGH autour de [FG].
Répondre par vrai ou par faux aux affirmations suivantes.

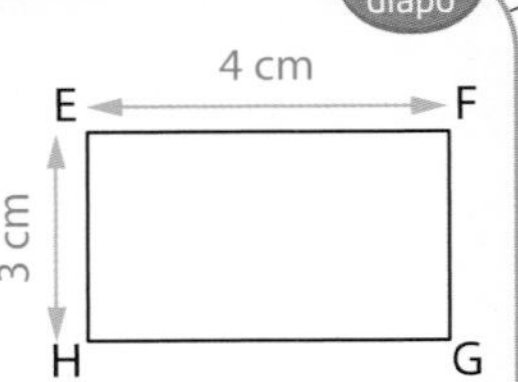

1. On obtient un cylindre de révolution de 4 cm de rayon et de 3 cm de hauteur.
2. On obtient un cylindre de révolution de 3 cm de rayon et de 4 cm de hauteur.
3. On obtient un cylindre de révolution de 4 cm de diamètre et de 3 cm de hauteur.

27 On souhaite calculer le volume d'un cylindre de révolution de 8 cm de diamètre et de hauteur 10 cm. Parmi les calculs suivants, lequel doit-on effectuer ?

a. $8 \times 8 \times \pi \times 10$ b. $10 \times 10 \times \pi \times 8$
c. $8 \times 10 \times \pi \times \pi$ d. $4 \times 4 \times \pi \times 10$

28 On fait tourner un rectangle de 3 cm de largeur et de 5 cm de longueur autour d'une de ses longueurs. Représenter le solide obtenu en perspective cavalière de deux manières :

a. le solide est posé sur l'une de ses bases ;
b. une base du solide est face à l'observateur.

29 Construire un patron d'un cylindre de révolution de 3 cm de rayon et de 7 cm de hauteur.

30 **Vrai ou faux ?**

On représente en perspective cavalière un cylindre de révolution de 3 cm de rayon du disque de base et de hauteur 5 cm.
Répondre par vrai ou faux.

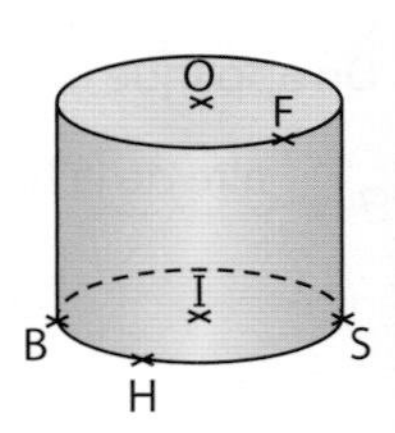

1. OF = 3 cm. 2. SH = 6 cm. 3. OH = 5 cm. 4. OI = 5 cm.
5. OIS est un triangle rectangle en I.
6. OBS est un triangle isocèle.

31 Trois élèves ont dessiné un croquis de patron de cylindre de révolution.

- Qui a juste ? Expliquer les erreurs commises par les autres élèves.

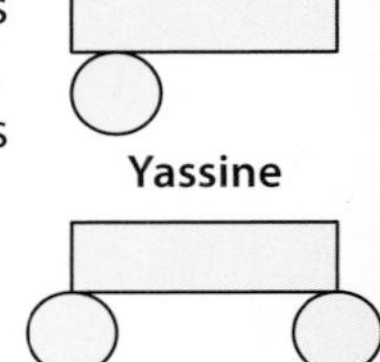

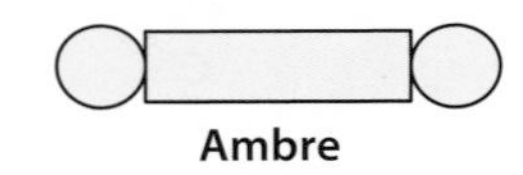

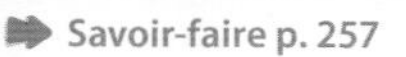

Reconnaitre et représenter une pyramide

Savoir-faire p. 257

Questions flash

2 Parmi les solides ci-dessous, lesquels sont des pyramides ?

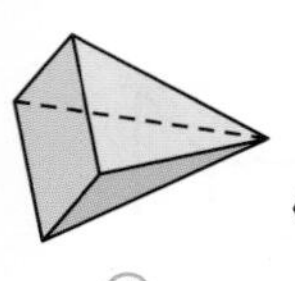
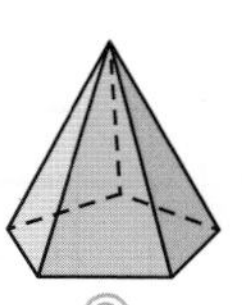
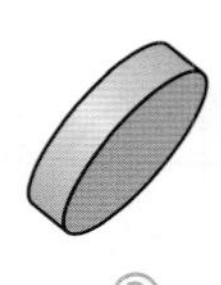
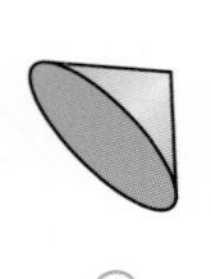
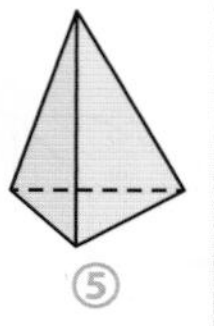

① ② ③ ④ ⑤

3 Pour les pyramides précédentes, préciser la nature de leur base.

4 ABCDEFGH est un pavé droit tel que AB = 5,4 cm, BC = 3 cm et CG = 4,2 cm.

- Calculer le volume de la pyramide BEFGH.

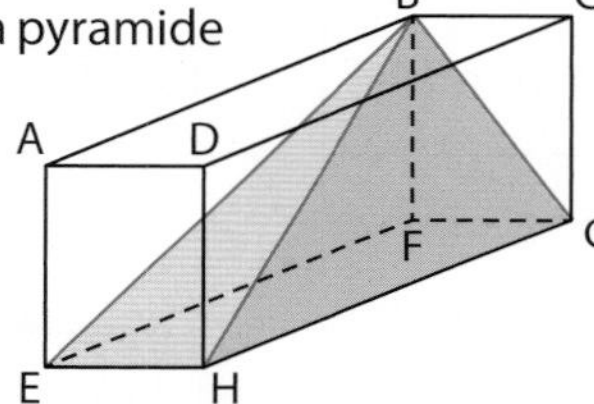

5 On considère la pyramide régulière ci-dessous telle que SA = 7 cm et AB = 5 cm.

1. Quelle est la nature de sa base ?
2. Quelle est la nature des triangles SHB, SBC et AHB ?

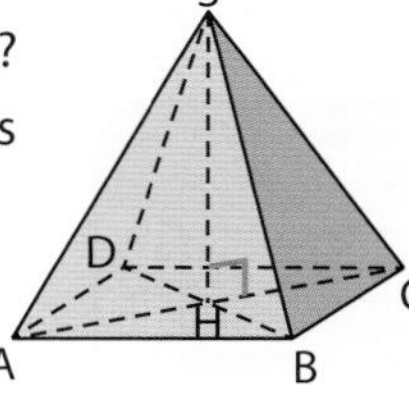

6 **Vrai ou faux ?**

Dire si les affirmations suivantes sont vraies ou fausses.

1. Une pyramide n'a pas de patron.
2. Les faces latérales d'une pyramide sont des rectangles.
3. La base d'une pyramide peut être un disque.
4. La base d'une pyramide est un polygone.
5. La base d'une pyramide ne peut pas être un triangle.
6. Les faces latérales d'une pyramide régulière sont des triangles isocèles.

7 Calculer le volume d'une pyramide dont la base est le parallélogramme ci-contre et de hauteur 2,8 cm.

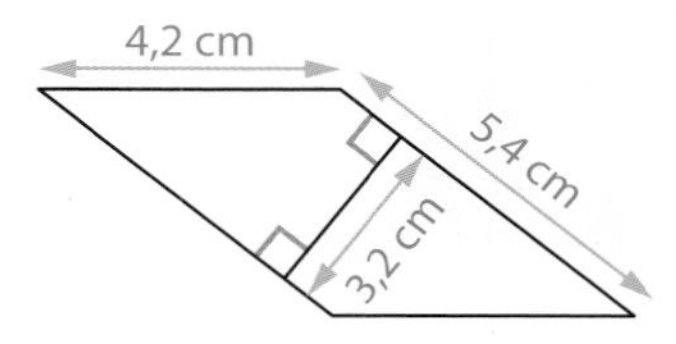

Reconnaitre et représenter un cône de révolution

Savoir-faire p. 259

Questions flash

diapo

38 Si on fait tourner le triangle rectangle SOB autour de [SO], préciser la nature et les caractéristiques du solide obtenu.

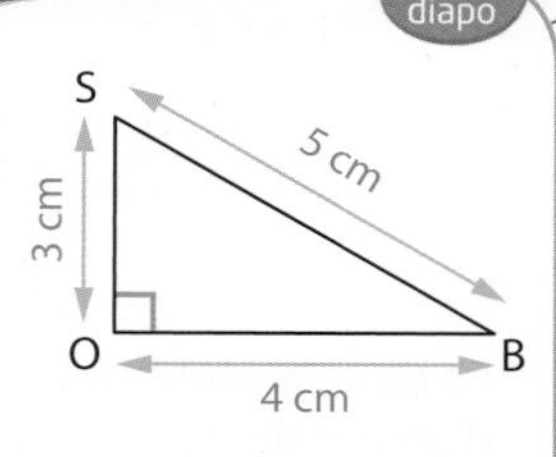

39 Quel calcul permet de trouver le volume de ce cône de révolution ?

a. $\dfrac{8 \times 8 \times \pi \times 10}{3}$

b. $\dfrac{6 \times 6 \times \pi \times 10}{3}$

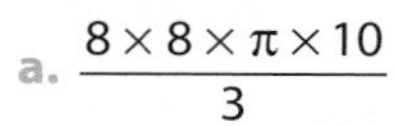

c. $\dfrac{6 \times 6 \times \pi \times 8}{3}$

d. $\dfrac{10 \times 10 \times \pi \times 8}{3}$

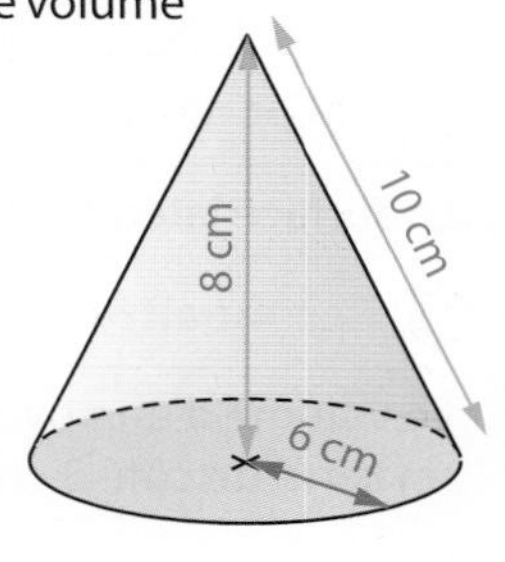

40 On donne le triangle rectangle suivant pour créer un cône.

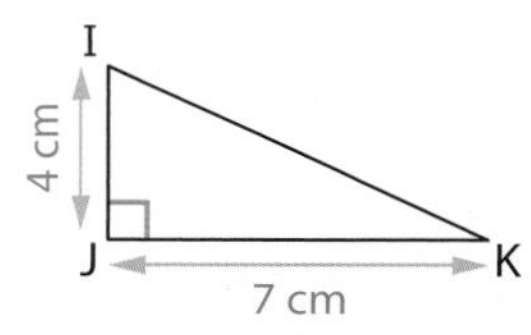

1. Obtient-on un cône de révolution dans les cas suivants ?
   a. On fait tourner le triangle IJK autour de [IJ].
   b. On fait tourner le triangle IJK autour de [JK].
   c. On fait tourner le triangle IJK autour de [IK].
2. Préciser le sommet, la hauteur, le centre et le rayon du disque de base du (ou des) cône(s) obtenu(s).
3. Calculer le volume de ce(s) cône(s).

41 Parmi les figures suivantes, lesquelles ne représentent pas des patrons de cône de révolution ?

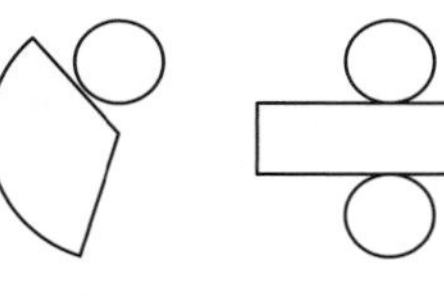
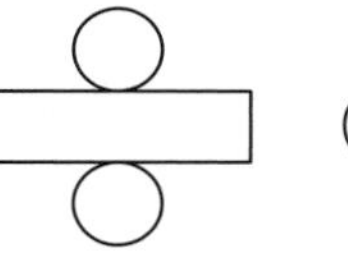
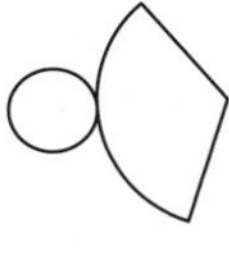
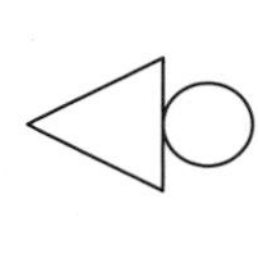

① ② ③ ④

42 Construire un patron d'un cône de révolution de génératrice 13 cm et de diamètre 6 cm.

Faire le point

QCM

Donner la seule réponse correcte parmi les trois proposées.

1 Reconnaitre et représenter un parallélépipède rectangle	Réponse A	Réponse B	Réponse C
La représentation en perspective cavalière d'un parallélépipède rectangle est :		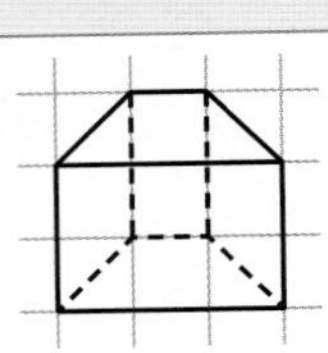	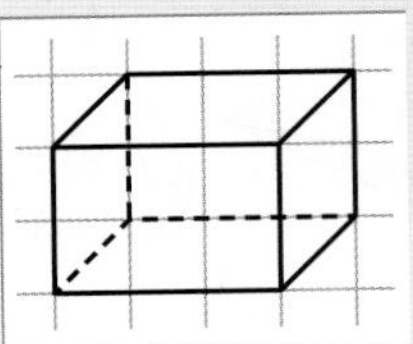

2 Reconnaitre et représenter un cylindre de révolution			
La surface latérale d'un cylindre de révolution est :	un disque	un rectangle	un ovale

3 Reconnaitre et représenter une pyramide			
Le volume d'une pyramide dont la base est un carré de côté 3 cm et de hauteur 6 cm est :	18 cm^3	54 cm^3	27 cm^3

4 Reconnaitre et représenter un cône de révolution			
Le volume d'un cône de révolution de rayon 3 cm et de hauteur 6 cm est :	54π cm^3	18π cm^3	12π cm^3

Carte mentale

Les solides

Le parallélépipède rectangle

$\mathcal{V} = \mathcal{B} \times h$

$\mathcal{V} = L \times \ell \times h$

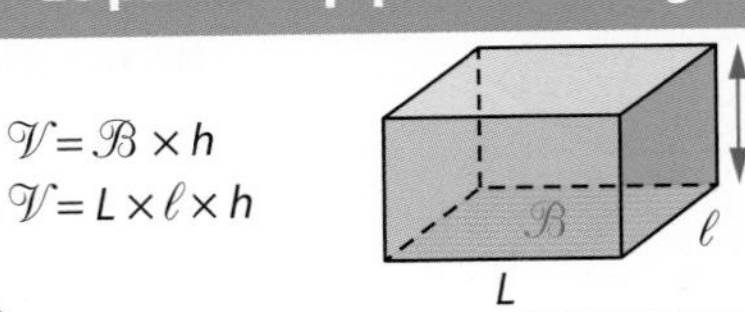

Le cylindre de révolution

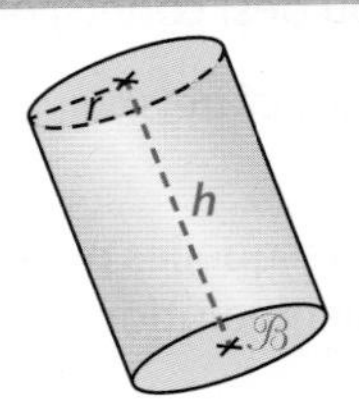

$\mathcal{V} = \mathcal{B} \times h$

$\mathcal{V} = \pi \times r^2 \times h$

Le cône de révolution

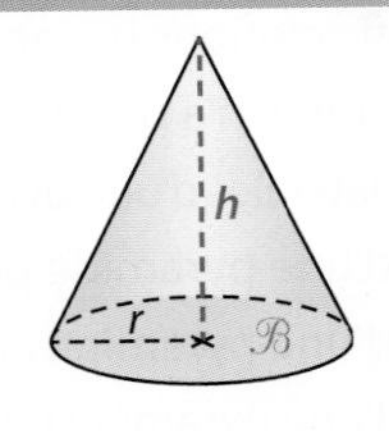

$\mathcal{V} = \dfrac{\mathcal{B} \times h}{3}$

La pyramide

$\mathcal{V} = \dfrac{\mathcal{B} \times h}{3}$

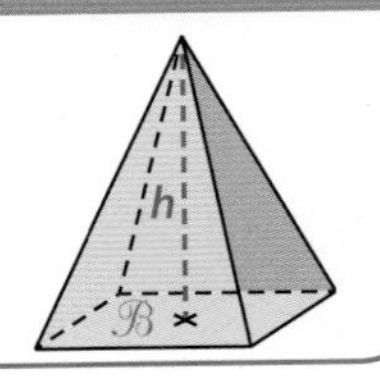

$\mathcal{B}$ = aire d'une base

*Tu peux aussi construire ta propre carte mentale.

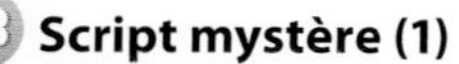

43 Script mystère (1)

À quoi sert le script suivant ?

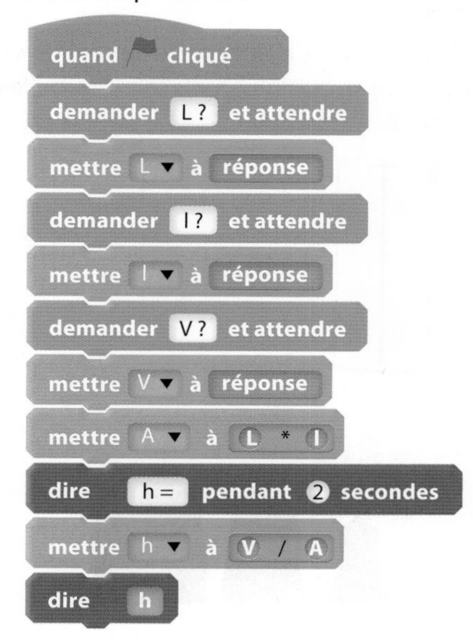
quand cliqué
demander L ? et attendre
mettre L à réponse
demander l ? et attendre
mettre l à réponse
demander V ? et attendre
mettre V à réponse
mettre A à L * l
dire h = pendant 2 secondes
mettre h à V / A
dire h

44 Script mystère (2)

ABCDEFGH est un cube de 5 cm de côté.
M est un point de [AE].
On note x la longueur AM.

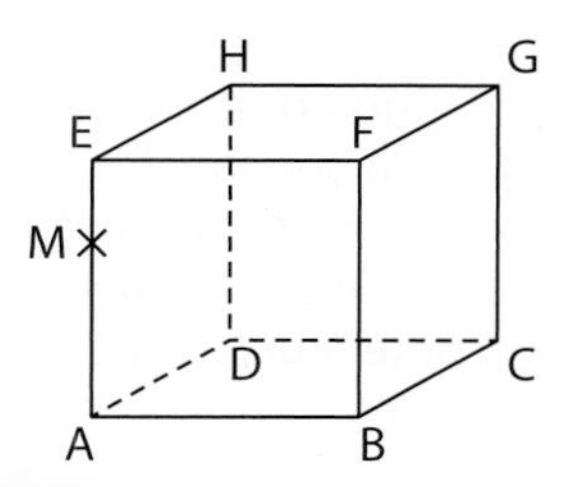
H
G
E
F
M
D
C
A
B

1. Que permet de calculer le script suivant ?

```
demander x ? et attendre
mettre x à réponse
mettre V à 25 * x / 3
dire 125 – V pendant 2 secondes
```

2. Que renvoie ce script quand :
   - $x = 0$?
   - $x = 3$?

45 Le plus court chemin

Une fourmi est dans une boite en forme de pavé droit. Elle doit choisir le trajet le plus court parmi les trois proposés.
À l'aide d'un logiciel de géométrie dynamique, trouver le chemin qu'elle doit prendre.

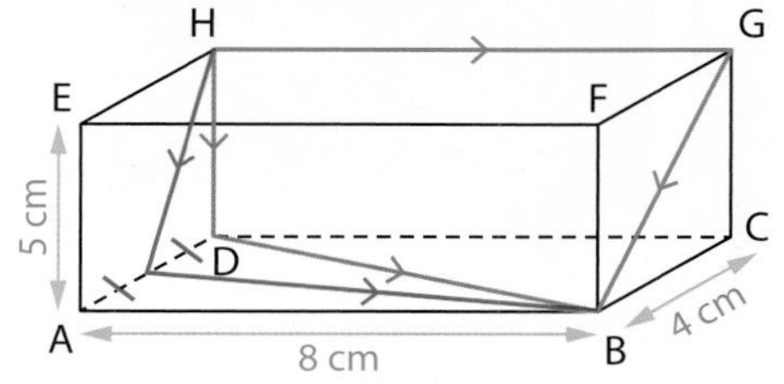
H
G
E
F
5 cm
D
C
A
8 cm
B
4 cm

46 Même volume

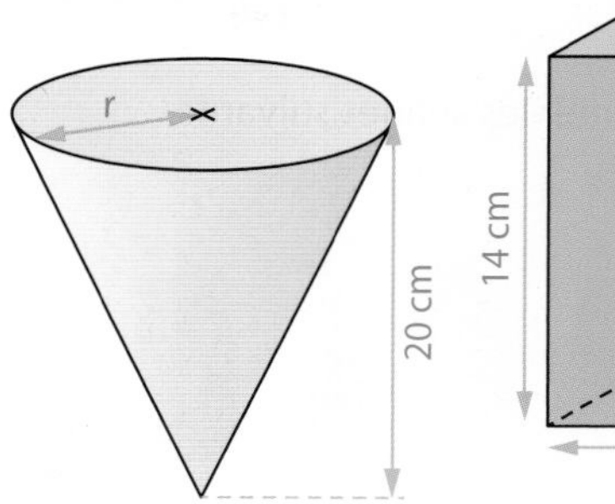
r
20 cm

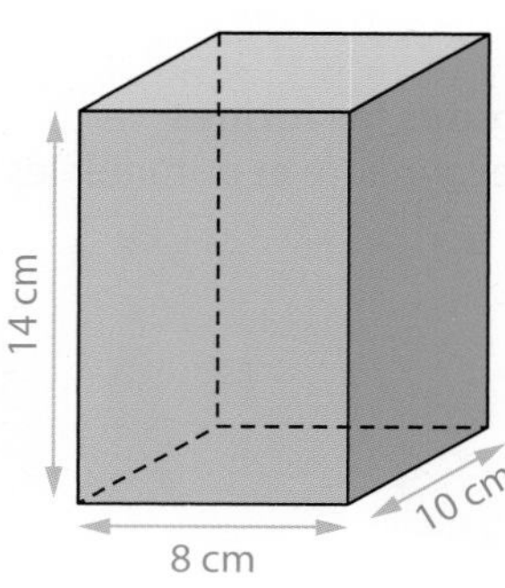
14 cm
8 cm
10 cm

1. À l'aide d'un tableur, déterminer une valeur approchée, au millimètre près, du rayon du cône pour que ces deux récipients aient le même volume.
2. On verse 250 cm^3 d'eau dans le récipient parallélépipédique. À l'aide du tableur, déterminer une valeur approchée au millimètre près de la hauteur d'eau dans le récipient.

47 Ma grange

À l'aide d'un logiciel de géométrie dynamique, réaliser la modélisation de la grange ci-dessous pour pouvoir visualiser ensuite les différentes vues (dessus, dessous, devant, derrière, gauche et droite).

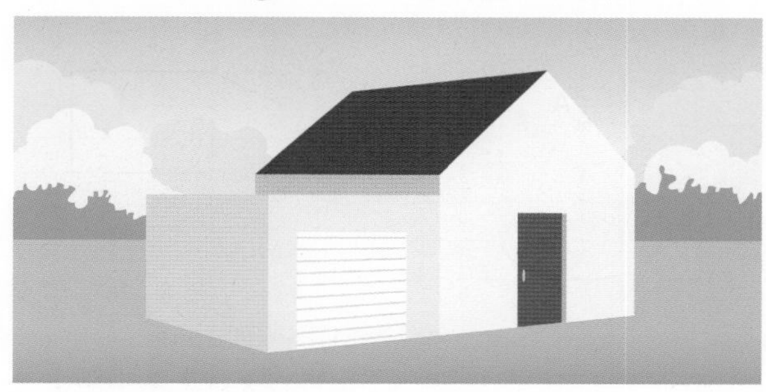

Dimensions du garage
Longueur : 5,50 m
Largeur : 4,50 m
Hauteur : 4 m

Dimensions de la porte de garage
Largeur : 2,50 m
Hauteur : 2 m

Dimensions de la grange
Longueur : 5,50 m
Largeur : 5 m
Hauteur des murs jusqu'en bas du toit : 5 m
Hauteur maximale (au sommet du toit) : 8 m

Dimensions de la porte de la grange
Largeur : 1,50 m
Hauteur : 2 m

Pour mieux cibler les compétences			
Chercher	68	Raisonner	54 67
Modéliser	52 60 74	Calculer	73 74
Représenter	55 57 59	Communiquer	69 74

48 Toutes les formes

Reconnaitre et nommer les solides suivants.

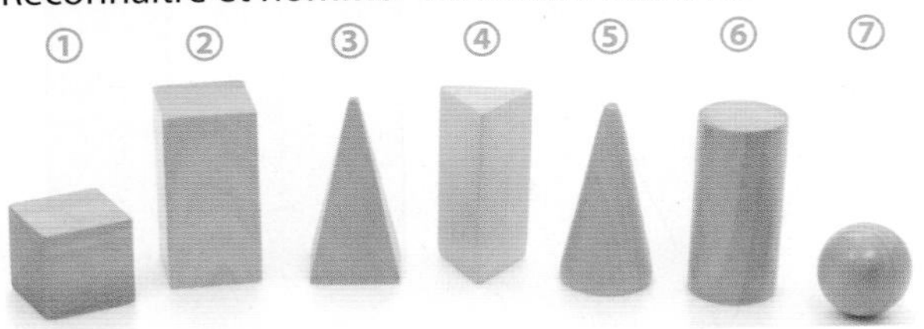

49 La piscine

Une piscine a la forme d'un parallélépipède rectangle de longueur 25 m, de largeur 10 m et de profondeur 2,30 m. Elle est remplie aux trois quarts.

- Quel volume d'eau, en litres, est présent dans la piscine ?

50 Perspectives

On a commencé ci-dessous la représentation en perspective cavalière d'un parallélépipède rectangle, d'un cylindre, d'une pyramide et d'un cône de révolution.

- Identifier chaque solide et terminer sa représentation en perspective cavalière.

a.

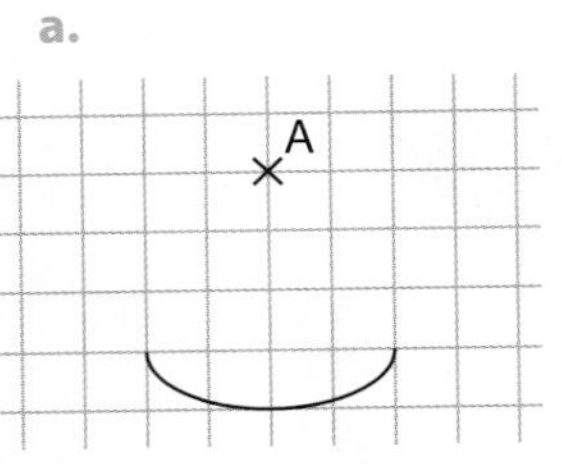

b.

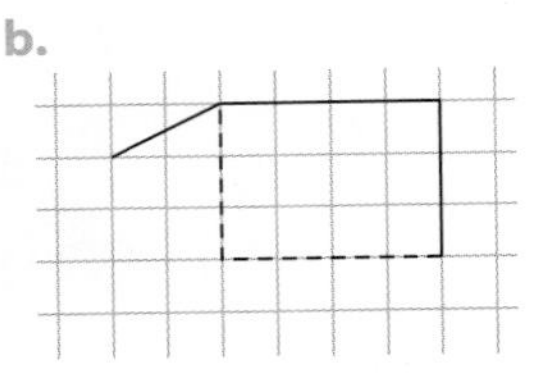

c.

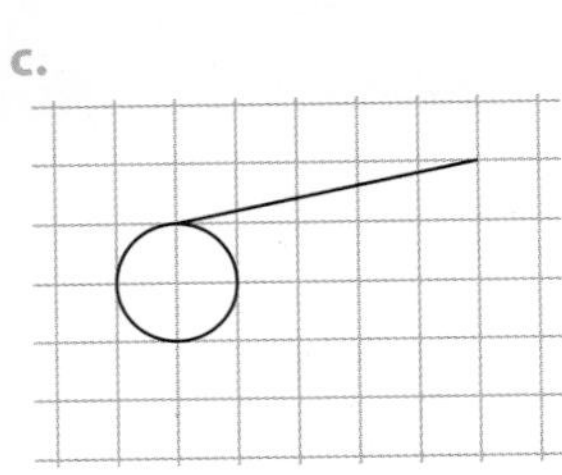

d.

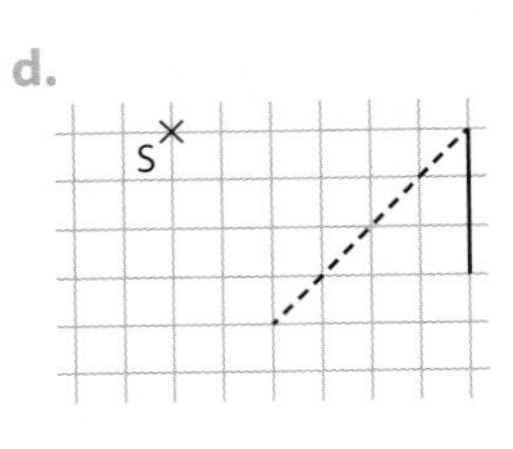

51 La borne

Calculer une valeur approchée, au cm^3 près, du volume du solide suivant.

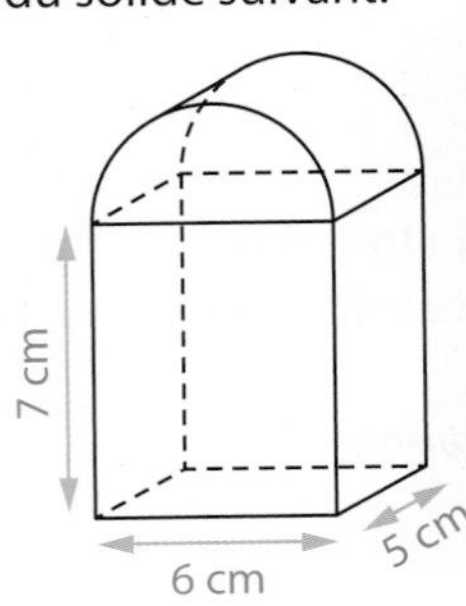

52 Les poubelles

1. M. Duchamp vient d'acheter une toute nouvelle poubelle pour sa cuisine. Quels sacs poubelle devra-t-il acheter ?

2. Combien de sacs poubelle pleins pourra-t-il mettre dans ce conteneur placé devant sa maison ? On assimilera le conteneur à un pavé droit.

53 Buche de Noël

1. Réaliser un patron du solide ci-contre.
2. Calculer une valeur approchée, au cm^3 près, de son volume.

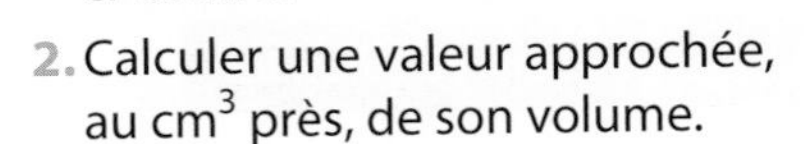

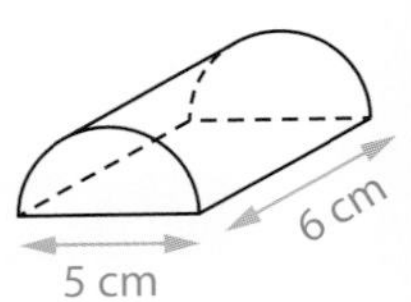

54 Peinture

Cédric veut repeindre sa chambre qui mesure 4 m sur 3,10 m et a une hauteur sous plafond de 2,40 m. Il y a une porte de dimensions 93 cm sur 220 cm et une fenêtre de dimensions 115 cm sur 100 cm.

Le site internet lui donne les renseignements suivants sur la peinture.

- Combien Cédric va-t-il devoir acheter de pots de peinture pour repeindre les murs de sa chambre ?

5 Cadeau

Justine veut faire un paquet cadeau en forme de pyramide régulière d'arête 5 cm pour empaqueter le flacon de parfum qu'elle va offrir.

- Proposer trois modèles de patron à Justine.

6 La coupe est pleine

Un verre a une partie supérieure en forme de cône de révolution de sommet S, de hauteur [OS] telle que OS = 9 cm et de rayon [OA] tel que OA = 4 cm.

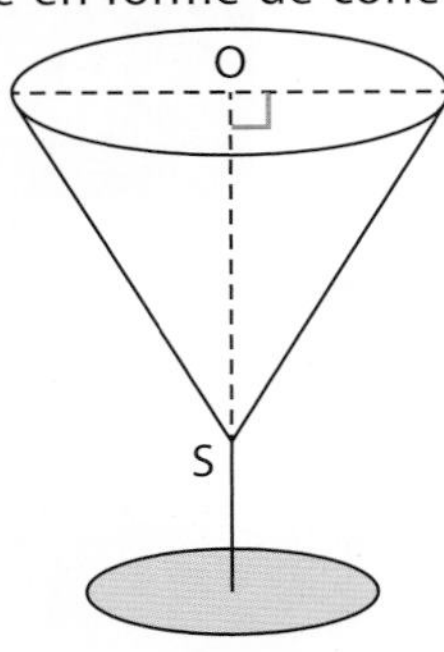

1. Montrer que le volume de ce verre, en cm^3, est égal à 48π.

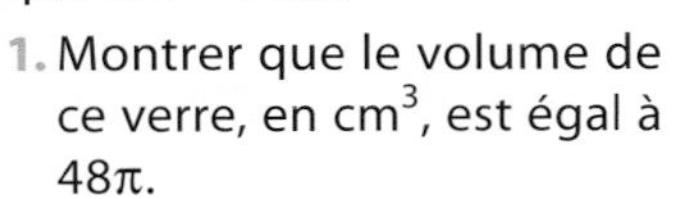

2. Avec un litre d'eau, combien de fois peut-on remplir entièrement ce verre ?

D'après DNB Nouvelle-Calédonie 2008.

7 Des vues

À partir de cet assemblage de solides, réaliser les vues de dessus, de face et de droite.

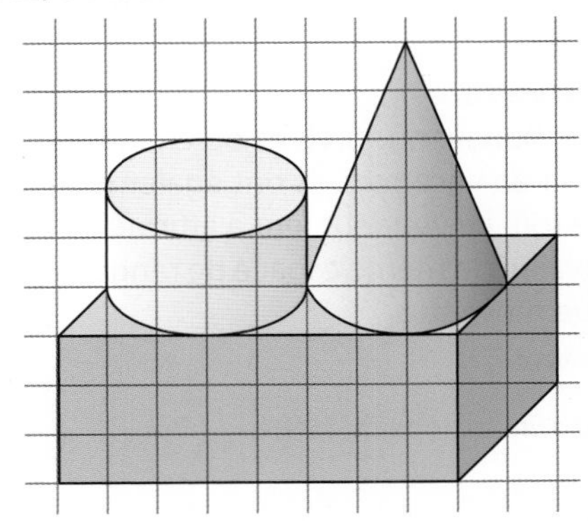

8 Pot à crayons

Marie veut décorer son pot à crayons en le recouvrant avec du papier assorti à son sous-main.
Elle le mesure avec sa règle et trouve un diamètre de 6,6 cm pour une hauteur de 9,5 cm.

- Quelles seront les dimensions de la bande de papier nécessaire ?

59 Un solide en projection

On présente ci-dessous différentes vues d'un même solide.

Vue de droite | Vue de face | Vue de gauche

Vue de dessus

- Dessiner ce solide en perspective cavalière.

60 Ruban

On souhaite décorer une boite-cadeau cylindrique à l'aide d'un ruban. La boite a un rayon de 4 cm, une hauteur de 10 cm et il faut 40 cm de ruban pour le nœud.

- Calculer la longueur nécessaire pour le ruban autour de ce paquet cadeau.

61 Découpage

On a découpé le parallélépipède rectangle en deux parties comme indiqué sur la figure ① ci-dessous, puis on a assemblé les deux parties pour former le solide de la figure ②.

1. Quel est le volume du nouveau solide ?
2. Quelle est l'aire de la face avant ?

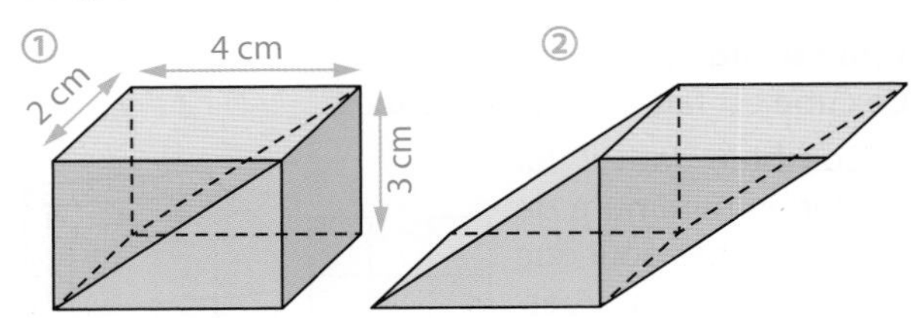

62 Maquette de la pyramide du Louvre

Prise d'initiative

PEAC

Recherche les dimensions de la pyramide du Louvre et en réaliser une maquette à l'échelle $\frac{1}{500}$.

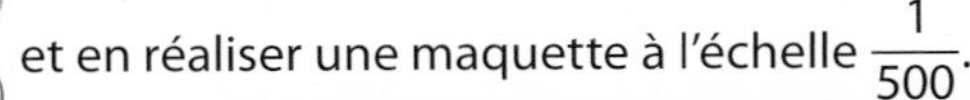

Problèmes

63 Gaspillage

CIT

Poubelle
hauteur 67 cm x diamètre 51 cm
Matière principale :
100 % plastique

Les élèves d'un collège de Périgueux ont été sensibilisés à la lutte contre le gaspillage alimentaire. Un groupe d'élèves s'est intéressé au gaspillage du pain en relevant à la fin de chaque semaine le nombre de poubelles de pain jeté pendant six semaines.

Le modèle de poubelle utilisé est décrit ci-dessus.

Voici le nombre de poubelles de pain relevé par les élèves :
- semaine 1 : 2 poubelles entières
- semaine 2 : 3 poubelles entières
- semaine 3 : 2 poubelles entières et une demi-poubelle
- semaine 4 : 2 poubelles entières et un quart de poubelle
- semaine 5 : trois quarts de poubelle
- semaine 6 : 2 poubelles entières

- En moyenne, quel est le volume approximatif de pain gaspillé par semaine dans ce collège ? Donner la réponse en litres.

64 Cube tronqué

Prise d'initiative

Ce cube est fait de 27 petits cubes.

- Combien faut-il lui ôter au minimum de petits cubes pour que chacune des vues, de droite, de dessus et de face, soit celle ci-contre ?

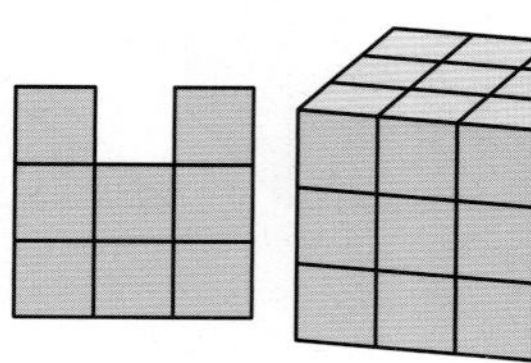

D'après Kangourou des mathématiques 2014.

65 Bouteille

Combien de verres de 25 cL peut-on remplir à ras bord avec cette bouteille ?

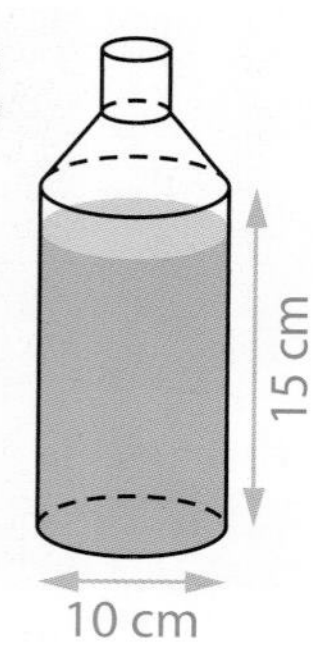

66 Maquette du Flat Iron Building

LV

Find the dimensions of the Flat Iron Building in New York then make a $\frac{1}{500}$ scale model of it.

67 Aquarium

Emma vient de verser 50 L d'eau dans cet aquarium.

- Quelle est la hauteur de l'eau ?

Dimensions de l'aquarium : L 60 cm × ℓ 30 cm × h 41 cm

68 Coffre de voiture

Prise d'initiative

La famille Bonaventura vient de changer de voiture pour partir en vacances. Ils ont également acheté un coffre de toit. Le vendeur leur a affirmé qu'ainsi équipés, ils avaient le même espace de rangement qu'une remorque moyenne.

- Est-ce vrai ?

Doc. 1 Dimensions du coffre

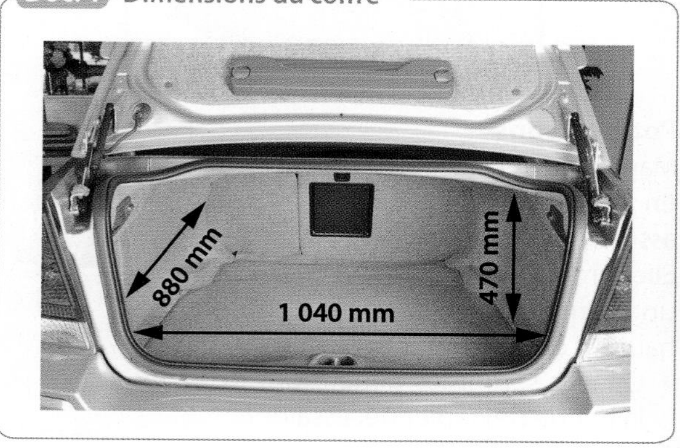

Doc. 2 Dimensions du coffre de toit

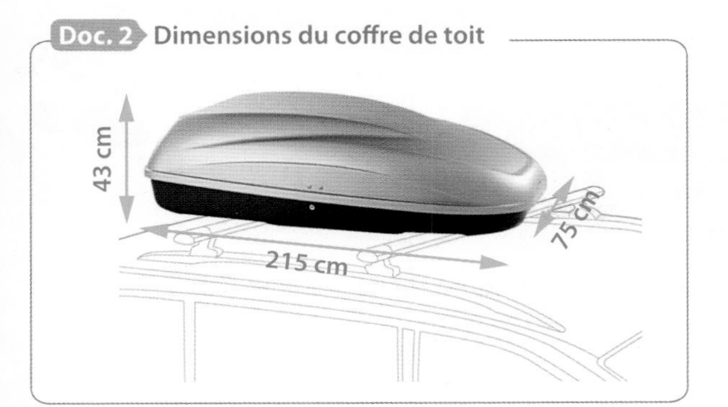

Doc. 3 Dimensions d'une remorque moyenne

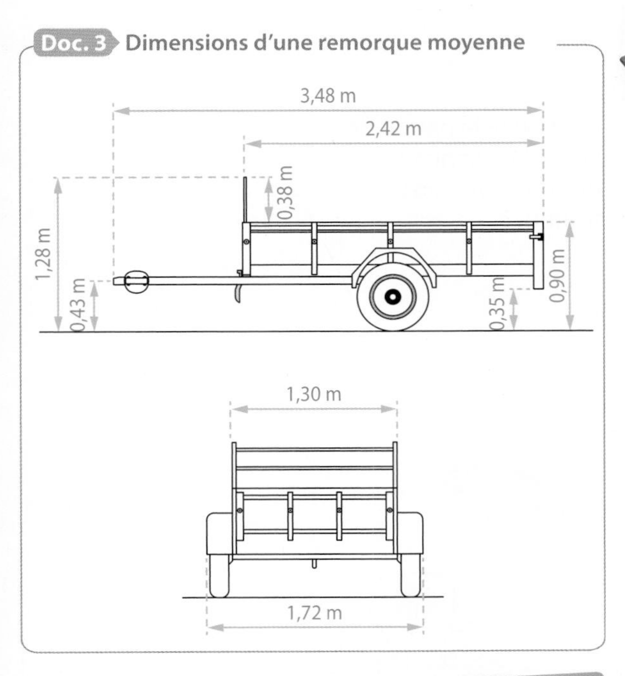

9 Moulin à vent

Prise d'initiative

On veut faire une maquette de ce moulin à vent.
La hauteur totale du moulin est de 15 m, la hauteur des murs de 13 m et le diamètre de 5 m.

- Réaliser ce travail.

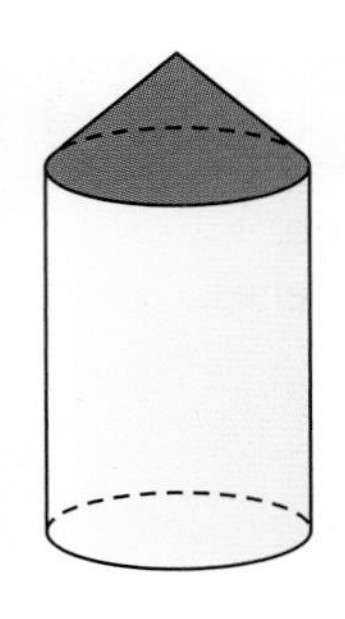

0 Le bon moule

Prise d'initiative

Gaétan est en train de faire un gâteau. Au moment de verser la pâte dans son moule rectangulaire, il réalise que le plat est beaucoup trop petit : la pâte arrive à ras bord.

18 cm
7 cm
25 cm

Il décide de prendre un nouveau moule, de hauteur 6 cm, mais il se demande si ce moule n'est pas trop petit pour accueillir toute la pâte.

- Qu'en est-il ?

71 Sablier

Un sablier est constitué de cônes identiques de rayon 1,4 cm et de hauteur 1,7 cm.
Lorsque le cône du bas est vide, le cône du haut est rempli de sable. Il s'écoule 20 mm^3 de sable par seconde.

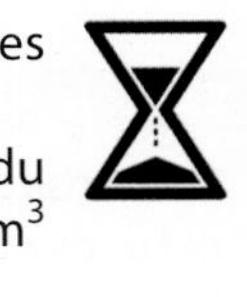

- Calculer le temps mis par le sable pour s'écouler.

72 Le prisme qui tourne

Faire tourner le prisme orange comme indiqué, puis le représenter dans un cube en perspective cavalière.

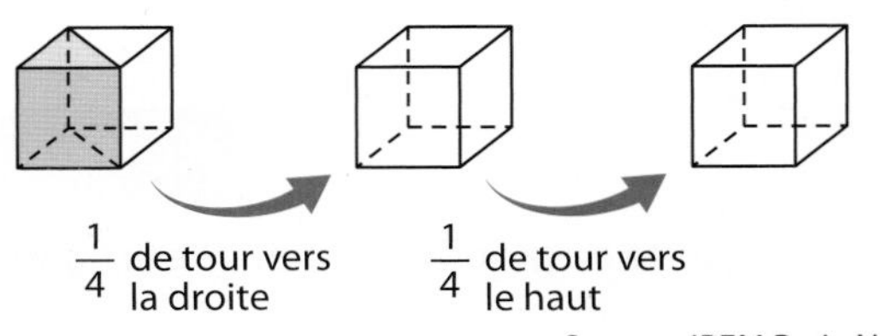

Source : IREM Paris-Nord.

73 Eau chaude

Julien est intéressé par ce cumulus pour chauffer l'eau. Le fabricant indique un volume de 300 L et un diamètre de 505 mm, mais ne donne pas la hauteur.

- Aider Julien à la calculer.

74 Promotion

Prise d'initiative

Un marchand indique sur sa nouvelle boite de conserve qu'il a rajouté 27 % de produit en plus par rapport à l'ancien modèle.

- Quelle est la hauteur de la nouvelle boite de conserve sachant que le diamètre n'a pas changé ? Justifier la réponse.

Travailler autrement

Utilisable en AP

À chacun sa méthode !

Deux énoncés pour un exercice

Exercice 1

Compléter la figure de ce cube en perspective cavalière.

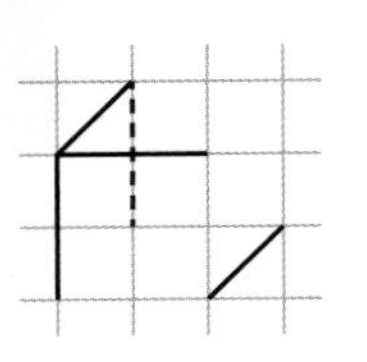

Exercice 2

Construire le patron de cette pyramide tronquée.

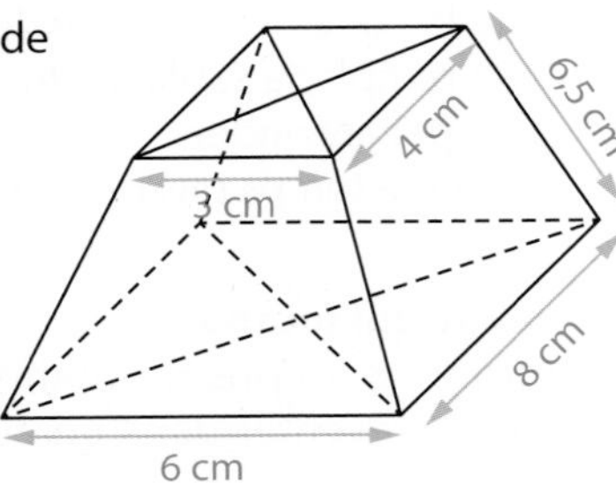

Exercice 1

Compléter la figure de ce cube en perspective cavalière.

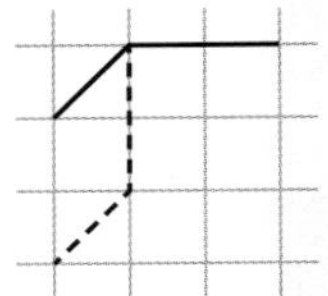

Exercice 2

Construire le patron de la partie manquante de cette pyramide tronquée.

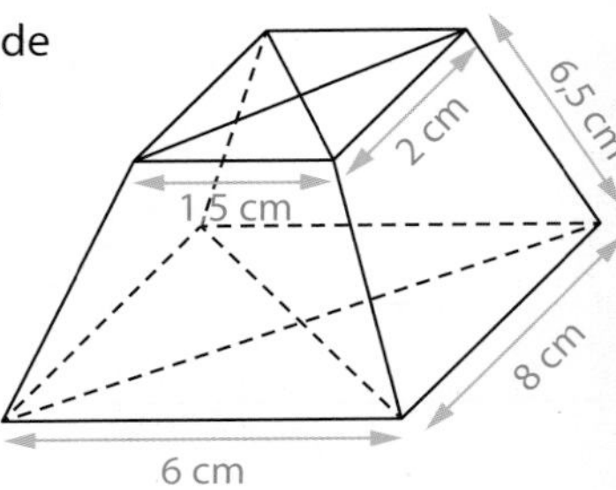

Écriture d'un énoncé

Écrire un énoncé de problème à partir de la figure suivante.

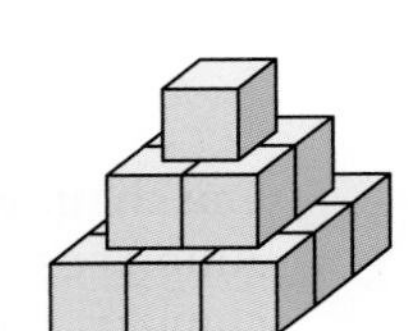

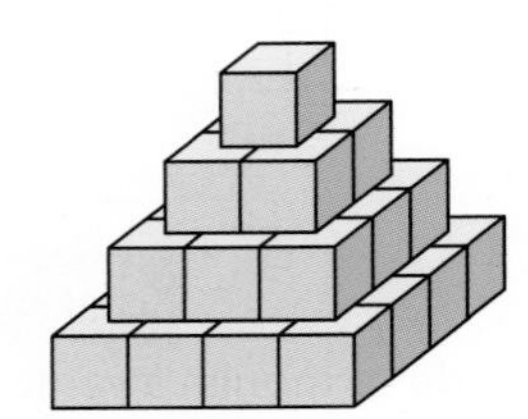

Analyse d'une production

Le professeur a demandé de calculer le volume de la pyramide.
Voici deux productions d'élèves. Corriger leurs erreurs éventuelles.

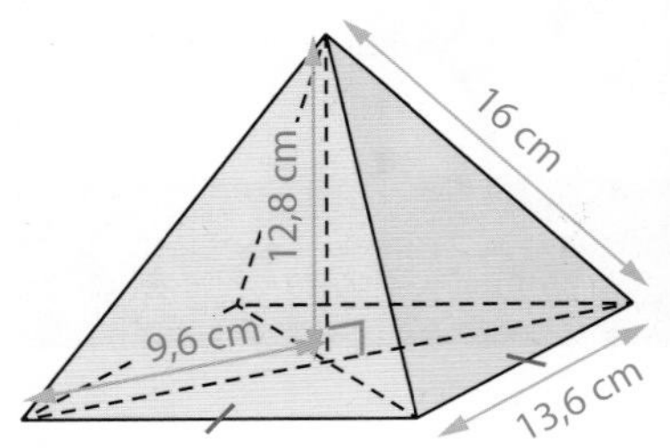

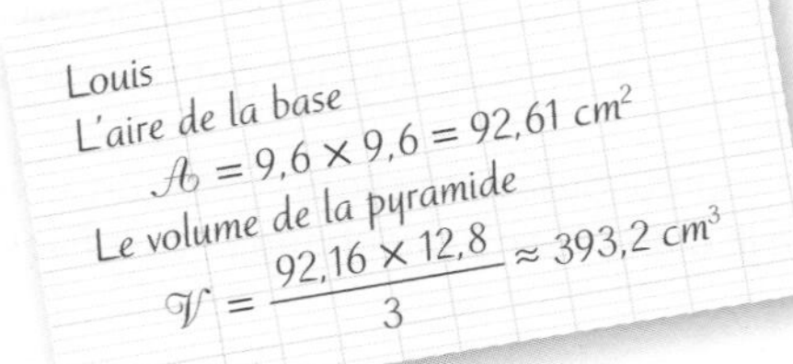

Louis

L'aire de la base

$\mathcal{A} = 9,6 \times 9,6 = 92,61 \text{ cm}^2$

Le volume de la pyramide

$\mathcal{V} = \dfrac{92,16 \times 12,8}{3} \approx 393,2 \text{ cm}^3$

Sophia

L'aire de la base

$\mathcal{A} = 13,6 \times 13,6 = 184,96 \text{ cm}^2$

Le volume de la pyramide

$\mathcal{V} = 184,96 \times 12,8$

$\mathcal{V} \approx 2\,367,4 \text{ cm}^3$

CHAPITRE 16

Ta mission
Écrire, mettre au point et exécuter des programmes.

Algorithmique et programmation

JEUX

Langage Alien

En arrivant sur Pluton, Castor a trouvé un robot que l'on peut diriger en sifflant. Lorsque Castor a sifflé les notes « **Mi, Mi, La, La, Si** », le robot s'est déplacé depuis la case de Castor jusqu'à sa place actuelle sur la carte.
Castor veut maintenant que le robot continue son chemin jusqu'à l'étrange palais doré.

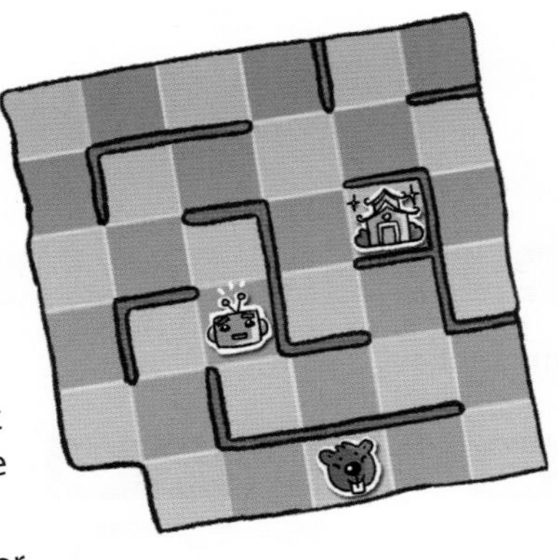

• Placer ci-dessous les notes que Castor doit siffler.

D'après Concours Castor Informatique.

INFOS

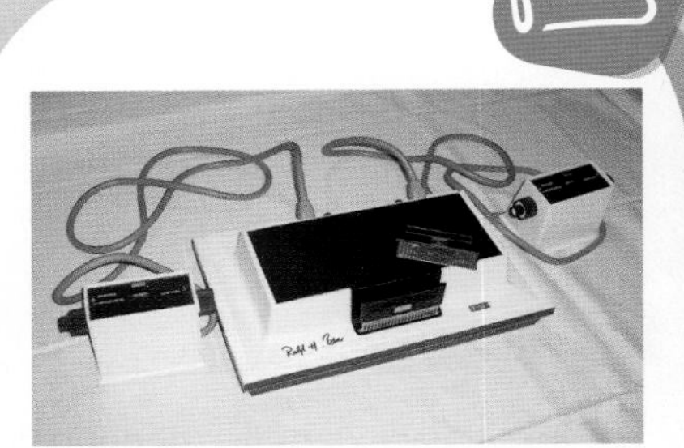

L'*Odyssey*, produite par Magnavox en 1972, est considérée comme la première console de jeu vidéo. Contrairement aux consoles modernes, elle n'utilisait ni logiciel, ni processeur, ni mémoire. Des cartouches amovibles servaient à connecter directement les circuits de la console entre eux.

Activité 1

À la découverte de Scratch

Objectifs : Découvrir l'environnement de Scratch.
Écrire un premier script.

Scratch est un logiciel qui permet de faire exécuter des **commandes** à un ou plusieurs **lutins**.

- Une succession de plusieurs commandes qu'on fait exécuter à un lutin est appelée un **script**.
- L'interface de scratch est partagée en plusieurs zones :

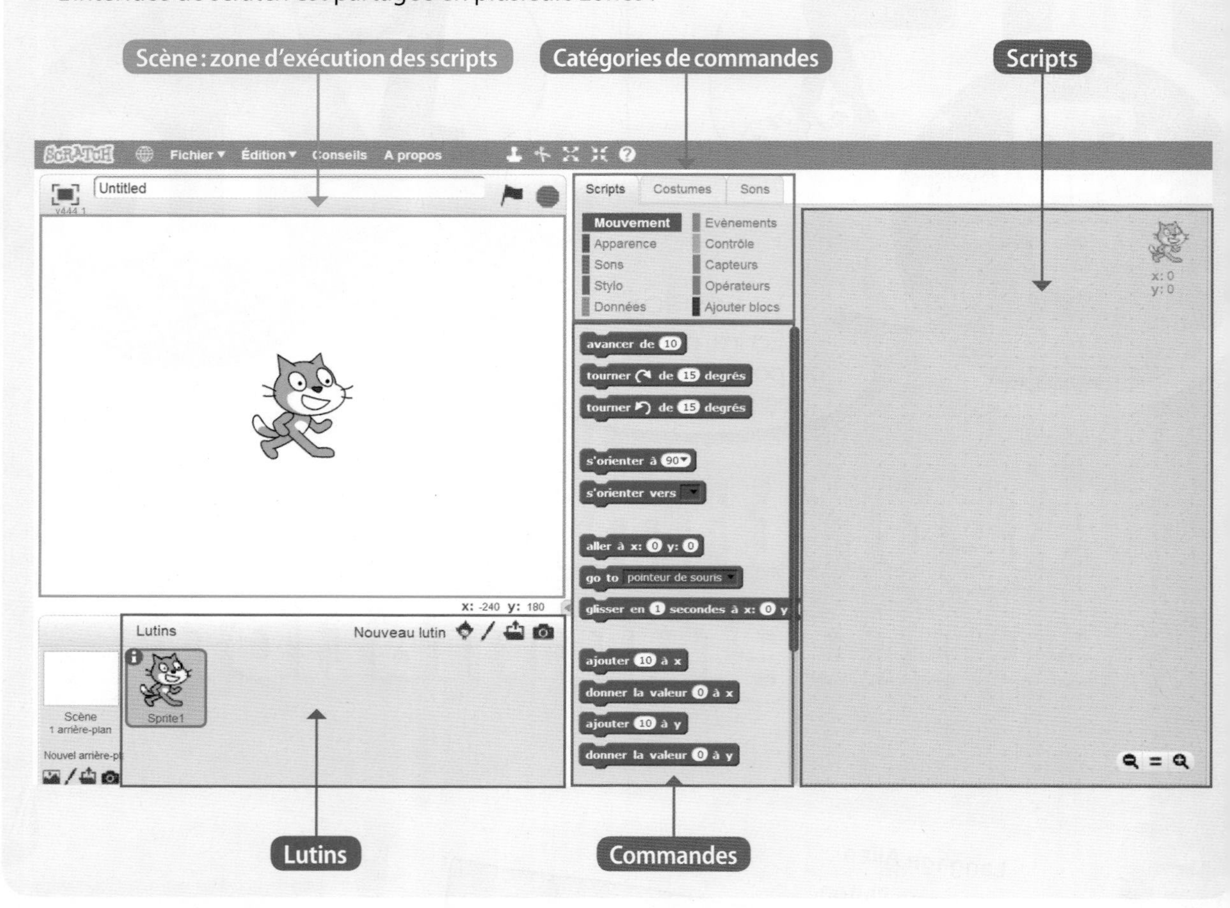

1 Un premier mouvement

On se place dans la catégorie de commandes **Mouvement**.

a. Déplacer la commande **avancer de 10** dans la zone « **Scripts** ».

b. Cliquer plusieurs fois sur cette commande (dans la zone « **Scripts** ») et observer le lutin (dans la zone « **Exécution des scripts** »).

c. Modifier la commande pour que lutin avance de 20.

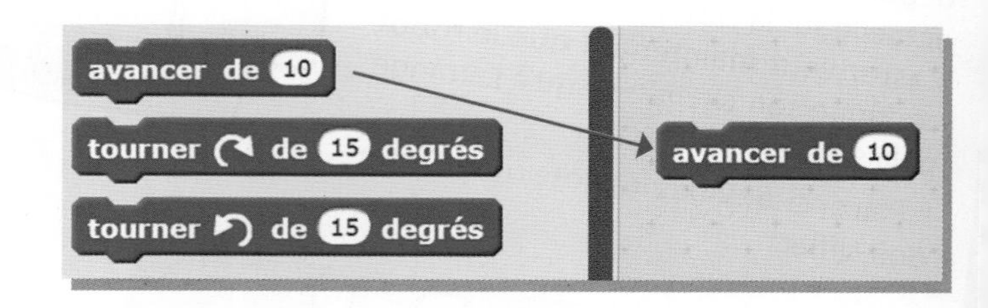

2 Une deuxième commande

On se place dans la catégorie de commandes **Apparence**.

a. Déplacer la commande :

dire Hello! pendant 2 secondes

dans la zone de script en l'imbriquant sous la première commande.

b. Cliquer sur ce bloc de deux commandes. Ce bloc s'appelle un **script**. Observer le lutin dans zone « **Exécution des scripts** ».

c. Modifier la commande pour que lutin dise « Bonjour ! ».

3 Enchainer des commandes

On souhaite faire avancer puis reculer le lutin.

- Réaliser puis tester le script ci-contre.

avancer de 50
dire En avant ! pendant 1 secondes
avancer de –50
dire En arrière ! pendant 1 secondes

4 Encore et encore...

On souhaite à présent faire répéter ces mouvements au lutin.

- On se place dans la catégorie **Contrôle**.
- Déplacer la commande ci-dessous et l'imbriquer autour du script précédent.

répéter indéfiniment

- Tester le nouveau script obtenu.

Pour arrêter le lutin, cliquer à nouveau sur le script.

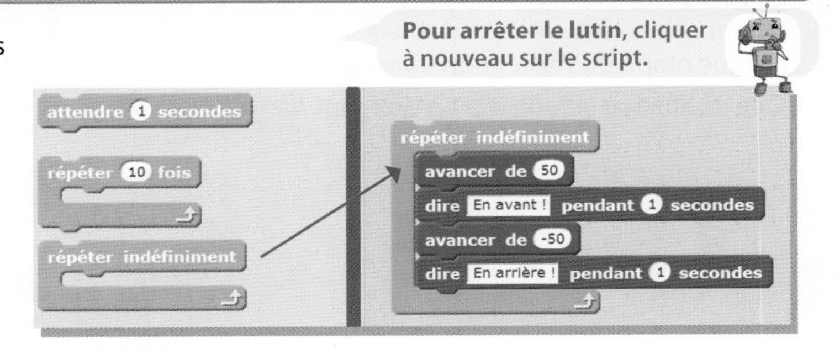

5 Le drapeau vert

On se place dans la catégorie de commandes **Évènements**.

- Ajouter la commande **quand [drapeau] cliqué** au début du script.
- À présent, il suffit de cliquer sur [drapeau] en haut de la zone « **Exécution des scripts** » pour exécuter le script et sur [●] pour l'arrêter.

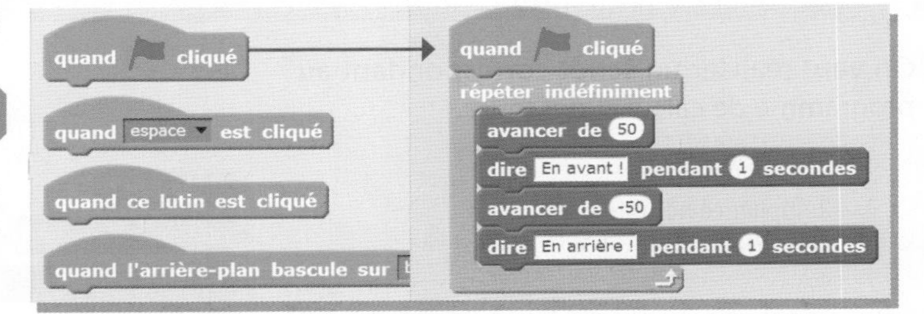

Pour aller plus loin

- Changer l'apparence du lutin après chaque mouvement à l'aide de la commande **costume suivant**.
- Modifier la taille du lutin à l'aide des commandes **ajouter ( ) à la taille** et **mettre à ( ) % de la taille initiale**.
- Modifier le script pour que le lutin se déplace toujours vers l'avant et « rebondisse » sur les bords à l'aide de la commande **rebondir si le bord est atteint**.

Des programmes de calcul

Objectif : Comprendre et utiliser la notion de variable.

Dans un script, une variable a :
– un nom (une lettre ou un mot) ;
– une valeur qui peut changer au cours de l'exécution du script.

On peut représenter une variable comme une étiquette collée sur une boite qui contient une valeur qui peut changer au fil du temps.

1 Un premier exemple

On se place dans la catégorie de commandes **Données**.

- On clique sur « **Créer une variable** ». On crée une variable appelée « **score** ».
- On écrit ensuite le script ci-contre.
  - a. Donner la valeur de la variable **score** à chaque étape de l'exécution du script.
  - b. Que va afficher le lutin à la fin du script ?

La valeur de la variable s'affiche en haut à gauche de la zone d'exécution des scripts.

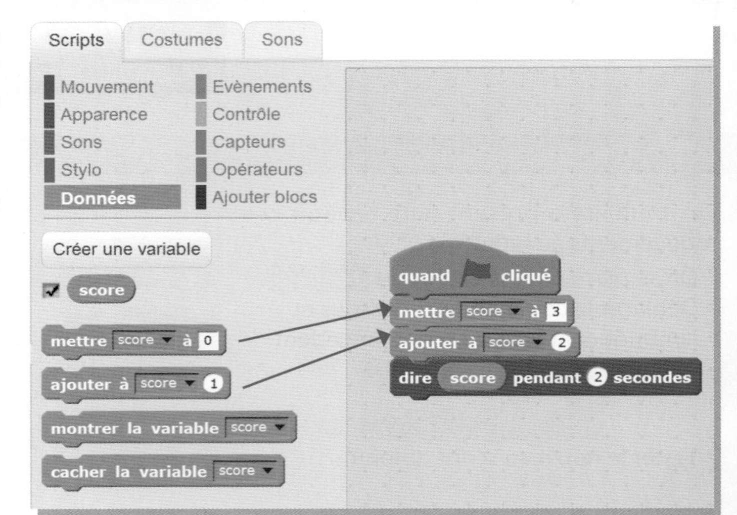

2 Un exemple de programme de calcul

On veut réaliser un script correspondant au programme de calcul ci-dessous.

> Choisir un nombre.
> Multiplier ce nombre par 7.
> Retrancher 3 au résultat.

- Pour demander un nombre à l'utilisateur, il faut utiliser les commandes de la catégorie **Capteurs**.
- Pour effectuer des calculs, il faut utiliser les commandes de la catégorie **Opérateurs**.
  - a. Que va afficher le lutin si l'utilisateur saisit la valeur 5 ?
  - b. Reproduire et exécuter ce script avec d'autres valeurs.

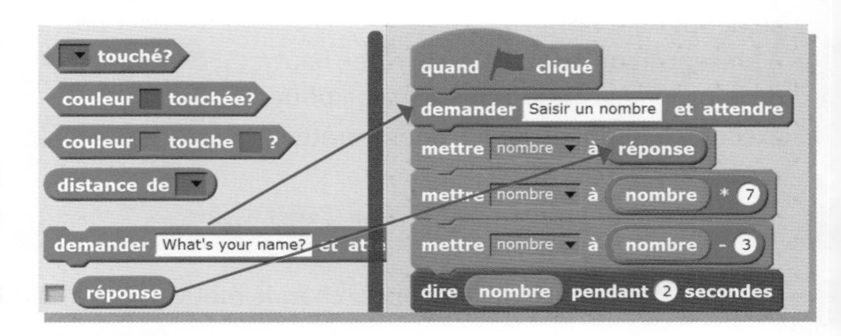

3 D'autres programmes de calcul

a. Écrire le programme de calcul correspondant au script ci-contre.

b. Écrire un script correspondant au programme de calcul ci-dessous.

> Choisir un nombre.
> Multiplier ce nombre par 4.
> Retrancher 1 au résultat.
> Multiplier le résultat par 2.
> Ajouter 7 au résultat.

c. Quel nombre faut-il choisir pour que le résultat du programme de calcul précédent soit égal à 77 ?

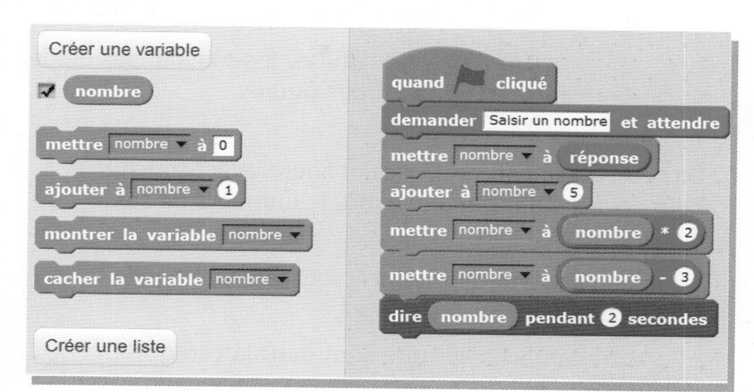

4 Avec plusieurs variables

On veut écrire un script correspondant au programme de calcul ci-dessous.

> Choisir un nombre de départ.
> Ajouter 2 à ce nombre.
> Multiplier le résultat par le nombre de départ.
> Ajouter 1 au résultat.

a. Pourquoi n'est-il pas possible d'écrire le script correspondant avec une seule variable ?

b. On a renommé la variable « nombre » en « nombre de départ » et créé une deuxième variable « résultat ».
Compléter le script ci-contre pour qu'il affiche le résultat du programme de calcul.

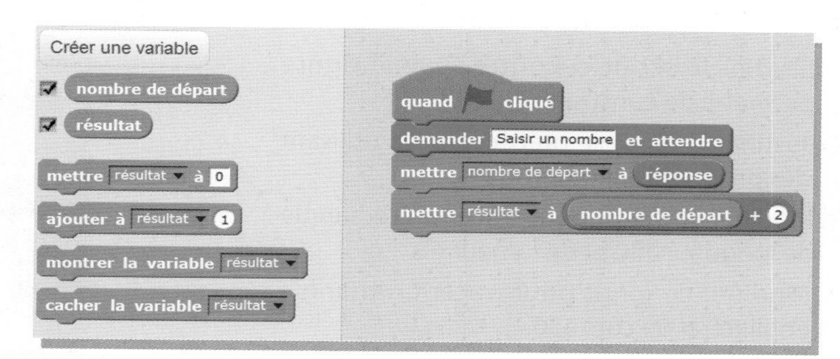

5 Avec une variable non numérique

Une variable peut contenir autre chose qu'un nombre.

a. Que fait le script ci-contre ?

b. Écrire un script qui donne la dernière lettre d'un mot saisi par l'utilisateur.

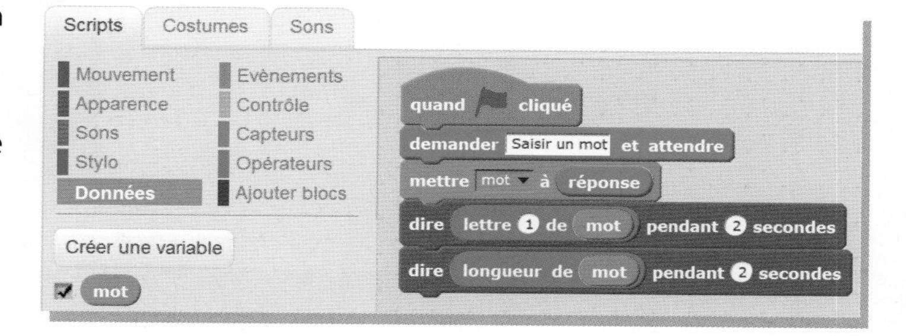

Pour aller plus loin

a. Écrire un script qui affiche la lettre du milieu d'un mot saisi par l'utilisateur, dans le cas où ce mot a un nombre impair de lettres.

b. Qu'affiche ce même script quand le nombre de lettres du mot est pair ?

Activité 3

Construction de figures

Objectif : Utiliser les commandes de déplacement et d'écriture pour construire des figures.

On peut facilement construire des figures avec Scratch. Pour cela, il suffit de faire écrire le lutin lors de ses déplacements :

- les commandes de déplacement sont dans la catégorie **Mouvement**.
- les commandes d'écriture sont dans la catégorie **Stylo**.

1 Avancer et tourner

a. Étudier le script ci-contre. Quelle figure permet-il de construire ?

b. Justifier la réponse précédente en utilisant des propriétés géométriques.

c. Modifier ce script pour tracer un rectangle de longueur 150 et de largeur 60.

d. Modifier ce script pour tracer un triangle équilatéral de côté 150.

```
quand [drapeau] cliqué
effacer tout
stylo en position d'écriture
avancer de 100
tourner ↺ de 90 degrés
attendre 1 secondes
avancer de 100
tourner ↺ de 90 degrés
attendre 1 secondes
avancer de 100
tourner ↺ de 90 degrés
attendre 1 secondes
avancer de 100
tourner ↺ de 90 degrés
```

2 Une autre figure

- Reproduire la figure ci-contre, où tous les segments ont la même longueur et tous les angles sont droits.

3 Utiliser les coordonnées pour les déplacements

On peut se repérer dans la zone d'exécution des scripts grâce à des coordonnées, même si les axes n'apparaissent pas. On peut aussi utiliser l'arrière-plan « **xy-grid** » pour faire apparaitre les axes.

a. Déplacer la souris dans cette zone et observer les coordonnées du pointeur de la souris (**x** ; **y**) qui s'affichent en bas à droite de la zone.

b. Quelle commande peut-on utiliser pour positionner le lutin au centre de la scène ?

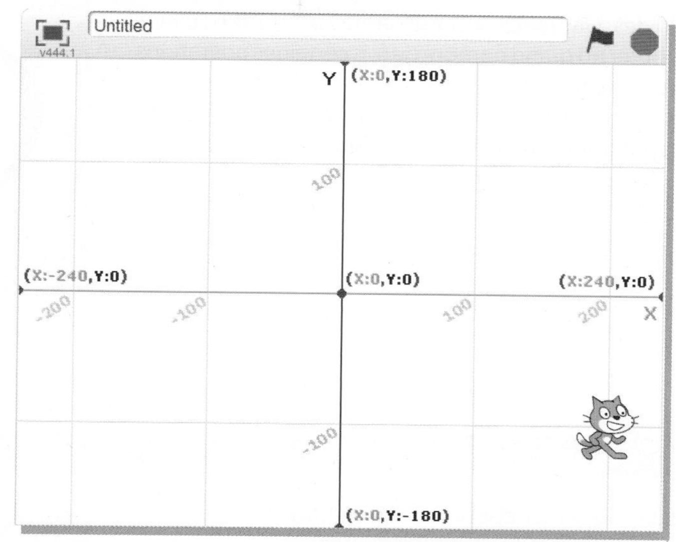

Pour déplacer le lutin directement au point de coordonnées (200 ; –100), on peut utiliser la commande :

4 Des triangles rectangles

• Reproduire la figure ci-contre, composée de deux triangles rectangles symétriques par rapport à la droite tracée en pointillés (on ne demande pas de reproduire cette droite).

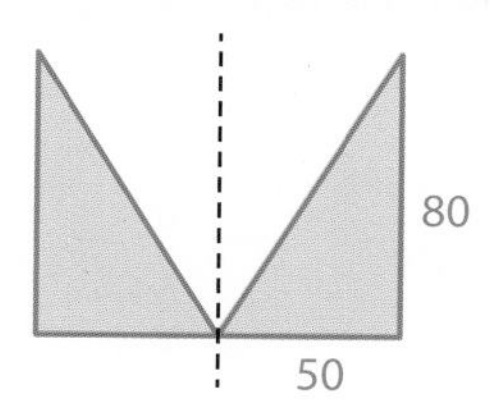

Pour aller plus loin

a. Analyser et reproduire la figure ① ci-dessous.

b. Reproduire la figure ② ci-dessous, sans son quadrillage.

Pour déplacer le lutin sans tracer de trait, on peut utiliser la commande :

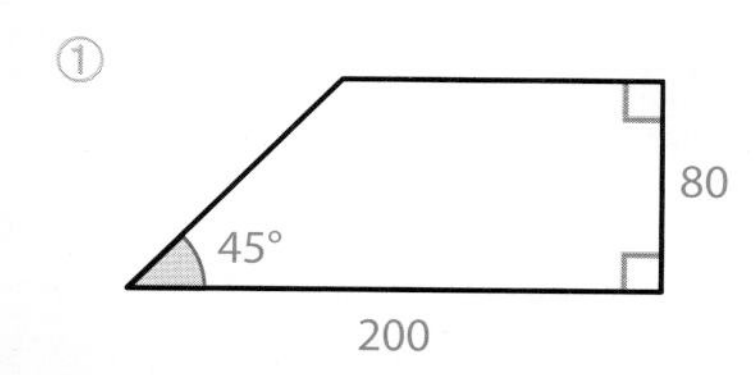

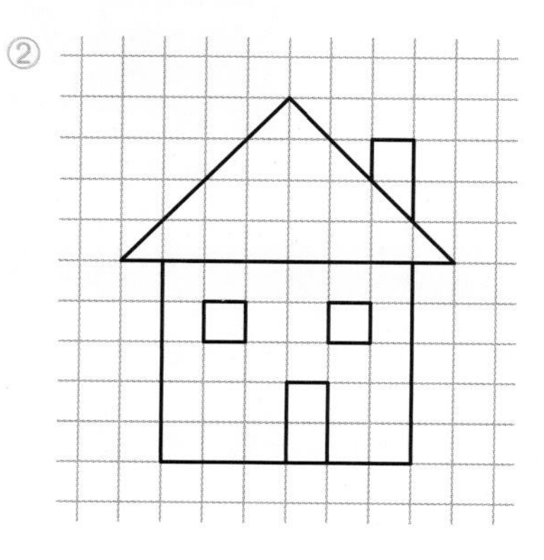

Activité
4

Répétition générale

Objectif : S'initier aux structures itératives.

Un des avantages des ordinateurs est qu'ils peuvent répéter un grand nombre de fois certaines opérations très rapidement.
Pour exécuter plusieurs fois des séquences de commandes, on utilise des **boucles**.

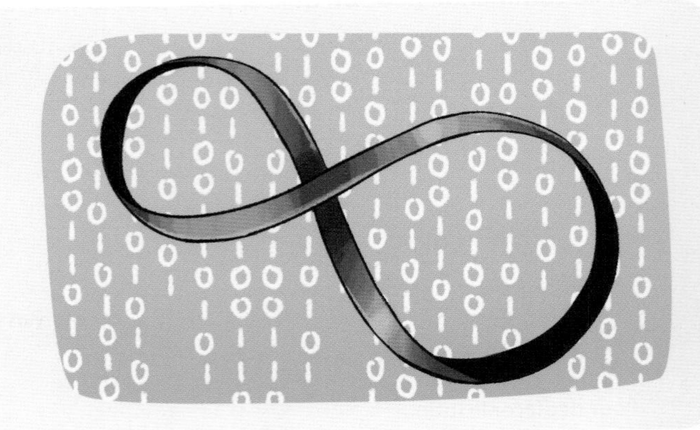

1 Répéter

a. Étudier le script ci-contre. Quelle figure permet-il de construire ?

b. Quelle est la succession de commandes qui est répétée plusieurs fois dans ce script ?

c. Combien de fois est-elle répétée ?

quand cliqué
effacer tout
stylo en position d'écriture
avancer de 100
tourner de 90 degrés
attendre 1 secondes
avancer de 100
tourner de 90 degrés
attendre 1 secondes
avancer de 100
tourner de 90 degrés
attendre 1 secondes
avancer de 100
tourner de 90 degrés
attendre 1 secondes

2 Un script plus simple

a. Écrire le script précédent plus simplement en utilisant la commande ci-contre.

b. Supprimer la commande qui fait attendre le lutin pendant 1 seconde entre chaque tracé.

répéter fois

3 De plus en plus de côtés

Dans les questions suivantes, on pourra réduire la longueur du côté pour que le lutin ne « sorte » pas de la scène.

a. Modifier le script réalisé à la question précédente pour tracer un hexagone régulier (on ne demande pas de tracer le cercle et les rayons).

b. Modifier le script précédent pour tracer un dodécagone régulier.

Un dodécagone est un polygone à 12 côtés.

c. Modifier le script précédent pour tracer un polygone régulier à 100 côtés. À quelle figure ressemble ce polygone ?

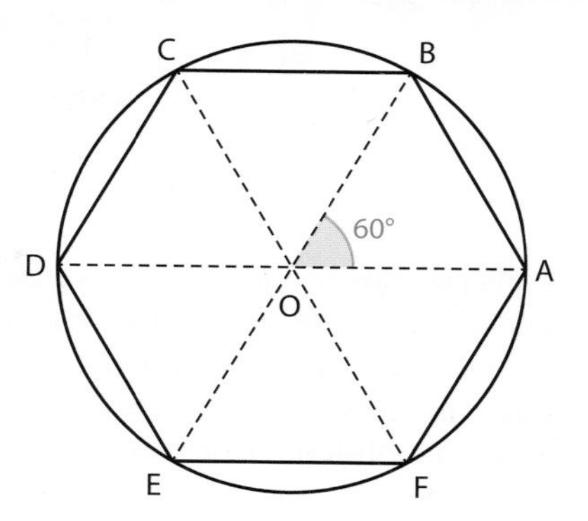

4 Des boucles et des nombres

a. Quelle variable intervient dans le script ci-contre ?

b. Quelle est sa valeur au début du script ?

c. Quelle valeur est affichée à la fin du script ?

d. Modifier le script pour que la valeur affichée à la fin de son exécution soit 100.

e. Y avait-il d'autres façons de répondre à la question précédente ?

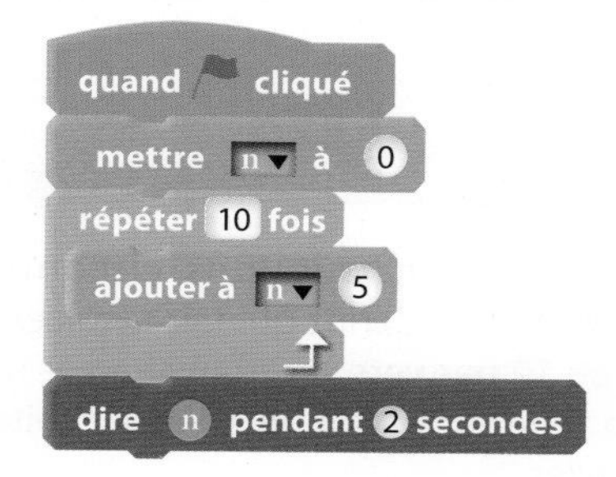

5 Un autre type de boucle

a. Que va afficher le script ci-contre ?

b. Que va-t-il afficher si on remplace la valeur 5 par la valeur 11 ?

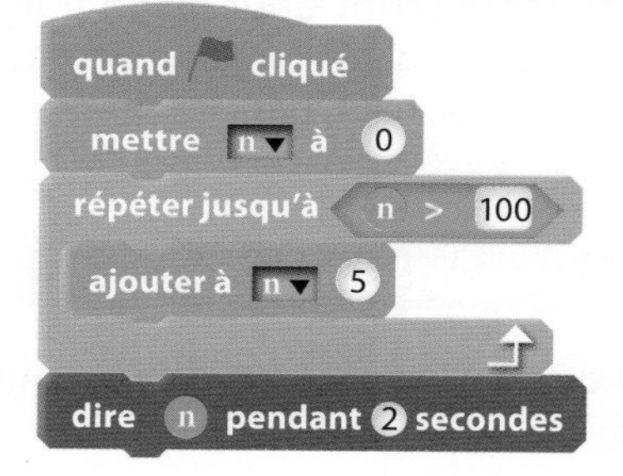

Pour aller plus loin

a. Écrire un script qui trace un polygone régulier à n côtés, la valeur de n étant demandée à l'utilisateur.

b. Écrire un script qui reproduit du mieux possible la figure ci-contre.

c. Écrire un script qui calcule la somme des nombres entiers de 1 à 100.

d. Écrire un script qui calcule la somme de tous les nombres entiers impairs compris entre 1 et 1 000. Que peut-on penser du texte écrit ci-dessous ?

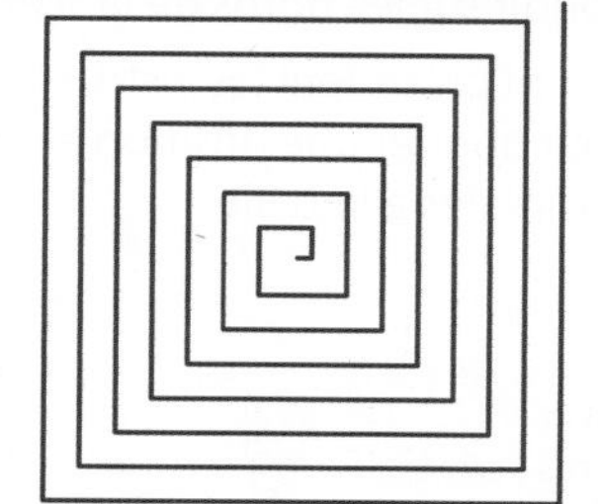

Sum of First n odd numbers = n^2

Un jeu de balle

Objectifs : S'initier à la programmation évènementielle et à la structure conditionnelle.
Écrire plusieurs scripts s'exécutant en parallèle.

Dans certains programmes, on a besoin de réaliser une action spécifique en réponse à un évènement extérieur. C'est par exemple le cas dans un jeu vidéo où un personnage doit pouvoir être déplacé par le joueur et interagir avec son environnement.

1 Déplacer un lutin

a. À l'aide des instructions ci-contre, reconstituer un script qui fait avancer le lutin de 10 pas vers la droite chaque fois qu'on tape sur la touche « flèche droite » du clavier.

b. Pourquoi faut-il utiliser une boucle « Répéter indéfiniment » ?

c. Compléter le script pour qu'on puisse déplacer le lutin dans les quatre directions (droite, gauche, haut, bas).

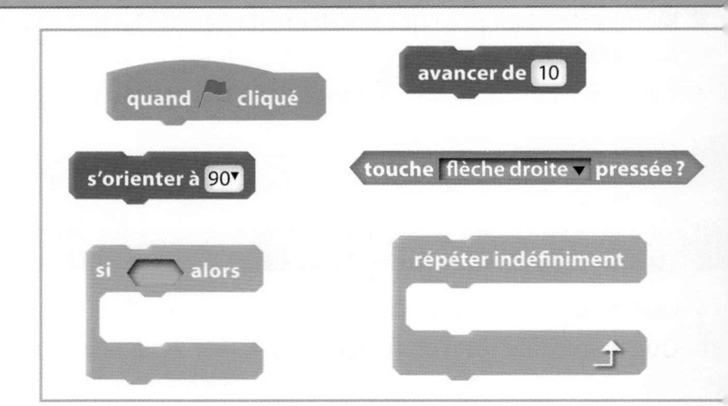

2 Un deuxième lutin

a. Créer un deuxième lutin et choisir le lutin « **Ball** ».

b. À l'aide des instructions ci-contre, créer un script pour le lutin « **Ball** » qui produira un mouvement continu pour la balle en la faisant rebondir sur les bords de la scène.

c. Ajouter au script précédent les instructions ci-contre pour donner une position et une orientation initiales à la balle.

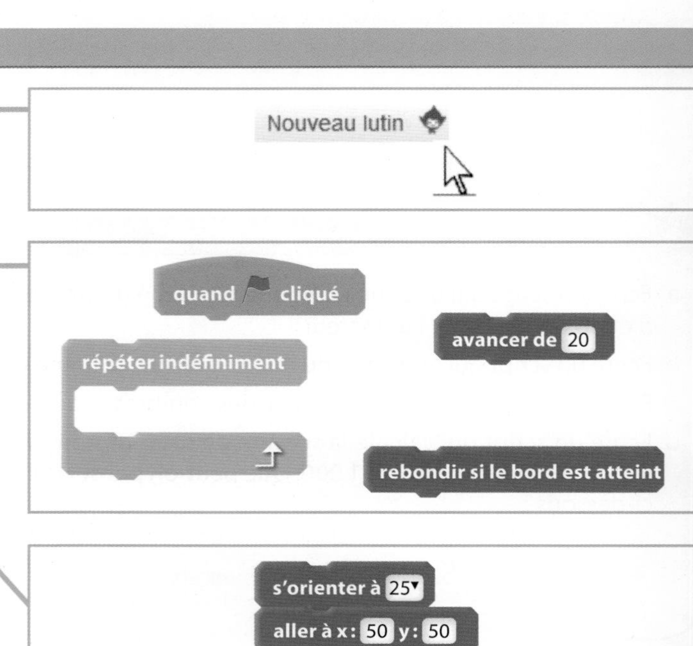

Chaque lutin a ses propres scripts. Pour voir les scripts correspondant à un lutin, il suffit de cliquer sur le lutin dans la zone "Lutin".

3 Interaction entre les lutins

À l'aide de ces deux lutins, on souhaite réaliser un petit jeu dont l'objectif est le suivant.
Le joueur déplace le premier lutin (dont le nom est « **Sprite1** ») à l'aide des flèches du clavier et essaie de toucher la balle. Quand il y parvient, le jeu s'arrête et le joueur a gagné.

- À l'aide des instructions ci-contre, écrire un deuxième script pour le lutin « **Sprite1** » afin de réaliser ce jeu.

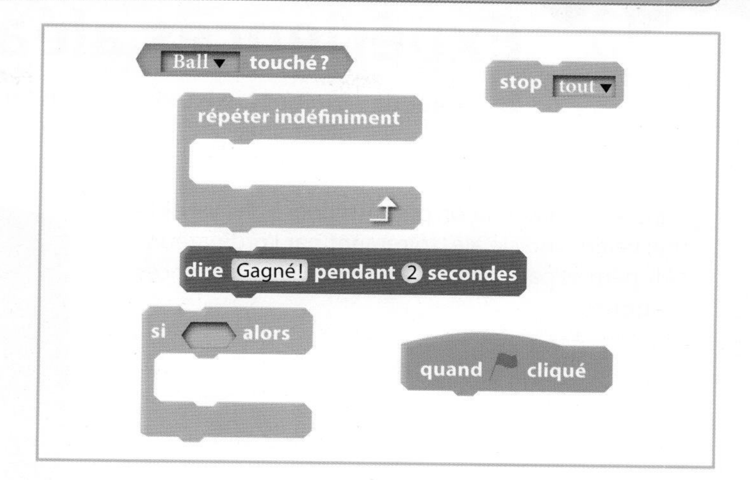

4 Amélioration du jeu

a. Pour que le jeu ne soit pas trop facile, réduire la taille des deux lutins à 30 % de leur taille initiale.

b. Donner une position et une direction initiales au lutin « **Sprite1** ».

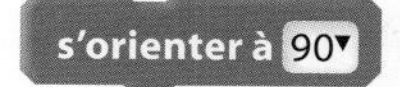

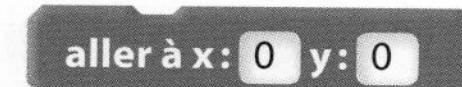

c. Faire les modifications nécessaires pour que, dès que le premier lutin touche la balle, celle-ci s'arrête immédiatement.

stop autres scripts du lutin

d. Choisir un arrière-plan pour la scène.

Pour aller plus loin

a. On souhaite à présent que chaque fois que le premier lutin touche la balle, le jeu continue, le joueur marque un point et la balle repart du centre de la scène.
Créer une variable « Score » et faire les modifications nécessaires.

b. Modifier le script pour que la balle accélère chaque fois que le joueur marque un point.

Expériences aléatoires

Objectif : S'initier aux structures conditionnelles et utiliser des nombres aléatoires.

Dans un programme, on peut attribuer à une variable une valeur choisie aléatoirement par l'ordinateur. Cela permet par exemple de simuler des expériences aléatoires.

1 Un premier mouvement

a. Créer une variable puis, à l'aide de l'instruction ci-dessous, écrire un script qui lui attribue un nombre entier choisi au hasard entre 1 et 6.

nombre aléatoire entre 1 et 6

b. Quelle expérience aléatoire ce script permet-il de simuler ?

c. Exécuter ce script plusieurs fois et observer la valeur de la variable.

2 Est-ce un 6 ?

On voudrait à présent que le script affiche un message si le résultat obtenu est un 6.
Pour cela, on utilise la structure « Si … alors » qui permet de n'exécuter une séquence d'instruction que si une condition donnée est vraie.

a. Modifier le script précédent à l'aide des instructions ci-contre pour qu'il affiche le message :
– « C'est un 6 ! » quand le nombre aléatoire est un 6.
– « Ce n'est pas un 6 ! ».

b. Exécuter plusieurs fois ce script pour vérifier son bon fonctionnement.

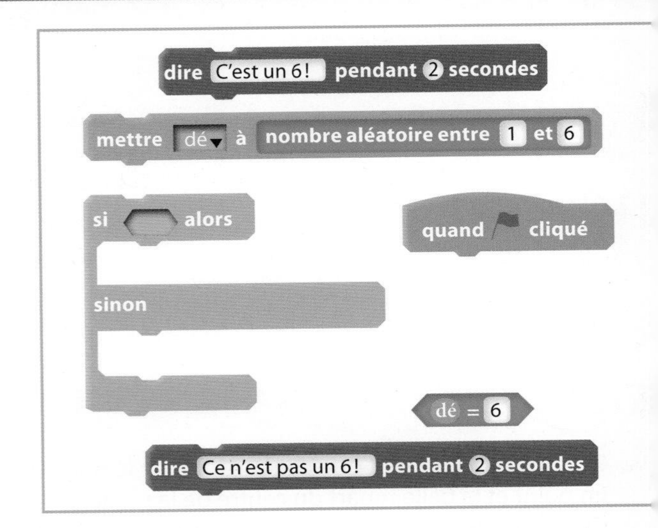

3 Combien de 6 ?

a. Étudier le script ci-contre et décrire par une phrase ce qu'il réalise.

b. Exécuter plusieurs fois ce script et compter à chaque fois combien de 6 on obtient.

```
quand [drapeau] cliqué
répéter 10 fois
    mettre dé à nombre aléatoire entre 1 et 6
    si dé = 6 alors
        dire C'est un 6! pendant 2 secondes
    sinon
        dire Ce n'est pas un 6! pendant 2 secondes
    attendre 1 seconde
```

4 Un compteur

Pour faciliter le comptage du nombre de 6 obtenus, on va utiliser une seconde variable dont la valeur sera égale au nombre de 6 obtenus à chaque étape.

a. Créer une variable « nombre de 6 ».

b. Lui donner la valeur 0 au début du script et augmenter sa valeur de 1 chaque fois qu'on obtient un 6.

```
mettre nombre de 6 à 0        ajouter à nombre de 6 1
```

c. Afficher la valeur de cette variable à la fin du script.

```
dire nombre de 6 pendant 2 secondes
```

d. Supprimer l'instruction « Attendre 1 seconde ».

5 Interpréter l'expérience

a. Exécuter plusieurs fois ce script. Est-ce qu'on peut obtenir 0 comme résultat ? Pourquoi ?

b. Est-ce qu'on obtient souvent 10 comme résultat ? Pourquoi ?

c. Modifier le script pour simuler le tirage de 100 lancers de dés et exécuter plusieurs fois ce script. Que peut-on dire des résultats obtenus ?

6 Calculs de fréquences

a. Modifier le script pour simuler le tirage de 1 000 lancers de dés et afficher la fréquence de 6 obtenus.

On rappelle que

$$\text{fréquence de 6 obtenus} = \frac{\text{nombre de 6 obtenus}}{\text{nombre de tirages}}$$

b. Exécuter plusieurs fois ce script. Que peut-on dire des résultats obtenus ?

c. Quand on lance un dé équilibré, à combien est égale la probabilité d'obtenir un 6 ?

Pour aller plus loin

a. Modifier le script pour qu'il simule le lancer d'une pièce et qu'il calcule la fréquence de « Pile » obtenus.

b. Modifier le script pour qu'il affiche la fréquence de 7 obtenus lorsqu'on lance deux dés et qu'on fait la somme des leurs résultats.

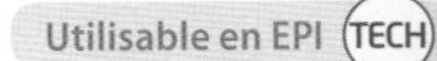

Jeu dans un labyrinthe

Objectif : Déplacer un personnage dans un labyrinthe afin d'atteindre un trésor.

Pour réaliser ce jeu, il faudra utiliser deux lutins : le personnage et le trésor. Il faudra écrire des scripts pour chacun de ces deux lutins. Tous les scripts doivent démarrer quand on clique sur le drapeau vert.

Étape 1 Dessiner un labyrinthe

- Dessiner un nouvel arrière-plan en forme de labyrinthe en n'utilisant qu'une seule couleur. On pourra s'inspirer du modèle ci-contre ou faire son propre labyrinthe.

Étape 2 Créer un personnage

1. Supprimer le lutin existant et choisir un autre lutin dans la librairie.
2. Réduire sa taille de façon à ce qu'il puisse tenir à l'intérieur des couloirs du labyrinthe.

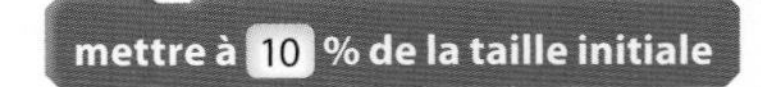

Étape 3 Permettre au personnage de se déplacer

1. Écrire un script qui fait avancer le personnage d'un pas dans une des quatre directions (droite, gauche, haut, bas) quand le joueur tape sur une des touches du clavier.
2. Écrire un autre script qui fait reculer le personnage d'un pas lorsqu'il touche un mur du labyrinthe.

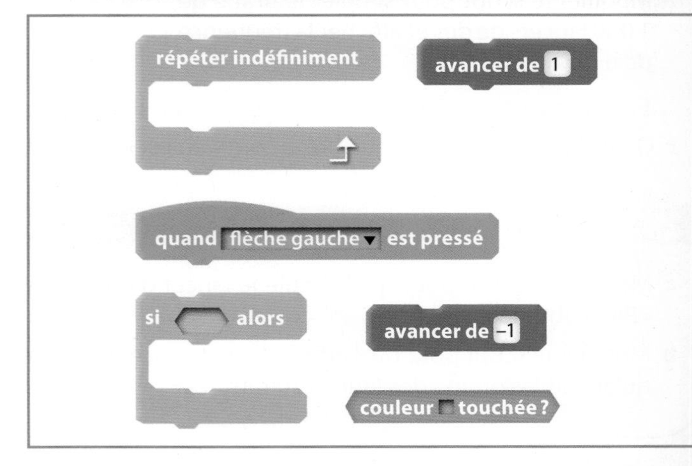

Étape 4 Programmer l'arrêt du jeu

1. Créer un deuxième lutin qui jouera le rôle du trésor.
2. Réduire sa taille afin qu'il tienne dans les couloirs du labyrinthe et, avec la souris, placer ce lutin dans le labyrinthe.
3. Écrire un script qui termine le jeu et affiche « Gagné ! » lorsque le personnage trouve le trésor.

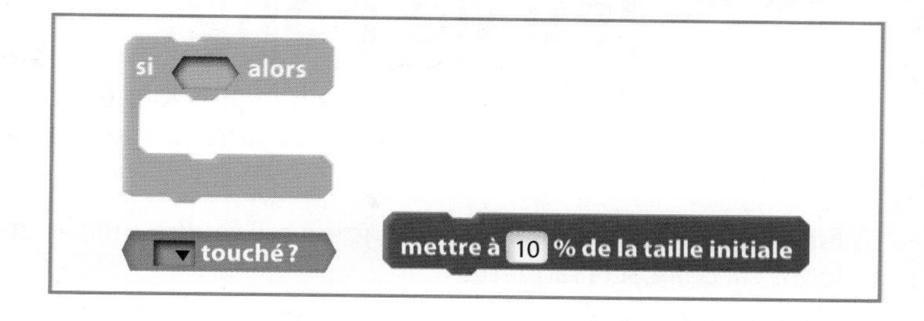

Pour aller plus loin

Variante 1 : Placer le trésor de façon aléatoire

- Écrire un nouveau script qui place automatiquement et aléatoirement le trésor dans le labyrinthe.
- Pour s'assurer que le trésor soit bien dans un couloir et non sur un mur, on pourra répéter le placement jusqu'à ce que le trésor ne « touche » pas la couleur du mur.

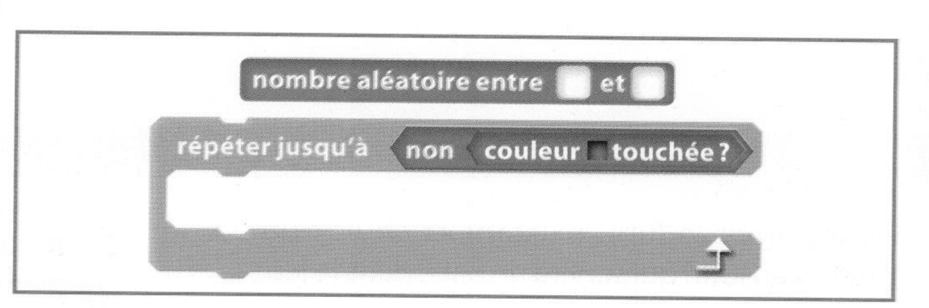

Variante 2 : Continuer le jeu après avoir trouvé le trésor

- Faire les modifications nécessaires pour que, quand le personnage trouve le trésor, celui-ci soit automatiquement placé à un autre endroit et que le jeu continue.

Variante 3 : Créer un score

- Créer une variable « Score » qui augmente de 1 chaque fois que le personnage trouve le trésor.

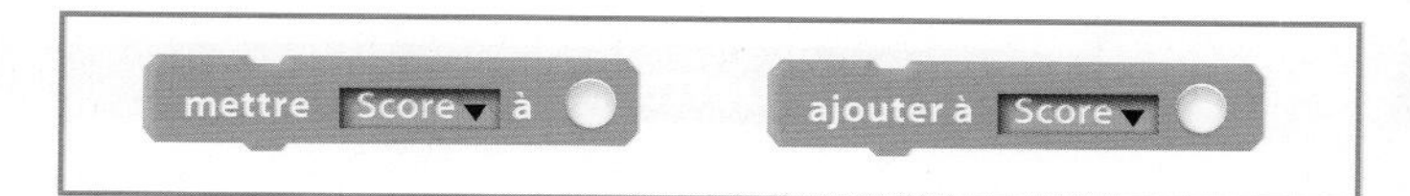

Variante 4 : Créer des « bonus »

- Créer des lutins « bonus » : chaque fois que le personnage rencontre un bonus, la valeur du trésor est multipliée par deux et le bonus disparait.

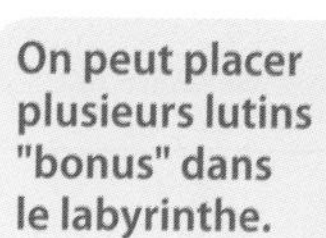

On peut placer plusieurs lutins "bonus" dans le labyrinthe.

Variante 5 : Créer un « monstre »

- Créer un troisième lutin qui se déplace aléatoirement dans le labyrinthe et qui termine la partie quand le personnage touche ce lutin.

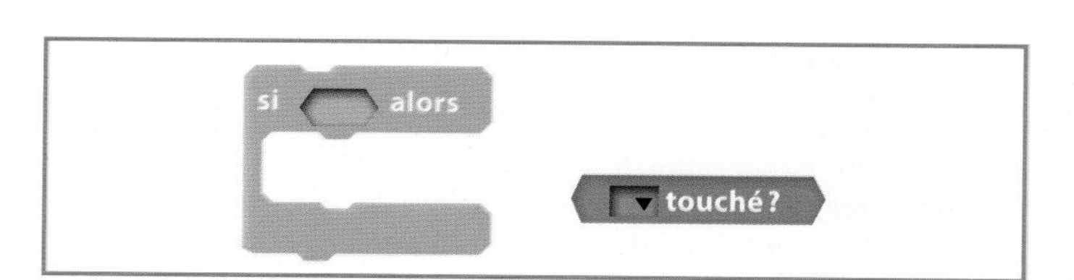

Utilisable en EPI (TECH)

Projet 2 Jeu de Pong

Objectif : Empêcher le plus longtemps possible la balle de toucher le sol en la renvoyant vers le haut à l'aide d'une raquette.

Pour réaliser ce jeu de Pong à un joueur, il faudra utiliser deux lutins : la balle et la raquette.

Il faudra écrire des scripts pour chacun de ces deux lutins.

Tous les scripts doivent démarrer quand on clique sur le drapeau vert.

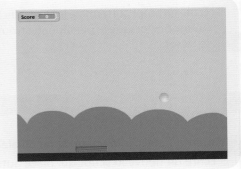

Étape 1 Mettre une balle en mouvement

1. Supprimer le lutin existant et choisir un nouveau lutin qui servira de balle dans le jeu.
2. Écrire un premier script pour donner un mouvement à la balle : la balle doit avancer toujours dans la même direction et rebondir sur les bords de l'espace de jeu.

Il est possible de changer la taille du lutin.

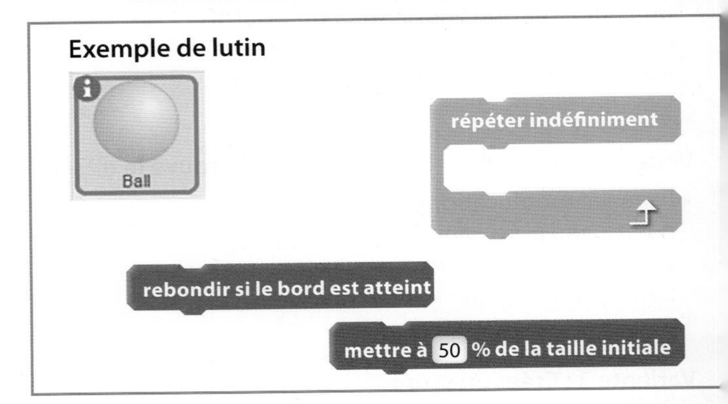

Étape 2 Créer la raquette

1. Créer un deuxième lutin qui servira de raquette (si besoin, la raquette peut être coloriée dans l'onglet « **Costumes** »).
2. Écrire un script qui permet au joueur de déplacer la raquette à l'aide de la souris.

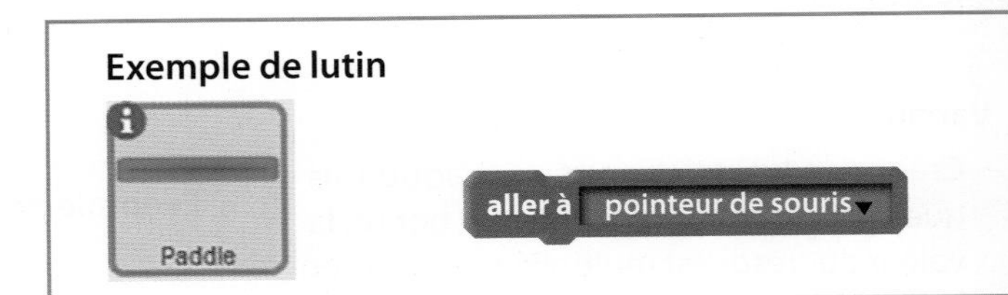

Étape 3 Faire rebondir la balle sur la raquette

- Écrire un nouveau script pour le lutin « **Ball** » qui modifie la direction de la balle quand celle-ci touche la raquette.

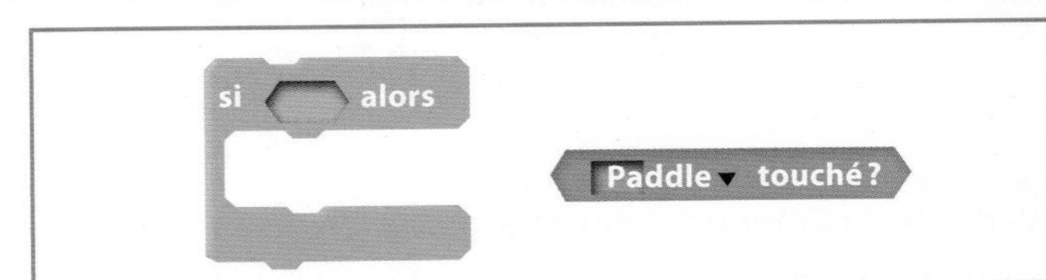

On pourra par exemple donner à la balle une orientation aléatoire entre –70° et 70°, l'orientation 0° correspondant dans Scratch à l'orientation « vers le haut ».

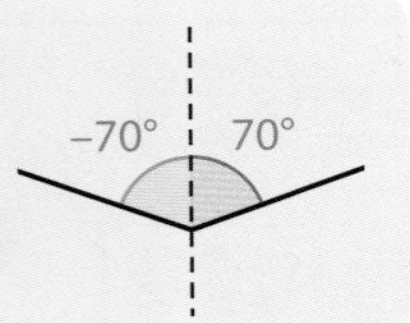

Étape 4 Programmer l'arrêt du jeu

- Écrire un nouveau script pour le lutin « **Ball** » qui arrête tous les scripts quand la balle touche le bas de la zone de jeu.
Pour cela, on peut choisir ou dessiner un arrière-plan avec une bande de couleur spécifique en bas.

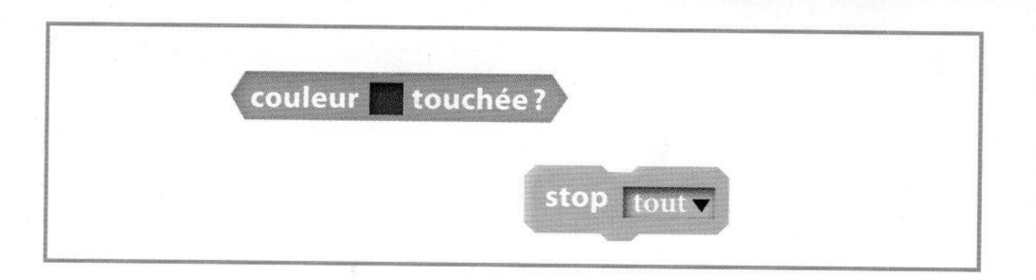

Étape 5 Ajouter un score

- Créer une variable score qui augmente de 1 chaque fois que la balle touche la raquette.

Pour aller plus loin

Variante 1 : Changement de direction de la balle
- Modifier le script qui fait rebondir la balle sur la raquette de façon à ce que la nouvelle direction de la balle soit symétrique à la direction initiale par rapport à la verticale.

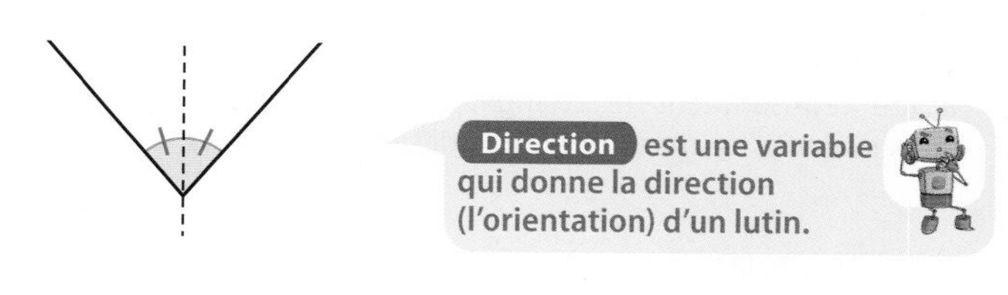

Variante 2 : Garder la raquette horizontale
- Modifier le script de déplacement de la raquette de façon à ce que la raquette reste horizontale.

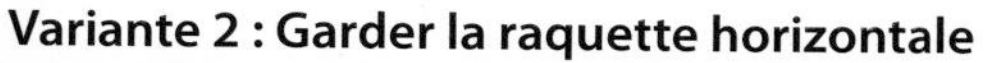

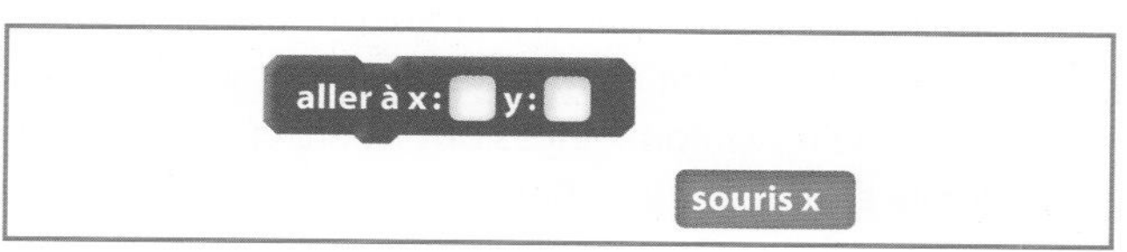

Variante 3 : Déplacer la raquette au clavier
- Modifier le script de déplacement de la raquette de façon à déplacer la raquette avec les touches du clavier.

touche flèche droite pressée ?

Variante 4 : Changer la vitesse de la balle
- Modifier le script de déplacement de la balle pour augmenter sa vitesse au fur et à mesure que le score augmente.

Variante 5 : Afficher un message de fin de partie
- Quand la balle touche le sol, afficher un message indiquant que la partie est terminée. Le message peut être différent selon le score obtenu.

Variante 6 : Ajouter une deuxième balle
- À partir d'un certain nombre de points, ajouter une deuxième balle.
La deuxième balle peut être présente dès le début mais mise en mouvement à partir d'un certain nombre de points.
Le joueur perd dès qu'une des deux balles tombe.

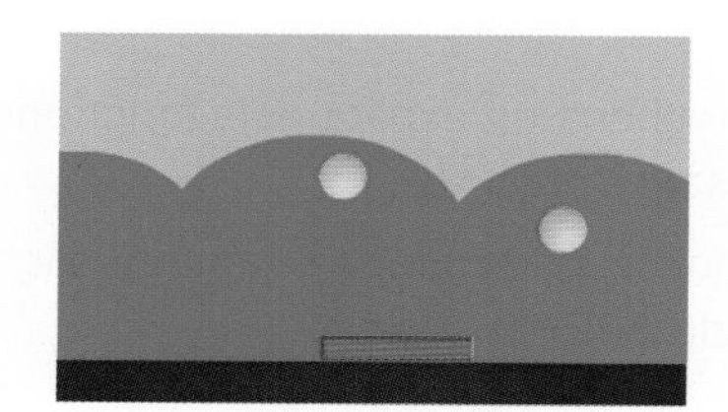

EPI 1 Messages codés

Production attendue : Réaliser une production porteuse d'un message qui sera à décoder par les autres élèves.

Thématique	Sciences, technologie et société	Disciplines	Français, mathématiques
Domaines du socle	**1.** Les langages pour penser et communiquer / **4.** Les systèmes naturels et les systèmes techniques		

Document 1 Histoire de la cryptologie

Le premier « document » chiffré connu remonte à l'Antiquité. Il s'agit d'une tablette d'argile retrouvée en Irak et datant du XVIe siècle avant J.-C. Un potier y avait gravé sa recette secrète en supprimant des consonnes et en modifiant l'orthographe des mots.

Entre le Xe et le VIIe siècle avant J.-C., une technique de chiffrement par transposition était utilisée, c'est-à-dire reposant sur le changement de position des lettres dans le message, en utilisant un bâton de diamètre déterminé appelée scytale. On enroulait en hélice une bande de cuir autour de la scytale avant d'y inscrire un message. Une fois déroulé, le message était envoyé au destinataire qui possédait un bâton identique, nécessaire au déchiffrement.

Effectuer des recherches documentaires pour répondre aux questions suivantes :
- Quelles personnes dans l'histoire ont utilisé des messages codés ?
- À qui s'adressaient ces messages ?
- Dans quelles circonstances ont-ils été créés ? À quelle époque ?
- Quelle était leur utilisation ?

Document 2 Différents principes de codage à travers l'histoire des sciences

- **Le carré de Polybe (écrivain grec)**

	1	2	3	4	5
1	a	b	c	d	e
2	f	g	h	i, j	k
3	l	m	n	o	p
4	q	r	s	t	u
5	v	w	x	y	z

Message : 41–51–15–42–33–51–55 31–51 14–54–42 51–34–44 51–31–24–42–44

- **Le codage RVB ou RGB**

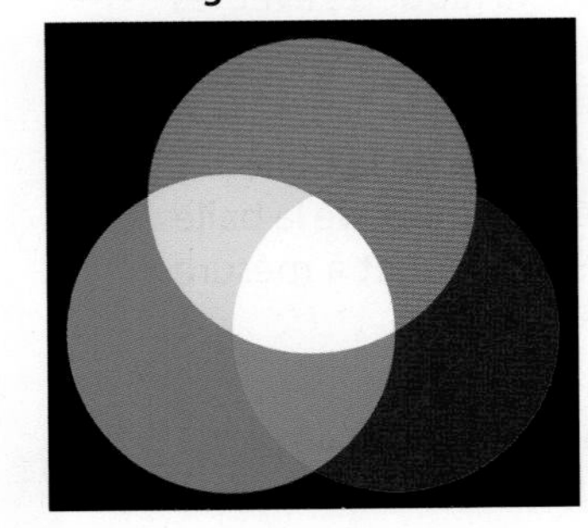

Couleur saumon : RGB(255,204,153)

- **Le décalage de César**

Clair	A	B	C	D	E	F	G	H	I	J	K	L	M	N	O	P	Q	R	S	T	U	V	W	X	Y	Z
Codé	D	E	F	G	H	I	J	K	L	M	N	O	P	Q	R	S	T	U	V	W	X	Y	Z	A	B	C

Message : OH PHVVDJH HVW-LO FODLU ?

1. a. En effectuant des recherches, expliquer le fonctionnement de chacun de ces codages.
   b. Déchiffrer les messages proposés.
2. Chercher d'autres principes de codage scientifique (chiffre de Vigenère, code de Baudot, morse, chiffre de Lorenz, code INSEE…).

Document 3 Différents principes de codage en littérature

- **Un acrostiche**

Lettres ! Envoie aussi des lettres, ma chérie
On aime en recevoir dans notre artillerie
Une par jour au moins, une au moins, je t'en prie…
L'heure est venue, Adieu ! l'heure de ton départ
On va rentrer, il est neuf heures moins le quart
Une… deux… trois… Adieux Nîmes, dans le Gard.

Poèmes à Lou, Guillaume Apollinaire

- **Le miroir**

A Mr. Sherlock Holmes,

C'est une dangereuse habitude
de manipuler des armes à feu chargées
dans la poche de sa robe de chambre.

(Professeur Moriarty)

1. a. Expliquer le fonctionnement de chacun de ces codages.
b. Trouver un moyen très simple pour déchiffrer le deuxième message.

2. Chercher d'autres principes de codage littéraire (Raymond Queneau, Jules Verne, Oulipo, Georges Perec…).

Document 4 Le code ISBN

- **L'ISBN**

L'International Standard Book Number (ISBN) ou Numéro international normalisé du livre est un numéro international qui permet d'identifier de manière unique chaque édition de chaque livre publié.
Avant 2007, le code ISBN était composé de 9 chiffres et d'une clé de contrôle. Ces chiffres sont répartis en groupes : R – T – U – C

- R identifie un groupe de codes par pays, zone géographique ou zone linguistique.
- T identifie l'éditeur de la publication.
- U correspond au numéro d'ordre de l'ouvrage chez l'éditeur qui l'attribue normalement séquentiellement.
- C est un code clé de vérification sur un caractère calculé à partir des chiffres précédents.

ISBN a-bcdefg-hi- clé
Par exemple : ISBN : 2-940199-61-2

- **La clé de contrôle**

La clé de contrôle C est obtenue en prenant le reste de la division euclidienne de P par 11 sachant que :
$P = 1 \times a + 2 \times b + 3 \times c + 4 \times d + 5 \times e + 6 \times f + 7 \times g + 8 \times h + 9 \times i$
Si le reste est 10, la clé inscrite sera la lettre X.

Inventer un code ISBN à 9 chiffres et déterminer la clé de contrôle.

Document 5 Des codes utilisant un programme de calcul

On présente ci-dessous deux systèmes de codage pour crypter des messages secrets.

- **Système de codage 1**

À chaque lettre, on fait correspondre le nombre que l'on obtient en multipliant sa position dans l'alphabet par 3.

- **Système de codage 2**

	A	B	C	D	E	F	G	H	I	J	K	L	M	N	O	P	Q	R	S	T	U	V	W	X	Y	Z
Position	1	2	3	4	5	6	7	8	9	10	11	12	13	14	15	16	17	18	19	20	21	22	23	24	25	26
Codé																										

Pour compléter le tableau ci-dessus :
- relever le nombre correspondant à la position de la lettre dans la deuxième ligne,
- multiplier par 2 ce nombre puis ajouter 5.
On obtient alors le code de la lettre de l'alphabet.

1. Exprimer le système de codage 2 à l'aide d'une expression littérale.

2. La lettre B a-t-elle le même code dans les deux systèmes de codage ? et la lettre E ?

3. a. Avec un tableur, écrire une formule de calcul permettant de trouver rapidement le code chiffré pour chaque lettre avec le système 2.
b. Inventer des messages, puis les crypter.

Architecture : la maison du futur

Production attendue : Imaginer et décrire une habitation du futur : dessiner les plans, réaliser une maquette et préciser les matériaux à utiliser.

Thématique	Sciences, technologie et société
Disciplines	Mathématiques, histoire et géographie, technologie, français
Domaines du socle	**1.** Les langages pour penser et communiquer / **4.** Les systèmes naturels et les systèmes techniques
	5. Les représentations du monde et de l'activité humaine

Document 1 Architecture et technologie

Dans votre ville ou votre village ou au cours d'une visite touristique, observer les habitations de styles et d'époques différents, noter les matériaux utilisés… Prendre des photographies de quelques habitations caractéristiques.

1. À partir de ces photographies, réaliser une frise chronologique mettant en évidence l'évolution de l'architecture de cette région.
2. En groupe, se répartir les différentes périodes et réaliser une fiche explicative mettant en évidence l'évolution des matériaux et des techniques utilisés.

Document 2 Architecture et histoire des arts

On présente en exemple ci-dessous différents monuments architecturaux connus à travers le monde.

L'Héphaïstéion à Athènes (Grèce)

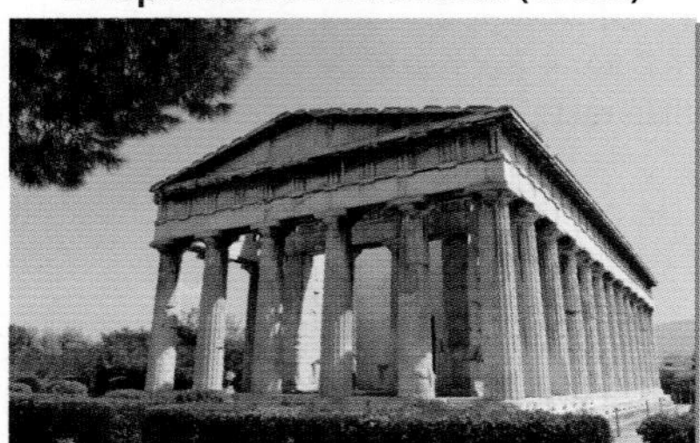

Le Louvre à Paris (France)

Le château de Roquetaillade (France)

L'opéra de Sydney (Australie)

- Rechercher de grands monuments architecturaux connus qui mettent en évidence un des thèmes suivants :
  - thème 1 : l'évolution des styles architecturaux au fil des siècles
  - thème 2 : l'architecture comme symbole de pouvoir
  - thème 3 : les grandes constructions du passé et d'aujourd'hui
- Préparer un diaporama pour présenter le thème choisi.

Document 3 L'échelle

Carte géographique

Représentation de différentes échelles

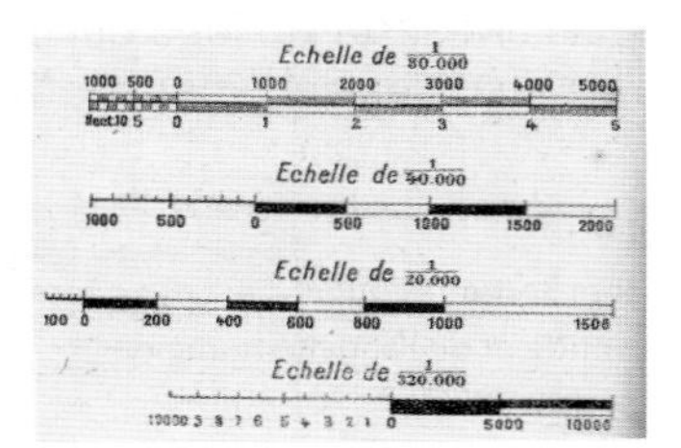

Plan d'aménagement intérieur

1. Expliquer ce qu'est une échelle sur une carte géographique.
2. Réaliser un plan de la classe, vue d'en haut, à l'échelle $\frac{1}{20}$ sans oublier le mobilier.

Document 4 L'architecture à travers la littérature

Voici un exemple d'un texte littéraire médiéval où l'on trouve une description d'un château-fort :

L'arrivée de Perceval au château de Gornement

Sur cette roche, sur un versant qui descendait vers la mer, il y avait un château fort riche et fort beau. Comme il arrivait vers l'embouchure, le jeune homme prit à gauche et il vit apparaitre les tours du château.
Au milieu du château se dressait une grande et forte tour; une robuste barbacane tournée vers l'embouchure de la rivière où les eaux agitées se rejoignaient en venant s'abattre à ses pieds.
Aux quatre coins de la muraille bâtie en pierre solide, on trouvait quatre tourelles résistantes et remarquables. Le château était fort bien construit et aménagé par devant. Devant le châtelet rond, un pont de pierre fait en chaux et en sable enjambait la rivière. Au milieu, ce pont était fortifié et muni d'une tour ; à l'extrémité se trouvait un pont-levis fort bien établi : il faisait pont le jour et porte la nuit.

Perceval ou le conte du Graal, Chrétien de Troyes.

1. Rechercher d'autres exemples de description architecturale dans des textes littéraires.
2. Proposer une description d'une habitation contemporaine ou d'une époque ancienne.

Document 5 Architecture mathématique

Le Vitra Design Museum à Weil (Allemagne)

Le musée Guggenheim à Bilbao (Espagne)

Le musée national d'art occidental à Tokyo (Japon)

Une unité d'habitation de Firminy-Vert, Firminy (France)

1. Faire des recherches sur les bâtiments construits par les architectes Gehry et Le Corbusier.
2. Chercher les figures géométriques utilisées dans leurs constructions.

Des icônes et des logos

Production attendue : Réaliser un logo qui pourrait être reproduit sur les documents officiels.

Thématique	Culture et création artistiques	**Disciplines**	Mathématiques, arts plastiques
Domaines du socle	**1.** Les langages pour penser et communiquer / **4.** Les systèmes naturels et les systèmes techniques		
	5. Les représentations du monde et de l'activité humaine		

Document 1 Présentation de différentes icônes

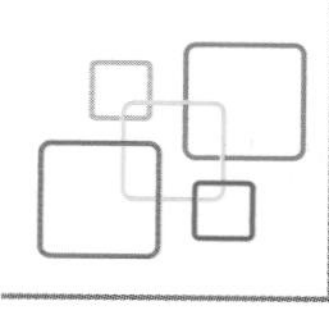     

1. Parmi les icônes proposées, repérer celles qui ont un ou des axes de symétrie ou un centre de symétrie.

2. Trouver des logos de marque possédant une de ces propriétés.

Document 2 Analyse et sens des logos

Certains logos arrivent à tromper notre regard en cachant des symboles qui donnent du sens.

Des animaux

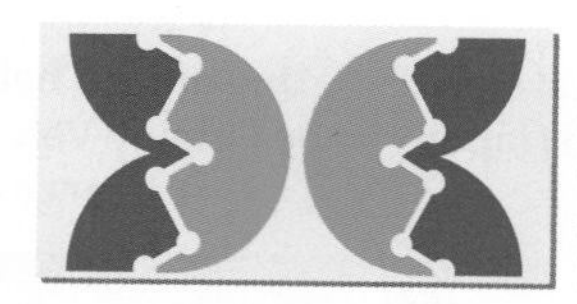   

Un visage et une feuille, une voiture

 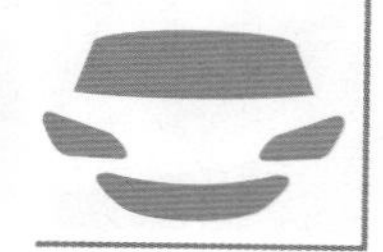

Rechercher des logos de marque ou d'entreprise qui cachent une lettre, un chiffre, un animal, un objet ou un monument. Expliquer la signification de ces symboles cachés.

Document 3 Reproduire un logo

- **Première construction : sur feuille sans quadrillage**

• Construire un losange ABCD dont les diagonales mesurent 10 cm et 16 cm et se coupent en O.
• Sur le segment [AD], placer les points E, F et G tels que AE = 1 cm, AF = 2,5 cm et AG = 4 cm puis les points I, J et K tels que DI = 1 cm, DJ = 2,5 cm et DK = 4 cm.
• Tracer les segments [OE], [OF], [OG], [OI], [OJ], [OK].
• Tracer ensuite les cercles de centre O et de rayons respectifs 2 cm, 3 cm et 4 cm.
• Compléter la figure par symétrie par rapport aux diagonales et colorier le logo.

- **Deuxième construction : avec un logiciel de géométrie** 

1. Tracer un cercle $\mathscr{C}$ de centre O et de rayon 5 cm ; tracer l'un de ses diamètres qu'on notera [AB].
2. Tracer un demi-cercle de diamètre [OA].
3. Placer le point E, milieu de [AO].
4. Tracer le cercle de centre E et de rayon 1 cm.
5. Compléter la figure par la symétrie centrale de centre O et la colorier.

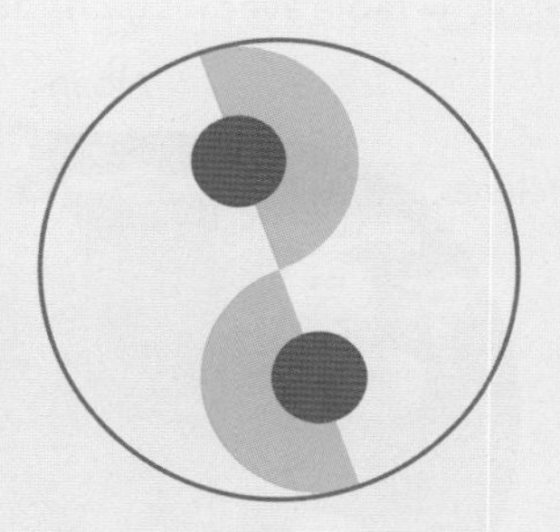

Document 4 Création d'un logo

Créer un logo est un exercice difficile, car il faut réussir à faire passer un message parfois complexe sous une forme très simplifiée tout en faisant preuve d'originalité ! Voici quelques exemples d'évolutions de logos :

1960 1978 1984 1986 1995 2005

1976 By Ron Wayne — 1977 - 1998 By Rob Janoff — 1998 Translucent Version — 1998 - 2000 Monochrome Version — 2001 - 2007 Aqua Version — Current Chrome Version

1. Rechercher les différentes règles de conception d'un logo (forme, thème, couleurs, symbole…).
2. Chercher un logo connu ayant évolué au fil des ans et expliquer cette évolution.

Problèmes transversaux

Pour mieux cibler les compétences			
Chercher	2 14 15	Raisonner	11 14
Modéliser	1 4 8	Calculer	1 3 10 13 16
Représenter	4 6 7 9 12	Communiquer	4 5 11 16

1 Poker

Cinq joueurs sont installés autour d'une table de poker. Chacun a misé 200 €.

Chaque joueur a devant lui un tas de jetons qui représente la somme dont il dispose après plusieurs parties.

Doc. 1 Valeur de chaque type de jetons

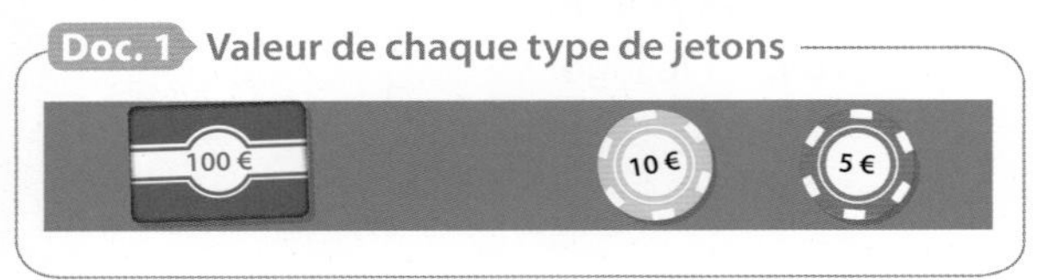

Doc. 2 Table avec les gains de chacun

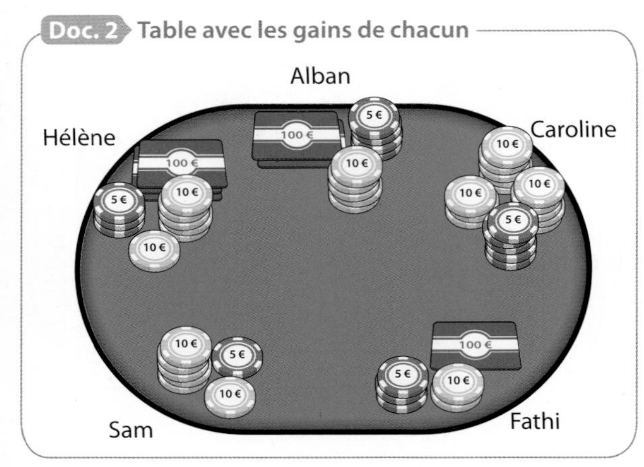

• Pour chaque joueur, préciser la somme qu'il a gagnée ou perdue.

2 Centre d'un cercle

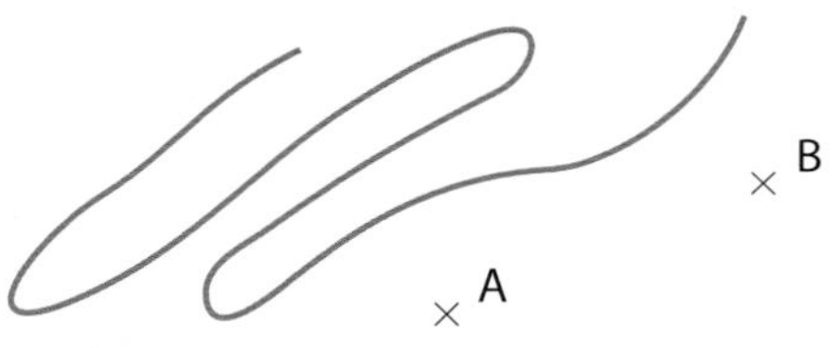

1. Reproduire la figure.
2. Placer sur la ligne tous les centres des cercles passant par A et B.

3 Produit

Quel est le dernier chiffre du produit $1 \times 2 \times 3 \times \ldots \times 99$?

4 Rendez-vous

Angèle habite à l'intersection du Cours de l'Argonne et de la rue Puységur.

Louise habite à l'intersection de la rue Puységur et de la rue Dubourdieu.

Nina habite à l'intersection de la rue Dubourdieu et du Cours de l'Argonne.

Elles ont toutes les trois rendez-vous chez Nina.

Louise propose à Angèle de passer chez elle avant de se rendre chez Nina, en lui précisant qu'elle n'aura que 150 m à parcourir en tout.

• Après avoir observé le plan ci-dessous, Angèle affirme qu'elle n'est pas d'accord avec Louise. Expliquer pourquoi.

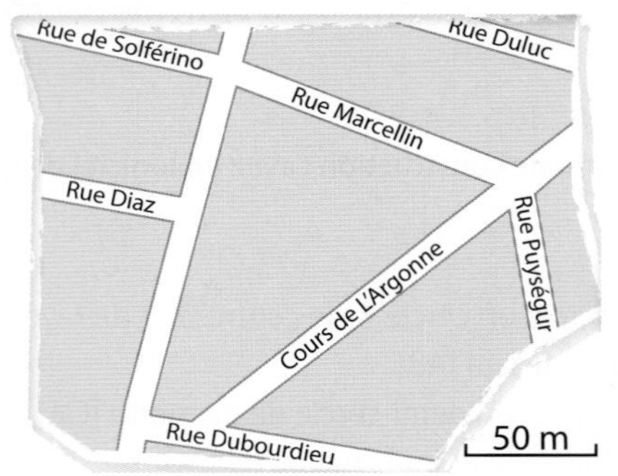

5 Sur le trajet du collège

Pour se rendre au collège, Audrey a plusieurs possibilités :
- marcher un peu puis prendre le tramway ;
- prendre son vélo ;
- marcher tout le long du trajet.

1. Associer chacun des graphiques ci-dessous à l'un des trois modes de déplacement d'Audrey.

Graphique 1

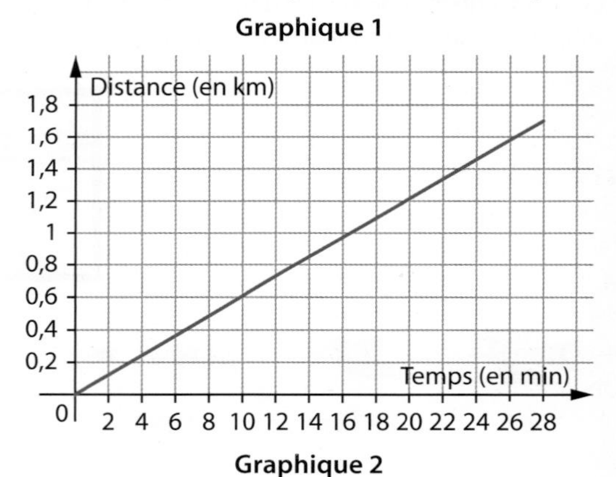

Graphique 2

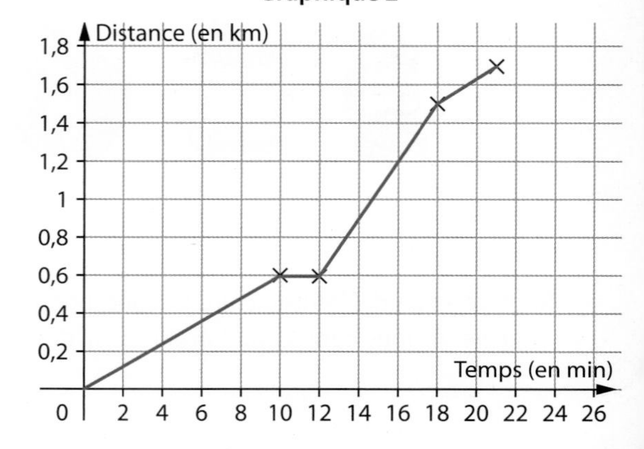

2. Quelle distance Audrey parcourt-elle tous les matins ?
3. **Étude du trajet en tram**
   a. Au bout de 12 min, quelle distance Audrey a-t-elle parcourue ?
   b. Combien de temps a-t-elle mis pour faire 1,2 km ?
   c. Décrire de manière précise le trajet en tram-way.

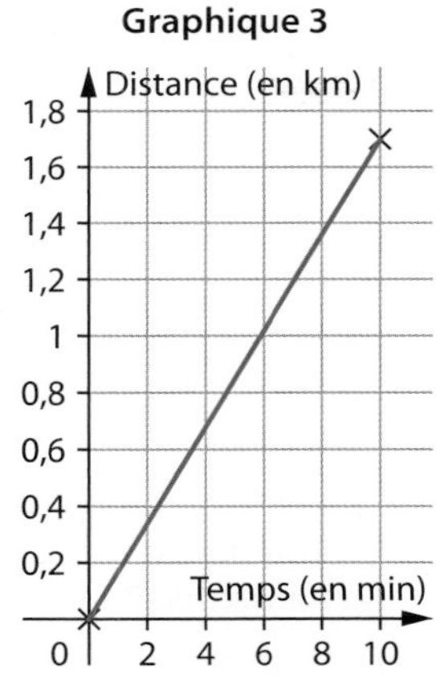

4. Ce matin, Audrey est partie à 7 h 41 de chez elle. Quel(s) moyen(s) de transport peut-elle utiliser pour être sûre d'être en cours à 8 h 05 ?

Le ruban de Constance

Prise d'initiative

Constance a un ruban sur lequel elle a fait trois nœuds en A, B et C.

La longueur AB correspond à $\frac{1}{12}$ de la longueur totale du ruban.

La longueur AC correspond à $\frac{1}{8}$.

Si elle enroule le ruban autour d'un paquet, Constance peut faire deux tours avec la longueur AB.

- Combien de tours peut-elle faire avec la longueur AC ?

Salle de spectacles

Dans une nouvelle salle de spectacles de 1 100 places, les 1 100 fauteuils ont été disposés en rangées de 44 places et numérotés de 1 à 1 100 (le numéro 45 étant derrière le numéro 1 et ainsi de suite).

Le jour de l'inauguration, le directeur de la salle s'aperçoit que cette numérotation n'est pas pratique. En effet, si une personne arrive avec le billet 578, il lui est difficile de trouver sa rangée.

Le directeur décide donc de changer la numérotation. Chaque numéro de place comportera :

- une lettre : A pour le premier rang, B pour le second, etc.
- puis un nombre de 1 à 44.

1. Expliquer pourquoi le fauteuil numéro 92 devient le fauteuil C4.
2. Quelle est la nouvelle numérotation du fauteuil numéro 500 ?
3. Quel était le numéro du fauteuil E25 ?
4. Axel, Léna, Llona et Lilou ont acheté les places numérotées 878, 879, 880 et 881. Seront-ils assis les uns à côté des autres ?

8 Fête foraine

Éloïse s'occupe de deux stands à la fête foraine.
Dans le premier stand, on peut gagner une peluche si l'on tire une boule rouge dans une urne qui contient 6 boules vertes, 5 boules blanches et des boules rouges.
Dans le second stand, on fait tourner une roue séparée en 8 secteurs numérotés de 1 à 8 comme indiqué ci-dessous. On peut gagner une montre si l'on obtient un multiple de 3.

1. Éloïse annonce qu'il y a 50 % de chances de gagner une peluche. Donner le nombre de boules rouges présentes dans l'urne.
2. Quelle est la probabilité de gagner une montre ?

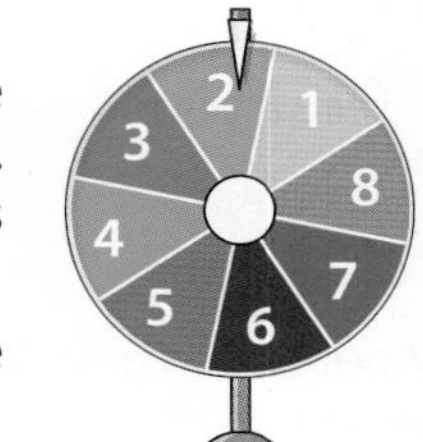

9 Chasse au trésor

Un trésor est caché dans un champ représenté sur cette carte. On sait qu'il est à 200 m de la cascade et à égale distance de la grotte et du rocher.

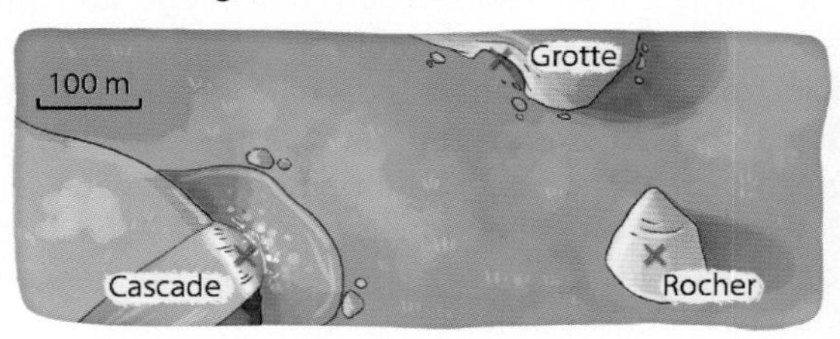

1. Reproduire la carte ci-dessus.
2. Trouver sur cette carte les points où peut se trouver le trésor.
   Laisser apparents les tracés de construction.

10 Les jardins de Villandry

HG

Le château de Villandry est un château de la Loire d'architecture Renaissance, situé à 15 km à l'ouest de Tours. Il est célèbre pour ses six jardins.
Anna souhaite effectuer à pied le tour de ces jardins. Grâce au site géoportail, elle a pu imprimer la photo ci-dessous, sur laquelle elle a noté en jaune son parcours.

0 100 m

- Aider Anna à estimer la longueur de son trajet. Justifier cette estimation.

Problèmes transversaux

11 La tache de chocolat

Sarah, installée sur la table de la cuisine, a commencé son exercice de géométrie. Elle a renversé son chocolat chaud sur la feuille.

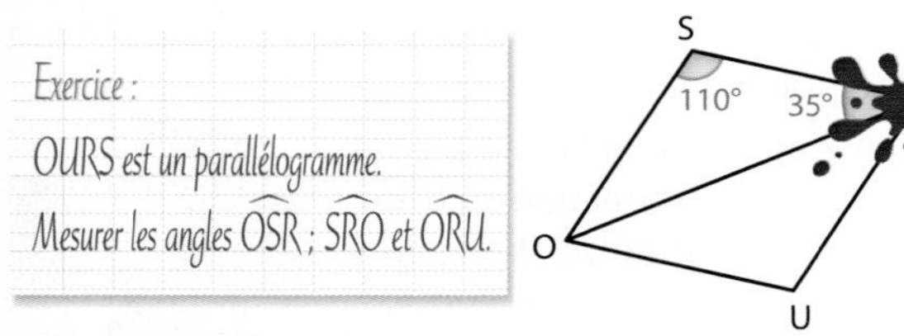

Exercice :
OURS est un parallélogramme.
Mesurer les angles $\widehat{OSR}$; $\widehat{SRO}$ et $\widehat{ORU}$.
S
110°
35°
O
U

Andréa, son grand frère qui est en 5e, la rassure en lui disant qu'elle va pouvoir donner la mesure de l'angle qui manque sans le mesurer.

- Détailler la méthode d'Andréa.

12 Accros au téléphone

Une enquête a été réalisée dans un collège sur l'utilisation des téléphones portables.

Voici trois des questions posées dans cette enquête :

Question 1 : Possédez-vous un téléphone portable ?

Question 2 : Si oui, quel abonnement avez-vous ?

Question 3 : Votre téléphone portable est-il source de conflit avec vos parents ? Si oui, à quelle fréquence ?

Voici les réponses obtenues au trois questions :

Réponse à la question 1	Oui	Non
Nombre d'élèves	525	184

Réponse à la question 2

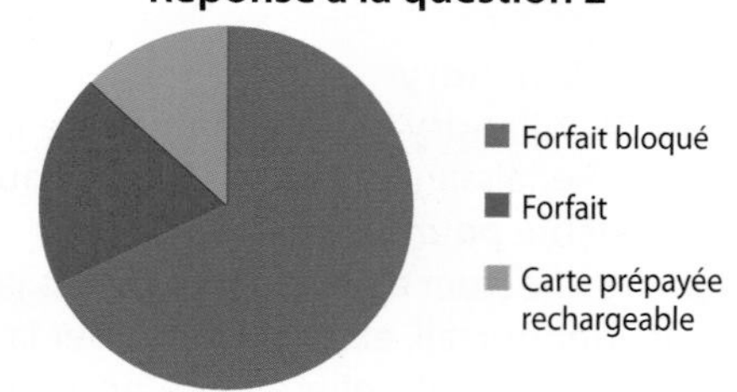

Réponse à la question 3

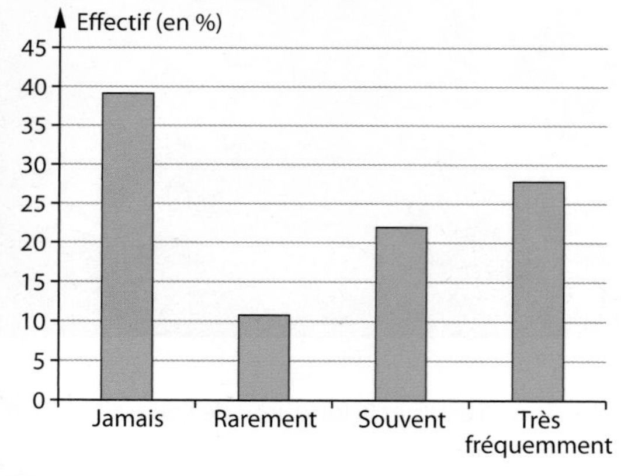

1. Peut-on dire que près des trois quarts des élèves de ce collège possèdent un téléphone portable ? Justifier.
2. 68 % des élèves ayant un téléphone portable ont un forfait bloqué. Quel est le nombre d'élèves concernés ?
3. Peut-on dire que plus d'un quart des élèves ayant un téléphone portable ont une carte prépayée rechargeable ? Justifier.
4. Déterminer une valeur approchée du nombre d'élèves ayant un forfait non bloqué. Expliquer la démarche utilisée.
5. Déterminer une valeur approchée du nombre d'élèves pour lesquels le téléphone portable a déjà été source de conflit avec leurs parents.

13 La pièce de métal

Prise d'initiative

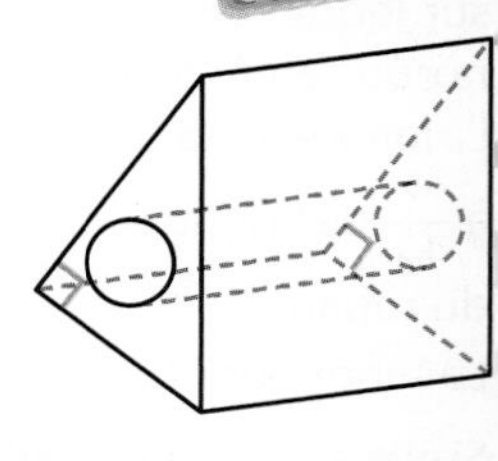

L'entreprise de Gauthier fabrique des pièces de métal identiques à celle-ci.

C'est un prisme droit de hauteur 23 cm et dont la base est un triangle rectangle de dimensions 6,4 cm, 12 cm et 13,6 cm.

Il est percé d'un trou cylindrique de 3,2 cm de diamètre.

Chaque pièce est ensuite entièrement laquée en blanc, y compris dans le trou, à l'aide d'une machine utilisant 15 litres de peinture pour une surface de 200 m².

1. Quel volume de métal sera nécessaire à la fabrication de 100 000 pièces comme celle-ci ? Donner la réponse dans une unité adaptée.

Le volume d'un prisme droit est donné par la formule :

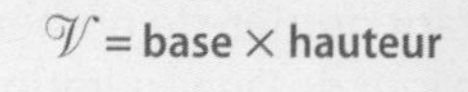

2. Quelle quantité de laque sera nécessaire pour la fabrication de ces 100 000 pièces ?

14 Abri de jardin

Prise d'initiative

Pour réaliser un abri de jardin en parpaing, un bricoleur a besoin de 300 parpaings de dimensions 50 cm × 20 cm × 10 cm pesant chacun 10 kg.

Il achète les parpaings dans un magasin situé à 10 km de sa maison. Pour les transporter, il loue un fourgon au magasin.

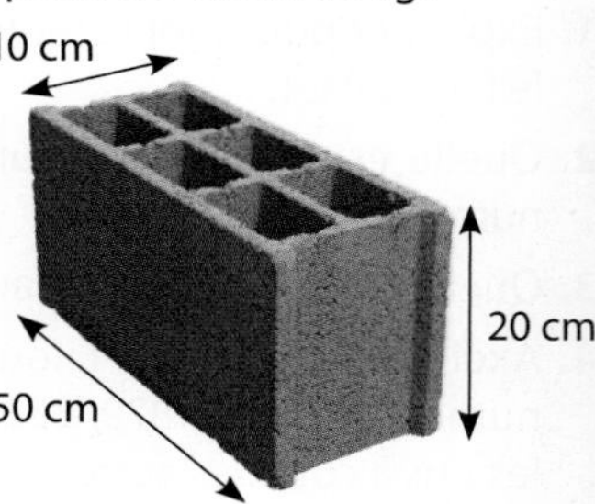

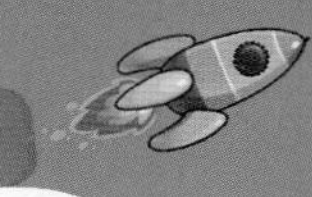

Doc. 1 Caractéristiques du fourgon

- Trois places assises.
- Dimensions du volume transportable ($\ell \times \mathcal{L} \times h$) : 2,60 m × 1,56 m × 1,84 m.
- Charge pouvant être transportée : 1,7 tonnes.
- Volume réservoir : 80 litres.
- Diesel (consommation : 8 litres aux 100 km).

Doc. 2 Tarifs de location du fourgon

1 jour 30 km maximum	48 €
1 jour 50 km maximum	55 €
1 jour 100 km maximum	61 €
1 jour 200 km maximum	78 €
km supplémentaire	2 €

Ces prix comprennent le kilométrage indiqué hors carburant.

Doc. 3 Prix du carburant

Un litre de carburant coute 1,50 €.

1. Expliquer pourquoi il devra effectuer deux allers-retours pour transporter les 300 parpaings jusqu'à sa maison.
2. Quel sera le cout total du transport ?
3. Les tarifs de location du fourgon sont-ils proportionnels à la distance maximale autorisée par jour ?

D'après brevet.

Le vélo d'Anthony

Tous les matins, Anthony part de chez lui en vélo et parcourt deux kilomètres pour se rendre au collège La Canopée de Matoury (Guyanne).

Doc. 1 Principe de fonctionnement d'un vélo

Le cycliste appuie sur les pédales qui font tourner un plateau à l'avant. Le plateau entraine la chaine qui entraine à son tour un pignon à l'arrière. C'est ce pignon qui fait tourner la roue arrière… et le vélo avance.

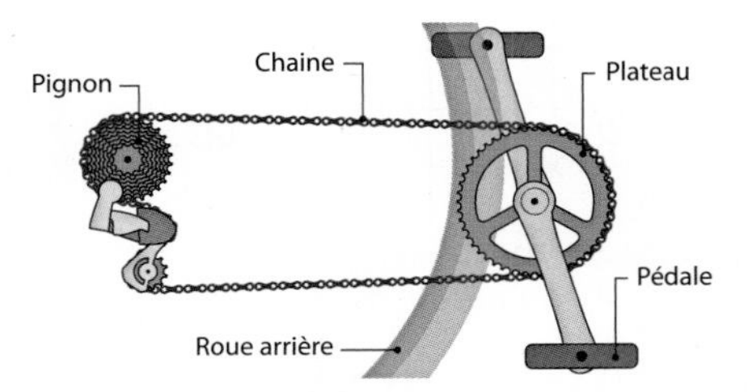

À chaque combinaison plateau-pignon correspond une vitesse différente.
Plus l'écart de taille entre le plateau et le pignon est grand, plus le vélo avance vite, mais plus il est difficile de pédaler.

Doc. 2 Caractéristiques du vélo d'Anthony

- Diamètre du pneu 28 pouces soit environ 712 mm
- 3 plateaux (48, 36 et 24 dents)
- 6 pignons à l'arrière (12, 14, 16, 18, 21 et 24 dents)

1. Combien de vitesses a le vélo d'Anthony ?
2. Quelle est la valeur en centimètres d'un pouce ?
3. a. Si la chaine est sur le deuxième plateau (36 dents) et sur le petit pignon (12 dents), combien de tours fait la roue arrière lorsqu'Anthony fait un tour de pédale ?
   b. Si la chaine est sur le grand plateau et sur le pignon à 21 dents, combien de tours fait la roue arrière lorsqu'Anthony fait un tour de pédale ?
4. Ce matin, la chaine du vélo d'Anthony est sur le deuxième plateau et sur le pignon à 16 dents. En supposant qu'il roule sur un terrain plat et qu'il pédale régulièrement et sans arrêt, combien de tours de pédale devra-t-il faire pour arriver au collège ?

16 Sirop de menthe

Cali a invité 40 personnes pour son anniversaire. Il souhaite donner la même quantité de menthe à l'eau à chacune d'entre elles dans des verres en forme de tronc de cône.

Doc. 1 Bouteille de sirop

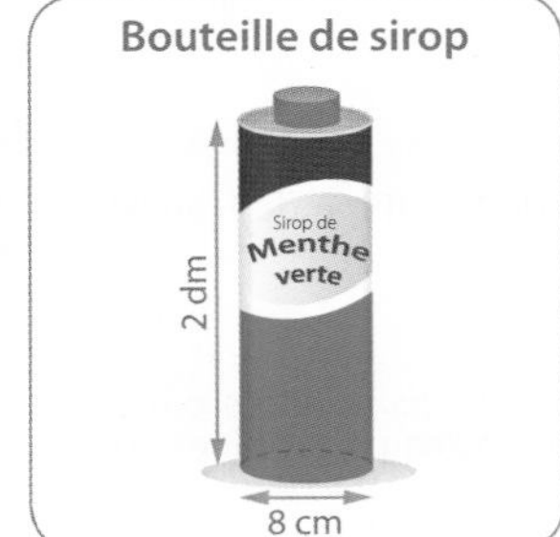

Doc. 3 Verre de menthe à l'eau

7 cm
2 cm
4 cm
4 cm

Doc. 2 Dosage

Doc. 4 Formules

$\mathcal{V}_{\text{cylindre}} = \pi \times R^2 \times h$ où R désigne le rayon du disque de base et h la hauteur du cylindre ;

$\mathcal{V}_{\text{tronc}} = \dfrac{\pi \times h}{3}(R^2 + r^2 + Rr)$ où R et r désignent respectivement le rayon du grand disque et du petit disque et h la hauteur du tronc.

- Sachant que Cali a déjà une bouteille de sirop à la menthe remplie aux $\dfrac{3}{4}$, devra-t-il acheter des bouteilles de sirop supplémentaires ?

Corrigés

1 Nombres entiers

22 Les diviseurs de 72 sont : 1, 2, 3, 4, 6, 8, 9, 12, 18, 24, 36 et 72.
Il y en a 12. Maximilien a tort.

36 1. 5 900, 1 548, 452 et 584 sont des multiples de 2.
2. 1 548 et 123 sont des multiples de 3.
3. 5 900 et 485 sont des multiples de 5.

43 1. 2 est le seul entier premier inférieur à 100 se terminant par 2.
2. Les nombres premiers inférieurs à 100 se terminant par 3 sont : 3, 13, 23, 43, 53, 73 et 83.
Il y en a 7.

QCM

1 1. C 2. C 3. B 4. B **2** 1. B 2. C 3. A

3 1. C 2. B

51 La division euclidienne de 67 par 9 donne un quotient de 7 et un reste de 4.
$67 = 9 \times 7 + 4$
Noémie rangera ses 67 tickets dans 8 pochettes.

75 Il y a 7 jours par semaine, on fait donc la division euclidienne de 100 par 7 et on obtient un quotient de 14 et un reste de 2.
$100 = 14 \times 7 + 2$.
Le baccalauréat aura donc lieu 2 jours après mardi : le jeudi.

2 Enchainement d'opérations

25 A = 13 ; B = 16,5 ; C = 59 ; D = 11,5.

33 A = 7 ; B = 87 ; C = 4.

39 A = 1 ; B = 20 ; C = 16 ; D = 12.
A va avec 4 ; B va avec 1 ; C va avec 3 ; D va avec 2.

QCM

1 1. B 2. B 3. B **2** 1. C 2. C

3 1. C 2. C **4** A

54 Nombre de roses achetées (ou âge de la femme de Franck) :
$\frac{100+5}{3} = 35$.

59 75 g = 0,075 kg.
Le nombre de kilogrammes de déchets économisés par an si les Français ne consommaient que de l'eau du robinet est :
$\frac{144}{1,5} \times 0,075 = 7,2$.

3 Fractions

24 Le temps de parole accordé à chaque élève est exactement de $\frac{11}{6}$ min.
Ce nombre ne peut pas s'écrire sous forme décimale, car la division de 11 par 6 est infinie.

33 1. $\frac{15}{18} = \frac{3 \times 5}{3 \times 6} = \frac{5}{6}$.

2. $\frac{15}{18} = \frac{5}{6} = \frac{5 \times 5}{6 \times 5} = \frac{25}{30}$.

3. $\frac{15}{18} = \frac{5}{6} = \frac{5 \times 4}{6 \times 4} = \frac{20}{24}$.

40 $\frac{9}{2} > 1 > \frac{1}{3} > \frac{2}{9} > 0$.

45 1. La proportion de poissons-clowns est de $\frac{15}{150}$.
2. Oui, car $\frac{15}{150} = \frac{15 \times 1}{15 \times 10} = \frac{1}{10} = \frac{1 \times 10}{10 \times 10} = \frac{10}{100}$.

QCM

1 1. B 2. A 3. C **2** 1. A 2. B 3. A

3 1. C 2. A **4** 1. C 2. A

55 1. Martin a mangé les 25 % du contenu de la boite, car :
$\frac{3}{12} = \frac{3 \times 1}{3 \times 4} = \frac{1}{4} = \frac{1 \times 25}{4 \times 25} = \frac{25}{100}$.
2. $\frac{25}{100} = \frac{1}{4} = \frac{1 \times 4}{4 \times 4} = \frac{4}{16}$;
donc Léo a mangé 4 portions de la deuxième boite.

74 1. La proportion de votes « pour » nécessaire est de $\frac{555}{925}$ ou $\frac{3}{5}$ car :
$\frac{555}{925} = \frac{5 \times 111}{5 \times 185} = \frac{111}{185} = \frac{3 \times 37}{5 \times 37} = \frac{3}{5}$.
2. Si 294 députés votent « pour », il faut que 261 sénateurs votent aussi « pour », car 555 − 294 = 261.
Cela représente une proportion de 75 %, car :
$\frac{261}{925-577} = \frac{261}{348} = 0,75$.

4 Nombres relatifs : définition

20

	Nombre de buts marqués	Nombre de buts encaissés	Différence de buts
Équipe A	8	6	2
Équipe B	3	4	−1
Équipe C	10	8	2
Équipe D	6	6	0
Équipe E	7	9	−2

24 1. E(−4), A(−1,5), I(2).
2.

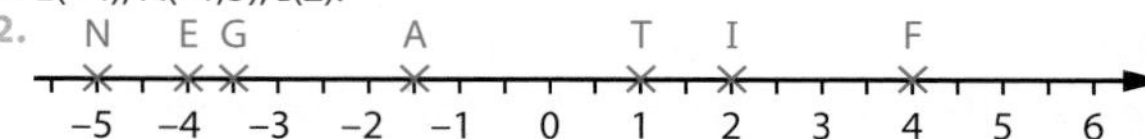

33 Thalès (−625) ; Pythagore (−580) ; (−287) ; Euclide (−275).

39

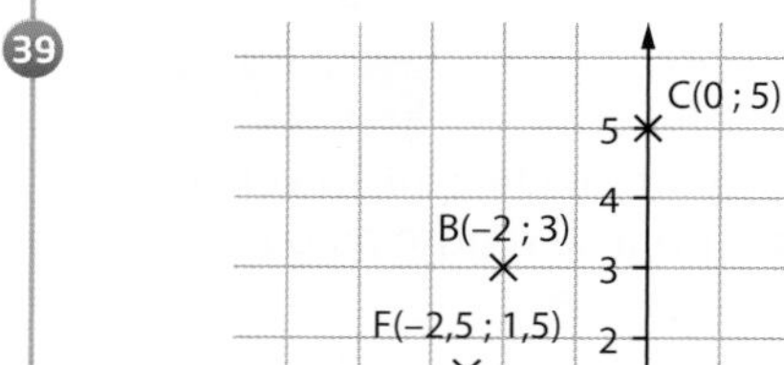

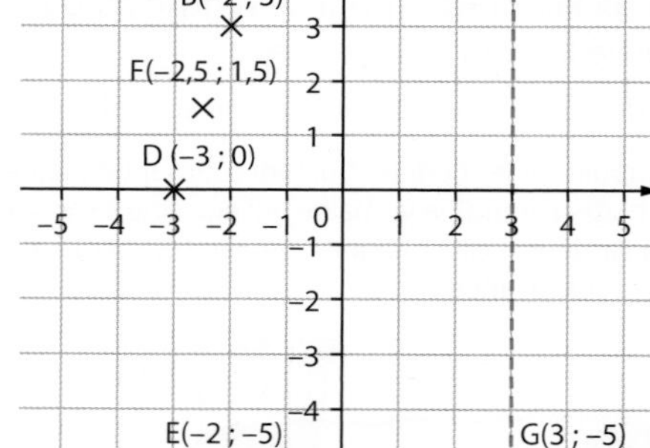

QCM

1 1. C 2. A **2** 1. A 2. C

3 1. A 2. B **4** 1. C 2. B

53 Les assassins de Jules César sont des hommes plus jeunes que lui, ils sont donc nés après −100 et morts après lui, c'est-à-dire après −44.
Les deux hommes qui vérifient les deux critères sont : Marcus Junius Brutus (−85, −42) et Caius Cassius Longinus (−87, −42).

1. Le Cap.
2. Londres (0 ; 52).
3. Nairobi (0 ; 36).
4. Rio de Janeiro, Le Cap et Sidney sont dans l'hémisphère sud.
5. Rio de Janeiro (–40 ; –20).
6. Le parallèle qui correspond à l'axe des abscisses est l'équateur. Le méridien qui correspond à l'axe des ordonnées est le méridien de Greenwich.

5 Nombres relatifs : opérations

23 A = 2,3 + 4,8 = 7,1
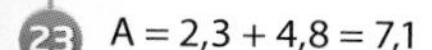
B = –4,1 + (–5,4) = –9,5
C = 2,5 + (–1,8) = 0,7
D = (–7,2) + 2,9 = –4,3
E = –158 + (–87) = –245
F = 157 + (–278) = –121

33 Sur la droite graduée suivante.

A (–3), B (–1), O (0), C (3), D (4)
–3 –2 –1 0 1 2 3 4 5

1. A(–3) et C(3) ont des abscisses opposées.
2. Ces deux points sont symétriques par rapport au point O.
3. L'abscisse du point E symétrique de B par rapport à O est 1.

37
a. 3,2 – 5,3 = –2,1
b. 8,1 – (+ 15) = –6,9
c. 4,7 – (–5) = 9,7
d. –120 – 56 = –176
e. –284 – (–45)= –239
f. –0,06 – (3,4) = –3,46

46 A = –3 + (–7) – (–3) + 8 – 5 + 10 = 6
B = 135 +(–154) – (–65) – 46 = 0
C = 1,98 + (–5,2) – (–3,4) + 0,02 – 4,5 = –4,3
D = 21 – (–5 + 3) + (4 – 8) –21 = –2

QCM

1 1. B 2. A
2 1. C 2. A

3 1. B 2. A 3. B
4 1. A 2. C

55 1. 775 – 1433 =1775 + (–1433) = –238 m.
2. 455 – (–1182) = 455 + 1182 = 1 637.
1637 > 1433 ; c'est donc le lac Baïkal qui est le lac le plus profond du monde.

62 33,5 + 45 – 19,9 – 12,2 + 60 – 24,9 = 81,5.
Il lui restera 81,5 euros.

6 Calcul littéral

18 Le montant de la dépense d'Arthur s'exprime à l'aide de l'expression : $3 \times t + 2 \times c$.

27 1. Celle du garçon.
2. La fille a inversé les valeurs de t et r.

32
a. Fausse, car $9 \neq 35$.
b. Fausse, car $17 \neq 30$.
c. Vraie, car les deux membres sont égaux à 25.

QCM

1 1. B 2. A 3. C
2 1. A 2. C
3 1. B 2. A 3. C

44 1. A désigne le nombre d'adultes, E le nombre d'enfants.
2. a. $R = 2\,101{,}5$;
b. $R = 4\,714{,}5$.

53 Non, c'est faux. Par exemple, si on choisit le nombre 10, on obtient 30 avec le programme de Nour et 60 avec le programme de Flore.

7 Proportionnalité

21 Non.

29 812,5 g farine ; 13 œufs ; 1,625 L lait et 162,5 g beurre.

36 1. 594 457 votants.
2. 41,6%.
3. 12 424 votes blanc.
4. 301 390 Pour.

43 1/1800.

QCM

1 1. A 2. B
2 1. A 2. C
3 B
4 C

52 2 917 400 chômeurs au 1er septembre 2015.

65 Une réduction de rapport 2,433.

8 Calcul et représentation de grandeurs

19 19 min 12 s.

28 1. La cabine reviendra au sol à 15 h 10.
2. a. 30 m.
b. 100 m environ.
c. La cabine sera à plus de 100 m du sol pendant 10 minutes.

QCM

1 1. B 2. B 3. B
2 C

36 1. 27 centièmes de seconde ou 0''27 s séparent le vainqueur du dernier arrivé.
2. 20 centièmes de seconde ou 0''20 s séparent le meilleur Américain du dernier Américain.

50 1. Un pied de 18,4 cm correspond à une pointure de 29.
2. Un enfant de 2 ans chausse du 22 s'il est dans la moyenne basse. Donc Angélique n'a pas de petits pieds.
3. Pour un enfant de 6 ans, la moyenne haute est la pointure 32 et la basse est 28. L'écart est donc de 4 pointures.

9 Représentation et traitement de données

19 1. 26 – (14 + 7) = 5 ;
le Canada a remporté 5 médailles de bronze.
2. $\frac{14}{26} \approx 0{,}5384$; la fréquence des médailles d'or est d'environ 53,8 %.

26 $\frac{2{,}14+2{,}03+1{,}95+2{,}03+1{,}90+1{,}99+2{,}17+2+1{,}99+2{,}11+1{,}85+2{,}01}{12} \approx 2{,}01$.
La taille moyenne d'un basketteur de l'équipe de France 2015 est d'environ 2,01 m.

28

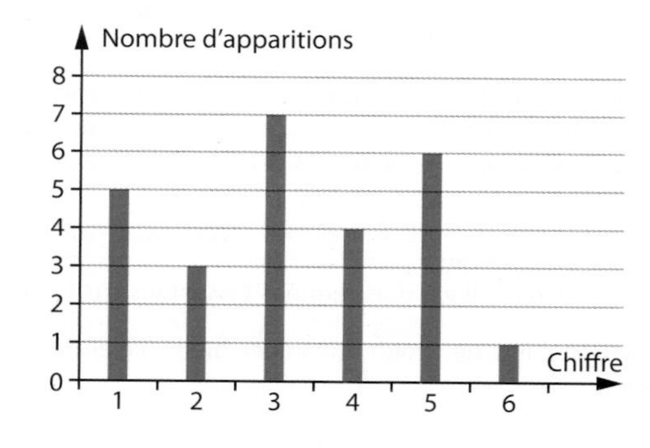

Corrigés

QCM

1 1. B 2. C

2 1. B 2. B

3 B

4 B

42 1. Salaire moyen annuel de l'entreprise A :

$\frac{13\,970 \times 4 + 14\,200 + 41\,280}{6} = 18\,560$ €.

Salaire moyen annuel de l'entreprise B :

$\frac{14\,300 \times 3 + 18\,600 \times 2 + 31\,260}{6} = 18\,560$ €.

2. Dans l'entreprise A, un employé a un salaire supérieur au salaire moyen et dans l'entreprise B, trois employés ont un salaire supérieur au salaire moyen.

3. Le calcul de la moyenne n'est pas un indicateur suffisant, car il ne permet pas de faire apparaitre la répartition des valeurs d'une série.

53 Temps moyen des dix coureurs est :

$T = \frac{9''83 + 9''91 + 9''92 + 9''95 + 9''96 + 9''97 + 9''99 + 9''99 + 10''02 + 10''03}{10}$

$\approx \frac{99''57}{10}$

$\approx 9''957 < 9''96$.

Donc le temps d'Usain Bolt est moins bon que le temps moyen de ces dix coureurs.

10 Probabilités

27 1. a. Les issues de cette expérience sont : vert ; bleu ; noir ; violet ; jaune ; rouge.

b. Un événement qui peut se réaliser ou non lors de cette expérience : « Obtenir une couleur primaire (rouge, bleu ou jaune). »

2. a. Les issues de cette expérience sont : 25 ; 50 ; 100 ; 500 ; 1 000 ; 5 000.

b. Un événement qui peut se réaliser ou non lors de cette expérience : « Obtenir un multiple de 100 (100 ; 500 ; 1 000 ; 5 000). »

39 La probabilité que cet élève soit venu à vélo est de :

$\frac{48}{300} = \frac{16}{100}$ soit 16 %.

QCM

1 1. B 2. A 3. C

2 1. A 2. B

60 Chaque carte a la même probabilité d'être tirée : $\frac{1}{32}$.

1. Dans le jeu, il y a 4 rois soit une probabilité de $\frac{4}{32} = \frac{1}{8}$.

2. Dans le jeu, il y a 8 cœurs soit une probabilité de $\frac{8}{32} = \frac{1}{4}$.

3. Dans le jeu, il y a 1 roi de cœur soit une probabilité de $\frac{1}{32}$.

4. Dans le jeu, il y a 16 cartes rouges soit une probabilité de $\frac{16}{32} = \frac{1}{2}$.

71

2	divisible par 4 ?	NON	NON	OUI	NON	NON	NON	OUI
3	divisible par 100 ?	NON	NON	NON	NON	NON	NON	NON
4	divisible par 400 ?	NON	NON	NON	NON	NON	NON	NON
5								
6	Bissextile ?	NON	NON	OUI	NON	NON	NON	OUI

Entre 2010 et 2020, il y a donc années bissextiles sur 11 années en tout.

Donc la probabilité de choisir une année bissextile entre 2010 et 2020 est de $\frac{3}{11}$.

11 Construction et transformation de figures

17

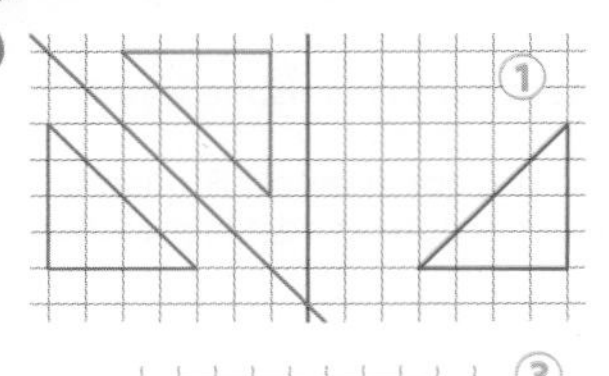

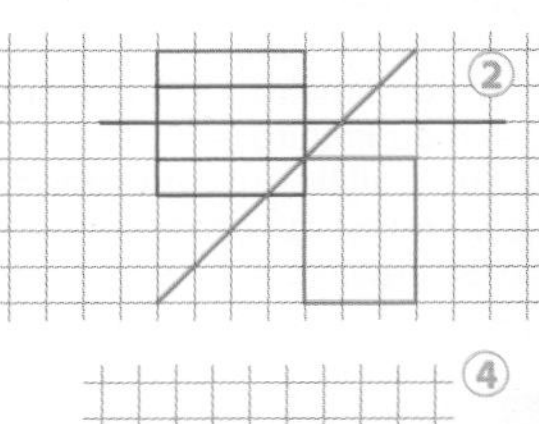

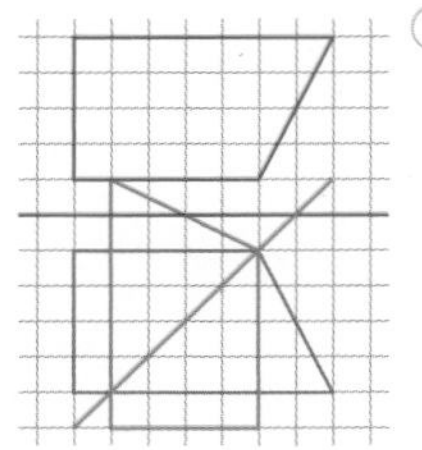

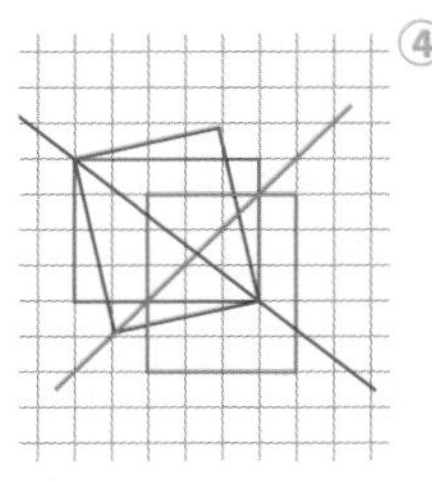

25

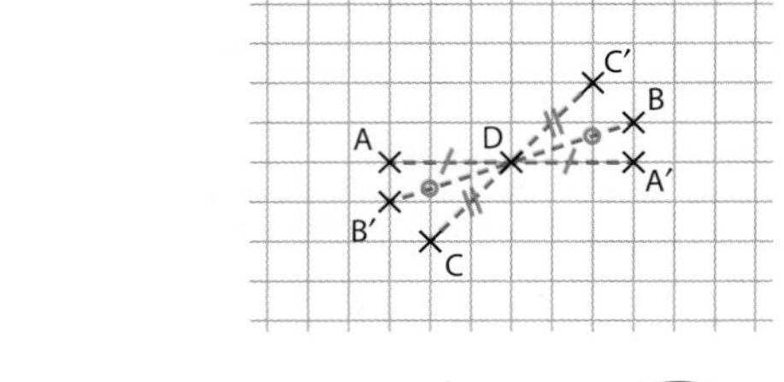

30

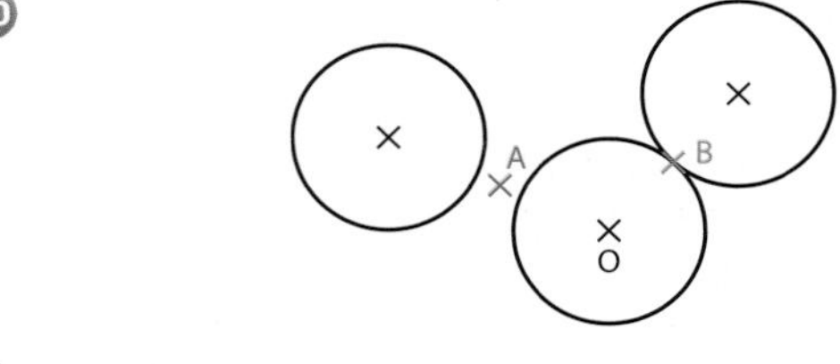

34

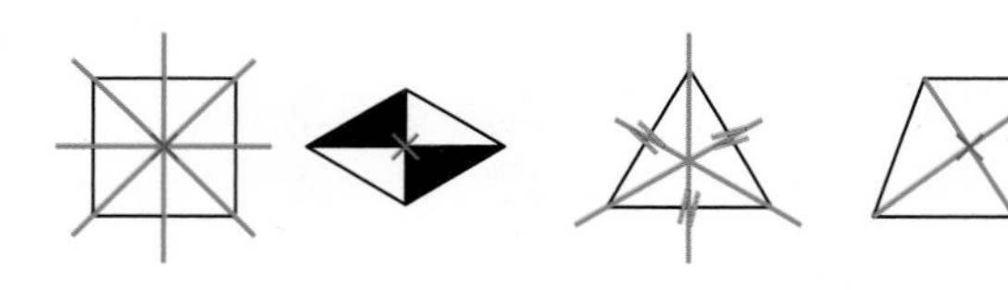

QCM

1 C

2 1. C 2. C

3 1. B 2. A

4 1. A 2. A

45 Le logo de la voiture de Carla est :

59 1. 52 cm.
2. Oui.

12 Angles

14 $\widehat{xAv}$ et $\widehat{uBz}$ sont alternes-internes et $\widehat{yAv}$ et $\widehat{tBu}$ sont alternes-internes.

17 Les droites (AL) et (TO) sont parallèles, donc $\widehat{LTO} = 97°$ car alterne-interne avec $\widehat{ALT} = 97°$.

22 ⓐ $\widehat{TCO} = 180° - (75° + 40°) = 65°$.
ⓑ $\widehat{OTR} = 180° - (90° + 47°) = 43°$.

26 Les angles marqués en rose sont alternes-internes et de même mesure, donc les droites rouges sont parallèles.

QCM

1 B
2 B
3 C
4 B

38 P, I et E sont alignés, $\widehat{PIS} = \widehat{EID}$ donc :
$\widehat{PIS} = (180° - 60°) \div 2 = 60°$;
$\widehat{ISP} = 180° - 90° - 60° = 30°$.

43 1. $\widehat{BCD} = 180° - 45° - 45° = 90°$.
$\widehat{EDA} = 180° - 60° - 45° = 75°$.
$\widehat{AED} = 180° - 75° - 15° = 90°$.
2. Les droites (AE) et (BC) sont perpendiculaires à (EC), elles sont donc parallèles.

13 Triangles et cercles

25 On construit la médiatrice du segment [HD] et tout point situé sur cette médiatrice est à égale distance des points H et D.

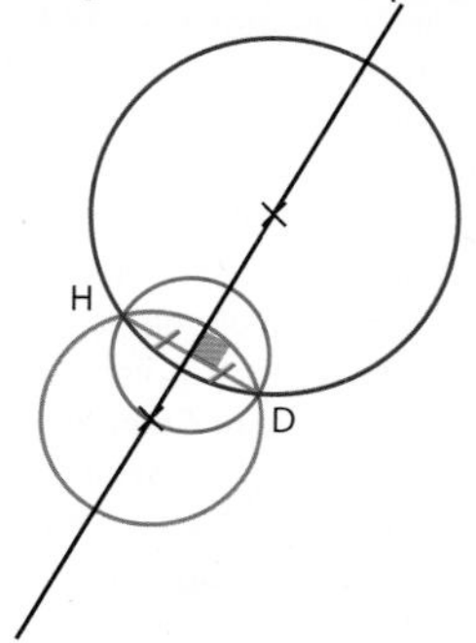

29 ⓐ 12,1 > 6,4 + 4,7 donc le triangle n'est pas constructible.
ⓑ 7,8 > 3,7 × 2 donc le triangle n'est pas constructible.

33

Triangles rectangles	EAF ; GHM et PJR
Triangles isocèles	ABF ; ABC ; GMO ; MOI ; RPL et RKL
Triangles équilatéraux	EAC ; MHI et JRK

QCM

1 1. C 2. A
2 1. A 2. B 3. A
3 1. B 2. B 3. A

47 1. ABC est un triangle isocèle donc AB = AC. Or tout point situé à égale distance de B et C se trouve sur la médiatrice du segment [BC] donc A est un point de la médiatrice (d).
2. A ; B et C sont les symétriques respectifs de A ; C et B par rapport à la droite (d).
3. $\widehat{ACB}$ est le symétrique $\widehat{ABC}$ par la symétrie d'axe (d) et la symétrie conserve les mesures d'angle donc $\widehat{ACB} = \widehat{ABC}$.

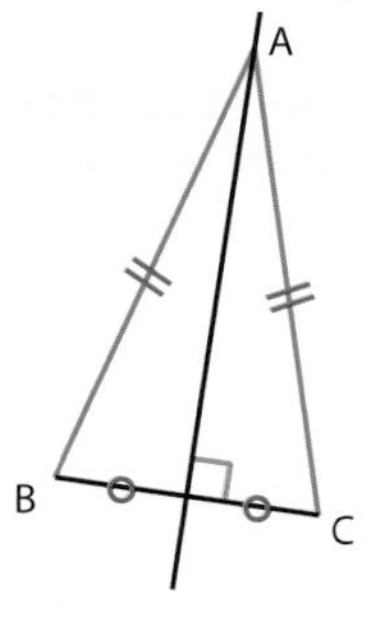

52 $\widehat{ACD} = 25°$ car la somme des mesures des angles d'un triangle est de 180°.
ADC est équilatéral donc $\widehat{ACB} = 60°$.
Comme $\widehat{BCE} = 157°$ alors $\widehat{DCE} = 72°$.
Enfin $\widehat{CED} = 36°$ car CED est un triangle isocèle.

14 Quadrilatères

20

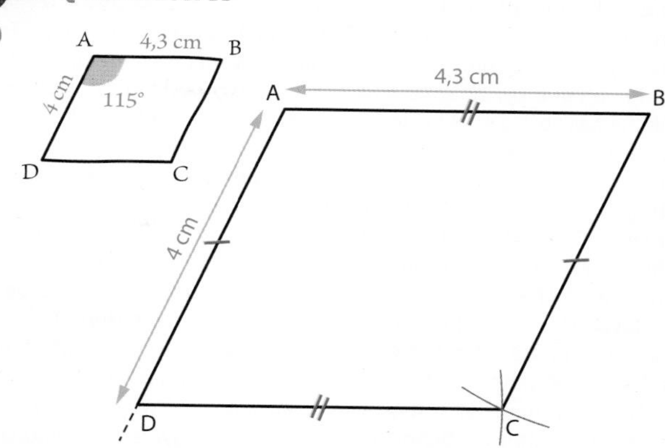

28 1. Les diagonales de TRUC ont le même milieu A.
Si les diagonales d'un quadrilatère se coupent en leur milieu, alors c'est un parallélogramme.
Donc TRUC est un parallélogramme.
2. Les côtés opposés d'un parallélogramme sont de même longueur.
Donc CU = TR = 4,3 cm.

QCM

1 1. A 2. C 3. C
2 1. C 2. B 3. A 4. C

35 Les points O et D appartiennent aux cercles de centre R et N et de même rayon.
Donc RO = RD = NO = ND.
Donc ROND est un losange.

41 VRAI et TRAC sont deux parallélogrammes.
Les côtés opposés d'un parallélogramme sont parallèles et de même longueur.
Donc TC = RA = VI et (TC) // (RA) // (VI).
Alors les côtés [TC] et [VI] du quadrilatère VICT sont de même longueur et parallèles.
Si un quadrilatère a deux côtés opposés parallèles et de même longueur, alors c'est un parallélogramme.
Donc VICT est un parallélogramme.

15 Solides de l'espace

25 ① Oui.
② Non.
③ Non.

30 1. Vrai. 2. Faux. 3. Faux. 4. Vrai. 5. Vrai. 6. Vrai.

35 1. La base est un carré de 5 cm de côté.
2. SHB est un triangle rectangle en H, SBC est un triangle isocèle en S, AHB est un triangle rectangle et isocèle en H.

41 Les figures ①, ② et ③ ne sont pas des patrons de cône de révolution.

QCM

1 C
2 B
3 A
4 B

51 Volume du pavé = $7 \times 6 \times 5 = 210$ cm^3.
Volume du demi-cylindre = $(3^2 \times 5 \times \pi)/2 \approx 71$ cm^3.
Volume total = $210 + 71 \approx 281$ cm^3.

71 Volume du demi-sablier = $(1{,}4^2 \times 1{,}7 \times \pi)/3 \approx 3{,}5$ cm^3 $\approx 3\,500$ mm^3.
$T \approx 3\,500 \div 20 \approx 175$ s ≈ 2 min 55 s.

Crédits photographiques

Les auteurs remercient les enseignants qui ont bien voulu contribuer à cet ouvrage, en particulier Fabienne Bruneau, Michel Dezest, Valérie Goncalves, Véronique Maire et Katia Odiot.

Édition : Nathalie Legros
Relectures : Cécile Chavent
Fabrication : Miren Zapirain
Mise en page : IDT (Johanne Fontaine), IGS-CP (Nathalie Coussy, Romain Géron, Sylviane Gesson)
Schémas : Lionel Buchet
Illustrations : Dafné Saporito
Recherches iconographiques : Michèle Kerneïs
Couverture : Anne-Danielle Naname
Maquette intérieure : Anne-Danielle Naname/ Laurine Caucat

Index

Tableur

Présentation d'un tableur

- Un tableur permet l'automatisation de calculs sur des données.
- Une « feuille de calcul » est composée de « cellules » repérées par une lettre et un nombre.

Exemple Sur l'écran ci-contre, la cellule sélectionnée est la cellule **D3**.

Fichier Édition Affichage Insertion Format Outils Données Fenêtre Aide
Liberation Sans 10
D3

	A	B	C	D	E
1					
2					
3					
4					
5					

Entrer une formule de calcul dans une cellule

Pour indiquer au tableur qu'il doit effectuer un calcul, on commence par écrire « = » suivi du calcul à effectuer.

Ce que l'on écrit dans la cellule apparait aussi dans la fenêtre au-dessus de la feuille de calcul.

Exemple

- On entre le nombre **5** dans la cellule **A1**. Puis, on écrit dans la cellule **B1** la formule **=A1*3+7** et on tape sur la touche « **Entrée** » du clavier.

« * » remplace le signe × et « / » remplace ÷.

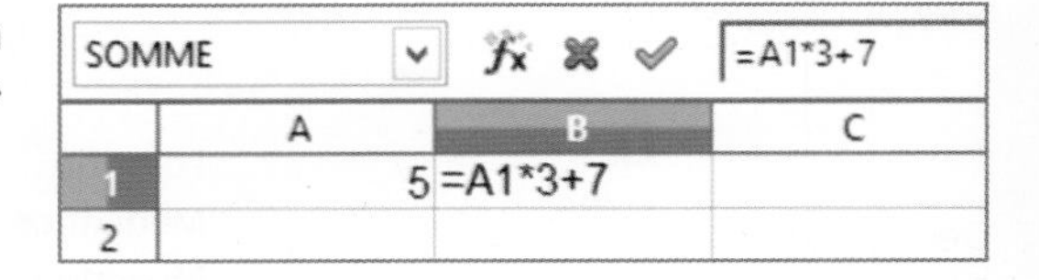

- Dans la cellule B1, s'affichera le résultat du calcul, soit 22, qui correspond à (nombre écrit dans A1) × 3 + 7.
- Si l'on entre dans la cellule A1 un autre nombre que 5, le calcul est refait automatiquement dans la cellule B1.

Recopier une formule vers le bas ou vers la droite

Pour reproduire les calculs effectués dans une cellule dans d'autres cellules, on peut utiliser la « poignée de recopie ».

- On clique sur la cellule qui contient la formule. Le petit carré noir en bas à droite de la cellule sélectionnée est **la poignée de recopie**.
- On clique sur la poignée de recopie et on tire vers le bas ou vers la droite en maintenant le bouton de la souris enfoncé.

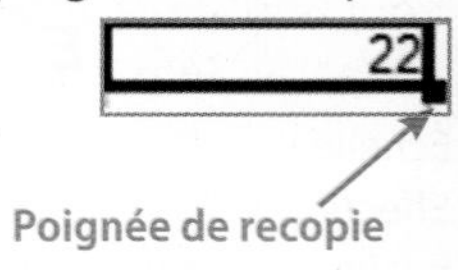

Poignée de recopie

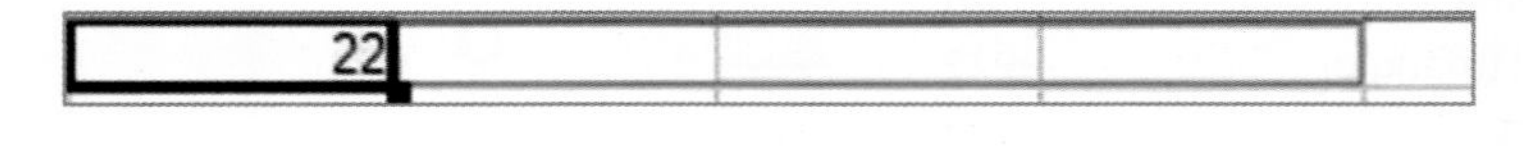

- On relâche la souris à la cellule souhaitée.

Exemple

Recopie vers le bas

- On remplit la colonne A.
- On saisit en B1 la formule **=A1*3+7**
- Lorsqu'on recopie la formule vers le bas, le numéro de ligne dans la formule est augmenté de 1.

	A	B
1	1	10
2	2	=A2*3+7
3	3	16

Recopie vers la droite

- On remplit la ligne 1.
- On saisit en B2 la formule **=B1*3+7**
- Lorsqu'on recopie la formule vers la droite, la lettre de la colonne dans la formule est augmentée de 1.

	A	B	C
1	1	2	3
2	10	=B1*3+7	16

Afficher une liste de nombres de 1 en 1 ou de 0,5 en 0,5...

Pour afficher la liste des nombres entiers de 1 à 50 :
- On écrit les deux premiers nombres de la liste.
- On sélectionne les deux cellules.
- On tire la poignée de recopie.

	A
1	1
2	2
3	
4	
5	

Calculer une fréquence

On a relevé dans la colonne A le résultat de 10 lancers de dé.
Pour calculer la fréquence de 1, il faut compter le nombre de fois que le nombre 1 apparait :
- On sélectionne la cellule dans laquelle le résultat apparaitra (C3 dans l'exemple ci-contre).
- On écrit la formule permettant de calculer l'effectif de 1 dans la plage de cellule allant de A1 jusqu'à A10 : **=NB.SI(A1:A10;1)**.

C3 =NB.SI(A1:A10;1)

	A	B	C	D
1	5			
2	4			
3	1		3	
4	5			
5	1			
6	2			
7	2			
8	1			
9	6			
10	3			

Cette formule compte combien il y a de « 1 » dans les cellules entre A1 et A10.

- On appuie sur la touche « Entrée ».
- Pour compter le nombre de valeurs supérieures ou égales à 4, on utiliserait la formule : =NB.SI(A1:A10 ;«>=4»).

Construire une représentation graphique d'une série statistique

Pour représenter graphiquement des données :

Étape 1 : Sélection des données

On clique sur la cellule en haut à gauche et on va jusqu'à celle située en bas à droite du rectangle. Puis on relâche la souris.

	A	B	C
1		Collège Jacques Prévert	Collège Jean Rostand
2	Internes	68	76
3	Externes	184	125
4	Demi-pensionnaires	312	484
5		564	685

Étape 2 : Choix du type de diagramme

Dans l'onglet « Insertion », on choisit « Diagramme » puis on choisit un type de diagramme.

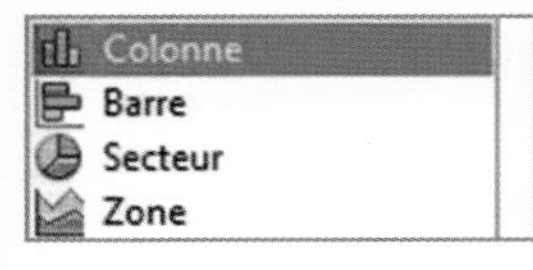

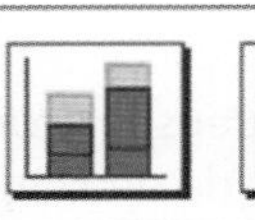

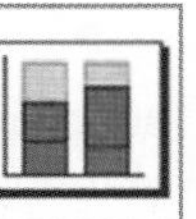

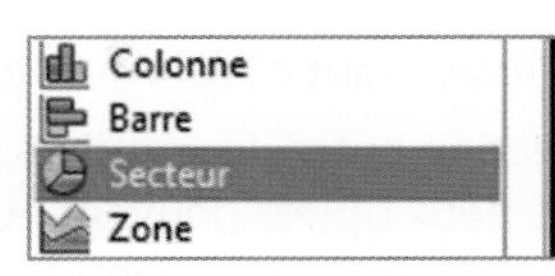

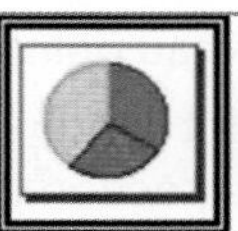

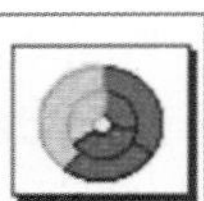

Afficher un nombre aléatoire compris entre 1 et *n*

Pour afficher un nombre aléatoire compris entre 1 et *n*.
- On sélectionne la cellule où le nombre doit apparaitre.
- On écrit dans cette cellule la formule : **=ALEA.ENTRE.BORNES(1;6)**.
- On appuie sur la touche « Entrée ».

Si tu veux un nombre aléatoire entre 1 et 100, il suffit de remplacer 6 par 100 dans la formule.

Logiciel de géométrie dynamique

Présentation du logiciel

GeoGebra est un logiciel de géométrie dynamique : il permet de tracer des figures et de les animer en déplaçant des points.

On peut choisir de cacher ou non les axes, la grille et la fenêtre Algèbre. Pour cela, dans le menu Affichage, cliquer sur le nom correspondant pour le cacher ou l'afficher.

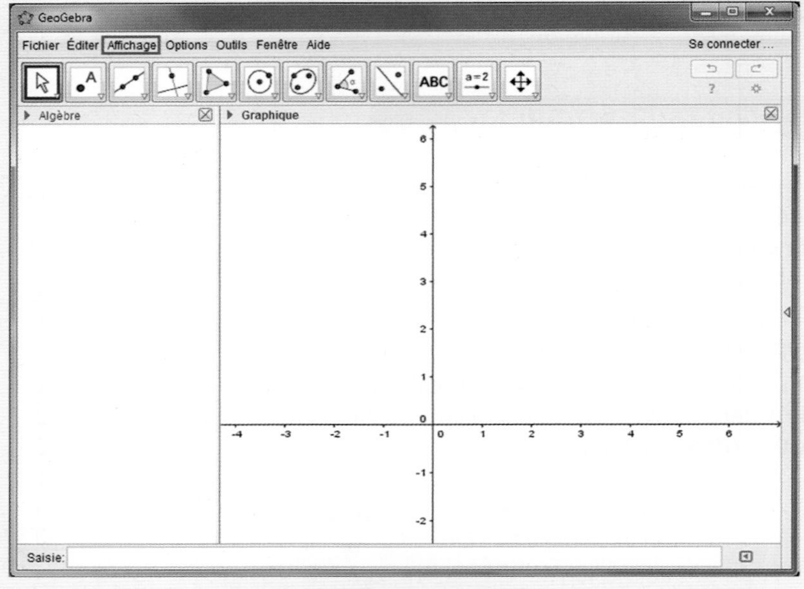

Les menus

- Lorsque l'on clique sur la petite flèche en bas à droite d'une icône, on accède à un sous-menu.

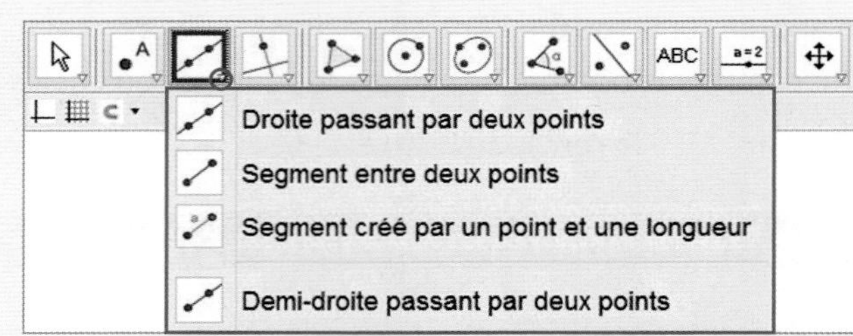

- En laissant le curseur sur une icône, on obtient l'aide pour utiliser la fonction sélectionnée.

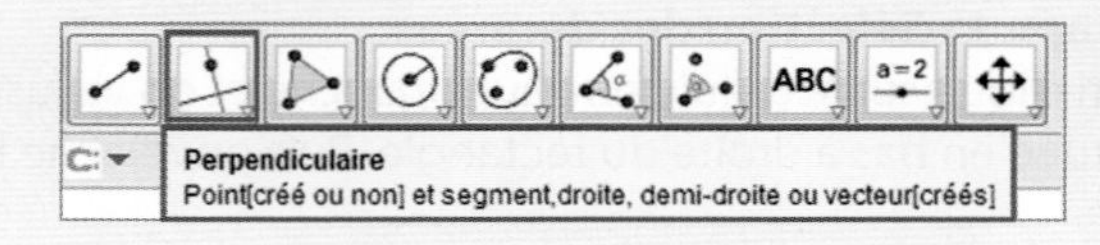

Tracer un point

- Pour créer un nouveau point libre, il faut cliquer sur l'icône.
- Pour définir un point d'intersection entre deux objets, il faut cliquer sur l'icône.
  Le(s) point(s) d'intersection de deux objets peuvent être obtenus de deux manières :
  – on sélectionne deux objets : tous les points d'intersection sont créés ;
  – on clique directement sur l'intersection de deux objets : seul cet unique point d'intersection est créé.

Tracer une droite, un segment, une demi-droite

Pour tracer une droite passant par deux points.

Pour tracer un segment entre deux points.

Pour tracer un segment dont on connait une extrémité et la longueur.

Pour tracer une demi-droite dont on connait l'origine et un point.

Achevé d'imprimer en Espagne par Macrolibros
Dépôt légal : Juin 2020 - Édition 11 - 40/8679/3

Tracer une droite particulière

Pour tracer la perpendiculaire à une droite passant par un point.

Pour tracer la parallèle à une droite passant par un point.

Pour tracer la médiatrice d'un segment.

Tracer un polygone

L'icône permet de construire un polygone.

Pour construire le triangle ABC :
- on clique sur A, sur B, sur C ;
- on clique à nouveau sur A pour fermer le triangle.

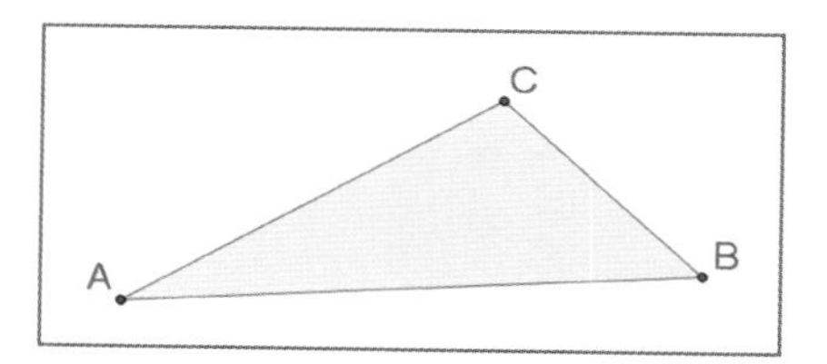

Tracer un cercle

- Pour construire **le cercle de centre A passant par B :**
  - on sélectionne dans le menu ;
  - on clique sur A puis sur B.

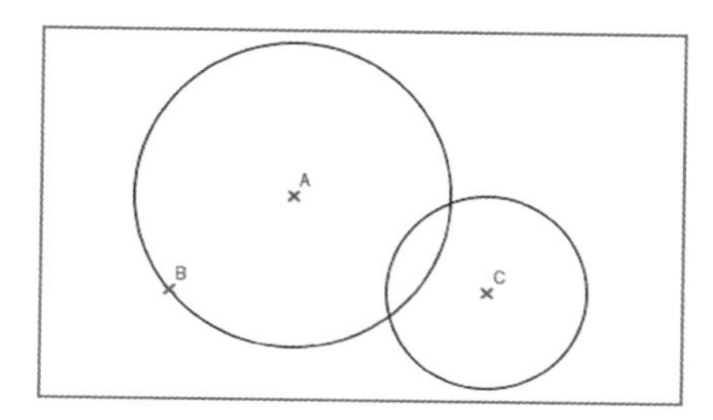

- Pour construire **le cercle de centre C et de rayon 1,3 cm** :
  - on sélectionne dans le menu ;
  - on clique sur C, puis on entre la valeur 1,3.

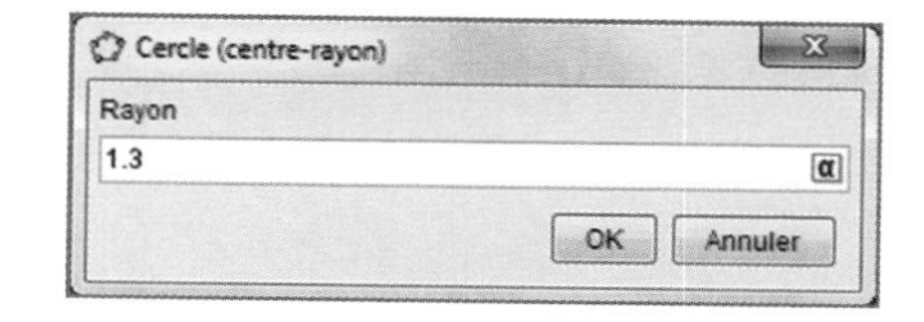

Tracer le symétrique d'un point

- Pour construire **le symétrique de A par rapport à la droite (d)** :
  - on sélectionne ;
  - on clique sur A, puis sur (d).
- Pour construire **le symétrique de A par rapport à O** :
  - on sélectionne ;
  - on clique sur A, puis sur O.

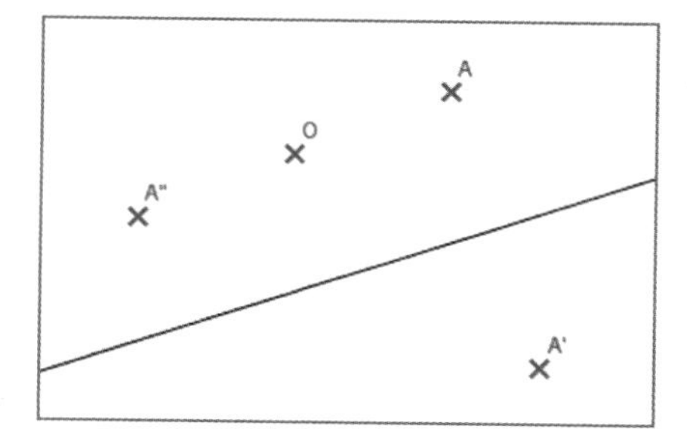

Mesurer un angle

Pour mesurer un angle :
- on sélectionne ;
- on clique sur les points en tournant dans le sens contraire des aiguilles d'une montre.

Dans l'exemple ci-contre, pour mesurer $\widehat{EOF}$, on clique sur F, puis sur O et enfin sur E.

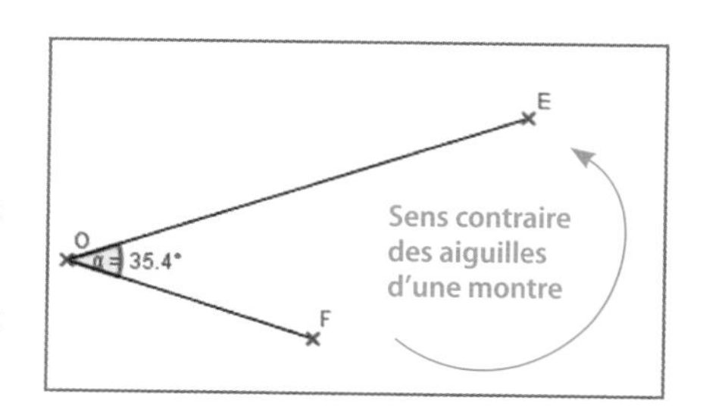

Calculatrice TI

TI-Collège Plus
Solaire

Pour naviguer dans les différents menus, utilise les flèches et valide avec la touche entrer

Supprimer le caractère qui est sous le curseur sur l'écran

Accéder aux fonctions en blanc

Écrire une fraction

Simplifier une fraction

Nombre π

ALLUMER / ÉTEINDRE

(–) Signe « – » devant un nombre négatif

Naviguer sur l'écran

Effacer le dernier calcul ou annuler la dernière commande

Diviser / Calculer le quotient et le reste de la division euclidienne de deux nombres entiers

Calculer avec les 4 opérations
Signe – de la soustraction

Passer de l'écriture fractionnaire à l'écriture décimale

Donner le résultat d'un calcul, valider une commande ou un choix

Choisir les modes adaptés

Pour afficher un résultat	Pour obtenir un arrondi	Pour simplifier une fraction	Pour afficher des calculs
NORM affiche le résultat sous forme décimale. **SCI** affiche le résultat en écriture scientifique.	**FLOTT** donne 9 chiffres après la virgules par défaut.	**SIMPMAN** permet de simplifier manuellement des fractions. **SIMPAUTO** simplifie automatiquement des fractions.	**AFFINATUREL** Les fractions, certains nombres et des expressions particulières sont écrits comme sur le papier.

Calculer une expression littérale pour une valeur donnée

Exemple Calculer l'expression $A = 2 \times x + 8$ pour $x = 5$ puis pour $x = 3$.

1. Stocker l'expression littérale dans op	2. Stocker 5 dans x	3. Lancer le calcul	4. Pour $x = 3$
2nde op (déf op) 2 × x + 8 entrer op=2×x+8	5 sto▸ x entrer 5→x 5	op 5→x 5 2×x+8 n=1 18 Donc pour $x = 5$, A = 18	3 sto▸ x entrer op 3→x 3 2×x+8 n=1 14